《食疗本草》辑校

【唐】孟诜 撰 【唐】张鼎 增补

尚志钧 辑校

北京科学技术出版社

本草古籍辑注丛书·第一辑

尚志钧/辑注

尚元胜 尚云飞/整理

尚元藕 任何/整理

2018年度国家古籍整理出版专项经费资助项目

尚志钧本草文献全集

尚志钧百年诞辰典藏

图书在版编目（CIP）数据

本草古籍辑注丛书．第一辑．《食疗本草》辑校／（唐）孟诜撰；（唐）张鼎增补；尚志钧辑校．—北京：北京科学技术出版社，2019．1
ISBN 978－7－5304－9987－0

Ⅰ．①本…　Ⅱ．①孟…②张…③尚…　Ⅲ．①本草－中医典籍－注释②食物本草　Ⅳ．①R281．3

中国版本图书馆 CIP 数据核字（2018）第 268275 号

本草古籍辑注丛书·第一辑．《食疗本草》辑校

辑　　校：尚志钧
策划编辑：侍　伟　白世敬
责任编辑：杨朝晖　张　洁　董桂红　白世敬　朱会兰　吴　丹
责任印制：张　良
责任校对：贾　荣
出 版 人：曾庆宇
出版发行：北京科学技术出版社
社　　址：北京西直门南大街 16 号
邮政编码：100035
电话传真：0086－10－66135495（总编室）
0086－10－66113227（发行部）
0086－10－66161952（发行部传真）
电子信箱：bjkj@bjkjpress.com
网　　址：www.bkydw.cn
经　　销：新华书店
印　　刷：北京七彩京通数码快印有限公司
开　　本：787mm×1092mm　1/16
字　　数：705 千字
印　　张：39.5
版　　次：2019 年 1 月第 1 版
印　　次：2019 年 1 月第 1 次印刷
ISBN 978－7－5304－9987－0/R·2542

定　　价：1080.00 元

前　言

《食疗本草》为唐代孟诜所著。《新唐书·艺文志·丙部子录·医术类》载孟诜《食疗本草》3卷。据范行准研究，《食疗本草》原为孟诜《补养方》3卷，后经张鼎增改，而易此名。《嘉祐本草·补注所引书传》云："《食疗本草》，唐同州刺史孟诜撰，张鼎又补其不足者八十九种，并归为二百二十七条，凡三卷。"

张鼎，史书无传，但《医心方》所载"膳玄子张"的文字与《证类本草》所引"《食疗》"的文字，几乎相同。疑"膳玄子张"，即张鼎的别名。

例如，《医心方》卷30"白粱米"条云："孟诜云：患胃虚并呕吐食水者，用米汁二合，生姜汁一合，和服之。膳玄子张云：除胸膈中客热，移易五脏气，续筋骨。"

《证类本草》卷25"白粱米"条云："白粱米，患胃虚并呕吐食及水者，用米汁二合，生姜汁一合，服之。性微寒，除胸膈中客热，移五脏气，续筋骨。"

比较《医心方》和《证类本草》所引"白粱米"条的文字，发现二者几乎全同。所不同者，对"白粱米"条文的后半段的"除胸膈中客热，移五脏气，续筋骨"13字，《医心方》注为"膳玄子张云"，但《证类本草》未注出。按，此13字原为张鼎所增。据此可知"膳玄子张"即张鼎。

《医心方》所引《食疗本草》资料中，标注"膳玄子张云"者如"荞麦"条、"柰"条等共有12条。此12条条文中所讲的"膳玄子张"，实即张鼎。《宋史·艺文志》载有脜玄子《安神养性方》1卷，疑其即张鼎之书。

在《证类本草》中，有些药物中所援引的《食疗本草》资料内容相同，但由于援引人的不同，所标注出处名称各异。

例如，《证类本草》卷19“燕屎”条，掌禹锡引“孟诜”云：“石燕在乳穴石洞中者，冬月采之，堪食。”同书卷5“石燕”条，唐慎微所引与此文全同，但注出处为“《食疗》”。又如，《证类本草》卷13“桑根白皮”条掌禹锡引“孟诜”云：“菌子，寒。发五脏风，壅经脉，动痔病，令人昏昏多睡，背博、四肢无力。”同书卷10“雚菌”条唐慎微所引与此全同，但标出处为“《食疗》”。类似例子很多。所以《证类本草》中同一个《食疗本草》资料，掌禹锡所引注出处为“孟诜”，而唐慎微所引注出处为“《食疗》”。

张鼎别名为脜玄子张，张鼎在孟诜《补养方》中增加资料后，即将书名改为《食疗本草》。《证类本草》援引此等资料时，或注“孟诜云”，或注“《食疗》云”，对张鼎所增补的部分，并不注明“张鼎云”。但《医心方》援引此等资料时，对孟诜《补养方》内容注“孟诜云”，对张鼎增的内容注“脜玄子张云”。（例子见前“白粱米”条）

《证类本草》和《医心方》两书所引《食疗本草》资料，虽然标注出处各异，但内容全同。

《证类本草》和《医心方》两书所引《食疗本草》资料，都是节略文。持以敦煌出土的残卷本《食疗本草》核之，发现其皆不及残卷本《食疗本草》中条文完整。

敦煌出土的残卷本《食疗本草》于1907年为英国人斯坦因所劫，今藏于英国国家博物馆，编有斯氏号码76号。残卷本《食疗本草》每行20余字，朱、墨分书。始于“石榴”条后半，终于“芋”条前半，其间存录有石榴、木瓜等26种药。残卷背面有陈鲁佾等牒状，牒文有“长兴五年正月一日行首陈鲁佾牒”。

“长兴”是五代十国时后唐明宗李嗣源年号。李嗣源死于长兴四年（933）。其死后，李从厚继位，于次年正月改为应顺元年（934），所以无“长兴五年”。因为后唐之都洛阳，离敦煌远，信息难通。“长兴四年”虽终止，而敦煌仍袭旧历，故书“长兴五年”。

残卷本《食疗本草》药名及分隔点是朱书，附方前的“又”“又方”亦朱书，每药条文记有药性、主治、功用、禁忌、附方，且有些条文还记有药物形态。部分药物条文被“案经”2字分割为两段。“案经”的“案”字前标有朱点。“案经”

后的文字为张鼎增补之文。

残卷本《食疗本草》中药物的药性，被用小字注在药名之下，计有寒、冷、温、平四性。其中无五味的记载。

但《证类本草》所引《食疗本草》药物的药性要复杂些，如其中寒有微寒、寒、大寒3种，温有微温、温、热3种。

本书附方很多。敦煌残卷本《食疗本草》所存26种药，每种药下均有附方，少则一方，多则数方。

《食疗本草》佚文中，常见到的其引录的书名，有《食禁》《本草》《淮南术方》《洞神经》《灵宝五符经》《神通目法》《北帝摄鬼录》《龙鱼河图》等。其中道家书较多。盖与张鼎受道家影响有关。张鼎的号——脴玄子，像道家名号。

《食疗本草》是唐代比较齐全的一部营养学和食疗专著。该书所收罗的药物中，有很多被宋代《开宝本草》《嘉祐本草》录为正品药物。

由于《食疗本草》是唐代食疗一类的名著，所以其对于研究饮食疗法发展史，有重要的参考价值。例如，其中收罗的鲈鱼、鳜鱼、石首鱼、菠菜等，是首次被记载于本草文献中。

关于本书校辑考异若干问题，详见下文辑校说明。

尚志钧

1975年11月于芜湖

辑校说明

（一）本书书名，以掌禹锡《嘉祐本草·补注所引书传》所引“《食疗本草》”为正名，题孟诜撰，张鼎增补。

《新唐书·艺文志》《宋史·艺文志》作“孟诜《食疗本草》”。

《通志·艺文略》《日本国见在书目》《东医宝鉴》作“《食疗本草》，孟诜撰”。

《本草拾遗》引作“张鼎”“张鼎《食疗》”。

《本草和名》《和名抄引用汉籍》《医心方》皆引作“孟诜”“孟诜《食经》”。

《医心方》又引作“膳玄子张”及“膳玄子张《食经》”。

《本草纲目·历代诸家本草》引作“《食疗本草》”。但其在各卷药物条文内引《食疗本草》时，所标注文献出处名称各异，计有：“孟诜”“孟诜《食疗》”“孟诜《食疗本草》”“张鼎”“张鼎《食疗》”“张鼎《食疗本草》”。

近人范行准《医方简录》题作“《食疗本草》三卷”，并注云：“又有孟诜《补养方》三卷，张鼎增改而易此名，倭抄作《食经》或《食疗经》，题孟诜、张鼎撰。”

（二）本书药物名称，以 1957 年人民卫生出版社影印本《重修政和经史备用本草》所引本书条文为依据；与现代通用药物名称不同者，亦不改。

（三）本书收录药物 291 条。这与《嘉祐本草·补注所引书传》所载《食疗本草》有 227 条不符。这种数字之不符，与各书对药条的合并或分列有关。如残卷本

《食疗本草》“甜瓜”条并有“瓜蒂”条，而《证类本草》将“甜瓜”“瓜蒂”分为两条。又如，《证类本草》“木瓜”条并有“楂子”条，“藕条”并有“莲子”条，“通草”条并有“燕覆子”条，但残卷本《食疗本草》将“楂子”条、“莲子”条、“燕覆子”条拨出而独立成条。这种分条、并条，使药物总数发生了变化。

（四）本书药物分类。本书由于久佚，无目录可据。残卷本《食疗本草》仅存果部药物26种。据此推测，全书应有米谷、蔬菜草木、果实、禽兽、虫鱼等类。参考孙思邈《千金方·食治》分类，本书暂分为3卷。米谷、蔬菜部一卷，草木、果实部一卷，禽兽、虫鱼部一卷。各部药物按《唐本草》药物目次排列。

（五）本书以收罗佚文为主，不敢妄加连缀，以供读者重新研究参考。妄加连缀，未必符合原书旨义，甚至造成以讹传讹。本书所提供素材，未必齐全。待他日获得更多出土资料，重新连缀，庶几更接近原书。

（六）诸书所存佚文互有差异。对各书所存佚文相互勘比，发现对同一药物，诸书所引资料，无一条全同。各书引文时，或节录，或删改，或损益，或化裁，加上传抄的脱漏、讹误，各书中每个药物佚文存在很大分歧与差异。越是后出的佚文，与原文差异越大。盖早出者，可信程度大；晚出者，可信程度小。即《本草纲目》引文不及《证类本草》引文可信，《证类本草》引文不及《医心方》可信，《医心方》引文不及残卷本《食疗本草》可信。

（七）同一药物下各书所存佚文很少完全相同。其文字都有不同程度差异，本书即予以并存。

（八）本书所摘录佚文，按所引书年代次序排列。每条佚文，按现存文献出现年代次序排列，早出者列在前，晚出者列于后。一般按敦煌出土残卷本《食疗本草》、《本草拾遗》《本草和名》《医心方》《证类本草》《本草纲目》等次序排列。

（九）各书援引《食疗本草》资料时，所标注出处名称各不相同，或注“诜曰”，或注“孟诜”，或注“孟诜《食经》”，或注“鼎曰”，或注“张鼎”，或注“张鼎《食疗》”，或注“张鼎《食疗本草》”，或注“《食疗》方”，或注“脴玄子张”，或注“脴玄子张《食经》”，等等。

本书摘录《食疗本草》佚文时，先将某书所标注的出处名称，冠于佚文之首，再将某书名加中括号，列在其后。

例如，《医心方》263页引有“孟诜《食经》消渴方，麻子一升捣……五日即愈”。文中“孟诜《食经》”为《医心方》引文所标注的出处名。本书摘录如下。

孟诜《食经》[《医心方》引]：麻子，治消渴。麻子一升捣……五日即愈。

《证类本草》中掌禹锡所引《食疗本草》多注出处为“孟诜”。本书在所辑佚文开头冠以“孟诜[掌氏引]”。

《证类本草》中唐慎微所引《食疗本草》多注出处为“《食疗》”。本书在所辑佚文开头冠以“《食疗》[唐氏引]”。

《本草纲目》卷39“蜂蜜”条“附方”云：“大风癞疮。取白蜜一斤……不能一一具之。《食疗》方。”本书摘录如下。

《食疗》方[《纲目》引]：大风癞疮。取白蜜一斤……不能一一具之。

又如，《本草纲目》卷27“马齿苋”条“附方”有“腹中白虫，马齿苋……少顷，白虫尽出。孟诜《食疗》”。本书摘录体例如下。

孟诜《食疗》[《纲目》引]：腹中白虫，马齿苋……少顷，肉虫尽出。

（十）每药下所录各条佚文，均注明文献出处。

（十一）每药后附有辑校文注释。注释内容包括药物品种、基源，各条文之间明显的差异，条文中古词、古名物、古地名、病名等的简释。各个注释编有序码，列于各药条文之后。

（十二）辑文所据的参考书版本及简称介绍如下。

1. 残卷本《食疗本草》：简称残卷本《食疗》。1907年敦煌出土残卷本《食疗本草》影印本。其原件为斯坦因所掠。现存于英国国家博物馆。馆藏编号为斯氏76号（SteinRolls No. 76）。

2.《本草和名》：918年日本深江辅仁编。日本宽政八年（1796）日本丹波元简校刊本。日本大正十五年（1926）日本东京古典全集刊行会铅印日本丹波元简刻本。

3.《医心方》：982年，日本天元五年丹波康赖撰，1955年人民卫生出版社影印。

4.《证类本草》：简称《证类》。宋·唐慎微撰《重修政和经史证类备用本草》，1957年人民卫生出版社影印本。

5.《大观本草》：简称《大观》。宋·唐慎微撰，艾晟增订《经史证类大观本草》，清光绪三十年（1904）柯逢时影刻宋本。

6.《本草衍义》：宋·寇宗奭撰，1957年上海商务印书馆铅印本。

7.《本草纲目》：简称《纲目》。明·李时珍撰。1957年人民卫生出版社据清光绪十一年合肥张绍棠刊本影印之本。

编校说明

（一）本书为尚志钧先生辑注的本草古籍。本次整理以尚志钧先生已出版的图书《食疗本草（考异本）》为基础书稿。

（二）尚志钧先生原书为简化字本，本次亦用简化字编排。对书稿进行编辑加工时，主要依据国家语言文字工作委员会文字规范文件（《简化字总表》《异体字整理表》等）的规定以及《汉语大字典》的相关释义，在不影响原义的情况下，将书稿中的繁体字、异体字、通假字等改为现行规范字。但对以下情况做变通或特别处理。

1. 简化字可能使字义淆错或不明晰的，不予简化。如中医病名“癥瘕”之“癥”不简化为“症”。

2.《异体字整理表》等归并不当或关系有歧见的异体字，不做简单归并。如《异体字整理表》将“剉”并入“锉”，但中草药切制古只作“剉”，与“锉”使用的工具、加工的方式与结果都不相同，故不予归并；“鱓”与“鼍”“鳝”2字有关，不易确定古书中的指向，故保留原字。

3. 本书药名以《证类本草》所引为依据，《证类本草》未载者以《医心方》所引为依据。

4. 尚志钧先生摘录古籍药名时尊重古籍文字原貌，所写药名与现代规范药名不同者，也不做改动。

5. 书中条文因所引书不同，在用字上或有不同（如“暴干”与“曝干”），为尊重古籍原貌不予改动。

（三）对于书稿中的明显的错别字以及常识性错误，编加时直接予以改正，不予出注。

（四）为方便读者阅读，古籍卷页均以阿拉伯数字表示。（如卷 23 页 76，卷 987 页 3 等）

（五）本书涉及诸多古籍，为方便阅读，对部分本草古籍使用简称。（如《本草纲目》简称为《纲目》，《证类本草》简称为《证类》，《名医别录》简称为《别录》等）

（六）为方便查找及统计，尊重并保留原书对古籍药物条文添加的编号。

在本书的编辑整理过程中，得到了尚志钧先生弟子郑金生研究员以及国内多位中医文献学者、古籍出版专家的悉心指教。由于本书体量巨大，且出版时间紧促，编辑水平有限，疏漏谬误，恐所难免，欢迎广大读者批评指正，以期再版更正。

目 录

《食疗本草》(考异本)

兽禽虫鱼部　卷第三 ······ 145

附篇 I 《食性本草》(考异本)

附篇Ⅱ 《食医心镜》(重辑本)

附篇Ⅲ　《食医心镜》(续集)

《食疗本草》（考异本）

米谷蔬菜部　卷第一

1　胡麻

《食疗》［唐氏引］：胡麻[1]，润五脏，主火灼。山田种，为四棱，土地有异，功力同[2]。休粮人重之。填骨髓，补虚气。

《食疗》［《纲目》引］：胡麻，亦名油麻。

孟诜［《纲目》引］：胡麻，沃地种者八棱，山田种者四棱，土地有异，功力则同。

（《大观》卷24页1，《证类》页481，《纲目》页1101）

【校注】

［1］**胡麻**　即黑芝麻。为胡麻科植物芝麻。《本草衍义》云："胡麻是今脂麻，盖其种出大宛，故言胡麻，其色紫黑。"

［2］**山田种，为四棱，土地有异，功力同**　《纲目》引"诜曰"化裁为"沃地种者八棱，山田种者四棱，土地有异，功力则同。"

《唐本草》注云："此麻以角作八棱者为巨胜，四棱者名胡麻。"

《日华子本草》（简称《日华子》）云："胡麻，补中益气，养五脏，治劳气，产后羸困，耐寒暑，止心惊。子，利大小便，催生落胞，逐风温气、游风、头风，补肺气，润五脏，填精髓。细研涂发令长。白蜜蒸为丸服，治百病。叶作汤沐润毛发，滑皮肤，益血色。"

2　青蘘

《食疗》［唐氏引］：青蘘[1]，生杵汁，沐头发良[2]。牛伤热亦灌之，立愈。

（《大观》卷24页3，《证类》页482，《纲目》页1101）

【校注】

［1］**青蘘**　为胡麻科植物芝麻的叶。《神农本草经》（简称《本经》）云："胡麻，叶名青蘘。"又云："青蘘，巨胜苗也。"

［2］**沐头发良**　《大观》作"沐发良"。陶弘景云："胡麻叶，甚肥滑，亦可以沐头。"《日华子》云："胡麻叶作汤沐，润毛发，滑皮肤，益血色。"

3　胡麻油

《食疗》［唐氏引］：胡麻油[1]，主喑哑，涂之生毛发[2]。

孟诜［《纲目》引］：胡麻油，主喑哑，杀五黄，下三焦热毒气，通大小肠，治蛔心痛。傅一切恶疮疥癣，杀一切虫。取一合，和鸡子两颗，芒硝一两，搅服。少时，即泻下热毒。甚良[3]。

（《大观》卷24页6，《证类》页483，《纲目》页1101）

【校注】

［1］**胡麻油**　为胡麻科植物芝麻的油。

［2］**涂之生毛发**　《名医别录》（简称《别录》）云："胡麻油，生者摩疮肺，生秃发。"《药性论》云："胡麻生油涂头，生毛发。"

［3］**胡麻油，主喑哑，杀五黄……甚良**　原为《嘉祐本草》新增药"白油麻"条的文字，《纲目》节录并移之于"胡麻油"条内。

4　白油麻

《食疗》［唐氏引］：白油麻[1]，大寒，无毒。治虚劳，滑肠胃，行风气，通血脉，去头浮风，润肌。食后生啖一合，终身不辍。与乳母食，其孩子永不病生。若客热，可作饮汁服之。停久者，发霍乱[2]。又，生嚼傅小儿头上诸疮良。久食抽人肌肉，生则寒，炒则热。

又，叶，捣和浆水，绞去滓，沐发，去风润发。

其油，冷。常食所用也。无毒，发冷疾，滑骨髓，发脏腑渴，困脾脏，杀五黄，下三焦热毒气，通大小肠，治蛔心痛，傅一切疮疥癣，杀一切虫。取油一合，鸡子两颗，芒硝一两，搅服之，少时即泻，治热毒甚良[3]。治饮食物，须逐日熬熟用，经宿即动气。有牙齿并脾胃疾人，切不可吃。陈者煎膏，生肌长肉，止痛，消痈肿，补皮裂。

孟诜［《纲目》引］：白油麻，治虚劳，滑肠胃，行风气，通血脉，去头上浮风，润肌肉。食后生啖一合，终身勿辍。又与乳母服之，孩子永不生病。客热，可作饮汁服之。生嚼，傅小儿头上诸疮，良。

久食抽人肌肉。其汁停久者，饮之发霍乱。

（《大观》卷24页6，《证类》页484，《纲目》页1101）

【校注】

［1］**白油麻**　为胡麻科植物白芝麻。本条末，《大观》《证类》注云："新补见孟诜及陈藏器、陈士良、《日华子》"，说明本条是《嘉祐本草》糅合四家文字而成。

［2］**停久者，发霍乱**　《纲目》引"孟诜"作"其汁停久者，饮之发霍乱"。

［3］**杀五黄……治热毒甚良**　以上51字，《纲目》将之拨出，并移在"胡麻油"条下，注出处为"孟诜"。

5　麻子

孟诜《食经》［《医心方》引］：麻子[1]，治消渴，麻子一升，捣，水三升，煮三四沸，去滓，冷服半升，日三，五日即愈。

《食疗》［唐氏引］：麻子，微寒。治大小便不通，发落，破血，不饥，能寒。取汁煮粥，去五脏风，润肺，治关节不通，发落，通血脉，治气。

青叶，甚长发。研麻子汁，沐发即生长。

麻子一升，白羊脂七两，蜡五两，白蜜一合，和杵，蒸食之，不饥。

《洞神经》又取大麻，日中服子末三升；东行茱萸根剉八升，渍之。平旦服之二升，至夜虫下。

要见鬼者，取生麻子，菖蒲、鬼臼等分杵为丸，弹子大。每朝向日服一丸。服满百日即见鬼也。

孟诜［《纲目》引］：大麻仁，微寒。取汁煮粥，去五脏风，润肺，治关节不通，发落。

要见鬼者，取生麻子、菖蒲、鬼臼等分，杵丸弹子大。每朝向日服一丸，满百日即见鬼也。

《食疗》［《纲目》引］：服食法：麻子仁一升，白羊脂七两，蜜蜡五两，白蜜一合，和杵，蒸食之，不饥耐老。腹中虫病：大麻子仁三升，东行茱萸根八升，渍水。平旦服二升，至夜虫下。

（《大观》卷24页6，《证类》页482，《纲目》页1106，《医心方》页263）

【校注】

［1］**麻子** 为桑科植物大麻的种子。《本经》"麻子"条并在"麻蕡"条中，并云："麻蕡，味辛，平。麻子，味甘，平。"《别录》云："麻蕡有毒，麻子无毒。"《纲目》云："麻蕡当是麻子连壳者，壳有毒，而仁无毒。"《食性本草》《日华子》称之为大麻。陈士良云："大麻仁，主肺脏，润五脏，利大小便，疏风气。不宜多食，损血脉，滑精气，痿阳气。妇人多食发带疾。"《日华子》云："大麻，补虚劳，逐一切风气，长肌肉，益毛发，去皮肤顽痹，下水气及下乳，止消渴，催生，治横逆产。"

6 大豆

孟诜［《医心方》引］：大豆[1]，初服时似身重，一年之后，便身轻[2]。益阳事[3]。又，煮饮服之，去一切毒气，又，生捣和饮，疗一切毒，服、涂之。

孟诜［掌氏引］：大豆，寒。和饭捣涂一切毒肿。疗男女阴肿，以绵裹纳之。杀诸药毒。谨案：煮饮服之，去一切毒气，除胃中热痹，肠中淋露，下淋血，散五脏结积内寒。和桑柴灰汁煮服，下水鼓腹胀。其豆黄，主湿痹膝痛，五脏不足气，胃气结积，益气，润肌肤。末之收成，炼猪膏为丸，服之能肥健人。又，卒失音，生大豆一升，青竹筭子[4]四十九枚，长四寸，阔一分，和水煮熟，日夜二服，差。又，每食后，净磨拭，吞鸡子大，令人长生。初服时似身重，一年以后，便觉身轻。又益阳道[5]。

《食疗》［唐氏引］：大豆，微寒。主中风脚弱，产后诸疾。若和甘草煮汤饮之，去一切热毒气。善治风毒脚气，煮食之，主心痛，筋挛，膝痛，胀满。杀乌头、附子毒。大豆黄屑忌猪肉。小儿不得与炒豆食之。若食了，勿食猪肉，从必壅气致死，十有八九。十岁以上不畏也。

孟诜［《纲目》引］：大豆，主中风脚弱，产后诸疾。同甘草煮汤饮，去一切热毒气，治风毒脚气。煮食，治心痛，筋挛膝痛胀满。同桑柴灰汁煮食，下水鼓腹胀。和饭捣，涂一切毒肿。疗男女阴肿，以绵裹纳之。

大豆黄屑忌猪肉。小儿以炒豆、猪肉同食，必壅气致死，十有八九。十岁以上不畏也。

卒然失音。用生大豆一升，青竹筭子四十九枚，长四寸，阔一分，水煮熟，日夜二服差。

（《大观》卷25页1，《证类》页486，《纲目》页1136，《医心方》页688）

【校注】

[1] **大豆** 指豆科植物黑大豆。《本草图经》云："大豆有黑、白二种，入药用黑者。"

[2] **一年之后，便身轻** 掌氏引"孟诜"作"一年以后，便觉身轻"。

[3] **益阳事** 掌氏引"孟诜"作"益阳道"。

[4] **青竹筭子** 筭为古代计数筹码。

[5] **每食后……又益阳道** 以上32字，《纲目》"大豆"条"发明"项下引之，注出处为"甄权曰"。"甄权"即《药性论》作者。实属误注。

7 豆黄

孟诜［《纲目》引］：豆黄[1]主湿痹膝痛，五脏不足气，胃气结积，壮气力，润肌肤，益颜色，填骨髓，补虚损，能食，肥健人。以炼猪脂和丸，每服百丸，神验秘方也。肥人勿服。忌猪肉。（本条原为掌氏所引"孟诜"文）

（《纲目》页1149，《大观》卷25页1，《证类》页486）

【校注】

[1] **豆黄** 《纲目》卷25立"豆黄"一条。其"校正"云："原附大豆下，今分出。"其"释名"下李时珍曰："造法：用黑豆一斗蒸熟，铺席上，以蒿覆之，如盦酱法，待上黄，取出晒干，捣末收用。"

8 大豆黄卷

《食疗》［唐氏引］：大豆黄卷[1]蘖长五分者，破妇人恶血，良。

孟诜［《纲目》引］：大豆黄卷，破妇人恶血。

（《大观》卷25页4，《证类》页487，《纲目》页1237）

【校注】

[1] **大豆黄卷** 为豆科植物大豆的种子发芽后晒干而成。

《唐本草》注云："以大豆为蘖芽，生便干之，名为黄卷。"

《食医心镜》云："大豆黄卷，理久风湿痹，筋挛膝痛，除五脏胃气结聚，益气，止毒，去黑痣面皯，润皮毛。宜取大豆黄卷一升，熬令香，为末，空心暖酒下一匙。"

9 豉

孟诜［掌氏引］：豉[1]，能治久盗汗患者，以二升[2]微炒令香，清酒三升渍。满三日取汁，冷暖任人服之，不差，更作三两剂即止。

《食疗》［唐氏引］：豉，陕府豉汁[3]甚胜于常豉。以大豆为黄蒸[4]，每一斗，加盐四升，椒四两，春三日，夏二日，冬五日即成。半熟，加生姜五两，既洁且精，胜埋于马粪中。黄蒸，以好豉心[5]代之。

孟诜［《纲目》引］：豉，陕府豉汁，甚胜常豉。其法：以大豆为黄蒸，每一斗，加盐四升，椒四两，春三日，夏二日，冬五日即成。半熟加生姜五两，既洁净且精也。

盗汗不止，以豉一升微炒香，清酒三升渍三日，取汁冷暖任服。不差更作，三两剂即止。

（《大观》卷25页16，《证类》页493，《纲目》页1147）

【校注】

［1］**豉** 为豆科植物大豆的发酵加工品。

［2］**二升** 《证类》作“一升”，《大观》作“二升”。

［3］**陕府豉汁** 指山西永济地区所产的豉汁。《本草拾遗》云：“陕州豉汁，亦除烦热。”

［4］**黄蒸** 《唐本草》注云：“黄蒸，磨小麦粉拌水和成饼，麻叶裹，待上黄衣，取晒。”

［5］**豉心** 《纲目》云：“其豉心乃合豉时取其中心者，非剥皮取心也。”

10 赤小豆

孟诜［《医心方》引］：赤小豆[1]，止痢。

孟诜《食经》［《医心方》引］：治毒肿，末赤小豆和鸡子白，薄之，立差。治风搔隐疹，煮赤小豆取汁，停冷，洗。又，治中风隐疹疮，煮赤小豆，取汁停冷洗之，不过三四。

《食疗》［唐氏引］：赤小豆和鲤鱼烂煮食之[2]，甚治脚气及大腹水肿。别有诸治，具在鱼条中。散气，去关节烦热。令人心孔开，止小便数。菉、赤者并可食。

暴痢后，气满不能食，煮一顿服之即愈。

孟诜［《纲目》引］：赤小豆，散气，去关节烦热，令人心孔开。暴痢后，气满不能食者，煮食一顿即愈。和鲤鱼煮食，甚治脚气。

（《大观》卷25页3，《纲目》页1138，《证类》页487，《医心方》页97、246、358）

【校注】

［1］**赤小豆**　为豆科植物赤小豆。

《药性论》云："赤小豆，使，味甘。能消热毒痈肿，散恶血不尽，烦满，治水肿，皮肌胀满。捣薄涂痈肿上，主小儿急黄烂疮。取汁令洗之，不过三度差。能令人美食。末与鸡子白调，涂热毒痈肿差。通气，健脾胃。"

［2］**和鲤鱼烂煮食之**　《纲目》引"诜曰"作"和鲤鱼煮食"。

《食医心镜》云："赤小豆理脚肿满转上入腹杀人。豆一升，水五升，煮令极熟，去豆，适寒温浸脚，冷即重暖之。又方主小便数。小豆叶一斤，于豉汁中煮，调和作羹食之，煮粥亦佳。"

11　青小豆

孟诜［《医心方》引］：青小豆[1]，寒。疗热中，消渴，止痢，下胀满。

（《医心方》页688，《千金方》页470，《纲目》页1142）

【校注】

［1］**青小豆**　《纲目》视其为豌豆异名。按，豌豆为豆科植物豌豆。《千金方·食治》云："青小豆，味甘、咸，温，平，涩，无毒。主寒热，热中消渴，止泄痢，利小便，除吐逆卒澼，下腹胀满。一名麻累，一名胡豆。黄帝云：青小豆合鲤鱼鲊食之，令人干，至五年成干痟病。"

从主治功用看，孟诜所云青小豆和《千金方·食治》所云青小豆，功用相同。但从性味看，孟诜所云青小豆寒，而《千金方·食治》所云青小豆温，二者性味异。

12　绿豆

孟诜［掌氏引］：绿豆[1]，平。诸食法，作饼炙食之佳。

谨案：补益，和五脏[2]，安精神，行十二经脉。此最为良。今人食，皆挞去皮，即有少壅气[3]。若愈病，须和皮，故不可去。

又，研汁煮饮服之，治消渴[4]。

又，去浮风，益气力，润皮肉。可长食之[5]。

孟诜［《纲目》引］：绿豆，补益元气，和调五脏，安精神，行十二经脉，去浮风，润皮肤，宜常食之。煮汁，止消渴。

（《大观》卷25页17，《证类》页494，《纲目》页1140）

【校注】

[1] **绿豆** 为豆科植物绿豆。《开宝本草》云："用之勿去皮，令人小壅，皮寒肉平。圆小绿者佳。"《纲目》云："绿豆，旧本作菉者，非矣。"又《大观》作"豆苗"。

[2] **补益，和五脏** 《纲目》化裁为"补益元气，和调五脏"。

[3] **少壅气** 《大观》作"少许气"。

[4] **研汁煮饮服之，治消渴** 《纲目》化裁为"煮汁，止消渴"。

[5] **润皮肉。可长食之** 《纲目》化裁为"润皮肤，宜常食之"。

13 白豆

孟诜［掌氏引］：白豆[1]，平，无毒。补五脏，益中，助十二经脉，调中[2]，暖肠胃[3]。叶，利五脏，下气[4]。嫩者可作菜食，生食之亦妙[5]。可常食。

孟诜［《纲目》引］：白豆，补五脏，调中，助十二经脉。白豆苗，嫩者可作菜食，生食亦妙。

（《大观》卷25页17，《证类》页494，《纲目》页1142）

【校注】

[1] **白豆** 为豆科植物饭豇豆。《大观》《证类》在本条注云："新补见孟诜及《日华子》"这说明本条由掌氏糅合两家文字而成。

[2] **助十二经脉，调中** 《纲目》注出处为"孟诜"，并将之化裁为"调中，助十二经脉"。又，"调中"，《大观》作"调和"。

[3] **暖肠胃** 《纲目》注出处为"《日华》"。

[4] **叶，利五脏，下气** 《纲目》注出处为"《日华》"，并将之化裁为"叶煮食，利五脏，下气"。

[5] **嫩者可作菜食，生食之亦妙** 《纲目》引"诜曰"，并将之化裁为"白豆苗，嫩者可作菜食，生食亦妙"。又，"妙"，《证类》作"佳"。

14 藊豆

孟诜［掌氏引］：藊豆[1]，疗霍乱吐痢不止，末和醋服之，下气。又，吐痢后转筋，生捣叶一把，以少酢浸汁服之，立差[2]。

其豆如绿豆，饼食亦可。

孟诜［《医心方》引］：藊豆，平。主霍乱、吐逆。

《食疗》［唐氏引］：藊豆，微寒，主呕逆，久食头不白。患冷气人勿食[3]。其叶治瘕，和醋煮[4]。理转筋，叶汁醋服效。

孟诜［《纲目》引］：藊豆，微寒。补五脏，主呕逆。久服头不白。患冷人勿食。

叶，醋炙研服，治瘕疾。

（《大观》卷25页15，《证类》页493，《纲目》页1144）

【校注】

［1］**藊豆** 为豆科植物白藊豆。

《本草图经》云："藊豆，人家多种于篱援间，蔓延而上，大叶细花，花有紫、白二色，荚生花下。其实亦有黑、白二种，白者温而黑者小冷，入药当用白者。主行风气，女子带下，兼杀一切草木及酒毒，亦解河豚毒。花亦主女子赤白下，干末米饮和服。叶主吐痢后转筋，生捣，研以少酢，浸取汁饮之，立止。黑色者亦名鹊豆，以其黑间而有白道如鹊羽耳。"

［2］**生捣叶一把……立差** 《纲目》引"苏恭"文，并将之化裁为"生捣一把，入少酢绞汁服，立差"。按，《唐本草》卷19"藊豆"条无此文。《大观》《证类》"藊豆"条，掌氏所引"孟诜云"有此文。盖《纲目》误注"孟诜"为"苏恭"。

［3］**患冷气人勿食** 《纲目》引"诜曰"，并将之化裁为"患冷人勿食"。

［4］**其叶治瘕，和醋煮** 《纲目》引"孟诜"文，并将之化裁为"叶，醋炙研服，治瘕疾"。

15 大麦

孟诜［《医心方》引］：大麦[1]，暴食之令脚弱。久服即好，甚宜人。

孟诜［掌氏引］：大麦[2]，久食之，头发不白。和针砂、没石子等染发黑色。

暴食之，亦稍似脚弱，为下气及腰肾间气故也。久服甚宜人。

熟即益人，带生即冷，损人[3]。

孟诜［《纲目》引］：大麦，暴食似脚弱，为下气故也。久服宜人。熟则有益，带生则冷而损人。石蜜为之使。

大麦久食，头发不白。和针砂、没石子等，染发黑色。

（《大观》卷25页13，《证类》页492，《纲目》页1112，《医心方》页689）

【校注】

［1］**大麦** 为禾本科植物大麦种子。

《唐本草》注云："大麦出关中，即青稞麦是。形似小麦而大，皮厚，故谓大麦，殊不似穬麦也。大麦面，平胃，止渴，消食，疗胀。"

［2］**大麦** 掌氏"大麦"条所引"孟诜云"，包含《医心方》的引文。其文句亦相近。这说明两家在引用时所据底本相同。

［3］**损人** 其后，《纲目》引"诜曰"有"石蜜为之使"。按，此文原出《别录》"大麦"条末

小字注。《纲目》移之于此。

16 穬麦

孟诜［掌氏引］：穬麦[1]，主轻身，补中，不动疾。

（《大观》卷25页14，《证类》页492，《纲目》页1113）

【校注】

［1］**穬麦** 为禾本科植物裸麦。《本草图经》云："穬麦即大麦一种皮厚者。"《纲目》云："穬麦有二种：一类小麦而大，一类大麦而大。"

17 小麦

孟诜［掌氏引］：小麦[1]，平，服之止渴。又，作面有热毒，多是陈裛之色。作粉补中益气，和五脏，调脉。又，炒粉一合，和服断下痢[2]。又，性主伤折，和醋蒸之，裹所伤处便定。重者，再蒸裹之，甚良。

《食疗》［唐氏引］：小麦，平。养肝气，煮饮服之良。又云：面有热毒者，为多是陈䵃之色。又，为磨中石末在内，所以有毒，但杵食之即良。又宜作粉食之，补中益气，和五脏，调经络，续气脉[3]。

（《大观》卷25页12，《证类》页491，《纲目》页1109）

【校注】

［1］**小麦** 为禾本科植物小麦的种子，或其面粉。

《唐本草》注云："小麦汤用，不许皮坼，云坼则温，明面不能消热止烦也。小麦曲止痢，平胃，主小儿痫，消食痔。又有女曲、黄蒸。女曲，完小麦为之，一名䴵（音桓）子；黄蒸，磨小麦为之，一名黄衣。并消食，止泄痢，下胎，破冷血也。"

《食医心镜》云："主消渴口干。小麦用炊作饭及煮粥食之。"

［2］**又，炒粉一合，和服断下痢** 《纲目》引"孟诜"文，并将之化裁为"又，炒一合，汤服断下痢"。

［3］**补中益气，和五脏，调经络，续气脉** 《纲目》引"孟诜"文，并将之化裁为"补益，益气脉，和五脏，调经络"。

按，掌氏、唐氏同引"小麦"条，其文互异，繁简不一，全文句子排列前后不同。由此可见，两家引文都是节引加化裁而成。

18 面

《食疗》［唐氏引］：面[1]有热毒者，为多是陈䵃[2]之色，又为磨中石末在内，所以有毒。

孟诜［掌氏引］：面有热毒，多是陈裛之色。

孟诜《食经》［《医心方》引］：荠不可与面同食之，令人闷。又云：枇杷子不可合食炙肉、热面，令人发黄。

孟诜［《纲目》引］：面有热毒者，多是陈黦之色，又为磨中石末在内故也。但杵食之，即良。

麦粉补中，益气脉，和五脏，调经络。又炒一合，汤服，断下痢。

（《大观》卷25页12，《证类》页491，《纲目》页1109）

【校注】

［1］**面** 为禾本科植物小麦面粉。《本草拾遗》云："面，味甘，温。补虚，实人肤体，厚肠胃，强气力，性拥热，小动风气。"《日华子》云："面，养气，补不足，助五脏，久食实人。"

［2］**黦** 黄黑色。掌氏引"孟诜"作"裛"。《纲目》引"诜曰"作"黦"，淡黑色。

19 荞麦

孟诜［《医心方》引］：荞麦[1]，寒。难消，动热风。不宜多食。

膳玄子张［《医心方》引］：荞麦虽动诸病，犹压丹石。能炼五脏滓，续精神。其叶可煮作菜食，甚利耳目，下气。其茎为灰，洗六畜疮疥及马扫蹄，至神。

孟诜［掌氏引］：荞麦[2]，味甘平，寒，无毒。实肠胃，益气力，久食动风，令人头眩。和猪肉食之，患热风，脱人眉须。虽动诸病，犹挫丹石。能炼五脏滓秽，续精神。作饭与丹石人食之，良。其饭法：可蒸使气馏，于烈日中暴，令口开，使舂取仁作饭[3]。叶作茹食之，下气，利耳目。多食即微泄[4]。烧其穰作灰，淋洗六畜疮，并驴马躁蹄[5]。

孟诜［《纲目》引］：荞麦，实肠胃，益气力，续精神，能炼五脏滓秽。

（《大观》卷25页15，《证类》页493，《纲目》页1113，《医心方》页689）

【校注】

［1］**荞麦** 为蓼科植物荞麦的种子。

［2］**荞麦** 其下，为掌氏所引之文。在文末，《大观》《证类》注云："新补见陈藏器、孟诜、萧炳、陈士良、《日华子》。"这说明本条为掌氏糅合五家文字而成，目前无法甄别诸家原文，姑且将余文转录。除《纲目》摘其中"实肠胃，益气力，续精神，能炼五脏滓秽"为"孟诜"文外，其余均注出各家。

[3] **其饭法……作饭** 此文，《纲目》列在“集解”下，注出处为“炳”。

[4] **叶作茹食之……即微泄** 此文，《纲目》列在“叶”条下，并注出处为“士良”。

[5] **烧其穰……驴马躁蹄** 此文，《纲目》列在“秸”条的“主治”下，注出处为“《日华》”。按，此文亦见于《医心方》“荞麦”条所援引“膳玄子张”文，这说明此文实为张鼎所增，并非出于《日华子》。

20 青粱米

孟诜［掌氏引］：青粱米[1]，以纯苦酒一斗渍之，三日出，百蒸百暴，好裹藏之。远行一餐，十日不饥。重餐，四百九十日不饥[2]。

又方，以米一斗，赤石脂三斤，合以水渍之，令足相淹。置于暖处二三日。上青白衣，捣为丸，如李大。日服三丸，不饥。

谨案[3]：《灵宝五符经》中，白鲜米九蒸九暴，作辟谷粮。此文用青粱米，未见有别出处。其米微寒，常作饭食之，涩于黄，如白米，体性相似。

孟诜［《纲目》引］：青粱米，可辟谷。以纯苦酒浸三日，百蒸百晒，藏之。远行，日一飧之，可度十日，若重飧之，四百九十日不饥也。

又方：以米一斗，赤石脂三斤，水渍置暖处，一二日，上青白衣，捣为丸如李大。日服三丸，亦不饥也。按，《灵宝五符经》中，白鲜米九蒸九暴，作辟谷粮，而此用青粱米，未见出处。

（《大观》卷25页8，《证类》页489，《纲目》页1125）

【校注】

[1] **青粱米** 为禾本科植物粟的一种。《唐本草》注云：“青粱壳穗有毛粒青，米亦微青而细于黄、白粱也。谷粒似青稞而少粗。夏月食之，极为清凉，但以味短色恶，不如黄、白粱，故人少种之。此谷早熟而收少，堪作饧，清白胜余米。”

《本草纲目》云：“汉以后，始以大而毛长为粱，细而毛短为粟。今则通呼为粟，而粱之名反隐矣。”

[2] **以纯苦酒……四百九十日不饥** 《纲目》引“诜曰”，将之化裁为“青粱米，可辟谷。以纯苦酒浸三日，百蒸百晒，藏之。远行，日一飧之，可度十日；若重飧之，四百九十日不饥也”。

[3] **谨案** 《纲目》作“按”。“谨案”以下文字，仍属《食疗本草》（以下简称《食疗》）中的资料，非掌氏的按语。

21 白粱米

孟诜［《医心方》引］：白粱米[1]，患胃虚并呕吐食、水者，用米汁二合，生姜汁一合，和服之。

膳玄子张［《医心方》引］：白粱米，除胸膈中客热，移易五脏气，续筋骨。

孟诜［掌氏引］：患胃虚并呕吐食及水者，用米汁二合，生姜汁一合，服之。性微寒，除胸膈中客热，移五脏气，续筋骨。此北人长食者是，亦堪作粉[2]。

孟诜［《纲目》引］：白粱米，除胸膈中客热，移五脏气、缓筋骨。凡患胃虚并呕吐食及水者，以米汁二合，生姜汁一合，和服之。

（《大观》卷25页11，《证类》页490，《纲目》页1124，《医心方》页689）

【校注】

［1］**白粱米** 为禾本科植物粟的一种白粱米种仁。

《唐本草》注云："白粱穗大，多毛且长。诸粱都相似，而白粱谷粗扁长，不似粟圆也。米亦白而大，食之香美，为黄粱之亚矣。"

《食医心镜》云："治虚热，益气和中，止烦满。以白粱米炊饭食之。"

［2］**患胃虚并呕吐……亦堪作粉** 此文为掌氏节引的"孟诜"文。其文包含《医心方》所引"孟诜"文及"膳玄子张"文。膳玄子原是张鼎的道号，故称膳玄子张；此处指《食疗本草》作者。掌氏援引的"孟诜"文字，既含有张鼎文字，则掌氏所据的本子，亦是张鼎修订的本子。

22 粟米

孟诜［掌氏引］：粟米[1]陈者止痢，甚压丹石热[2]。颗粒小者是。今人间多不识耳。其粱米粒粗大，随色别之。南方多畲田[3]。种之，极易舂，粒细，香美，少虚怯。只为灰中种之，又不锄治，故也。得北田种之，若不锄之，即草翳死；若锄之，即难舂。都由土地使然耳。但取好地，肥瘦得所由，熟犁。又细锄，即得滑实。

孟诜［《纲目》引］：粟，颗粒小者是，今人多不识之。其粱米粒粗大，随色别之。南方多畲田，种之极易。舂粒细香美，少虚怯，只于灰中种之，又不锄治故也。北田所种多锄之，即难舂；不锄即草翳死。都由土地使然尔。

粟米，止痢，压丹石热。

（《大观》卷25页6，《证类》页488，《纲目》页1125）

【校注】

［1］**粟米** 为禾本科植物粟的种仁。《唐本草》注云："粟类多种，而并细于诸粱，北土常食之，与粱有别。"

[2] **甚压丹石热**　《纲目》引“孟诜”作“压丹石热”。

[3] **畲田**　即烧地种田。在播种之前，将田中杂草烧为灰，以灰为肥料。

《食医心镜》云：“粟米，主脾胃气弱，食不消化，呕逆反胃，汤饮不下。粟米半升杵如粉，水和丸如梧子，煮令熟，点少盐，空心和汁吞下。又方主消渴口干，粟米炊饭食之，良。又方主胃中热，消渴，利小便，以陈粟米炊饭食。”

23　秫米

孟诜［掌氏引］：秫米[1]，性平。能杀疮疥毒热。拥五脏气，动风，不可常食[2]。北人往往有种者，代米作酒耳。

又，生捣，和鸡子白，傅毒肿，良。

根，煮作汤[3]，洗风。

又，米一石，曲三升[4]和地黄一斤，茵陈蒿一斤，炙令黄，一依酿酒法。服之治筋骨挛急[5]。

孟诜［《纲目》引］：秫米，性平。不可常食，拥五脏气，动风，迷闷人。治筋骨挛急，杀疮疥毒热。生捣，和鸡子白，傅毒肿，良。

筋骨挛急。用秫米一石，曲三斗，地黄一斤，茵陈蒿炙黄半斤，一依酿酒法服之，良。

根，煮汤，洗风。

（《大观》卷25页7，《证类》页489，《纲目》页1120）

【校注】

[1] **秫米**　为禾本科植物粟的一种黏性品种的种仁。

《本草衍义》云：“秫米不堪为饭，最粘，故宜酒。”

[2] **拥五脏气，动风，不可常食**　《纲目》引“孟诜”文，并将之化裁为“不可常食，拥五脏气，动风，迷闷人”。

[3] **煮作汤**　《大观》作“主作汤”。《证类》作“煮作汤”。

[4] **曲三升**　《证类》作“曲三斗”。《大观》作“曲三升”。

[5] **治筋骨挛急**　《纲目》将本条中“主治症”文字罗列在一起，作“治筋骨挛急，杀疮疥毒热。生捣，和鸡子白，傅毒肿，良”。

《食医心镜》云：“秫米，主寒热，利大肠，治漆疮。秫米饭食之，良。”

24　黍

孟诜《食经》［《医心方》引］：黍[1]，不可与小儿食之，令不能行。

孟诜［掌氏引］：黍米，性寒，患鳖瘕者，以新熟赤黍米，淘取泔汁，生服一升，不过三两度愈。

谨案：性寒，有少毒。不堪久服，昏五脏，令人好睡。仙家重此。作酒最胜余米。

又，烧为灰[2]，和油涂杖疮，不作瘢，止痛。不得与小儿食之，令儿不能行[3]。若与小猫、犬食之，其脚便踻曲，行不正。缓人筋骨，绝血脉。

《食疗》［唐氏引］：黍，合葵菜食之，成痼疾。于黍米中藏干脯。

《通食禁》云：牛肉不得和黍米、白酒食之，必生寸白虫。

孟诜［《纲目》引］：黍米，性寒[4]，有小毒，发故疾。久食昏五脏，令人好睡，缓人筋骨，绝血脉。小儿多食，令久不能行。小猫、犬食之，其胠踻屈。合葵菜食，成痼疾。合牛肉、白酒食，生寸白虫。烧灰和油，涂杖疮，止痛，不作瘢。

丹黍米[5]，治鳖瘕，以新熟者淘泔汁，生服一升，不过三二度愈。

（《大观》卷25页9，《证类》页490，《纲目》页1122，《医心方》页557）

【校注】

［1］**黍**　为禾本科植物黍。其种仁名黍米。《纲目》云："稷之黏者为黍，粟之黏者为秫，粳之黏者为糯。"

［2］**烧为灰**　《纲目》作"烧灰"。

［3］**不得与小儿食之，令儿不能行**　此文与《医心方》所引"孟诜《食经》"文同。由此可见，掌氏所引"孟诜"文与《医心方》所引"孟诜《食经》"文同出一书。

［4］**性寒**　《纲目》评曰："盖黍最黏滞，与糯米同性，其气温暖，故功能补肺，而多食作烦热，缓筋骨也。孟氏谓其性寒，非矣。"

［5］**丹黍米**　掌氏引"孟诜"作"赤黍米"。

25　黍茎穗

《食疗》［唐氏引］：黍之茎穗[1]，人家用作提拂，以将扫地。

食苦瓠毒，煮汁饮之即止[2]。

又，破提扫煮取汁，浴之[3]去浮肿。

又，和小豆煮汁，服之下小便。

孟诜［《纲目》引］：醉卧黍穰，令人生厉。人家取其茎穗作提拂扫地，用以煮汁入药，更佳。

黍穰茎并根，煮汁饮之，解苦瓠毒。浴身，去浮肿。和小豆煮汁服，下小便。

（《大观》卷26页4，《证类》页496，《纲目》页1121）

【校注】

[1] **黍之茎穗** 唐氏引本条于“稷”条下。按《证类》体例，本条应列于“黍”条下，不知为何列在“稷”条下。疑“黍之茎穗”和“稷之茎穗”具有同样功效。

《纲目》云：“稷与黍，一类二种也。黏者为黍，不黏者为稷。”

[2] **人家用作提拂……煮汁饮之即止** 《纲目》引“诜曰”，并将之化裁为“醉卧黍穰，令人生疠。人家取其茎穗作提拂扫地，用以煮汁入药，更佳”“煮汁饮之，解苦瓠毒”。

[3] **浴之** 《纲目》引“孟诜”作“浴身”。

26 稷米

孟诜［《医心方》引］：稷米[1]，益气，治诸热，补不足。

孟诜［掌氏引］：稷，益气，治诸热，补不足。

山东多食。服丹石人发热，食之热消也。发三十六种冷病气[2]。八谷之中，最为下苗。黍乃作酒，此乃作饭，用之殊途。

不与瓠子同食，令冷病发。发即黍酿汁[3]饮之，即差[4]。

孟诜［《纲目》引］：稷在八谷之中，最为下苗。黍乃作酒，此乃作饭，用之殊途。多食，发二十六种冷病气。不与瓠子同食，发冷病，但饮黍穰汁即差。又不可与附子同服。

（《大观》卷26页4，《证类》页496，《纲目》页1121，《医心方》页690）

【校注】

[1] **稷米** 为禾本科植物黍的种子不黏者。《纲目》云：“稷与黍，一类二种。黏者为黍，不黏为稷。稷可作饭，黍可酿酒。”

[2] **发三十六种冷病气** 《纲目》引“孟诜”作“发二十六种冷病气”。

[3] **黍酿汁** 《纲目》引“孟诜”作“黍穰汁”。按，《大观》《证类》“稷”条唐氏引“《食疗》”云：“黍之茎，食苦瓠毒煮汁饮之。”黍之茎即黍穰。《纲目》据此，改“黍酿汁”为“黍穰汁”。

[4] **即差** 其后，《纲目》引“孟诜”，并增“又不可与附子同服”。按，所增文原出“《日华子》”，由于脱漏“《日华》曰”标记，遂被误为“孟诜”增文。

27 粳米

腊玄子张［《医心方》引］：粳米[1]，性寒。拥诸经络气，使人四肢不收，昏昏饶睡。发风动气，不可多食。

孟诜［掌氏引］：粳米，主益气，止烦泄[2]。其赤则粒大而香，不禁水停。其黄绿即实中。

又，水渍有味，益人。都大新熟者动气[3]。经再年者，亦发病。江南贮仓人皆多收火稻[4]。其火稻宜人，温中益气，补下元。烧之去芒[5]。春舂米食之，即不发病耳。

仓粳米，炊作干饭食之，止痢。又补中益气，坚筋骨，通血脉，起阳道。

北人炊之于瓮中，水浸令酸，食之暖五脏六腑之气。

久陈者，蒸作饭，和醋封毒肿，立差。

毒肿恶疮：久陈者，蒸作饭，和酢封肿上，立差。

又，研服之，去卒心痛。

白粳米汁[6]，主心痛，止渴，断热毒痢。

若常食干饭[7]，令人热中，唇口干。不可和苍耳食之，令人卒心痛，即急烧仓米灰，和蜜浆服之，不尔即死。不可与马肉同食之，发痼疾。

《食疗》［唐氏引］：粳米，淮、泗之间米多[8]。京都、襄州[9]土粳米亦香、坚实。

又，诸处虽多，但充饥而已。

孟诜［《纲目》引］：粳米，淮泗之间最多。襄、洛土粳米，亦坚实而香。南方多收水稻，最补益人。诸处虽多粳米，但充饥耳。

粳米赤者粒大而香，水渍之有味益人。大抵新熟者动气，经年者亦发病。惟江南人多收水稻贮仓，烧去毛，至春舂米食之，即不发病，宜人，温中，益气，补下元也。

煮汁，主心痛，止渴，断热毒下痢。

常食干粳饭，令人热中，唇口干。不可同马肉食，发痼疾。不可和苍耳食，令人卒心痛，急烧仓米灰和蜜浆服之，不尔即死。

（《大观》卷25页7，《证类》页489，《纲目》页1117，《医心方》页690）

【校注】

［1］**粳米**　为禾本科植物粳稻的种仁。

［2］**止烦泄**　按《别录》应作“止烦止泄”。按《食医心镜》应作“止烦断下痢”。

［3］**都大新熟者动气**　《纲目》引“诜曰”作“大抵新熟者动气”。

［4］**江南贮仓人皆多收火稻**　《纲目》将之化裁为“惟江南人多收火稻贮仓”，并释云：“西南

夷烧山地为畬田，种旱稻者，谓之火米。”

[5] **烧之去芒** 《纲目》将之化裁为“烧去毛”。

[6] **白粳米汁** 《纲目》将之化裁为“煮汁”。“白”，《证类》作“曰”。

[7] **干饭** 《纲目》作“干粳饭”。

[8] **淮、泗之间米多** 《纲目》作“淮、泗之间最多”。按，“淮”，指淮河流域地区；“泗”，指泗水流域地区。

[9] **襄州** 《纲目》作“襄、洛”。按，唐代襄州即今湖北襄樊地区。

28 陈廪米

《食疗》［唐氏引］：陈廪米[1]炊作干饭食之，止痢。补中益气，坚筋骨，通血脉，起阳道。又，毒肿恶疮：久陈者，蒸作饭，和酢封肿上，立差。卒心痛，研取汁服之[2]。北人炊之，于瓮中水浸令酸，食之暖五脏六腑之气。[3]

孟诜［《纲目》引］：陈廪米，炊饭食，止痢，补中益气，坚筋骨，通血脉，起阳道。以饭和酢捣封，毒肿恶疮，立差。北人以饭置瓮中，水浸令酸，食之，暖五脏六腑之气。研米服，去卒心痛。

（《大观》卷26页7，《证类》页497，《纲目》页1149）

【校注】

[1] **陈廪米** 即粳米陈久者。为禾本科植物粳稻的种仁。

《食医心镜》云：“陈廪米，除烦热，下气，调胃，止泄痢，作饭食之。”

[2] **研取汁服之** 《纲目》引“孟诜”文，并将之化裁为“研米服”。按，陈廪米呈颗粒状，不能研出汁，所以《纲目》改为“研米服”。

[3] **陈廪米炊作干饭食之……五脏六腑之气** 与前“粳米”条掌氏所引“孟诜”文中的“仓粳米”文同。

29 糯米

孟诜［掌氏引］：糯米[1]，寒[2]。使人多睡。发风，动气，不可多食。又，霍乱后吐逆不止，清水研一碗，饮之即止。

孟诜［《纲目》引］：稻米[3]凉。发风动气，使人多睡，不可多食。

（《大观》卷26页2，《证类》页495，《纲目》页1115）

【校注】

[1] **糯米** 禾本科植物稻之黏者为糯稻。糯稻种仁为糯米。

《本草拾遗》云："糯米，性微寒，妊身与杂肉食之不利子，作糜食一斗，主消渴。久食之，令人身软。黍米及糯，饲小猫、犬，令脚屈不能行，缓人筋故也。又云稻穰，主黄病，身作金色，煮汁浸之。又稻谷芒，炒令黄，细研作末，酒服之。"

[2] **寒** 《纲目》引"诜曰"作"凉"。但《纲目》又评论说："糯米，性温，酿酒则热，熬饧尤甚，故脾肺虚寒者宜之。若素有痰热风病，及脾病不能转输，食之最能发病成积。孟诜言其性凉，谬说也。"

[3] **稻米** 《纲目》所讲稻米，指有黏滞性的糯米。其不黏者称为粳米。

30 饧糖

孟诜［掌氏引］：饧糖[1]，补虚，止渴，健脾胃气，去留血，补中。白者，以蔓菁汁煮，顿服之。

《食疗》［唐氏引］：饧糖，主吐血，健脾[2]。凝强者为良。主打损瘀血，熬令焦，和酒服之[3]，能下恶血。

又，伤寒大毒嗽，于蔓菁、薤汁中煮一沸，顿服之。

孟诜［《纲目》引］：饴糖，健脾胃，补中，治吐血。打损瘀血者，熬焦酒服，能下恶血。又伤寒大毒嗽，于蔓菁、薤汁中煮一沸，顿服之，良。

（《大观》卷24页7，《证类》页484，《纲目》页1158）

【校注】

[1] **饧糖** 为米、大麦、小麦、粟、玉蜀黍等经发酵糖化制成的糖类。《蜀本草·图经》云："饴即软糖也，北人谓之饧。粳米、粟米、大麻、白术、黄精、枳椇子等并堪作之，惟以糯米作者入药。"

[2] **主吐血，健脾** 《纲目》引"孟诜"文，并将之化裁为"健脾胃，补中，治吐血"。

[3] **熬令焦，和酒服之** 《纲目》引"孟诜"文，并将之化裁为"熬焦酒服"。

31 曲

孟诜［掌氏引］：曲[1]，味甘，大暖。疗脏腑中风气，调中下气，开胃，消宿食[2]。主霍乱，心膈气，痰逆。除烦，破癥结[3]，及补虚，去冷气，除肠胃中塞、不下食。令人有颜色[4]。六月作者良，陈久者入药。用之当炒令香。

六畜食米胀欲死者，煮曲汁灌之，立消。落胎，并下鬼胎[5]。

又，神曲[6]，使，无毒。能化水谷，宿食，癥结。健脾暖胃。

孟诜［《纲目》引］：小麦曲，主霍乱、心膈气、痰逆，除烦，破癥结。

（《大观》卷 25 页 14，《证类》页 492，《纲目》页 1155）

【校注】

[1] **曲**　由麦或粮食副产品培制酶类的发酵剂，含有大量发酵活性菌或酶制剂。《大观》《证类》在本条末注“新补见陈藏器、孟诜、萧炳、陈士良、《日华子》”。这说明本条是掌氏糅合五家文字而成的。

[2] **调中下气，开胃，消宿食**　《纲目》注出处为“藏器”，并将末句“消宿食”化裁为“疗脏腑中风寒”。

[3] **主霍乱……破癥结**　《纲目》注出处为“孟诜”。

[4] **补虚，去冷气……令人有颜色**　《纲目》注此文出“吴瑞”。按，此文最早出于《嘉祐本草》。吴瑞文转录自前代本草。

[5] **落胎，并下鬼胎**　《纲目》注出处为“《日华》”。

[6] **神曲**　《纲目》将之拨出，另立一条，并注其主治出《药性论》等。按，《大观》《证类》相关条未见引有《药性论》文字。

32　酒

孟诜［掌氏引］：酒[1]，味苦。主百邪毒，行百药。当酒卧以扇扇，或中恶风。久饮伤神损寿[2]。

谨案：中恶疰杵，热暖姜酒一碗，服即止。

又，通脉，养脾气，扶肝[3]。陶隐居云：大寒凝海，惟酒不冰。量其热性故也。久服之，厚肠胃，化筋。初服之时，甚动气痢。与百药相宜。只服丹砂人饮之，即头痛吐热。

又，服丹石人，胸背急闷热者，可以大豆一升，熬令汗出，簸去灰尘，投二升酒中。久时顿服之，少顷即汗出差。朝朝服之，甚去一切风。妇人产后诸风，亦可服之。

又，熬鸡屎如豆淋酒法[4]作，名曰紫酒。卒不语、口偏者，服之甚效。

昔有人常服春酒，令人肥白矣。

《食疗》［唐氏引］：紫酒[5]，治角弓风[6]。

姜酒，主偏风中恶[7]。

桑椹酒，补五脏，明耳目。

葱豉酒，解烦热，补虚劳[8]。

蜜酒，疗风疹。

地黄、牛膝、虎骨、仙灵脾、通草、大豆、牛蒡、枸杞等，皆可和酿作酒，在别方[9]。

葡萄子酿酒，益气调中，耐饥强志，取藤汁酿酒亦佳。狗肉汁酿酒，大补[10]。

孟诜［《纲目》引］：酒有紫酒、姜酒、桑椹酒、葱豉酒、葡萄酒、蜜酒，及地黄、牛膝、虎骨、牛蒡、大豆、枸杞、通草、仙灵脾、狗肉等，皆可和酿作酒，俱各有方。

米酒[11]，主养脾气，扶肝，除风下气。久饮伤神损寿，软筋骨[12]，动气痢。醉卧当风，则成癜风。醉浴冷水成痛痹[13]。服丹砂人饮之，头痛吐热。

春酒，常服令人肥白。

姜酒，治偏风，中恶疰忤，心腹冷痛。以姜浸酒，暖服一碗即止。一法：用姜汁和曲，造酒如常，服之佳[14]。

葱豉酒，解烦热，补虚劳，治伤寒头痛寒热，及冷痢肠痛，解肌发汗。并以葱根、豆豉浸酒煮饮[15]。

戊戌酒[16]，大补元阳。

葡萄酒，葡萄可酿酒，藤汁亦佳[17]。

（《大观》卷25页5，《纲目》页1161，《证类》页487）

【校注】

［1］**酒** 为稻、麦、高粱和曲酿制而成。

［2］**久饮伤神损寿** 在此句之后，《纲目》引“诜曰”，又增“软筋骨，动气痢。醉卧当风，则成癜风。醉浴冷水成痛痹。服丹砂人饮之，头痛吐热”。

［3］**扶肝** 其后，《纲目》引“孟诜”，续添“除风下气”。

［4］**如豆淋酒法** 即用黑豆炒焦，以酒淋之，取得酒剂的方法。

［5］**紫酒** 将鸡屎炒焦，用酒淋之，淋的酒液呈紫色名紫酒。

［6］**角弓风** 即惊厥。发作时，头、足跟着床，胸腹挺起不能着床，全身呈弓背反张状，名角弓反张。

［7］**主偏风中恶** 《纲目》引“诜曰”，并将之化裁为“治偏风，中恶疰忤，心腹冷痛。以姜浸酒，暖服一碗即止。一法：用姜汁和曲，造酒如常，服之佳”。

［8］**解烦热，补虚劳** 其后，《纲目》引“诜曰”增“治伤寒头痛寒热，及冷痢肠痛，解肌发汗。并以葱根、豆豉浸酒煮饮”。

［9］**在别方** 《纲目》引“诜曰”作“俱各有方”。

［10］**狗肉汁酿酒，大补** 《纲目》引“诜曰”作“戊戌酒，大补元阳”。按，《养老方》云：“戊戌酒大补元气。用黄犬肉一只，煮一伏时，捣如泥，和汁拌，炊糯米三斗，入曲如常酿酒。候熟，每旦空心饮之。”

[11] **米酒** 掌氏引“孟诜”作“酒”，无“米酒”名称。

[12] **久饮伤神损寿，软筋骨** 掌氏引“孟诜”作“久服之，厚肠胃，化筋”。盖《纲目》引此文时，曾予以化裁。

[13] **醉卧当风，则成癜风。醉浴冷水成痛痹** 掌氏所引“孟诜”文及唐氏所引“《食疗》”文俱无此句。疑此为《纲目》所增。

[14] **姜酒……服之佳** 唐氏引“《食疗》”作“姜酒，主偏风中恶”，盖《纲目》引此文时多加化裁。

[15] **葱豉酒……煮饮** 《纲目》所引此文比唐氏所引“《食疗》”文多数倍。盖《纲目》多加化裁所致。

[16] **戊戌酒** 唐氏引“《食疗》”作“狗肉汁酿酒”。见上注［10］

[17] **葡萄可酿酒，藤汁亦佳** 《大观》《证类》“葡萄”条，掌氏所引“孟诜”文云“葡萄，不问土地，但收之酿酒”，未讲“藤汁亦佳”。但陶弘景云：“葡萄可作酒，云用其藤汁殊美好。”盖《纲目》将陶弘景注移植于此。

33 醋

孟诜《食经》［《医心方》引］：治心痛，酢[1]研青木香服之。

孟诜［《医心方》引］：酢，多食损人胃，消诸毒气，杀邪毒。妇人产后血晕，含之即愈。

孟诜［掌氏引］：醋，多食损人胃。消诸毒气，杀邪毒，能治妇人产后血气运。取美清醋，热煎[2]，稍稍含之即愈。

又，人口有疮，以黄蘗皮醋渍，含之即愈。

又，牛马疫病[3]，和灌之。

服诸药，不可多食，不可与蛤肉同食，相反。

又，江外人多为米醋，北人多为糟醋。发诸药，不可同食。

酢研青木香服之，止卒心痛、血气等[4]。

又，大黄涂肿，米醋飞丹用之。[5]

《食疗》［唐氏引］：治痃癖，醋煎大黄，生者甚效[6]。

用米醋佳，小麦醋不及。糟多妨忌。大麦醋，微寒。余如小麦醋也[7]。

气滞风壅，手臂[8]、脚膝痛：炒醋糟裹之，三两易，当差。人食多，损腰肌脏。

孟诜［《纲目》引］：北人多为糟醋，江河人[9]多为米醋，小麦醋不及。糟醋为多妨忌也。大麦醋良。又，大麦醋微寒。余醋并同。大麦醋糟，主气滞风壅，手背脚膝痛，炒热布裹熨之，三两换当愈。米醋磨青木香，止卒心痛、血气痛。浸黄檗含之治口疮。调大黄末，涂肿毒。煎生大黄服，治痃癖甚良。

（《大观》卷26页1，《证类》页494，《纲目》页1159，《医心方》页153、691）

【校注】

[1] **酢** 音醋。为米、麦、高梁等的酿造物。

《唐本草》注云："醋有数种，此言米醋。若蜜醋、麦醋、曲醋、桃醋、葡萄、大枣、蘡薁（音燠）等诸杂果醋及糠糟等醋，会意者亦极酸烈。止可啖之，不可入药也。"

[2] **热煎** 《大观》无"热"字。

[3] **牛马疫病** 《大观》作"治马疫病"。

[4] **酢研青木香服之，止卒心痛、血气等** 掌氏所引"孟诜"文和《医心方》所引"孟诜《食经》"文，均有此句，这说明两家所据的书为同一种本子。又，《纲目》引"孟诜"作"醋磨青木香，止卒心痛、血气痛"。

[5] **大黄涂肿，米醋飞丹用之** 《纲目》引"孟诜"作"调大黄末，涂肿毒"。

[6] **治痃癖，醋煎大黄，生者甚效** 《纲目》引"孟诜"文，并将之化裁为"煎生大黄服，治痃癖甚良"。

[7] **用米醋佳……余如小麦醋也** 《纲目》引"孟诜"文，并将之化裁为"北人多为糟醋，江河人多为米醋，小麦醋不及。糟醋为多妨忌也。大麦醋良"。

[8] **手臂** 《纲目》引"孟诜"作"手背"。

[9] **江河人** 掌氏引"孟诜"作"江外人"。按，"江河人""江外人"，都是与"北方人"相对而言的。

34 酱

《食疗》［唐氏引］：酱[1]，主火毒，杀百药。发小儿无辜[2]。

小麦酱不如豆[3]。

又，榆仁酱，亦辛美，杀诸虫，利大小便，心腹恶气。不宜多食。

又，芜荑酱，功力强于榆仁酱。多食落发。獐、雉、兔[4]及鳢鱼酱，皆不可多食[5]，陈久故也。

孟诜［《纲目》引］：小麦酱杀药力，不如豆酱。又有獐、鹿、兔、雉及鳢鱼酱，皆不可久食也。多食发小儿无辜，生痰动气。妊娠合雀肉食之，令儿面黑。榆仁酱，利大小便，心腹恶气，杀诸虫。不宜多食。芜荑酱，杀三虫，功力强于榆仁酱。多食落发。

（《大观》卷26页6，《证类》页497，《纲目》页1159）

【校注】

[1] **酱** 为豆类或麦面，经蒸罨发酵，加盐、水酿造而成。

陶弘景云："酱多以豆作，纯麦者少。今此当是豆者，亦以久久者弥好。又有肉酱、鱼酱，皆呼为醢，不入药用。"

《日华子》云："酱，无毒。杀一切鱼、肉、菜蔬、蕈毒，并治蛇、虫、蜂、虿等毒。"

[2] **发小儿无辜** 《纲目》引"诜曰"，并将之化裁为"多食发小儿无辜，生痰动气。妊娠合雀肉食之，令儿面黑"。此文末二句"妊娠合雀肉食之，令儿面黑"原出《杨氏产乳》，因脱漏出处标记，遂误出处为孟诜文。

[3] **小麦酱不如豆** 《纲目》引"诜曰"，并将之化裁为"小麦酱杀药力，不如豆酱"。

[4] **獐、雉、兔** 《纲目》引"诜曰"作"獐、鹿、兔、雉"。又，《大观》无"雉"字。

[5] **皆不可多食** 《纲目》引"诜曰"作"皆不可久食也"。

35 食盐

《食疗》[唐氏引]：食盐[1]，蠼螋尿疮[2]，盐三升，水一斗，煮取六升，以绵浸汤淹疮上。又，治一切气及脚气：取盐三升，蒸，候热分裹[3]，近壁，脚踏之，令脾心热。又，和槐白皮蒸用，亦治脚气，夜夜与之，良。

又，以皂荚两挺，盐半两，同烧令通赤，细研，夜夜用揩齿，一月后，有动者齿及血䘌齿并差，其齿牢固。

《食疗本草》[《纲目》引]：食盐，蠼螋尿疮，盐汤浸绵，拓疮上。一切脚气，盐三升，蒸熟分裹，近壁，以脚踏之，令脚心热。又和槐白皮蒸之，尤良。夜夜用之。

齿䘌齿动，盐半两，皂荚两挺，同烧赤，研，夜夜揩齿，一月后并差，其齿牢固。

（《大观》卷4页7，《证类》页106，《纲目》页687）

【校注】

[1] **食盐** 为海水或盐井、盐池、盐泉中盐水经煎晒而成的结晶，主要成分为氯化钠。《别录》云："食盐，味咸，温，无毒。主杀鬼蛊、邪疰、毒气，下部䘌疮，伤寒寒热，吐胸中痰癖，止心腹卒痛，坚肌骨，多食伤肺喜咳。"《食医心镜》云："黄帝云：食甜瓜竟食盐成霍乱。又，主大小肠不通，取盐和苦酒（醋）傅脐中，干即易。"

[2] **蠼螋尿疮** 蠼螋为昆虫纲革翅目昆虫的通称。古人认为蠼螋尿人影，可令人生疮。

[3] **蒸，候热分裹** 《纲目》引"《食疗本草》"作"蒸熟分裹"。

36 冷水

孟诜方［《医心方》引］：治产后血运[1]心闷气绝方：以冷水噀面[2]即醒。

（《医心方》页518）

【校注】

［1］**产后血运** 即产后血晕。出《经效产宝》。因产后气血暴虚，或恶露不下，内有停瘀，上攻心胸，突发头晕，昏厥，不省人事。

［2］**噀面** 噀音训，义为喷水。噀面，以水喷面。

按，本条，《医心方》注出“孟诜方”。而孟诜著有《补养方》《必效方》。不知本条所指是何种方。姑录附于此，待考。

37 冬葵

孟诜［《医心方》引］：葵菜[1]，若热者食之，亦令热闷。

孟诜［掌氏引］：葵，冷。主疳疮生身面上、汁黄者：可取根作灰，和猪脂涂之。

其性冷，若热食之，令人热闷。甚动风气[2]。久服丹石人时吃一顿，佳也。

冬月，葵菹汁[3]。服丹石人发动，舌干咳嗽，每食后饮一盏，便卧少时。

其子，患疮者吞一粒，便作头。

女人产时，可煮，顿服之佳[4]。若生时困闷，以子一合，水二升，煮取半升，去滓顿服之，少时便产。

《食疗》［唐氏引］：主患肿未得头破者[5]，三日后，取葵子一百粒[6]，吞之，当日疮头开。

又，凡有难产，若生未得者，取一合捣破，以水二升，煮取一升已下，只可半升，去滓顿服之，则小便与儿便出。切须在意，勿上厕。昔有人如此，立扑儿入厕中。

又，细剉，以水煎服一盏食之，能滑小肠[7]。

女人产时，煮一顿食，令儿易生[8]。

天行病后，食一顿，便失目[9]。

吞钱不出，煮汁，冷饮之，即出[10]。

无蒜勿食。四季月[11]食生葵，令饮食不消化，发宿疾。

又，霜葵生食，动五种留饮[12]。黄葵尤忌[13]。

孟诜［《纲目》引］：葵叶，润燥利窍，功与子同。服丹石人宜食。其性虽冷，若热食之，令人热闷动风气。四月食之，发宿疾。天行病后食之，令人失明。霜葵生食，动五种留饮，吐水。凡服百药，忌食其心，心有毒也。黄背紫茎者，勿食之。不可合鲤鱼、黍米、酢食，害人。

葵根，治疳疮出黄汁。

冬葵子，出痈疽头。痈疽无头三日后，取葵子一百粒，水吞之，当日即开也。

《食疗本草》［《纲目》引］：丹石发动，口干咳嗽者。每食后饮冬月葵齑汁一盏，便卧少时。

身面疳疮出黄汁者，葵根烧灰，和猪脂涂之。

（《大观》卷27页1，《证类》页499，《纲目》页902，《医心方》页706）

【校注】

［1］**葵菜**　为锦葵科植物冬葵苗叶。其根、种子皆入药。

［2］**其性冷……甚动风气**　《纲目》将此条列在“葵叶”条下，其当指葵叶功能。

［3］**葵菹汁**　指葵叶腌的汁。《纲目》作“冬月葵齑汁”。

［4］**女人产时，可煮，顿服之佳**　《本草图经》云：“孕妇临产煮叶食之，则胎滑易产。”据此可知，本条言葵叶功效。

［5］**未得头破者**　《大观》作“未有头破者”。

［6］**取葵子一百粒**　《大观》作“取葵子二百粒”。

［7］**又，细剉……能滑小肠**　《药性论》云：“葵叶煮汁能滑小肠。”据此可知，本条言葵叶之功。

［8］**女人产时……令儿易生**　同注［4］。本条亦言葵叶之功。

［9］**天行病后，食一顿，便失目**　《药性论》云：“根煮饮之……若患天行病后食之，顿丧明。”据此可知，本条言葵根的功效。但《纲目》将此条列于“葵叶”条下，并云：“天行病后食之，令人失明。”据此可知，本条言葵叶的功效。

［10］**吞钱不出，煮汁，冷饮之，即出**　《药性论》云：“小儿吞钱不出，葵根煮饮之即出。”本条言葵根功效。

［11］**四季月**　一年分春、夏、秋、冬四季，每季是3个月，按孟、仲、季排列，季是每一季度的第三个月，春天的季月为三月，夏天的季月为六月，秋天的季月为九月，冬天的季月为十二月。一年中三月、六月、九月、十二月合称为四季月。

［12］**五种留饮**　《大观》作“三种留饮”。“饮”后，《纲目》增“吐水”2字。

［13］**黄葵尤忌**　《纲目》将之化裁为“凡服百药，忌食其心，心有毒也。黄背紫茎者，勿食之。不可合鲤鱼、黍米、鲊食，害人”。

38　龙葵

孟诜［《医心方》引］：龙葵[1]，其子疗甚妙[2]。其赤珠者名龙珠，久服变发，长黑。令人不老。

孟诜［掌氏引］：龙葵，其味苦，皆挼去汁食之。

《食疗》［唐氏引］：龙葵，主丁肿。患火丹疮，和土杵傅之尤良[3]。

孟诜［《纲目》引］：龙葵，捣烂和土，傅丁肿、火丹疮[4]，良。

（《大观》卷27页19，《证类》页508，《纲目》页907，《医心方》页705）

【校注】

［1］**龙葵**　为茄科植物龙葵。《本草图经》云："龙葵，北方有之，北人谓之苦葵。叶圆似排风而无毛，花白，实若牛李子，生青熟黑，亦似排风子，但堪煮食，不任生啖。其实赤者名赤珠，服之变白令黑，不与葱、薤同食，根亦入药用。"

［2］**其子疗甚妙**　《唐本草》云："其子疗丁肿。"

［3］**主丁肿……和土杵傅之尤良**　《纲目》引"孟诜"文，并将之化裁为"捣烂和土，傅丁肿、火丹疮，良"。

［4］**火丹疮**　一名丹毒。因患部皮肤红如涂丹，热如火灼，痒痛间作，迅速蔓延扩大，发热恶寒，头痛口渴。

39　落葵

孟诜［掌氏引］：落葵[1]其子悦泽人面，药中可用之。取蒸，暴干，和白蜜涂面，鲜华立见[2]。

《食疗》［唐氏引］：落葵，其子[3]令人面鲜华可爱。取蒸，烈日中曝干，挼去皮，取仁细研，和白蜜傅之，甚验。

食此菜后被狗咬，即疮不差也[4]。

孟诜［《纲目》引］：落葵，取子蒸过，烈日中暴干，挼去皮，取仁细研，和白蜜涂面，鲜华立见。

（《大观》卷29页11，《证类》页521，《纲目》页1218）

【校注】

［1］**落葵**　为落葵科植物落葵。

［2］**和白蜜涂面，鲜华立见**　唐氏引作"和白蜜傅之，甚验"。比较掌氏、唐氏所引文字发现，

两者内容相同，措辞不同，唐氏引文较详。又，《纲目》所引“孟诜”文，是糅合掌氏、唐氏两家引文而成的。

[3] **其子** 陶弘景云：“其子紫色，女人以渍粉傅面为假色。少入药用。”《蜀本草·图经》云：“蔓生，叶圆厚如杏叶；子似五味子，生青熟黑。”

[4] **食此菜后被狗咬，即疮不差也** 此文原为陶弘景注。陶弘景云：“落葵叶食之，为狗所啮作疮者，终身不差。”

40 落苏

孟诜［掌氏引］：落苏[1]，平。主寒热，五脏劳。不可多食。动气，亦发痼疾。熟者少食之，无畏。又，醋摩之，傅肿毒。

《食疗》［唐氏引］：落苏，平，主寒热，五脏劳。不可多食，动气，亦发痼疾。熟者少食之，无畏。患冷人不可食，发痼疾[2]。

又，根，主冻脚疮，煮汤浸之[3]。

孟诜［《纲目》引］：茄子，主寒热，五脏劳。

（《大观》卷27页8，《证类》页520，《纲目》页1230）

【校注】

[1] **落苏** 《本草拾遗》云：“茄子，今人种而食者名落苏。落苏即茄子。为茄科植物茄。”《本草图经》云：“茄之类有数种：紫茄、黄茄，南北通有之；青水茄、白茄惟北土多有。入药多用黄茄，其余惟可作菜茹耳。又有一种苦茄，小株有刺，亦入药。江南有一种藤茄，作蔓生皮薄，似葫芦，亦不闻中药。”

[2] **患冷人不可食，发痼疾** 《开宝本草》云：“茄子，一名落苏。久冷人不可多食，损人动气发疮及痼疾。”盖此文源于《食疗》。

[3] **根，主冻脚疮，煮汤浸之** 《开宝本草》云：“根及枯茎叶，主冻脚疮，可煮作汤渍之，良。”

从［2］、［3］注文看，《开宝本草》“茄子”条文字，似是节录《食疗》文而成的。

又，掌氏、唐氏所录落苏文字内容基本相同。

41 苋

孟诜［掌氏引］：苋[1]，补气，除热[2]。其子明目。九月霜后采之[3]。

叶，亦动气，令人烦闷、冷中、损腹。

《食疗》［唐氏引］：叶，食动气，令人烦闷、冷中、损腹。

不可与鳖肉同食，生鳖癥。又取鳖甲如豆片大者，以苋菜封裹之，置于土坑内，上以土盖之，一宿尽变成鳖儿也[4]。

又，五月五日采苋菜和马齿苋为末，等分，调与妊娠，服之易产。

孟诜［《纲目》引］：白苋，补气除热，通九窍。五月五日收苋菜，和马齿苋为细末，等分，与妊娠人常服，令易产也。

张鼎［《纲目》引］：苋，动气，令人烦闷，冷中损腹。不可与鳖同食，生鳖癥。又取鳖肉如豆大，以苋菜封裹，置土坑内，以土盖之，一宿尽变成小鳖也。

（《大观》卷27页10，《证类》页500，《纲目》页1211）

【校注】

［1］**苋** 为苋科植物苋。

［2］**补气，除热** 《纲目》引"孟诜"文，并将之化裁为"白苋，补气除热，通九窍"。按"通九窍"原出《日华子》，《纲目》将之移于"孟诜"文内。

［3］**九月霜后采之** 按农历九月不会下霜。下霜多在十一月。《别录》云："苋实，十一月采。"陶弘景注："苋实被霜乃熟，故云十一月采。"

［4］**叶，食动气……成鳖儿也** 《纲目》注本条出处为"鼎"。又，"叶"，《纲目》作"菜"；"鳖儿也"，《纲目》作"小鳖也"。

42　马齿苋

孟诜［掌氏引］：马齿苋[1]，又主马毒疮，以水煮，冷服一升，并涂疮上。湿癣、白秃，以马齿膏和灰涂，效。治疳痢及一切风，傅杖疮良。及煮一碗和盐、醋等，空腹食之[2]，少时当出尽白虫矣。

《食疗》［唐氏引］：马齿苋，延年益寿，明目。患湿癣，白秃，取马齿膏涂之。若烧灰傅之，亦良。作膏主三十六种风[3]，可取马齿一硕，水可二硕，蜡三两，煎之成膏。亦治疳痢，一切风。又可细切煮粥，止痢，治腹痛[4]。

孟诜［《纲目》引］：马齿苋，作膏，涂湿癣、白秃、杖疮。又，主三十六种风。煮粥，止痢及疳痢，治肠痈。子，延年益寿。

《食疗》［《纲目》引］：三十六风结疮，马齿苋一硕，水二硕，煮取汁，入蜜蜡三两，重煎成膏，涂之。

孟诜《食疗》［《纲目》引］：腹中白虫，马齿苋水煮一碗，和盐醋空腹食之。少顷白虫尽出也。

（《大观》卷29页7，《证类》页519，《纲目》页1212）

【校注】

［1］**马齿苋**　为马齿苋科植物马齿苋。《本草图经》云："马齿苋，虽名苋类，而苗、叶与人苋辈都不相似。又名五行草，以其叶青、梗赤、花黄、根白、子黑也。此有二种，叶大者不堪用，叶小者为胜。"

［2］**空腹食之**　《大观》作"空腹服之"。

［3］**作膏主三十六种风**　《纲目》在附方中引"《食疗》"作"三十六风结疮"。

［4］**亦治疳痢……治腹痛**　《纲目》引"孟诜"文，并将之化裁为"煮粥，止痢及疳痢，治肠痛"。

43　荠

孟诜［《医心方》引］：荠[1]，补五脏不足。叶，动气。

孟诜《食经》［《医心方》引］：荠，不可与面同食之，令人闷[2]。

孟诜［掌氏引］：荠子，入治眼方中用[3]。不与面同食。令人背闷。服丹石人不可食。

孟诜［《纲目》引］：蒫实[4]，不与面同食，令人胸闷。服丹石人不可食。

（《大观》卷 27 页 20，《证类》页 508，《纲目》页 1208，《医心方》页 670、706）

【校注】

［1］**荠**　为十字花科荠菜。陶弘景云："荠类又多，此是今人可食者，叶作菹羹亦佳。《诗》云：谁谓荼苦，其甘如荠。是也。"

［2］**令人闷**　掌氏引"孟诜"作"令人背闷"，张绍棠本《纲目》引"孟诜"作"令人胸闷"。

［3］**入治眼方中用**　《别录》云："荠实主明目目痛。"陈士良云："荠实明目，去障翳。"《太平圣惠方》："治暴赤眼，疼能碜涩。荠菜根汁点目中。"

［4］**蒫实**　即荠实。《纲目》云："荠有大小数种，并以冬至后生苗，二三月起茎五六寸，开细白花，整整如一，结荚如小萍，而有三角。荚内细子如葶苈子，其子名蒫。"

44　芜菁

孟诜［掌氏引］：蔓菁[1]，消食。

其子，九蒸九暴，捣为粉，服之长生。压油，涂头，能变蒜发[2]。

又，研子入面脂，极去皱[3]。

又，捣子，水和服，治热黄、结实不通，少顷当泻一切恶物，沙石草发并出。又，利小便。

又，女子妒乳肿[4]，取其根生捣后，和盐醋浆水煮，取汁洗之，五、六度差。

又，捣和鸡子白封之，亦妙。

《食疗》［唐氏引］：芜菁，温。下气，治黄疸，利小便，根主消渴，治热毒风肿。食，令人气胀满[5]。

孟诜［《纲目》引］：芜菁，消食，下气治嗽，止消渴，去心腹冷痛，及热毒风肿，乳痈妒乳寒热。其子，压油涂头，能变蒜发。

九英菘，出河西，叶大，根亦粗长。和羊肉食甚美，常食都不见发病。冬日作菹煮羹食，消宿食，下气治嗽。诸家商略其性冷，而本草云温，恐误也。

《食疗》［《纲目》引］：女子妒乳，生蔓菁根捣，和盐、醋、浆水煮汁洗之，五六度良。又，捣和鸡子白封之，亦妙。

孟诜《食疗本草》［《纲目》引］：热黄便结，用芜菁子捣末，水和绞汁服。少顷当泻一切恶物，沙、石、草、发并出。

（《大观》卷27页3，《证类》页501，《纲目》页1189）

【校注】

［1］**蔓菁**　为十字花科植物芜菁。《唐本草》注云："芜菁，北人又名蔓菁。"

［2］**蒜发**　即花白头发。

［3］**研子入面脂，极去皴**　《纲目》注此文出处为"苏恭"。苏恭即《唐本草》编者苏敬，宋代人，因避赵匡胤祖父赵敬讳，被改名为苏恭，《纲目》因袭之。按，《唐本草》"芜菁"条无此文。

［4］**妒乳肿**　妒乳即乳痈，妒乳肿即乳痈肿。

［5］**下气……令人气胀满**　《纲目》引"孟诜"文，并将之化裁为"消食，下气治嗽，止消渴，去心腹冷痛，及热毒风肿，乳痈妒乳寒热"。

45　莱菔

孟诜［《医心方》引］：萝菔[1]，冷。利五脏，轻身益气[2]。根，消食下气。又云甚利关节，除五脏中风，练五脏中恶气。令人白净[3]。

孟诜［掌氏引］：萝卜，性冷。利五脏，轻身。

根，服之令人白净肌细。

孟诜［《纲目》引］：莱菔，性冷。利五脏，轻身，令人白净肌细。

（《大观》卷27页15，《证类》页506，《纲目》页1192，《医心方》页707）

【校注】

［1］**萝菔**　《大观》《证类》作"莱菔"。《开宝本草》云："俗呼为萝卜。"其是十字花科植物

菜菔新鲜嫩根。

[2] **轻身益气** 掌氏所引“孟诜”文无“益气”2字。

[3] **令人白净** 掌氏引“孟诜”作“服之令人白净肌细”。

按，《日华子》云：“萝卜，平，能消痰止咳，治肺痿吐血。温中，补不足，治劳瘦，咳嗽，和羊肉、鲫鱼煮食之。子，水研服，吐风痰。醋研消肿毒。不可与地黄同食。”孙思邈曰：“萝卜与地黄同食，令人发白。”

46 菘菜

孟诜［《医心方》引］：菘菜[1]，腹中冷病者不服。有热者服之，亦不发病。其菜性冷。

《食疗》［唐氏引］：菘菜，温。治消渴。又，发诸风冷。

有热人食之，亦不发病，即明其性冷。《本草》云温，未解[2]。

又，消食，亦少下气。

九英菘[3]，出河西，叶极大，根亦粗长。和羊肉甚美。常食之，都不见发病。其冬月作菹，煮作羹食之，能消宿食，下气治嗽。诸家商略，性冷，非温。恐误也。

又，北无菘菜，南无芜菁[4]。其蔓菁子细；菜子粗也。

孟诜［《纲目》引］：菘，发风冷内虚人不可食，有热人食亦不发病，性冷可知。本草言性温，未解其意。

（《大观》卷27页13，《证类》页506，《纲目》页1186，《医心方》页707）

【校注】

[1] **菘菜** 为十字花科植物青菜。其叶柄白，又称白菜。

[2] **即明其性冷。《本草》云温，未解** 《纲目》引“诜曰”，并将之化裁为“性冷可知。本草言温，未解其意”。

[3] **九英菘** 《纲目》“芜菁”条“释名”云：“芜菁，塞北、河西种者，名九英蔓菁，亦曰九英菘，根叶长大而味不美。”

[4] **北无菘菜，南无芜菁** 《唐本草》注云：“菘菜不生北土，有人将子北种，初一年半为芜菁，二年菘种都绝；将芜菁子南种，亦二年都变。土地所宜，颇有此例。其子亦随色变，但粗细无异尔。菘子黑，蔓菁子紫赤，大小相似。惟芦菔子黄赤色，大数倍，复不圆也。其菘有三种：有牛肚菘，叶最大厚，味甘；紫菘，叶薄细，味少苦；白菘似蔓菁也。”

47 芥

孟诜［《医心方》引］：芥[1]，生食发丹石，不可多食。

孟诜［掌氏引］：芥，煮食之亦动气，生食发丹石，不可多食。

《食疗》［残卷本］：芥，主咳逆下气，明目，去头面风。大叶者良。煮食之动气，犹胜诸菜。生食发丹石，不可多食。

《食疗》［唐氏引］：芥，主咳逆下气，明目，去头面风。大叶者良。煮食之动气，犹胜诸菜。生食发丹石，不可多食。

《食疗》［唐氏引］：芥，主咳逆下气，明目，去头面风。大叶者良。煮食之动气，犹胜诸菜。生食发丹石。其子，微熬研之，作酱香美，有辛气，能通利五脏。其叶不可多食。又，细叶有毛者杀人[2]。

孟诜［《纲目》引］：芥，主咳逆下气，去头面风。煮食动气与风，生食发丹石，不可多食。大叶者良，细叶有毛者害人。

芥子：研末作酱食，香美，通利五脏。

（《大观》卷27页15，《证类》页505，《纲目》页1187，《医心方》页707）

【校注】

［1］**芥**　为十字花科植物芥菜。

《本草图经》云："芥，似菘而有毛，味极辛辣，此所谓青芥也。芥之种亦多，有紫芥，茎、叶纯紫，多作齑者，食之最美；有白芥，子粗大色白，如粱米，此入药者最佳。"

《本草拾遗》云："白芥，生太原。如芥而叶白，为茹食之，甚美。"《日华子》云："白芥，能安五脏，功用与芥颇同。子，烧灰服，可辟邪魅。"

［2］**芥，主咳逆下气……细叶有毛者杀人**　本条《纲目》引"诜曰"，将之化裁为"茎叶，煮食动气与风，生食发丹石，不可多食。大叶者良，细叶有毛者害人"。又云："子，研末作酱食香美，通利五脏。"

48　芸薹

孟诜［掌氏引］：芸薹[1]，若先患腰膝[2]，不可多食，必加极[3]。

又，极损阳气，发口疮，齿痛[4]。

又，能生腹中诸虫。道家特忌[5]。

孟诜［《纲目》引］：芸薹，先患腰脚者，不可多食，食之加剧。又损阳气，发疮及口齿病。胡臭人不可食。又能生腹中诸虫。道家特忌，以为五荤之一。

（《大观》卷29页13，《证类》页522，《纲目》页1185）

【校注】

[1] **芸薹** 为十字花科植物油菜。《日华子》云："芸薹，凉。治产后血风及瘀血。胡臭人不可食。"胡臭，狐臭也。

[2] **腰膝** 《纲目》引"诜曰"作"腰脚者"。盖《纲目》据成化本《政和》故。而成化本《政和》作"腰脚"。

[3] **必加极** 《纲目》作"食之加剧"。

[4] **极损阳气，发口疮，齿痛** 《纲目》将之化裁为"又损阳气，发疮及口齿痛。胡臭人不可食"。其末句"胡臭人不可食"，原出《日华子》，《纲目》移之于此。

[5] **道家特忌** 《纲目》将之化裁为"道家特忌，以为五荤之一"。

49 苜蓿

孟诜［掌氏引］：苜蓿[1]，患疸黄人，取根生捣，绞汁服之良。

又，利五脏，轻身；洗去脾胃间邪气，诸恶热毒[2]。少食好。多食当冷气入筋中[3]，即瘦人。亦能轻身健人，更无诸益。

《食疗》［唐氏引］：苜蓿，彼处人采根作土黄芪也。又，安中，利五脏，煮和酱食之。作羹亦得。

孟诜［《纲目》引］：苜蓿，凉。彼处人采其根作土黄芪也。利五脏，轻身健人，洗去脾胃间邪热气，通小肠诸恶热毒，煮和酱食。亦可作羹。少食好。多食令冷气入筋中，即瘦人。

（《大观》卷27页20，《证类》页508，《纲目》页1210）

【校注】

[1] **苜蓿** 为豆科植物紫苜蓿或南苜蓿。

陶弘景云："长安中乃有苜蓿园，北人甚重此，江南人不甚食之，以无味故也。外国复别有苜蓿草，以疗目，非此类也。"《唐本草》注云："苜蓿茎、叶，平，根寒。主热病，烦满，目黄赤，小便黄，酒疸。捣取汁，服一升，令人吐利，即愈。"

[2] **诸恶热毒** 《纲目》引"孟诜"文，并将之化裁为"通小肠诸恶热毒"。

[3] **少食好，多食当冷气入筋中** 《纲目》引"诜曰"，并将之化裁为"少食好。多食令冷气入筋中，即瘦人"。

按，《日华子》云："苜蓿，凉。去腹脏邪气，脾胃间热气，通小肠。"

50 荏子

孟诜［掌氏引］：荏子[1]，其叶性温。用时捣之。治男子阴肿，生捣和醋封之。女人绵裹内，三四易。

《食疗》［唐氏引］：荏，主咳逆下气。其叶杵之，治男子阴肿。谨案：子，压作油用，亦少破气，多食发心闷。温。补中益气，通血脉，填精髓。可蒸令熟，烈日干之，当口开。舂取米食之，亦可休粮。生食，止渴、润肺。

（《大观》卷27页16，《证类》页507）

【校注】

［1］**荏子**　为唇形科植物白苏的种子，亦名玉苏子。

陶弘景云："荏，状如苏，高大白色，不甚香。其子研之，杂米作糜，甚肥美，下气，补益。东人呼为蒸（音鱼），以其似蘇字，但除禾边故也。榨其子作油，日煎之，即今油帛及和漆所用者，服食断谷亦用之，名为重油。"

萧炳云："又有大荏，形似野荏高大，叶大小荏一倍，不堪食。人收其子，以充油绢帛，与大麻子同。其小荏子欲熟，人采其角食之，甚香美。大荏叶不堪食。"

51　蓼子

孟诜［掌氏引］：蓼子[1]，多食令人吐水。亦通五脏壅气，损阳气[2]。

（《大观》卷28页1，《证类》页509，《纲目》页929）

【校注】

［1］**蓼子**　《本经》称蓼实。为蓼科植物多种蓼的种子。

陶弘景云："蓼类又多，人所食有三种：一是紫蓼，相似而紫色；名香蓼，亦相似而香，并不甚辛而好食；一是青蓼，人家常有，其叶有圆者、尖者，以圆者为胜，所用即是此。干之以酿酒，主风冷，大良。马蓼，生下湿地，茎斑，叶大有黑点，亦有两三种，其最大者名笼薣（音鼓），即是荭草。"

［2］**多食令人吐水。亦通五脏壅气，损阳气**　《纲目》误注出处为"权"，并将之化裁为"多食吐水，壅气损阳"。《纲目》所言"权"，指《药性论》。

按，《蜀本草·图经》云："蓼类甚多，有紫蓼、赤蓼、青蓼、马蓼、水蓼、香蓼、木蓼等，其类有七种。紫、赤二蓼，叶小狭而厚；青、香二蓼，叶亦相似而俱薄；马、水二蓼，叶俱阔大，上有黑点。木蓼一名天蓼，蔓生，叶似柘叶，诸蓼花皆红白，子皆赤黑；木蓼，花黄白，子皮青滑。"

52　大蒜

孟诜［《医心方》引］：大蒜[1]，热除风，杀虫、毒气[2]。

孟诜［掌氏引］：葫，久服损眼伤肝。治蛇咬疮[3]，取蒜去皮一升，捣以小便一升，煮三四沸，通人即入渍损处[4]，从夕至暮。初被咬未肿，速嚼蒜封之，六七易。

又，蒜一升去皮，以乳二升，煮使烂。空腹顿服之，随后饭压之。明日依前进服[5]，下一切冷毒风气。

又，独头者一枚，和雄黄、杏仁研为丸，空腹饮下三丸，静坐少时，患鬼气者，当汗出即差[6]。

《食疗》［唐氏引］：大蒜，除风，杀虫。

孟诜［《纲目》引］：蛇虺螫伤，即时嚼蒜封之，六七易。仍以蒜一升去皮，以乳二升煮熟，空心顿服，明日又进。外以去皮蒜一升捣细，小便一升煮三四沸，浸损处。

孟诜《食疗本草》［《纲目》引］：鬼毒风气，独头蒜一枚，和雄黄、杏仁研为丸，空腹饮下三丸，静坐少时，当下毛出即安。

（《大观》卷29页4，《证类》页517，《纲目》页1182，《医心方》页711）

【校注】

［1］**大蒜**　《别录》名葫。陶弘景注："今人谓葫为大蒜，谓蒜为小蒜。"为百合科植物大蒜的鳞茎。《本草图经》云："葫，大蒜也。人家园圃所莳也。每头六七瓣，初种一瓣，当年便成独子葫，至明年则复其本矣。然其花中有实，亦葫瓣状而极小，亦可种之。五月五日采。"

［2］**毒气**　掌氏引"孟诜"作"冷毒风气"。

［3］**治蛇咬疮**　《纲目》引"孟诜"作"蛇虺螫伤"。

［4］**通人即入渍损处**　《纲目》引"孟诜"文，并将之化裁为"浸损处"。

［5］**煮使烂。空腹顿服之，随后饭压之。明日依前进服**　《纲目》引"孟诜"文，并将之化裁为"煮熟，空心顿服，明日又进"。

［6］**当汗出即差**　《证类》作"当毛出即差"；《纲目》引"孟诜《食疗本草》"作"当下毛出即安"。《大观》作"当汗出即差"。从《大观》为正。

53　小蒜

孟诜［掌氏引］：小蒜[1]，亦主诸虫毒[2]、丁肿，甚良。不可常食。

孟诜［《纲目》引］：蒜，涂丁肿甚良。

《食疗》［唐氏引］：小蒜，主霍乱，消谷，治胃，温中，除邪气[3]。五月五日采者上。

又，去诸虫毒、丁肿、毒疮，甚良。不可常食。

（《大观》卷29页5，《证类》页518，《纲目》页1180）

【校注】

［1］**小蒜** 《别录》名蒜，为百合科植物小蒜。《本草图经》云："根苗皆如葫（大蒜）而极细小者是也。五月五日采。又《说文》云：蒜，荤菜也。一云菜之美者，云梦之荤。生山中者名蒚。今《本经》谓大蒜为葫，小蒜为蒜。而《尔雅》《说文》所谓蒜荤菜者，乃今大蒜也。蒚，乃今小蒜也。书传载物之别名不同，如此用药不可不审也。"

［2］**亦主诸虫毒** 唐氏引"《食疗》"作"又，去诸虫毒"。《日华子》云："小蒜，热，有毒。下气，止霍乱吐泻，消宿食，治虫毒，傅蛇虫，沙虱疮。三月不可食。"

［3］**主霍乱，消谷，治胃，温中，除邪气** 《食医心镜》云："小蒜，主霍乱，腹中不安，消谷，理胃气，温中，除邪痹，毒气，归脾、肾，煎汤服之。"

54 薤

孟诜《食经》［《医心方》引］：薤[1]，治心腹胀满，可作宿菹，空腹食之。

孟诜［《医心方》引］：薤，长服之，可通神灵[2]，甚安魂魄，续筋力。

孟诜［掌氏引］：薤，疗诸疮中风水肿，生捣，热涂上，或煮之。白色者最好。虽有辛，不荤五脏[3]。

学道人长服之，可通神灵，甚安魂魄，益气，续筋力。

《食疗》［唐氏引］：薤，轻身耐老。疗金疮、生肌肉：生捣薤白，以火封之。更以火就炙，令热气彻疮中，干则易之。

白色者最好，虽有辛气，不荤人五脏。

又，发热病，不宜多食。三月勿食生者。

又，治寒热，去水气，温中，散结气。可作羹。

又，治女人赤白带下。学道人长服之，可通神，安魂，益气，续筋力。骨鲠在咽不去者，食之即下。

孟诜［《纲目》引］：薤，白色者最好，虽有辛，不荤五脏。学道人长服之，可通神，安魂魄，益气，续筋骨。薤白，治女人带下赤白，作羹食之。骨鲠在咽不去者，食之即下。发热病，不宜多。三、四月勿食生者。

（《大观》卷28页6，《证类》页512，《纲目》页1179，《医心方》页155、711）

【校注】

［1］**薤** 为百合科植物小根蒜。《本草图经》云："薤，似韭而叶阔，多白无实。人家种者，有赤、白二种，赤者疗疮生肌，白者冷补。皆春分莳之，至冬而叶枯。"

［2］**长服之，可通神灵** 唐氏引"《食疗》"作"学道人长服之，可通神"。

[3] **虽有辛，不荤五脏** 唐氏引“《食疗》”作“虽有辛气，不荤人五脏”。

55 韭

孟诜［《医心方》引］：韭[1]，冷气人，可煮，长服之。

孟诜［掌氏引］：韭，热病后十日，不可食热韭，食之即发困[2]。

又，胸痹，心中急痛如锥刺，不得俯仰，自汗出[3]；或痛彻背上，不治或至死；可取生韭或根五斤，洗，捣汁灌少许，即吐胸中恶血。

《食疗》［唐氏引］：韭，亦可作菹，空心食之，甚验。此物煠熟，以盐、醋空心吃一楪，可十顿以上，甚治胸膈咽气[4]，利胸膈，甚验。

初生孩子，可捣根汁灌之，即吐出胸中恶血，永无诸病。

五月勿食韭。若值时馑之年[5]，可与米同功[6]，种之一亩，可供十口食。

孟诜［《纲目》引］：韭，煠熟，以盐、醋空心吃十顿，治胸膈噎气。捣汁服，治胸痹刺痛如锥，即吐出胸中恶血甚验。又灌初生小儿，吐去恶水恶血，永无诸病。

热病后十日食之，即发困。五月多食，乏气力。冬月多食，动宿饮，吐水。不可与蜜及牛肉同食。

《食疗本草》［《纲目》引］：胸痹痛如锥刺，不得俯仰，自汗出，或彻背上，不治或至死。可取生韭或根五斤，洗，捣汁服之。

（《大观》卷28页5，《证类》页511，《纲目》页1172，《医心方》页711）

【校注】

[1] **韭** 为百合科植物韭。《本草图经》云：“圃人种莳，一岁而三四割之，其根不伤，至冬，壅培之，先春而发，信乎一种而久者也。在菜中，此物最温而益人。”

[2] **热病后十日，不可食热韭，食之即发困** 《纲目》引“诜曰”，并将之化裁为“热病后十日食之，即发困。五月多食，乏气力。冬月多食，动宿饮，吐水。不可与蜜及牛肉同食”。此文所含“五月多食……吐水”一节，原出《证类》所引“黄帝云”。由于《纲目》脱漏“黄帝云”标记，后人遂误其为孟诜文。

[3] **自汗出** 《证类》作“白汗出”，《大观》作“自汗出”。

[4] **此物煠熟……甚治胸膈咽气** 《纲目》引“孟诜”文，并将之化裁为“煠熟，以盐、醋空心吃十顿，治胸膈噎气”。

[5] **时馑之年** 即饥馑受灾之年。

[6] **与米同功** 《证类》作“与米同地”，《大观》作“与米同功”。

56 葱实

孟诜［掌氏引］：葱[1]，温。根主疮中有水，风肿疼痛者。冬葱最善，宜冬月食，不宜多。虚人患气者，多食发气，上冲人，五脏闭绝，虚人胃。开骨节，出汗，故温尔。

《食疗》［唐氏引］：葱叶，温。白，平。主伤寒壮热、出汗；中风，面目浮肿，骨节头疼，损发鬓[2]。

葱白及须，平。通气，主伤寒头痛。

又，治疮中有风水，肿疼，取青叶、干姜、黄檗相和，煮作汤，浸洗之，立愈。

冬月食，不宜多。只可和五味用之，上冲人，五脏闭绝，虚人患气者，多食发气。为通和关节，出汗之故也。少食则得，可作汤饮。不得多食，恐拔气上冲，人五脏闷绝。切不可与蜜相和，食之促人气，杀人。又，止血衄，利小便[3]。

孟诜［《纲目》引］：葱茎白，通关节，止衄血，利大小便。

葱，宜冬月食。不可过多，损须发，发人虚气上冲，五脏闭绝，为其开骨节出汗之故也。葱须，通气。

《食疗》［《纲目》引］：疮伤风水肿痛[4]。取葱青叶和干姜、黄檗等分，煮汤浸洗，立愈。

（《大观》卷28页3，《证类》页510，《纲目》页1175）

【校注】

［1］**葱**　为百合科植物葱的鳞茎。《蜀本草·图经》云："葱有冬葱、汉葱、胡葱、茖葱，凡四种。冬葱，夏衰冬盛，茎叶俱软美。山南、江左有之。汉葱冬枯，其茎实硬而味薄。胡葱，茎叶粗短，根若金蓌，能疗肿毒。茖葱，生于山谷，不入药用。《尔雅》云：茖，山葱。"

［2］**损发鬓**　《纲目》引"诜曰"作"损须发"。

［3］**止血衄，利小便**　《纲目》引"孟诜"文，并将之化裁为"通关节，止衄血，利大小便"。

［4］**肿痛**　张绍棠本《纲目》作"肿毒"，金陵本《纲目》作"肿痛"。

57 胡葱

《食疗》［唐氏引］：胡葱[1]，平。主消谷，能食[2]。久食之，令人多忘。根，发痼疾。

又，食着诸毒肉，吐血不止，痿黄悴者：取子一升洗，煮使破，取汁停冷。服半升，日一服，夜一服，血定止。

又，患胡臭、䘌齿人不可食，转极甚。

谨案：利五脏不足气，亦伤绝血脉气。多食损神，此是熏物耳[3]。

孟诜［《纲目》引］：胡葱生蜀郡山谷。状似大蒜而小，形圆皮赤，稍长而锐。五月、六月采[4]。温中下气，消谷能食，杀虫，利五脏气不足。亦是薰物。久食，伤神损性，令人多忘，损目明，绝血脉，发痼疾。患胡臭、䘌齿人，食之转甚。

子，治中诸肉毒，吐血不止，萎黄悴者，以一升，水煮，冷服半升，日一夜一，血定乃止。

（《大观》卷29页6，《证类》页578，《纲目》页1178）

【校注】

［1］**胡葱**　为百合科植物胡葱。《开宝本草》云："胡葱，其状似大蒜而小，形圆皮赤，稍长而锐。生蜀郡山谷。五月、六月采。"

［2］**主消谷，能食**　《纲目》引"孟诜"文，并将之化裁为"温中下气，消谷能食，杀虫，利五脏气不足"。按，此文原出《开宝本草》，《纲目》误注出处为"孟诜"。

［3］**多食损神，此是熏物耳**　《纲目》作"亦是熏物。久食，伤神损性，令人多忘，损目明，绝血脉，发痼疾。患胡臭、䘌齿人，食之转甚"。按，此句是《纲目》取"多食损神，此是熏物耳"和《开宝本草》文糅合而成的。

［4］**胡葱生蜀郡山谷……六月采**　以上26字，原出《开宝本草》，《纲目》误注出处为"孟诜"。

58　紫苏

孟诜［掌氏引］：紫苏[1]，除寒热，治冷气[2]。

孟诜［《纲目》引］：紫苏，除寒热，治一切冷气。

（《大观》卷28页12，《证类》页514，《纲目》页840）

【校注】

［1］**紫苏**　为唇形科植物皱紫苏或尖紫苏。《别录》名苏，《开宝本草》注："今俗呼为紫苏。"《本草图经》云："叶下紫色，而气甚香，夏采茎叶，秋采实。"

《日华子》云："紫苏，补中益气，治心腹胀满，止霍乱转筋，开胃，下食并一切冷气，止脚气，通大小肠。子主调中，益五脏，下气，止霍乱，呕吐，反胃，补虚劳，肥健人，利大小便，破癥结，消五膈，止嗽，润心肺，消痰气。"

［2］**治冷气**　《纲目》引"孟诜"文，并将之化裁为"治一切冷气"。

59 鸡苏

孟诜［掌氏引］：鸡苏[1]，一名水苏。熟捣生叶，绵裹塞耳，疗聋。又，头风目眩者，以清酒煮汁一升服。产后中风，服之弥佳[2]。

可烧作灰汁及以煮汁洗头，令发香[3]，白屑不生。

又，收讫酿酒及渍酒，常服之佳。

孟诜［《纲目》引］：水苏，酿酒、渍酒及酒煮汁常服，治头风目眩，及产后中风。恶血不止，服之弥妙。

孟诜《食疗》［《纲目》引］：耳卒聋闭：鸡苏叶生捣，绵裹塞之。

（《大观》卷28页13，《证类》页514，《纲目》页842）

【校注】

［1］**鸡苏** 为唇形科植物水苏。《本经》名水苏。《唐本草》注云："此苏生下湿水侧，苗似旋覆，两叶相当，大香馥。青、齐、河间人名为水苏，江左名为荠苎，吴会谓之鸡苏。"

［2］**产后中风，服之弥佳** 《纲目》引"孟诜"文，并将之化裁为"及产后中风。恶血不止，服之弥妙"。

［3］**可烧作灰汁……令发香** 以上14字，《纲目》将之化裁为"沐发令香，鸡苏煮汁，或烧灰淋汁，沐之"，并注出处为"《普济》"。"《普济》"为《普济方》简称。该书卷48载有此方。

60 荆芥

孟诜［掌氏引］：荆芥[1]，多食熏人五脏神。

张鼎《食疗》［陈藏器引］：荆芥，一名析蓂。

《食疗》［唐氏引］：荆芥，辟邪气，除劳，传送五脏不足气，助脾胃。多食熏五脏神，通利血脉，发汗，动渴疾[2]。

又，杵为末，醋和封风毒肿上。

患丁肿，荆芥一把，水五升，煮取二升，冷，分二服[3]。

孟诜［《纲目》引］：荆芥，治产后中风身强直，研末酒服[4]。作菜食之，动渴疾，熏人五脏神。反驴肉，无鳞鱼。

（《大观》卷28页8，《证类》页513，《纲目》页836）

【校注】

[1] **荆芥** 为唇形科植物荆芥。《本经》名假苏。《唐本草》注："假苏即菜中荆芥。先居草部中，令人食之，录在菜部也。"

[2] **多食熏五脏神，通利血脉，发汗，动渴疾** 《纲目》引"诜曰"，并将之化裁为"作菜食之，动渴疾，熏人五脏神。反驴肉，无鳞鱼"。

[3] **荆芥，辟邪气……分二服** 唐氏所引"《食疗》"此条，与《药性论》"荆芥"条内容基本相同。《药性论》云："荆芥，辟邪毒气，除劳。久食动渴疾。治丁肿，取一握，切，以水五升，煮取二升，冷，分二服。主通利血脉，传送五脏不足气，能发汗，除冷风。又捣末和醋封毒肿。"

[4] **荆芥，治产后中风身强直，研末酒服** 《纲目》在"假苏"条"主治"下所引文中，有"产后中风身强直，研末酒服"。此文原出《本草拾遗》，《纲目》误注出处为"孟诜"。

61 香菜

孟诜［掌氏引］：香菜[1]，温，又云香戎[2]。去热风。生菜中食，不可多食。卒转筋[3]，可煮汁顿服半升，止。

又，干末，止鼻衄，以水服之[4]。

孟诜［《纲目》引］：香菜，去热风。卒转筋者，煮汁顿服半升，即止。为末水服，止鼻衄。

孟诜《食疗》［《纲目》引］：香菜，又云香戎。

（《大观》卷28页14，《证类》页515，《纲目》页834）

【校注】

[1] **香菜** 为唇形科植物海州香薷。《别录》名香薷。

《本草图经》云："香薷，今所在皆种，但北土差少，似白苏而叶更细。十月中采，干之，一作香菜，俗呼香茸。霍乱转筋，煮饮服之，无不差者。若四肢烦冷，汗出而渴者，加蓼子同切，煮饮。胡洽治水病洪肿，香菜煎：取干香菜五十斤，一物剉，内釜中，以水淹之，水出香菜上一寸，煮使气力都尽，清澄之，严火煎，令可丸。一服五丸如梧子，日渐增之，以小便利好。寿春及新安有。彼间又有一种石上生者，茎、叶更细，而辛香弥甚，用之尤佳。彼人谓之石香薷。"

[2] **又云香戎** 《本草纲目》云："薷，本作菜。孟诜《食疗》作香戎者，非是。"

[3] **转筋** 出《灵枢》。俗名抽筋，常发于腓肠肌（小腿肚筋脉拘挛，如扭转急痛）。在寒冷深水处游泳，偶尔出现此症。

[4] **干末，止鼻衄，以水服之** 《纲目》引"孟诜"文，并将之化裁为"为末水服，止鼻衄"。

62 胡荽

腊玄子张［《医心方》引］：胡荽[1]，利五脏不足[2]，不可多食，损神。

孟诜［《医心方》引］：胡荽，食之消谷，久食之多忌。

孟诜［掌氏引］：胡荽，味辛温，一云微寒，微毒[3]。消谷，治五脏，补不足；利大小肠，通小腹气，拔四肢热，止头痛，疗沙疹、豌豆疮不出，作酒喷之立出。通心窍[4]，久食令人多忘。发腋臭、脚气。

根，发痼疾。

子，主小儿秃疮，油煎傅之。亦主蛊、五痔及食肉中毒下血：煮，冷取汁服。并州人呼为香荽。入药炒用[5]。

《食疗》［唐氏引］：胡荽，平。利五脏，补筋脉。主消谷能食。若食多，则令人多忘。

又，食着诸毒肉，吐、下血不止，顿痿黄者[6]：取净胡荽子一升，煮令腹破[7]，取汁停冷，服半升，一日一夜二服即止。

又，狐臭䘌齿病人不可食，疾更加。久冷人食之，脚弱。患气，弥不得食。

又，不得与斜蒿同食。食之令人汗臭，难差。

不得久食，此是薰菜，损人精神[8]。

秋冬捣子，醋煮熨肠头出，甚效。

可和生菜食，治肠风。热饼裹食甚良。

孟诜［《纲目》引］：胡荽，平，微寒，无毒。补筋脉，令人能食。治肠风，用热饼裹食，甚良。可和生菜食。此是荤菜，损人精神。华佗云：胡臭、口臭、䘌齿及脚气、金疮人，皆不可食，病更加甚。

《食疗本草》［《纲目》引］：食诸肉毒，吐下血不止，痿黄者：胡荽子一升，煮令发裂，取汁冷服半升，日、夜各一服，即止。

孟诜《食疗本草》［《纲目》引］：肠头挺出：秋冬捣胡荽子，醋煮熨之，甚效。

（《大观》卷27页11，《证类》页501，《纲目》页1199，《医心方》页708）

【校注】

［1］**胡荽** 为伞形科植物芫荽。

［2］**利五脏不足** 掌氏引“孟诜”作“治五脏，补不足”。唐氏引“《食疗》”作“利五脏，补筋脉”。各家引文词异义同。

［3］**味辛温，一云微寒，微毒** 《纲目》引“诜曰”作“平，微寒，无毒”。

［4］**消谷，治五脏……通心窍** 《纲目》注其出处为“《嘉祐》”。

［5］**胡荽，平。利五脏……入药炒用** 本条原是《嘉祐本草》新补条文。《嘉祐本草》将它与

“石胡荽”条并列，并在“石胡荽”条末注云：“以上五种新补见孟诜、陈藏器、萧炳、陈士良、《日华子》。”这说明“胡荽”条是掌氏糅合五家文字而成的，目前无法区分各家原文，姑且全文转录。

[6] **顿痿黄者** 《证类》作“顿痞黄者”。

[7] **煮令腹破** 《证类》作“煮食腹破”。

[8] **此是薰菜，损人精神** 《纲目》引“诜曰”，并将之化裁为“此是荤菜，损人精神。华佗云：胡臭、口臭、䘌齿及脚气、金疮人，皆不可食，病更加甚”。此文中“华佗云……更加甚”，未见《大观》《证类》援引。疑“华佗云”3字脱漏标记，遂被误为“诜曰”的文字。

63 石胡荽

孟诜［掌氏引］：石胡荽[1]，无毒。通鼻气，利九窍，吐风痰[2]，不任食。亦去翳，熟挼纳鼻中，翳自落[3]。俗名鹅不食草[4]。

孟诜［《纲目》引］：石胡荽，疗痔病[5]。

（《大观》卷27页12，《证类》页501，《纲目》页1080）

【校注】

[1] **石胡荽** 为菊科植物鹅不食草。《大观》《证类》在本条末注云：“以上五种新补见孟诜、陈藏器、萧炳、陈士良、日华子。”这说明本条由掌氏糅合五家文字而成。目前无法区分各家文字，姑且全文转录。

[2] **通鼻气，利九窍，吐风痰** 《纲目》注出处为“炳”。按，“炳”即萧炳，是《四声本草》的作者。

[3] **亦去翳，熟挼纳鼻中，翳自落** 《纲目》作“去目翳，挼塞鼻中，翳膜自落”，并注出处为“藏器”。

[4] **俗名鹅不食草** 《纲目》注“鹅不食草”出处为“《食性》”。

[5] **石胡荽，疗痔病** 《大观》《证类》“石胡荽”条未见有此文。

64 邪蒿

孟诜［掌氏引］：邪蒿[1]，味辛，温，平，无毒。似青蒿细软。主胸膈中臭烂恶邪气。利肠胃，通血脉，续不足气。生食微动风气[2]。作羹食良。不与胡荽同食，令人汗臭气。

孟诜［《纲目》引］：邪蒿，主胸膈中臭烂恶邪气，利肠胃，通血脉，续不足气。生食微动风，作羹食良。不与胡荽同食，令人汗臭气。

（《大观》卷27页11，《证类》页501，《纲目》页1198）

【校注】

[1] **邪蒿** 一名斜蒿。《大观》《证类》将“邪蒿”条与“石胡荽”条并列，并在“石胡荽”条末注云：“以上五种新补见孟诜、陈藏器、萧炳、陈士良、《日华子》。”这说明本条由掌氏糅合五家文字而成。

[2] **生食微动风气** 《纲目》作“生食微动风”，省去“气”字。

65 同蒿

孟诜［掌氏引］：同蒿[1]，平。主安心气，养脾胃，消水饮[2]。又，动风气，熏人心，令人气满，不可多食[3]。

（《大观》卷27页12，《证类》页501，《纲目》页1198）

【校注】

[1] **同蒿** 为菊科植物同蒿。《大观》《证类》将“同蒿”条与“石胡荽”条并列，并在“石胡荽”条末注云：“以上五种新补见孟诜、陈藏器、萧炳、陈士良、《日华子》。”这说明本条是掌氏糅合五家文字而成的。

[2] **安心气，养脾胃，消水饮** 《纲目》注其出处为“思邈”。又，“消水饮”，《纲目》作“消痰饮”。

[3] **动风气……不可多食** 《纲目》注其出处为“禹锡”。

66 罗勒

孟诜［掌氏引］：罗勒[1]，味辛，温，微毒。调中消食，去恶气，消水气，宜生食。又，疗齿根烂疮，为灰用，甚良[2]。不可过多食，壅关节，涩荣卫，令血脉不行。又，动风发脚气[3]。患啘，取汁服半合，定。冬月用干者煮之。

子，主目翳及物入目，三五颗至目中，少顷当湿胀，与物俱出。又，疗风赤眵泪[4]。

根，主小儿黄烂疮，烧灰傅之，佳[5]。北人呼为兰香，为石勒[6]讳也。

（《大观》卷27页12，《证类》页501，《纲目》页1204）

【校注】

[1] **罗勒** 为唇形科植物罗勒。《大观》《证类》将“罗勒”条与“石胡荽”条并列，并在“石胡荽”条末注云：“以上五种新补见孟诜、陈藏器、萧炳、陈士良、《日华子》。”这说明“罗勒”条是掌氏糅合五家文字而成的。

[2] **调中消食……为灰用，甚良** 《纲目》注其出处为“禹锡”。

[3] **不可过多食……发脚气** 《纲目》注其出处为“禹锡”。

[4] **子，主目翳……赤眵泪** 《纲目》注其出处为“《嘉祐》”。又，“眵”，俗称眼屎，为眼部分泌物。

[5] **根，主小儿黄烂疮，烧灰傅之，佳** 《纲目》引掌氏文，并将之化裁为“其根烧灰，傅小儿黄烂疮”。

[6] **石勒** 是东晋时后赵建立者，在位于327—332年，羯族，上党（今山西上党）武乡人。为避“勒”字讳，罗勒改称兰香。

67 白苣

孟诜［《医心方》引］：白苣[1]，寒。主补筋力。

膳玄子张［《医心方》引］：白苣，利五脏，开胸膈壅气[2]，通经脉，养筋骨，令人齿白净，聪明，少睡。可常常食之。有小冷气人食之，虽亦觉腹冷，终不损人。

又，产后不可食之，令人寒中，少腹痛。

孟诜［掌氏引］：白苣，味苦，寒，一云平。主补筋骨，利五脏，开胸膈壅气，通经脉，止脾气。令人齿白，聪明，少睡。可常食之。患冷气人食，即腹冷，不至苦损人。产后不可食，令人寒中，小腹痛[3]。

孟诜［《纲目》引］：白苣，补筋骨，利五脏，开胸膈壅气，通经脉，止脾气，令人齿白，聪明少睡，可煮食之[4]。

（《大观》卷29页10，《证类》页521，《纲目》页1215，《医心方》页707、708）

【校注】

[1] **白苣** 为菊科植物莴苣。《本草拾遗》云：“白蒿如莴苣，叶有白毛。”

[2] **开胸膈壅气** 在“壅气”之旁，原本注有“寒”字。疑“寒”为“塞”之误。所谓“壅气”，指“壅塞之气”。

[3] **白苣，味苦……小腹痛** 《嘉祐本草》录之为新增药条，且在条末注有“新补见孟诜、陈藏器、萧炳”。这说明本条是掌氏糅合三家文字而成的。但条文中注有“陈藏器云”文字。剔除陈藏器文后，剩下的，当属孟诜、萧炳之文。再用《医心方》所引“孟诜”文、“膳玄子张”文勘比，两者内容基本相同。由此可以看出，“膳玄子张”实即张鼎。

[4] **可煮食之** 掌氏引“孟诜”文作“可常食之”。《医心方》引“膳玄子张”文作“可常常食之”。

68 莴苣

孟诜［掌氏引］：莴苣[1]，冷，微毒。紫色者入烧炼药用，余功同白苣。

《食疗》［《纲目》引］：莴苣。

（《大观》卷29页10，《证类》页521，《纲目》页1215）

【校注】

［1］**莴苣** 为菊科植物莴苣。本条原续在《嘉祐本草》新增药“白苣”条末。《纲目》将“莴苣”条拔出，单立一条，以莴苣为正名，并在正名下注“食疗”2小字。意为“莴苣”出“《食疗》”。但《纲目》在“莴苣”条下所列“释名”“集解”“气味”“主治”等项文字中，未注出处为“《食疗》”。

69 蕹菜

孟诜［掌氏引］：蕹菜[1]，味甘，平，无毒。主解野葛[2]毒，煮食之。亦生捣服之。岭南种之。蔓生，花白，堪为菜。云南人先食蕹菜，后食野葛，二物相伏，自然无苦。

又，取汁滴野葛苗，当时菸死[3]。其相杀如此。张司空[4]云：魏武帝啖野葛至一尺。应是先食此菜也。

（《大观》卷29页13，《证类》页522，《纲目》页1207）

【校注】

［1］**蕹菜** 为旋花科植物蕹菜。嵇含《草木状》云：“蕹菜叶如落葵而小。南人编苇为筏，作小孔，种子于其中，则如萍，根浮水面。及长成茎叶，皆出于苇筏孔中，随水上下。”

《大观》《证类》将本条与“莙荙”条等并列，并在“莙荙”条末注：“以上五种新补见孟诜、陈藏器、陈士良、《日华子》。”这说明此五种新补药，是掌氏糅合诸家本草文字而成的。

《纲目》“蕹菜”条之“主治”“发明”文，均注出处为“陈藏器”。

［2］**野葛** 即钩吻。为马钱科植物胡蔓藤。剧毒。陶弘景言其入口则钩人喉吻也。

［3］**菸死** 即萎枯而死。

［4］**张司空** 即晋代张华。张华，字茂先，范阳方城（今河北涿州）人，著《博物志》。该书记有山川、地理、人物传说、奇异草木、虫鱼鸟兽、神仙方技故事等资料。

70 菠薐

孟诜［掌氏引］：菠薐[1]，冷，微毒。利五脏，通肠胃热，解酒毒。服丹石人食之，佳。北人食肉、面即平，南人食鱼、鳖、水米即冷。不可多食，冷大小肠。久食令人脚弱不能行。发腰痛，不与䱉[2]鱼同食，发霍乱吐泻[3]。

孟诜［《纲目》引］：菠薐，利五脏，通肠胃热，解酒毒。服丹石人食之，佳。

北人食肉、面，食之即平；南人食鱼、鳖、水米，食之即冷，故多食[4]，冷大小肠也。

（《大观》卷 29 页 13，《证类》页 522，《纲目》页 1207）

【校注】

[1] **菠薐** 为藜科植物菠菜。刘禹锡《嘉话录》云：“菠薐，本西国中有，自彼将其子来，如苜蓿、葡萄，因张骞而至也。本是颇陵国将来，语讹，尔时多不知也。”

[2] **䱇** 《大观》作“蛆”。《证类》作“䱇”，即鳝鱼。

[3] **菠薐……发霍乱吐泻** 《大观》《证类》将本条与“莙荙”条并列，并在“莙荙”条末注：“以上五种新补见孟诜、陈藏器、陈士良、《日华子》。”这说明本条是掌氏糅合四家文字而成的。

《纲目》引本条文字，分别注出处为“士良”“孟诜”“诜”。

[4] **故多食** 掌氏引“孟诜”文作“不可多食”。《纲目》引“孟诜”文，并将之化裁为“故多食”。

71 鹿角菜

孟诜［掌氏引］：鹿角菜[1]，大寒，无毒，微毒。下热风气，疗小儿骨蒸热劳[2]。丈夫不可久食，发痼疾，损经络血气，令人脚冷痹，损腰肾，少颜色[3]。服丹石人食之，下石力也[4]。出海州，登、莱、沂、密州并有，生海中[5]。又能解面热[6]。

孟诜［《纲目》引］：鹿角菜，微毒。丈夫不可久食，发痼疾，损腰肾、经络、血气，令人脚冷痹，少颜色。

（《大观》卷 29 页 13，《证类》页 522，《纲目》页 1240）

【校注】

[1] **鹿角菜** 为海萝科植物海萝。《大观》《证类》将本条与“莙荙”条并列，并在“莙荙”条末注云：“以上五种新补见孟诜、陈藏器、陈士良、《日华子》。”由此可见，本条是掌氏糅合四家文字而成的。

[2] **下热风气，疗小儿骨蒸热劳** 《纲目》注此文出处为“士良”。

[3] **丈夫不可久食……少颜色** 《纲目》注此文出处为“诜”。

[4] **服丹石人食之，下石力也** 《纲目》注此文出处为“士良”。

[5] **出海州，登、莱、沂、密州并有，生海中** 以上，《纲目》注出处为“士良”。

[6] **又能解面热** 《纲目》引“大明”，并将之简化为“解面热”。

从上述［2］至［6］注文看，《纲目》将本条文字分散在“集解”“气味”“主治”等项下，分别注出处为“士良”“孟诜”“大明”三家，独未见“陈藏器”。

72 苦荬

孟诜［掌氏引］：苦荬[1]，冷，无毒。治面目黄，强力，止困，傅蛇虫咬。又，汁傅丁肿，即根出。蚕蛾出时，切不可取拗，令蛾子青烂。蚕妇亦忌食。野苦荬五六回拗后，味甘滑于家苦荬[2]，甚佳。

（《大观》卷29页13，《证类》页522，《纲目》页1213、1214）

【校注】

［1］**苦荬**　《纲目》认为苦荬、苦苣，都是《本经》的苦菜，并合并论述。按，《大观》《证类》将本条列于"莙荙"条之前，并在"莙荙"条末注云："以上五种新补见孟诜、陈藏器、陈士良、《日华子》。"这说明本条是掌氏糅合四家文字而成的。

［2］**蚕蛾出时……味甘滑于家苦荬**　《纲目》"苦菜"条"集解"末引此文，注出处为"士良"。按，本条由掌氏糅合四家文字而成，《纲目》仅注一家出处，其他三家未见注出。

73 菾菜

孟诜［掌氏引］：菾菜[1]，又捣汁与时疾人服，差。

子，煮半生，捣取汁，含[2]，治小儿热。

孟诜［《纲目》引］：菾菜子，煮半生，捣汁服，治小儿热。

（《大观》卷28页16，《证类》页513，《纲目》页1207）

【校注】

［1］**菾菜**　《日华子》名甜菜。为藜科植物菾菜。《唐本草》注："此菜似升麻苗。"《蜀本草·图经》云："高三四尺，茎若蒴藋，有细棱，夏盛冬枯。"《纲目》将本条与"莙荙"条并为一条。

［2］**捣取汁，含**　《纲目》引"孟诜"文，并将之化裁为"捣汁服"。又，《本草拾遗》云："菾菜，捣绞汁服之，主冷热痢，又止血生肌。人及禽兽有伤折，傅之立愈。又收取子，以醋浸之，揩面，令润泽有光。"

74 莙荙

孟诜［掌氏引］：莙荙[1]，平，微毒。补中下气，理脾气，去头风，利五脏[2]。冷气不可多食，动气。先患腹冷，食必破腹[3]。茎灰淋汁，洗衣白如玉色[4]。

孟诜［《纲目》引］：子，煮半生，捣汁服，治小儿热[5]。

（《大观》卷29页13，《证类》页522，《纲目》页1207）

【校注】

[1] **莙荙** 为藜科植物莙荙菜。《纲目》将之并在“菾菜”条内，并注云：“菾菜，即莙荙也。”《大观》《证类》在本条末注云：“以上五种新补见孟诜、陈藏器、陈士良、《日华子》。”这说明本条由掌氏糅合四家文字而成。

[2] **补中下气，理脾气，去头风，利五脏** 以上，《纲目》注出处为“《嘉祐》”。

[3] **冷气不可多食……食必破腹** 以上，《纲目》注出处为“禹锡”。文中“冷气”，《纲目》作“冷气人”，指虚寒体质人。又，文中“破腹”，指胃肠受伤引起腹泻。

[4] **茎灰淋汁，洗衣白如玉色** 以上10字，《纲目》将之续在“菾菜”条“集解”项下所引“保昇曰”文字之后。查《大观》《证类》“菾菜”条，掌氏引《蜀本草·图经》文，并无此10字。

[5] **子……治小儿热** 以上11字，原出“菾菜”条，《纲目》引“孟诜”文，并将之并入“莙荙”条中。

75　薄荷

《食疗》［唐氏引］：薄荷[1]，平。解劳。与薤相宜。发汗，通利关节。杵汁服，去心脏风热。

孟诜［《纲目》引］：薄荷，杵汁服，去心脏风热。

（《大观》卷28页15，《证类》页515，《纲目》页838）

【校注】

[1] **薄荷** 为唇形科植物薄荷。《本草图经》云：“薄荷，茎叶似荏而尖长，经冬根不死，夏秋采茎叶，暴干。古方稀用，或与薤作齑食。近世医家治伤风，头脑风，通关格及小儿风涎，为要切之药，故人家园庭间多莳之。又有胡薄荷，与此相类，但味少甘为别。生江浙间，彼人多以作茶饮之，俗呼新罗薄荷。”

76　秦荻藜

孟诜［掌氏引］：秦荻藜[1]，于生菜中最香美，甚破气[2]。又，末之，和酒服，疗卒心痛，悒悒[3]，塞满气。又，子，末以和醋封肿气[4]，日三易。

孟诜［《纲目》引］：秦荻藜，此物于生菜中最香美。破气甚良。又，末之，和酒服，疗心痛[5]悒悒，塞满气。

子，治肿毒，捣末，和醋封之，日三易。

（《大观》卷28页16，《证类》页516，《纲目》页1221）

【校注】

[1] **秦荻藜** 《唐本草》云："秦荻藜，生下湿地，所在有之。"又云："主心腹冷胀，下气，消食，人所啖之。"

《本草拾遗》谓之五辛菜，并云："岁朝食之，助发五脏气，常食温中，去恶气消食。"

[2] **甚破气** 《纲目》将之化裁为"破气甚良"。

[3] **悒悒** 《素问·刺疟》："腹中悒悒。"王冰注："悒悒，不畅之貌。"

[4] **末以和醋封肿气** 《纲目》引"孟诜"文，将之化裁为"肿毒，捣末，和醋封之"。又，"末以和醋"，《证类》作"末和大醋"。

又，《食医心镜》云："秦荻藜，取和酱、醋食之，理心腹冷胀，下气消食。空腹食之最佳。"

[5] **疗心痛** 掌氏引"孟诜"作"疗卒心痛"。《纲目》省去"卒"字。

77 堇菜

孟诜［掌氏引］：堇菜[1]，久食，除心烦热[2]，令人身重懈惰。又，令人多睡，只可一两顿而已。

又，捣傅热肿良。

又，杀鬼毒，生取汁半升服，即吐出。

《食疗》［唐氏引］：堇菜，味苦。主寒热鼠瘘，瘰疬生疮，结核聚气。下瘀血。

叶，主霍乱。与香茙同功[3]。蛇咬，生傅之，毒即出矣。

又，干末和油煎成，摩结核上[4]，三五度便差。

孟诜［《纲目》引］：堇菜，久食，除心下烦热。主寒热鼠瘘，瘰疬生疮，结核聚气，下瘀血，止霍乱。又，生捣汁半升服，能杀鬼毒，即吐出。堇叶，止霍乱，与香茙同功。香茙即香薷也。

孟诜《食疗》［《纲目》引］：结核气，堇菜日干为末，油煎成膏，摩之。日三五度，便差。

（《大观》卷29页11，《证类》页521，《纲目》页1201、996）

【校注】

[1] **堇菜** 《纲目》云："此旱芹也，其性滑。一种黄花者，有毒杀人，即毛芹也。"《纲目》卷17"石龙芮"条又列有"水堇"。其气味、主治、发明、附方等文字，与本条文全同。按《纲目》所说，堇菜即旱芹，石龙芮即水堇，它们都是同一种药物了。实际如何，待考。

[2] **除心烦热** 《纲目》作"除心下烦热"。

[3] **功** 其后，《纲目》引"诜曰"增"香茙即香薷也"。

[4] **干末和油煎成，摩结核上**　《纲目》引“孟诜《食疗》”文，并将之化裁为“结核气：堇菜日干为末，油煎成膏，摩之。”

78　水芹

孟诜［《医心方》引］：芹[1]，食之养神益力[2]，杀石药毒[3]。

膳玄子张［《医心方》引］：芹，于醋中食之，损人齿，黑色。若食之时，不如高田者宜人。其水者有虫生子，食之与人患。

孟诜［掌氏引］：水芹，寒，养神益力，杀药毒。置酒酱中香美。又，和醋食之损齿[4]。

生黑滑地，名曰水芹，食之不如高田者宜人。余田中皆诸虫子在其叶下，视之不见，食之与人为患。高田者名白芹。

《食疗》［唐氏引］：水芹，寒。养神益力，令人肥健，杀石药毒。

孟诜［《纲目》引］：水芹，去伏热，杀石药毒，捣汁服。和醋食损齿。鳖瘕不可食。

水芹，生黑滑地，食之不如高田者宜人，置酒酱中香美。高田者名白芹，余田者皆有虫子在叶间，视之不见，食之令人为患。

（《大观》卷29页7，《证类》页519，《纲目》页1200，《医心方》页709）

【校注】

[1] **芹**　《本经》名水芹。为伞形科植物水芹。《开宝本草》注云：“水芹即芹菜也。芹有两种：荻芹取根白色；赤芹取茎叶，并堪作菹及生菜。”

[2] **食之养神益力**　掌氏、唐氏引“孟诜”作“养神益力”，省去“食之”。

[3] **杀石药毒**　掌氏引“孟诜”作“杀药毒”。《纲目》将之化裁为“去伏热，杀石药毒，捣汁服”。

[4] **和醋食之损齿**　《纲目》引“诜曰”，并将之化裁为“和醋食损齿。鳖瘕不可食”。此文后5字“鳖瘕不可食”原出《本草拾遗》，《纲目》在此5字前脱漏“藏器曰”标记，后人遂误此5字出处为“孟诜曰”。

79　马芹子

孟诜［掌氏引］：马芹子[1]，和酱食诸味良。根及叶不堪食。卒心痛：子作末，醋服[2]。

孟诜［《纲目》引］：马芹子，炒研醋服，治卒心痛，令人得睡。

（《大观》卷29页12，《证类》页522，《纲目》页1202）

【校注】

［1］**马芹子**　《唐本草》注："马芹，生水泽旁，苗似鬼针、菾菜等，花青白色，子黄黑色，似防风子。"《日华子》云："马芹，嫩时可食。子，治卒心痛，炒食令人得睡。"

［2］**卒心痛：子作末，醋服**　《纲目》引"孟诜"文，并将之化裁为"炒研醋服，治卒心痛，令人得睡"。此文末句"令人得睡"，原出《日华子》，《纲目》移之于此。

80　蓴

孟诜［《医心方》引］：蓴[1]，多食动痔[2]。

孟诜［掌氏引］：蓴，和鲫鱼作[3]羹，下气止呕[4]。多食发痔。虽冷而补。热食之，亦壅气不下。甚损人胃及齿，不可多食，令人颜色恶。

又，不宜和醋食之，令人骨痿。少食，补大小肠虚气；久食，损毛发。

孟诜［《纲目》引］：蓴，和鲫鱼作羹食，下气止呕。多食，压丹石。补大小肠虚气，不宜过多。蓴，虽冷补，热食及多食亦壅气不下，甚损人胃及齿，令人颜色恶，损毛发。和醋食，令人骨痿。

（《大观》卷29页6，《证类》页519，《纲目》页1071，《医心方》页709）

【校注】

［1］**蓴**　为睡莲科植物莼菜。《纲目》云："蓴字本作莼。莼乃丝名，其茎似之故也。"按，"蓴"为"莼"的异体字。

《蜀本草·图经》云："蓴生水中，叶似凫葵，浮水上，采茎堪啖，花黄白，子紫色。三月至八月，茎细如钗股，黄赤色，短长随水深浅，而名为丝蓴；九月、十月渐粗硬；十一月萌在泥中，粗短，名瑰蓴，体苦涩，惟取汁味尔。"

［2］**多食动痔**　掌氏引"孟诜"作"多食发痔"。《纲目》引"孟诜"作"多食，压丹石"。

［3］**作**　柯本《大观》无，刘本《大观》、《证类》有"作"字。

［4］**和鲫鱼作羹，下气止呕**　《唐本草》注云："蓴，合鲫鱼为羹食之，主胃气弱不下食者至效。"

81　蘩蒌

孟诜《食经》［《医心方》引］：治隐疹疮方，捣蘩蒌封上。

膳玄子张［《医心方》引］：蘩蒌，煮作羹食之，甚益人。

《食疗》［唐氏引］：蘩蒌[1]，不用令人长食之，恐血尽。或云蘩蒌即藤也，又恐白软草是[2]。

孟诜［《纲目》引］：蘩蒌，即藤也。又，恐白软草是之。其性温。治恶疮有神效之功，捣汁涂之。作菜食，益人。须五月五日者乃验。又曰能去恶血。不可久食，恐血尽。

（《大观》卷29页10，《证类》页520，《纲目》页1209，《医心方》页97、708）

【校注】

［1］**蘩蒌** 为石竹科植物蘩蒌。《唐本草》注云："蘩蒌即是鸡肠，多生湿地坑渠之侧，流俗通谓鸡肠。雅士总名蘩蒌。"《纲目》云："蘩蒌，即鹅肠，非鸡肠也。下湿地极多。正月生苗，叶大如指头。细茎引蔓，断之中空，有一缕如丝。"

［2］**蘩蒌，不用令人长食之……又恐白软草是** 本条文字，《纲目》援引时对其多加化裁。"集解"下所引"孟诜"文有"蘩蒌，即藤也"。"气味"下所引"孟诜"文有"温"。"发明"下所引"孟诜"文有"治恶疮有神效之功，捣汁涂之。作菜食，益人。须五月五日者乃验。又曰能去恶血。不可久食，恐血尽"。

82 蕺菜

孟诜《食经》［《医心方》引］：小儿食蕺菜，便觉脚痛。

孟诜［掌氏引］：蕺菜[1]，温。小儿食之，三岁不行。久食之，发虚弱，损阳气，消精髓，不可食。

孟诜［《纲目》引］：蕺，小儿食之，三岁不行。久食，发虚弱，损阳气，消精髓。

（《大观》卷29页12，《证类》页521，《纲目》页1218，《医心方》页557）

【校注】

［1］**蕺菜** 即鱼腥草。为三白草科植物蕺菜。《本草图经》云："蕺菜，山谷阴处湿地有之。作蔓生，茎紫赤色。叶如荞麦而肥。山南、江左人好生食之。然不宜多食，令人气喘，发虚弱，损阳气，消精髓，素有脚弱病尤忌之。"

83 翘摇

《食疗》［唐氏引］：翘摇[1]，疗五种黄病，生捣汁，服一升，日二，差。甚益人，利五脏，明耳目，去热风，令人轻健。长食不厌[2]，煮熟吃，佳。若生吃，令人吐水[3]。

孟诜［《纲目》引］：翘摇，利五脏，明耳目，去热风，令人轻健，长食不厌，甚益人。煮食佳，生食令人吐水。

（《大观》卷27页21，《证类》页509，《纲目》页1220）

【校注】

［1］**翘摇**　为豆科植物硬毛果野豌豆。陆放翁《诗序》："蜀蔬有两巢：大巢即豌豆之不实者；小巢生稻田中，一名漂摇草，一名野蚕豆。"

［2］**长食不厌**　此4字后，《纲目》引"孟诜"文增"甚益人"。

［3］**煮熟吃，佳。若生吃，令人吐水**　《纲目》引"诜曰"，并将之化裁为"煮食佳，生食令人吐水"。

《本草拾遗》云："翘摇，味辛，平，无毒。主破血，止血，生肌。亦充生菜食之。又，主五种黄病，绞汁服之。生平泽，紫花，蔓生，如劳豆。《诗义疏》云：苕饶，幽州人谓之翘饶。《尔雅》云：柱夫，摇车也。"

84　蕨

孟诜［《医心方》引］：蕨[1]，令人脚弱不能行。消阳事，缩玉茎。多食令人发落，鼻塞，目暗。小儿不可食之，立行不得也。

《食疗》［唐氏引］：蕨，寒。补五脏不足。气壅经络筋骨间，毒气。令人脚弱不能行。消阳事，令眼暗，鼻中塞，发落，不可食。又，冷气人食之，多腹胀。

孟诜［《纲目》引］：蕨，补五脏不足，气壅经络筋骨间，毒气。久食，令人目暗、鼻塞、发落。又，冷气人食多腹胀。小儿食之，脚弱不能行[2]。

（《大观》卷27页20，《证类》页509，《纲目》页1219，《医心方》页709）

【校注】

［1］**蕨**　为凤尾蕨科植物蕨。《埤雅》云："蕨，初生无叶，状如雀足之拳，又如人足之蹶，故谓之蕨。"

《本草拾遗》云："蕨，叶似老蕨，根如紫草。按，蕨，味甘，寒，滑。去暴热，利水道，令人睡，弱阳。小儿食之，脚弱不行。生山间，人作蔬食之。"

［2］**小儿食之，脚弱不能行**　以上9字原出《本草拾遗》，其文之首脱漏"藏器曰"标记，后人遂将之误为孟诜文。

草木果实部　卷第二

85　萩

孟诜《食经》［《医心方》引］：萩[1]治鱼骨鲠，取萩去皮，着鼻中，少时，差。

（《医心方》页682）

【校注】

［1］**萩**　《说文》云："萩，萧也。"又云："萧，艾蒿也。"段玉裁注云："《大雅》取萧祭脂。毛公曰：萧所以供祭祀。陆玑曰：今人所谓萩蒿也。"《本草图经》云："蒿类亦多。《尔雅》云：蘩之丑，秋蒿。言春时各有种名，至秋老成皆通呼为蒿也。"

《尔雅》云："萧，萩。"李巡曰："萩，一名萧。"陆玑疏云："今人所谓萩蒿者是也。"郝懿行疏云："今萩蒿叶白似艾而多歧，茎尤高大如蒌蒿，可丈余。"

86　青木香

孟诜《食经》［《医心方》引］：青木香[1]，治心痛[2]，酢研服之。

（《大观》卷6页59，《证类》页160，《纲目》页805，《医心方》页153）

【校注】

［1］**青木香**　《本经》"木香"条，陶弘景注："此即青木香也。"《本草图经》云："根窠大类

茄子，叶似羊蹄而长大，花如菊，实黄黑。”据此，青木香即菊科植物木香。

[2] **治心痛**　《药性论》云：“木香治女人血气刺心，心痛不可忍，末，酒服之。又治九种心痛。”

《纲目》云：“《摄生众妙方》治心气刺痛：青木香一两，皂角炙一两，为末，糊丸梧桐子大，每汤服五十丸，甚效。”

87　柠茎

孟诜《食经》［《医心方》引］：柠茎[1]，治中风隐疹疮[2]，单煮洗浴之。

（《医心方》页97）

【校注】

[1] **柠茎**　疑即苎茎。《别录》有苎根，并云：“苎根，寒。主小儿赤丹。”《外台秘要》云：“备急治白丹：苎根三斤，小豆四升，以水二三斗，煮以浴，三四遍浸洗妙。”

[2] **中风隐疹疮**　《诸病源候论》云：“人皮肤虚，为风寒所袭，则起隐疹，寒多则色赤，风多则色白，甚者痒痛，搔之则成疮。”

88　人参

《食疗》［唐氏引］：人参[1]，咳嗽不差者，黄明胶[2]炙令半焦为末，每服一钱匕，人参末二钱匕，用薄[3]豉汤一钱[4]八分，葱少许，入铫子煎一两沸后，倒入盏，遇咳嗽，呷三五口后，依前温暖，却准前咳嗽时吃之也[5]。

《食疗本草》［《纲目》引］：肺虚久咳，人参末二两，鹿角胶炙研一两。每服三钱，用薄荷、豉汤一盏，葱少许，入铫子煎一二沸，倾入盏内，遇咳时，温呷三五口甚佳。

（《大观》卷16页9，《证类》页371，《纲目》页722）

【校注】

[1] **人参**　为五加科植物人参的根。

[2] **黄明胶**　《药性论》云：“白肢又名黄明胶。”《本经》云：“白胶一名鹿角胶。”《别录》云：“白胶煮鹿角作之。”《大观》《证类》将本条俱列于“白胶”条下，则本条所言黄明胶，实指鹿角胶而言。其后，黄明胶又成为牛皮胶别名。《本草图经》云：“今时方家用黄明胶多是牛皮。今牛皮胶制作不甚精，但以胶物者，不堪药用之。”

[3] **薄**　《纲目》作“薄荷”。

[4] **钱**　《证类》作“盏”，《大观》作“钱”。

[5] **依前温暖，却准前咳嗽时吃之也** 《纲目》作“甚佳”2字。又，《纲目》将本条列在“人参”条的“附方”栏下，并注出处为《食疗》。《大观》《证类》将本条列在“白胶”条下。

89 天门冬

《食疗》[唐氏引]：天门冬[1]，补虚劳，治肺劳，止渴，去热风。可去皮心，入蜜煮之，食后服之。若曝干入蜜丸，尤佳。亦用洗面，甚佳[2]。

孟诜《食疗》[《纲目》引]：天门冬，治肺劳风热，止渴去热。天门冬去皮心，煮食。或曝干为末，蜜丸服尤佳。亦可洗面。

（《大观》卷6页20，《证类》页147，《纲目》页1025）

【校注】

[1] **天门冬** 为百合科植物天门冬块根。

《药性论》云：“天门冬，君，主肺气咳逆喘息促急，除热，通肾气，疗肺痿生痈吐脓。止消渴，去热中风，宜久服，令人白净。和地黄为使服之，耐老，头不白，能冷补。患人体虚而热，加而用之。”

《圣济总录》：“面黑令白方。天门冬曝干，同蜜捣作丸，日用洗面。”

齐德之《外科精义》：“治口疮连年不愈方。天门冬、麦门冬并去心，玄参等分为末，炼蜜丸弹子大，每噙一丸。”

90 黄精

《食疗》[唐氏引]：饵黄精[1]，能[2]老不饥。其法，可取瓮子，去底，釜上安置，令得所，盛黄精令满。密盖，蒸之，令气溜，即暴之。第二遍蒸之亦如此。九蒸九暴。凡生用[3]时有一硕[4]，熟有三四斗，蒸之若生，则刺人咽喉；暴使干，不尔朽坏。其生者，若初服，只可一寸半，渐渐增之。十日不食，能长服之，止三尺五寸[5]。服三百日后，尽见鬼神，饵必升天。

根、叶、花、实皆可食之，但相对者是，不对者名偏精[6]。

孟诜[《纲目》引]：饵黄精法：取瓮子去底，釜内安置得所，入黄精令满，密盖，蒸至气溜，即暴之。如此九蒸九暴。若生则刺人咽喉。若服生者，初时只可一寸半，渐渐增之，十日不食，服止三尺五寸，三百日后，尽见鬼神，久必升天。根、叶、花、实皆可食之，但以相对者是正，不对者名偏精也。

（《大观》卷6页5，《证类》页142，《纲目》页732）

【校注】

[1] **黄精** 为百合科植物多种黄精的通称。《别录》云："黄精，味甘，平，无毒。主补中益气，除风湿，安五脏，久服轻身延年不饥。生山谷，二月采根阴干。"

[2] **能** 通"耐"。

[3] **用** 原脱，据成化《政和》补。

[4] **硕（dàn）** 通"石"。

[5] **寸** 原作"升"，据成化《政和》改。

[6] **相对者是，不对者名偏精** 《纲目》作"相对者是正，不对者名偏精也"。

按，黄精极似钩吻。《雷公炮炙论》云："凡使勿用钩吻，真似黄精。误服害人。"《博物志》云："太阴之草名曰黄精，饵之可以长生；太阴之草名曰钩吻，不可食之，入口立死。人信钩吻之杀人，不信黄精之益寿，不亦甚乎？"

91 地黄

《食疗》［唐氏引］：地黄[1]，微寒[2]。以少蜜煎或浸食之，或煎汤，或入酒饮，并妙[3]。生则寒，主齿痛，唾血，折伤[4]。叶可以羹。

（《大观》卷6页26，《证类》页149，《纲目》页892）

【校注】

[1] **地黄** 为玄参科植物地黄的根茎。

[2] **微寒** 《本经》云："干地黄，味甘寒。"《别录》云："生地黄，大寒。"此条言"微寒"，当指干地黄而言。《本草拾遗》云："干地黄，《本经》不言生干及蒸干，方家所用二物，别蒸干即温补，生干则平，当依此以用之。"

[3] **妙** 《大观》作"炒"，《证类》作"妙"。当从《证类》。

[4] **生则寒，主齿痛，唾血，折伤** 生大黄用法甚多。《别录》云："生地黄，大寒。主妇人崩中血不止，及产后血上薄心闷绝，堕坠踠折，衄鼻吐血，皆捣饮之。"

萧炳云："干、生二种，皆黑须发良药。"

《千金方》："治牙齿根欲动脱：生地黄细剉，绵裹着齿上咂之，渍齿根，日三四并咽之，十日大佳。"

《食医心镜》："生地黄，主劳瘦骨蒸，日晚寒热咳嗽唾血。生地黄汁二合，煮白粥临熟，入地黄汁搅令匀，空心食之。"

《本草衍义》云："如血虚劳热，产后虚热，老人中虚燥热须地黄者，生与生干，常虑太寒，如此之类，故后世改用熟者。"

92 薯蓣

《食疗》［唐氏引］：薯蓣[1]，治头疼，利丈夫，助阴力[2]。和面作馎饦[3]，则惟动气，为不能制面毒也。熟煮和蜜，或为汤煎，或为粉，并佳。干之入药更妙也[4]。

孟诜［《纲目》引］：薯蓣，利丈夫，助阴力。熟煮和蜜，或为汤煎，或为粉，并佳。干之入药更妙。惟和面作馎饦则动气，为不能制面毒也。

（《大观》卷6页62，《证类》页160，《纲目》页1223）

【校注】

［1］**薯蓣** 为薯蓣科植物薯蓣的块茎。薯蓣在唐代因避讳（唐代宗名预）称薯药。今人呼为山药。

《食医心镜》云："薯药，主下焦虚冷，小便数，瘦损无力。生薯药半斤，刮去皮，以刀切碎，研令细烂。于铛中着酒，酒沸，下薯药，不停搅，着少盐、葱白，更添酒，空腹饮三二杯，妙。"

［2］**治头疼，利丈夫，助阴力** 《别录》云："薯蓣，主头面游风，风头眼眩，下气，止腰痛，补虚劳羸瘦，充五脏，除烦热，强阴。"

［3］**馎饦** 汤煮的面食品。欧阳修《归田录》云："汤饼，唐人谓之不托，今俗谓之馎饦矣。"

按，薯蓣最早见于《本经》。《本经》云："薯蓣，补中益气力，长肌肉。"同熟地、山萸肉、丹皮、茯苓、泽泻为丸服，能补肾添精，久服有却病延年之功。

［4］**薯蓣，治头疼……更妙也** 《纲目》转录本条时，对文句前后做了化裁，并注出处为"孟诜"。

93 甘菊

《食疗》［唐氏引］：甘菊[1]，平。其叶正月采，可作羹。茎五月五日采，花九月九日采。并主头风，目眩，泪出，去烦热，利五脏。野生苦菊[2]不堪用。

孟诜［《纲目》引］：服食甘菊，正月采叶，五月五日采茎，九月九日采花。

（《大观》卷6页11，《证类》页144，《纲目》页845）

【校注】

［1］**甘菊** 为菊科植物菊的干燥头状花序。陶弘景云："菊有两种：一种茎紫气香而味甘，叶可作羹食者，为真菊；一种青茎而大，作蒿艾气，味苦不堪食者，名苦薏，非真菊也。花正相似，惟以甘、苦别之。南阳郦县（今河南南阳西北）最多。"

杨损之云："甘菊入药，苦菊不任。"

《食医心镜》云："甘菊，主头风目眩，胸中汹汹，目泪出，风痹骨肉痛。切作羹煮粥，并生食。"

《药性论》云："甘菊花，使，能治热头风，旋旋倒地，脑骨疼痛，身上诸风令消散。"

［2］**野生苦菊** 为菊科植物野菊。《本草拾遗》称野菊名苦薏。生泽畔，茎如马兰，花如菊。孙

氏《集效方》治痈疽丁肿一切无名肿毒，用野菊花连茎捣烂，酒煎热服取汗，以渣傅之即愈。

94 茺蔚

孟诜《食经》［《医心方》引］：茺蔚[1]，治中风隐疹疮[2]，可作浴汤[3]。

（《大观》卷6页38，《证类》页153，《纲目》页856，《医心方》页97）

【校注】

［1］**茺蔚** 为唇形科植物益母草。《本经》云："茺蔚茎，主隐疹痒，可作浴汤。"陶弘景云："茺蔚叶如荏，方茎，子形细长三棱。"《本草图经》云："茺蔚苗叶上节节生花，实似鸡冠子，黑色，茎作四方棱，五月采。"

［2］**中风隐疹疮** 《诸病源候论》云："人皮肤虚，为风寒所袭，则起隐疮，寒多则色赤，风多则色白，甚者痒痛，搔之则成疮。"

［3］**可作浴汤** 《本经》云："茺蔚茎，主瘾疹痒，可作浴汤。"而本条"孟诜《食经》"文正与《本经》文同。掌氏所引"孟诜"文，以前代本草所无为主。凡前代本草已有者皆不录。所以《证类》"茺蔚"条未对掌氏录孟诜文作注。

95 薏苡仁

孟诜［掌氏引］：薏苡仁[1]，性平。去干湿脚气[2]，大验。

孟诜［《纲目》引］：薏苡仁，平。去干湿脚气，大验[3]。

（《大观》卷6页63，《证类》页161，《纲目》页1129）

【校注】

［1］**薏苡仁** 为禾本科植物薏苡种仁。

《食医心镜》："薏苡仁，治筋脉拘挛，久风湿痹，下气，除骨中邪气，利肠胃，消水肿，久服轻身，益气力。薏苡仁一升，捣为散，每服，以水二升，煮两匙末作粥，空腹食之。"

［2］**脚气** 见《诸病源候论》卷13。古名缓风、脚弱。其症先起于腿脚，麻木，酸痛，软弱无力，或挛急肿胀，或萎枯，或胫红肿发热，进而入腹攻心，小腹不仁，呕吐，心悸，胸闷，喘促。治宜宣壅逐湿。薏苡仁能逐湿。《本经》云："薏苡仁主风湿痹，下气。"

［3］**薏苡仁，平。去干湿脚气，大验** 此与掌氏所引"孟诜"文，文句全同。

96 白蒿

孟诜［掌氏引］：白蒿[1]，寒。春初此蒿前诸草生。捣汁去热黄及心痛。其叶，生挼，醋腌之，为菹[2]，甚益人。

又，叶，干为末，夏日暴水痢，以米饮和一匙，空腹服之。

子，主鬼气。末，和酒服之，良。又，烧淋灰煎，治淋沥疾。

孟诜［《纲目》引］：白蒿苗、根，生挼，醋腌为菹食，甚益人。捣汁服，去热黄及心痛。曝为末，米饮，空心服一匙，治夏月暴水痢。烧灰淋汁煎，治淋沥疾。

（《大观》卷6页79，《证类》页166，《纲目》页854）

【校注】

［1］**白蒿**　为菊科植物大籽蒿。《本草图经》云："白蒿，蓬蒿也。……今人但食蒌蒿，不复食此，或疑此蒿即蒌蒿。而孟诜又别著蒌蒿条，所说不同，明是二物。"但《纲目》"白蒿"条的"释名"下，以蒌蒿为白蒿异名，注出处为《食疗》。按《本草图经》，蒌蒿乃另一物，孟诜有著录，后人未见引。

［2］**其叶，生挼，醋腌之，为菹**　《本草图经》云："此草古人以为菹。唐·孟诜亦云：生挼醋食。"

97　蒌蒿

孟诜［《本草图经》引］：蒌蒿[1]。

（《大观》卷6页79，《证类》页166，《纲目》页854）

【校注】

［1］**蒌蒿**　《本草图经》云："白蒿……今人但食蒌蒿，不复食此。而孟诜别著蒌蒿条。"据此可知，孟诜书中著有"蒌蒿"条。

98　决明

《食疗》［唐氏引］：决明[1]，平。叶，主明目，利五脏[2]，食之甚良。

子，主肝家[3]热毒气，风眼赤泪[4]，每日取一匙挼去尘埃，空腹，水吞之，百日后夜见物光也[5]。

（《大观》卷7页31，《证类》页183，《纲目》页912）

【校注】

［1］**决明**　为豆科植物决明。《蜀本草·图经》云："叶似苜蓿而阔大，夏花，秋生子作角，实

似马蹄，俗名马蹄决明。”

[2] **叶，主明目，利五脏** 《药性论》云：“决明，臣，利五脏，可作菜食之。”

[3] **肝家** 《大观》作“人患”，《证类》《药性论》俱作“肝家”。《千金方》云：“治肝毒热，取决明作菜食之。”

[4] **风眼赤泪** 《本经》云：“决明子，主青盲、目淫、肤赤、白膜，眼赤痛泪出。”

[5] **每日取一匙……百日后夜见物光也** 《药性论》云：“朝朝取一匙，挼令净，空心吞之，百日见夜光。”

《外台秘要》：“治积年失明不识人，决明子二升，杵散，食后，以粥饮服方寸匕。”

99 生姜

孟诜［掌氏引］：生姜[1]，温。去痰，下气，多食少心智，八、九月食伤神。

又，冷痢：取椒，烙之为末，共干姜末等分，以醋和面作小馄饨子，服二七枚，先以水煮，更稀饮中重煮，出停冷，吞之以粥饮之，空腹日一度作之，良。

谨案：止逆，散烦闷，开胃气。

又，姜屑末，和酒服之，除偏风。

汁作煎，下一切结实冲胸膈恶气，神验。

孟诜［《医心方》引］：生姜，食之除鼻塞，去胸中臭气。

患痢人，鹑可和生姜煮食之。患胃虚并呕吐食水者，用白粱米汁二合，生姜汁一合和服之。

《食疗》［唐氏引］：生姜，温。去痰下气，除壮热，治转筋，心满，去胸中臭气，通神明。

又，胃气虚风热不能食，姜汁半鸡子壳，生地黄汁少许，蜜一匙头，和水三合顿服，立差。

又，皮寒，性温。作屑末，和酒服，治偏风。

又，姜汁和杏仁汁煎成膏，酒调服，或水调下，善下一切结实，冲胸膈。

孟诜［《纲目》引］：生姜，散烦闷，开胃气。汁作煎服，下一切结实，冲胸膈恶气，神验。

姜屑，和酒服，治偏风。

张鼎［《纲目》引］：生姜，除壮热，治痰喘胀满，冷痢腹痛，转筋心满，去胸中臭气、狐臭，杀腹内长虫。

《食疗》［《纲目》引］：冷痢不止，生姜煨研为末[2]，共干姜末等分，以醋和面作馄饨，先以水煮，又以清饮煮过，停冷，吞二七枚，以粥送下，日一度。

《食疗本草》［《纲目》引］：胃虚风热不能食。用姜汁半杯，生地黄汁少许，蜜一匙，水三合，和服之。

（《大观》卷8页11，《证类》页193，《纲目》页1197，《医心方》页687、706、707）

【校注】

［1］**生姜**　为姜科植物姜的根茎。本条，《大观》《证类》既引“孟诜”文，又引“《食疗》”文。两文内容不同，详略各异。“孟诜”文较简，多治冷痢方；“《食疗》”文较详，少治冷痢方。

［2］**冷痢不止，生姜煨研为末**　掌氏引“孟诜”作“冷痢：取椒，烙之为末”。《纲目》化裁之，将“取椒烙之”改为“生姜煨”，似与掌氏所引“孟诜”文原义不合。

100　葛根

《食疗》［唐氏引］：葛根[1]蒸食之，消酒毒[2]。其粉[3]亦甚妙。

（《大观》卷8页8，《证类》页196，《纲目》页1022）

【校注】

［1］**葛根**　为豆科植物野葛或甘葛藤的根。《药性论》云：“葛根，治天行上气呕逆，开胃下食，主解酒毒，止烦渴。熬屑治金疮，主时疾解热。”陶弘景云：“葛根为屑，疗金疮断血为要药。”

［2］**消酒毒**　《千金方》云：“酒醉不醒，捣葛根汁饮一二升便醒。”《别录》云：“葛花主消酒。”《药性论》云：“葛根主解酒毒。”

［3］**粉**　即葛粉。《本草图经》云：“葛根，今人多以作粉食之，甚益人。”《食医心镜》云：“治小儿壮热呕吐不住惊痫方：葛粉二大钱，右以水二合，调令匀，泻向锑锣中，倾侧令遍重汤中，煮令熟，以糜饮相和食之。”

101　栝楼

《食疗》［唐氏引］：栝楼[1]子，下乳汁[2]。

治痈肿[3]，栝楼根苦酒[4]中熬燥，捣筛之，苦酒和，涂纸上摊贴。服金石人宜用。

孟诜《食疗》［《纲目》引］：痈肿初起，用栝楼根苦酒熬燥，捣筛，以苦酒和，涂纸上，贴之。

（《大观》卷8页10，《证类》页197，《纲目》页1018）

【校注】

[1] **栝楼** 为葫芦科植物栝楼或双边栝楼。其果实名栝楼，其根名天花粉。能消肿散结，可治乳痈，配蒲公英、牛蒡子可治乳痈初起。

[2] **栝楼子，下乳汁** 《集验方》："下乳汁，栝楼子淘洗，控干，炒令香熟，瓦上擒令白色为末，酒调下一匕，合面卧少时。"

《产宝》："产后乳无汁，栝楼末，井花水服方寸匕，日二服，夜流出。"

[3] **治痈肿** 栝楼根能消肿排脓；配大黄、黄柏为散，外敷疮痈肿毒；配金银花、蒲公英、当归、赤芍、炮山甲内服，有消肿排脓之功。

[4] **苦酒** 即醋。

按，栝楼、栝楼根（天花粉）均能消痈肿。栝楼还能化痰、通便，止胸痹痛（心绞痛），常与薤白、半夏合用。天花粉还能润肺燥、止燥咳，清胃热、止消渴，配葛根、五味子、山药治内热消渴。

102 苍耳

孟诜［掌氏引］：苍耳[1]，温。主中风伤寒头痛。

又，丁肿困重：生捣苍耳根叶和小儿尿绞取汁，冷服一升，日三度，甚验。

《食疗》［唐氏引］：拔丁肿根脚[2]。又治一切风。取嫩叶一石，切捣，和五升麦糵，团作块，于蒿艾中盛二十日，状成曲，取米一斗炊作饭。看冷暖，入苍耳麦糵曲作三大升酿之，封一十四日成熟，取此酒空心暖服之，神验。封此酒，可两重布，不得全密，密则溢出。不可合马肉食[3]。

孟诜［《纲目》引］：葈耳，茎、叶主中风伤寒头痛。

一切丁肿危困者[4]。用苍耳根叶捣，和小儿尿绞汁，冷服一升，日三服，拔根甚验[5]。

孟诜《食疗本草》［《纲目》引］：一切风气。苍耳嫩叶一石，切，和麦糵五升作块，于蒿艾中罯二十日成曲。取米一斗，炊作饭，看冷暖，入曲三升酿之，封二七日成熟。每空心暖服，神验。封此酒可两重布，不得令密，密则溢出。忌马肉、猪肉。

（《大观》卷8页5，《证类》页195，《纲目》页876）

【校注】

[1] **苍耳** 为菊科植物苍耳。其果实名苍耳子。能发汗散风湿，适用于风寒头痛，鼻渊流涕。常配白芷、辛夷、薄荷同用。

《食医心镜》："除一切风湿痹，四肢拘挛。苍耳子三两，捣末，以水一升半，煎取七合，去滓，呷。"

［2］**拔丁肿根脚** 此句为唐氏节引《食疗》文，省去用法而成。因同条中掌氏所引“孟诜”文已述用法。

《千金翼》：“治一切丁肿，取苍耳根茎和叶，烧作灰，以醋泔淀和如泥，涂上，干即易，不过十余度，即拔出其根。”

［3］**不可合马肉食** 《纲目》作“忌马肉、猪肉”。孙真人《千金方·食忌》：“苍耳合猪肉食害人。”

苍耳草可治一切痈疽肿毒，疮疹瘙痒。

《外台秘要》：“疗热毒病攻手足肿痛，取苍耳汁以渍之。”

《圣惠方》：“治妇人风瘙隐疹身痒不止，用苍耳花、叶、子等，捣罗为末，豆淋酒调服二钱匕。”

［4］**一切丁肿危困者** 掌氏引“孟诜”作“丁肿困重”。《纲目》对其多加化裁。

［5］**日三服，拔根甚验** 掌氏引“孟诜”作“日三度，甚验”。《纲目》对其进行化裁，并增“拔根”2字。

103 酸浆

《食疗》［《纲目》引］：酸浆[1]，一名皮弁草。

（《大观》卷8页56，《证类》页211，《纲目》页908）

【校注】

［1］**酸浆** 为茄科植物酸浆。《大观》《证类》“酸浆”条，并无“孟诜”“《食疗》”资料。《纲目》“酸浆”条的“释名”项下有“皮弁草”药名，并注出处为“《食疗》”。

按，“皮弁草”原是《证类》菜部苦耽的别名。《纲目》将“苦耽”条并在“酸浆”条下，则皮弁草亦成酸浆异名。而苦耽是《嘉祐本草》新增药，被列在菜部，《纲目》认为《嘉祐本草》菜部新增的苦耽出自《食疗》。因此，《纲目》注其异名皮弁草出自“《食疗》”。

104 百合

《食疗》［唐氏引］：百合[1]，平。主心急黄，蒸过，蜜和食之，作粉尤佳[2]。红花者名山丹[3]，不堪食[4]。

孟诜［《纲目》引］：百合，心急黄，宜蜜蒸食之。

百合红花者名山丹[5]。其根食之不甚良，不及白花者[6]。

（《大观》卷8页32，《证类》页204，《纲目》页1225）

【校注】

［1］**百合** 为百合科植物多种百合的通称。

［2］**作粉尤佳** 汪颖曰：“百合新者，可蒸可煮，和肉更佳；干者作粉食，最益人。”

[3] **红花者名山丹** 山丹为百合科植物山丹的鳞茎。

《日华子》云："红白合，凉，无毒，治疮肿及疗惊邪，此是红花者名连珠。"

[4] **不堪食** 《证类》作"不甚良"。《大观》作"不堪食"。以《大观》为正。又，《纲目》引"孟诜"文作"其根食之不甚良，不及白花者"。疑《纲目》据《证类》文化裁。

[5] **百合红花者名山丹** 本条，《纲目》单立一条，以"山丹"为正名，并在正名下标注"日华"2字。其意为"山丹"药名出自《日华子》。其实早在《日华子》以前，《食疗》已著录"山丹"药名。

[6] **其根食之不甚良，不及白花者** 按唐氏引"《食疗》"作"不堪食"3字。《纲目》对本句加以化裁。

105 荠苨

《食疗》[唐氏引]：荠苨[1]，丹石发动[2]，取根食之，尤良。

孟诜[《纲目》引]：荠苨根，食之，压丹石发动[3]。

(《大观》卷9页44，《证类》页233，《纲目》页729)

【校注】

[1] **荠苨** 为桔梗科植物荠苨的根。《开宝本草》注："根似桔梗，以无心为异。"陈承《别说》云："今多以蒸压扁乱人参，但味淡尔。"

《食医心镜》云："荠苨，主利肺气，和中，明目，止痛，蒸切作羹粥食之，齑菹亦得。"

[2] **丹石发动** 古人所服的保健品是矿物药钟乳石等制剂，称为丹石；服丹石出现发热烦躁等症，称为丹石发动。荠苨能治百药毒，可制丹石发动。

[3] **荠苨根，食之，压丹石发动** 此与唐氏所引"《食疗》"文，词异义同。

106 恶实

《食疗》[唐氏引]：恶实[1]，根，作脯食之，良。热毒肿，捣根及叶封之。

杖疮、金疮，取叶贴之，永不畏风。

又，瘫缓，及丹石风毒，石热发毒，明耳目，利腰膝，则取其子末之，投酒中浸，经三日，每日饮三两盏，随性多少。

欲散肢节筋骨烦热毒，则食前取子三七粒，熟挼，吞之，十服后，甚良。细切根如小豆大，拌面作饭煮食[2]，尤良。

又，皮毛间习习如虫行[3]，煮根汁浴之，夏浴慎风[4]。却入其子炒过末之，如茶煎三匕，通利小便。

孟诜[《纲目》引]：恶实子，炒研煎饮，通利小便。

又，切根如豆，拌面作饭食，消胀壅[5]。茎叶煮汁作浴汤，去皮间习习如虫行。又，入盐花生捣，搨一切肿毒。

（《大观》卷9页3，《证类》页218，《纲目》页874）

【校注】

[1] **恶实** 为菊科植物牛蒡的果实。本条与《药性论》文相似。

[2] **食** 其后，按《药性论》应有“消胀壅”3字。《纲目》即补此3字。

[3] **如虫行** 其后，《纲目》有“又，入盐花生捣，搨一切肿毒”11字，并注为孟诜文。按，此11字原出《药性论》，《纲目》移之于此。

[4] **慎风** 《大观》作“避风”。本书所据《大观》的底本为南宋刻本，因避赵昚（音慎）讳，改慎为避。

[5] **消胀壅** 以上3字原出《药性论》，《纲目》移之于此。

107 小蓟根

孟诜［《医心方》引］：蓟菜，叶只堪煮羹食，甚除热风气。

又，金创血不止，挼叶封之[1]即止。

孟诜《食经》［《医心方》引］：蓟菜，治金创出血，挼蓟叶封之。

《食疗》［唐氏引］：小蓟根[2]，主养气，取生根、叶捣取自然汁，服一盏，立住。又，取菜煮食之，除热风。根主崩中。又，女子月候伤过，捣汁半升服之。金创血不止，挼叶封之。夏月热烦闷不止，捣叶取汁半升服之，立差。

孟诜［《纲目》引］：小蓟根苗作菜食，除风热。夏月热烦不止，捣汁半升服，立差。

孟诜《食疗本草》［《纲目》引］：金疮出血不止，小蓟苗捣烂涂之。

（《大观》卷9页9，《证类》页221，《纲目》页866，《医心方》页400、708）

【校注】

[1] **金创血不止，挼叶封之** 《医心方》页400引“孟诜《食经》”作“治金创出血，挼蓟叶封之”。同书页708“蓟菜”条引“孟诜”作“又，金创血不止，挼叶封之即止”。两处引文不全相同。可见《医心方》所引“孟诜”文，似非原文转录。

[2] **小蓟根** 小蓟为菊科植物刺儿菜或刻叶刺儿菜。同科植物大蓟功效亦同，故《别录》以“大、小蓟根”为正名。

《本草拾遗》云：“小蓟，破宿血，止新血、暴下血、血痢、金疮出血、呕血等，绞取汁温服。作煎和糖合金疮及蜘蛛、蛇、蝎毒，服之亦佳。”《本草图经》云：“小蓟，专主血疾。”

《日华子》云："小蓟根，凉，无毒。治热毒风并胸膈烦闷，开胃下食，退热，补虚损。苗，去烦热，生研汁服。"

108 艾[1]叶

孟诜［掌氏引］：艾实[2]，与干姜为末，蜜丸，消一切冷气，田野人尤与相当。

《食疗》［唐氏引］：艾叶，干者并煎者，主金疮，崩中，霍乱，止漏胎。

春初采为干饼子，入生姜煎服，止泻痢。三月三日可采作煎，甚治冷。

若患冷气，取熟艾、面裹作馄饨，可大如弹子许[3]。

又，治百恶气，取其子和干姜捣作末，蜜丸如梧子大，服三十丸，以饭三五匙压之，日再服，其鬼神速走出，颇消一切冷血[4]。田野之人，与此方相宜也。

又，产后泻血不止，取干艾叶半两，炙熟老生姜半两，浓煎汤，一服便止，妙。

孟诜［《纲目》引］：春月采嫩艾作菜食，或和面作馄饨如弹子，吞三五枚，以饭压之，治一切鬼恶气，长服止冷痢。

又，以嫩叶作干饼子，用生姜煎服，止泻痢及产后泻血，甚妙。

孟诜《食疗本草》［《纲目》引］：产后泻血不止。干艾叶半两，炙熟老生姜半两，浓煎汤，一服立妙。

（《大观》卷9页1，《证类》页217，《纲目》页848）

【校注】

［1］**艾** 为菊科植物艾。本条，掌氏所引"孟诜"文简略，唐氏所引"《食疗》"文较详。《别录》云："艾，生寒熟热，主下血衄血，脓血痢，水煮及丸散任用。"

［2］**艾实** 《日华子》云："艾实，暖，无毒。壮阳，助水脏腰膝，及暖子宫。"

［3］**弹子许** 《证类》作"弹许"，《大观》作"弹子许"，从《大观》为正。

［4］**冷血** 按《药性论》应作"冷气"。

109 海藻

孟诜［《医心方》引］：海藻[1]，食之起男子阴；恒食，消男子㿉。

膳玄子张［《医心方》引］：海藻，瘦人不可食之。

孟诜［掌氏引］：海藻，主起男子阴气，常食之[2]，消男子㿗疾[3]。南方人多食之，传于北人，北人[4]食之，倍生诸病，更不宜矣。

孟诜［《纲目》引］：海藻起男子阴，消男子㿗疾，宜常食之。南方人多食，北方人效之，倍生诸疾，更不宜矣[5]。

（《大观》卷9页10，《证类》页221，《纲目》页1072，《医心方》页710）

【校注】

［1］**海藻** 为马尾藻科植物海蒿子或羊栖菜。《本草拾遗》云："此物有马尾者，大而有叶者。用之当浸去咸。《本经》云：主结气瘿瘤是也。"

［2］**常食之** 《医心方》作"恒食"。

［3］**㿗疾** 《医心方》作"㿉"，即疝疾。《药性论》云："海藻疗疝气下坠疼痛核肿。"

［4］**北人** 《大观》作"北方"，《证类》作"北人"。后者义长。

［5］**海藻起男子阴……更不宜矣** 此与掌氏所引"孟诜"文几乎相同。

110 昆布

《食疗》［唐氏引］：昆布[1]下气，久服瘦人，无此疾者不可食。海岛之人爱食，为无好菜，只食此物，服久病亦不生，遂传说其功于北人；北人食之病皆生，是水土不宜耳。

孟诜［《纲目》引］：昆布下气，久服瘦人，无此疾者不可食。海岛之人爱食之，为无好菜，只食此物，服久相习，病亦不生，遂传说其功于北人。北人食之皆生病，是水土不宜耳[2]。凡是海中菜，皆损人，不可多食[3]。

（《大观》卷9页13，《证类》页222，《纲目》页1073）

【校注】

［1］**昆布** 为翅藻科植物昆布，或海带科植物海带。而植物的海带为大叶藻科植物大叶藻。《别录》云："昆布，味咸，寒，无毒。主十二种水肿，瘿瘤聚结气，瘘疮。生东海。"《本草拾遗》云："昆布，主阴㿗，含之咽汁。生南海。叶如手，大如薄苇，紫色。"《本草图经》云："昆布，今亦出登（今山东蓬莱）、莱（今山东莱州）诸州，功用乃与海藻相近也。"

［2］**昆布下气……是水土不宜耳** 此与唐氏所引"《食疗》"文同，惟所注出处书名小异。《纲目》注出处为"孟诜"，唐氏注出处为"《食疗》"。

［3］**凡是海中菜，皆损人，不可多食** 以上12字，原出"紫菜"条，《纲目》移之于此。

111 紫菜

《食疗》［唐氏引］：紫菜[1]，下热气，多食胀人。若热气塞咽喉，煮[2]汁饮之。此是海中物味，犹有毒性。凡是海中菜，所以有损人矣。

孟诜［《纲目》引］：紫菜[3]，生南海中，附石。正青色，取而干之，则紫色[4]。热气烦[5]塞咽喉，煮汁饮之。

（《大观》卷9页13，《证类》页222，《纲目》页1239）

【校注】

［1］**紫菜** 为红毛菜科植物甘紫菜。《食疗》将本条并在“昆布”条下。掌氏引《本草拾遗》“紫菜”条，亦将之列在“昆布”条下。

《本草拾遗》云：“紫菜，味甘，寒。主下热烦气。多食令人腹痛发气，吐白沫，饮少热醋消之。”

陶弘景云：“凡海中菜皆疗瘿瘤结气，紫菜辈亦然。”

《本草图经》云：“紫菜，附石生海上正青，取干之则紫色。”《纲目》“紫菜”条的“集解”下，引《本草图经》文，并注出处为“诜曰”。存疑。

［2］**煮** 《证类》作“者”，《大观》作“煮”，以《大观》为正。

［3］**紫菜** 其后，《纲目》注有“食疗”2小字。

［4］**生南海中……则紫色** 唐氏所引“《食疗》”文无此句，疑为《纲目》所加。

［5］**烦** 唐氏所引“《食疗》”文无“烦”字，当是《纲目》所增。

112 蒟酱

《食疗》［唐氏引］：蒟酱[1]，温。散结气，治心腹中冷气[2]，亦名土荜拨。岭南荜拨尤治气疾，巴蜀有之。

《食疗》［《纲目》引］：蒟酱，名土荜拨。

孟诜［《纲目》引］：蒟酱，散结气，心腹冷痛，消谷。

（《大观》卷9页32，《证类》页229，《纲目》页815）

【校注】

［1］**蒟酱** 为胡椒科植物蒟酱的果穗。《蜀都赋》：“流味于番禺。”刘渊林注：“蒟酱，缘而生，其子如桑椹，熟时正青，长二三寸，以蜜藏而食之，辛香温。”《本草图经》：“蒟酱，生巴蜀（今四川），今夔州（今四川奉节）、岭南（今广东、广西）皆有之。蔓生，叶似王瓜而厚，大实，皮黑肉白；其苗为浮留藤。取叶合槟榔食之，辛而香也。”

［2］**散结气，治心腹中冷气** 《纲目》作“散结气，心腹冷痛，消谷”。按，“消谷”原出《齐民要术》“蒟子下气消谷”，《纲目》移之于孟诜文中。

《海药本草》云：“蒟酱，主咳逆上气，心腹虫痛，胃弱，虚泻，霍乱吐逆，解酒食味。”

113 蘹香

孟诜《食经》［《医心方》引］：治恶心，取蘹香花叶煮服之。

《食疗》［唐氏引］：蘹香子[1]，国人重之，云有助阳道用之，未得其方法也。生捣茎叶汁一合，投热酒一合，服之，治卒肾气冲胁，如刀刺痛，喘息不得。亦甚理小肠气[2]。

孟诜［《纲目》引］：茴香，国人重之，云有助阳道，未得其方法也。茴香茎叶，治小肠气，卒肾气冲胁，如刀刺痛，喘息不得。生捣汁一合，投热酒一合，和服[3]。

（《大观》卷9页22，《证类》页225，《纲目》页1202，《医心方》页210）

【校注】

［1］**蘹香子** 为伞形科植物茴香的果实。《唐本草》云："蘹香子，味辛，平，无毒。主诸瘘、霍乱及蛇伤。"

《食医心镜》云："茴香，治霍乱，辟热除口气臭，煮作羹及生食并得。"

［2］**小肠气** 即疝气。《日华子》云："蘹香子，治肾劳㿗疝气，开胃下食。治膀胱痛阴疼，入药，妙。"

《药性论》云："蘹香，破一切臭气。又，卒恶心腹中不安：取茎、叶煮食之，即差。"

［3］**茴香，国人重之……和服** 此与唐氏所引"《食疗》"文同。唐氏注出处为"《食疗》"，《纲目》注出处为"孟诜"。

114 青蒿

《食疗》［唐氏引］：青蒿[1]，寒。益气，长发，能轻身补中不老，明目，杀风毒，捣傅疮上，能止血生肉。最早春便生[2]，色白者是，自然香，醋腌为菹，益人。

治骨蒸[3]，以小便渍一两宿，干末为丸，甚去热方。

又，鬼气，取子为末，酒服之方寸匕，差。

烧灰淋汁，和石灰煎，治恶疮瘢黡[4]。

孟诜［《纲目》引］：青蒿子，治鬼气，为末，酒服方寸匕。

青蒿，烧灰隔纸淋汁，和石灰煎，治恶疮息肉黡瘢。

（《大观》卷10页27，《证类》页250，《纲目》页852）

【校注】

[1] **青蒿** 为菊科植物黄花蒿。《本经》以草蒿为正名。《本草衍义》云："草蒿，今青蒿也，得春最早，人剔以为蔬，根赤叶香。"

《日华子》云："青蒿，补中益气，轻身，补劳，驻颜色，长毛发，发黑不老。"

[2] **最早春便生** 《大观》作"最早春前生"。

[3] **骨蒸** 是一种虚性低热。《本草图经》云："青蒿，治骨蒸劳热为最，古方多单用之。"青蒿，配银柴胡、地骨皮、胡黄连，治骨蒸劳热、盗汗诸症；配知母、鳖甲、生地，治温病后期夜热早凉，热退无汗。

《肘后方》治疟疾寒热：青蒿一握，水二升，捣汁服。按，青蒿捣汁能截疟，但不能煎煮，煎煮则失效。

[4] **烧灰淋汁，和石灰煎，治恶疮瘢靥** 《纲目》引"孟诜"文，并将之化裁为"烧灰隔纸淋汁，和石灰煎，治恶疮息肉靥瘢"。此文类似《拾遗》文"烧为灰，纸八九重淋取汁，和石灰，去息肉靥子"。

115　菌子

孟诜［掌氏引］：菌子[1]，寒。发五脏风，壅经脉，动痔病，令人昏昏多睡，背膊、四肢无力。

又，菌子，有数般，槐树上生者，良；野田中者，恐有毒，杀人。

又，多发冷气，令腹中微微痛。

《食疗》［唐氏引］：菌子，发五脏风，壅经络，动痔病，昏多睡，背膊、四肢无力。

又，菌子，有数般，槐树上生者，良；田野中者，恐有毒，杀人，又多发冷气。

孟诜［《纲目》引］：菌子，有数般，槐树上者，良；野田中者，有毒，杀人，又多发冷气，令人腹中微痛，发五脏风，拥经脉，动痔病，令人昏昏多睡，背膊、四肢无力。

（《大观》卷10页36、卷13页1，《证类》页255、315，《纲目》页1246）

【校注】

[1] **菌子** 掌氏将所引"孟诜"此条文字，列在"桑根白皮"条下。唐氏将所引"《食疗》"此条文字列在"雚菌"条下。两家引文几乎全同，惟《食疗》在句末，缺少"令腹中微微痛"6字。《纲目》所引"孟诜"文，同掌氏所引之文。

按，雚菌生在芦苇之中。《唐本草》注云："雚菌，出渤海芦苇泽中，其菌色白轻虚，表里相似。"据此则菌子与雚菌相似。

又，由掌氏将“菌子”条列“桑根白皮”条下，知菌子生在树上。“孟诜”文亦云：“槐树上生者良。”据此，则菌子应与木耳相类。

唐氏、掌氏所列菌子生境不同，当以掌氏所说可信。

又，菌子与蕈耳相似。《菌性论》云：“蕈耳亦可单用，平。古槐、桑树上者良。能治风破血益力。其余树上多动风气，发痼疾，令人肋下急，损经络，背膊闷。又煮浆粥，安槐木上，草覆之，即生蕈。次柘木者良。”

116　苦芙

《食疗》［唐氏引］：苦芙[1]微寒。生食治漆疮[2]。五月五日采，暴干作灰，傅面目、通身漆疮[3]。不堪多食尔。

（《大观》卷11页53，《证类》页282，《纲目》页868）

【校注】

［1］**苦芙**　为菊科植物中国蓟。陶弘景云：“伧人（穷苦之人）取茎生食之。五月五日采，暴干，烧作灰，以疗金创甚验。”

《蜀本草·图经》云：“子若猫蓟（多刺的小蓟），茎圆无刺。五月采苗堪生啖，下湿地有之。”《日华子》云：“苦芙，冷，治丹毒。”

［2］**漆疮**　对漆过敏所致的疮。皮肤触漆处，焮热作痒，起丘疹水泡，抓破则糜烂流水，甚或遍及全身，发热头痛。

［3］**傅面目、通身漆疮**　《别录》云：“苦芙，微寒。主面目通身漆疮。”

117　羊蹄

《食疗》［唐氏引］：羊蹄[1]，主痒，不宜多食。

孟诜［《纲目》引］：羊蹄，叶作菜[2]，止痒。不宜多食，令人下气[3]。

（《大观》卷11页13，《证类》页267，《纲目》页1061）

【校注】

［1］**羊蹄**　为蓼科植物羊蹄，或尼泊尔羊蹄。其根、叶、实皆入药。但唐氏所引“《食疗》”文，未注明羊蹄用药部位。

［2］**羊蹄，叶作菜**　此文后3字“叶作菜”，疑为《纲目》所增。

［3］**令人下气**　唐氏所引“《食疗》”文无此句，疑为《纲目》所增。

118　鸡肠草

孟诜［掌氏引］：鸡肠草[1]，温。作灰和盐，疗一切疮及风丹遍身如枣大、痒痛者。捣封上，日五六易之。

亦可生食，煮作菜食之，益人。去脂膏毒气。

又，烧傅疳䘌[2]。亦疗小儿赤白痢，可取汁一合，和蜜服之，甚良。

《食疗》［唐氏引］：鸡肠草，温。作菜食之，益人。治一切恶疮：捣汁傅之[3]，五月五日者验。

孟诜［《纲目》引］：鸡肠草，五月五日作灰和盐，疗一切疮及风丹遍身痒痛。亦可捣封，日五六易之。

作菜食，益人，去脂膏毒气。又烧傅疳䘌。取汁和蜜服，疗小儿赤白痢，甚良。

孟诜《食疗》［《纲目》引］：小儿下痢赤白，鸡肠草捣汁一合，和蜜服，甚良。治一切头疮。鸡肠草烧灰，和盐傅之[4]。

（《大观》卷29页10，《证类》页521，《纲目》页1210）

【校注】

［1］**鸡肠草**　陶弘景云："人家园庭亦有此草，小儿取挼汁，以捋蜘蛛网至粘，可掇蝉，疗蠼螋溺也。"《唐本草》注云："此草，即蘩蒌是也，剩出此条，宜除之。"

《本草纲目》云："鸡肠草，叶似鹅肠（蘩蒌），茎带紫，中不空，无缕。生嚼涎滑。鹅肠生嚼无涎。苏恭不识，疑为一物，误矣。"

［2］**疳䘌**　即鼻疳，鼻前庭黏膜糜烂或红肿灼痒。

［3］**治一切恶疮：捣汁傅之**　此文与掌氏所引"孟诜"文，不尽相同。两者所述用法亦有差异。此处讲"治一切恶疮"，掌氏引作"疗一切疮"。此处讲"捣汁傅之"，掌氏引作"捣封上"。盖古人引文多节录取义，很少原文转录。又，《纲目》将"疗一切疮"改为"治一切头疮"。

［4］**小儿下痢……和盐傅之**　本条和上文《纲目》所引"孟诜"文，大多相同，似是重复。

119　蛇莓汁

《食疗》［唐氏引］：蛇莓汁[1]，主胸、胃热气[2]，有蛇残不得[3]食。主孩子口噤，以汁灌口中，死亦再活[4]。

孟诜［《纲目》引］：蛇莓汁，主孩子口噤，以汁灌之。

（《大观》卷11页39，《证类》页276，《纲目》页1007）

【校注】

［1］**蛇莓汁**　为蔷薇科植物蛇莓的汁。《蜀本草·图经》云："生下湿处，茎端三叶，花黄，子赤，若覆盆子，根似败酱。"

[2] **主胸、胃热气** 《别录》云："蛇莓汁，大寒。主胸腹大热不止。"《伤寒类要》："治天行热盛，口中生疮，饮蛇莓自然汁，捣绞一斗，煎取五升，稍稍饮之。"

[3] **得** 《大观》作"蛊"，《证类》作"得"，以《证类》为正。

[4] **以汁灌口中，死亦再活** 《纲目》引"孟诜"文，并将之节录为"以汁灌之"。按，《日华子》云："蛇莓汁，味甘、酸，冷，有毒。通月经，熁疮肿，傅蛇、虫咬。"

《肘后方》云："治毒攻手足肿痛：蛇莓汁服三合，日三。水渍乌梅令浓，纳崖蜜饮之。"

120 菰菜

孟诜［掌氏引］：菰菜[1]，利五脏邪气，酒齄面赤，白癞，疬疡，目赤等，效。然滑中，不可多食。热毒风气，卒心痛，可盐、醋煮食之。茭首[2]，寒，主心胸中浮热风，食之发冷气，滋人齿，伤阴道，令下焦冷滑，不食甚好。

《食疗》［唐氏引］：若丹石热发，和鲫鱼煮作羹食之，三两顿即便差耳。[3]

孟诜［《纲目》引］：菰菜，利五脏邪气，酒齄面赤，白癞，疬疡，目赤，热毒风气，卒心痛，可盐、醋煮食之。滑中，不可多食。

菰手，主心胸中浮热风气，滋人齿。性滑，发冷气，令人下焦寒，伤阳道。禁蜜食，发痼疾。服巴豆人不可食。

（《大观》卷11页14，《证类》页267，《纲目》页1067）

【校注】

[1] **菰菜** 为禾本科植物菰。《别录》以菰根为正名。《开宝本草》注云："菰蒋草也。"《蜀本草·图经》云："生水中，叶似蔗荻，久根盘厚，夏月生菌细。堪啖，名菰菜。"

《本草拾遗》云："菰菜，味甘，无毒。去烦热，止渴，除目黄，利大小便，止热痢。杂鲫鱼为羹，开胃口，解酒毒。"

[2] **茭首** 即菰首。《纲目》作"菰手"。《纲目》引"孟诜"文，并将之增损为"性滑，发冷气，令人下焦寒，伤阳道。禁蜜食，发痼疾。服巴豆人不可食"。《纲目》所增"禁蜜食，发痼疾"，出自《本草拾遗》；所增"服巴豆人不可食"，出自《日华子》。

[3] **若丹石热发……即便差耳** 以上20字，为唐氏所引"《食疗》"文，未注明菰菜药用部位。按《证类》体例，唐氏引"《食疗》"文，并将之置于"菰根"条下，则此20字所云，当指菰根而言。

121 牵牛子

《食疗》［唐氏引］：牵牛子[1]，多食稍冷。和山茱萸服之，去水病[2]。

孟诜［《纲目》引］：牵牛子，多食稍冷。和山茱萸服，去水病[3]。

(《大观》卷 11 页 7，《证类》页 264，《纲目》页 1012)

【校注】

[1] **牵牛子** 为旋花科植物牵牛或毛牵牛的种子。陶弘景云："此药始出田野，人牵牛易药，故以名之。"《开宝本草》注云："此药蔓生，花如鼓子花而稍大，作碧色，子有黄壳作小房，实黑，稍类荞麦。比来服之，以疗脚肿满气急，利水道，无不差者。"

[2] **去水病** 牵牛子苦寒峻下，通利二便，消痰涤饮，下气行水。未经处理，少则动大便，多则泻下如水。

《太平圣惠方》云："治水气遍身浮肿，气促，坐卧不得。用牵牛子二两，微炒，捣细末，乌牛尿浸一宿，平旦入葱白一握，煎十余沸，去滓，空心分为二服，水从小便中下。"

[3] **牵牛子，多食稍冷。和山茱萸服，去水病** 此与唐氏的引文全同。唐氏所引注出处为"《食疗》"，《纲目》所引注出处为"孟诜"。

122 甘蔗

《食疗》[唐氏引]：甘蔗[1]，主黄疸。子，生食大寒，止渴，润肺，发冷病。蒸熟暴之令口开，舂取人[2]食之。性寒，通血脉，填骨髓。

孟诜[《纲目》引]：甘蔗，主黄疸。

(《大观》卷 11 页 23，《证类》页 270，《纲目》页 884)

【校注】

[1] **甘蔗** 为芭蕉科植物甘蔗的根茎。其花、叶、子亦入药。

《开宝本草》注云："此药本出广州，然有数种，其子性冷。形圆长，及生青熟黄，南人皆食之，而多动气疾。其根捣傅热肿尤良。"

《本草图经》云："其实亦有青、黄之别，品类亦多，食之大甘美。亦可暴干寄远，北土得之，以为珍果。"

《本草衍义》云："芭蕉三年以上即有花，自心中出一茎，止一花，全如莲花。花头常下垂。每一朵自中夏开，直至中秋后方尽。凡三叶开，则三叶脱落。北地惜其种仁，故少用。绫其苗为布；取汁，妇人涂发令黑。"

[2] **人** 通"仁"。

本条谨言子，不及根叶。《别录》云："甘蔗根，大寒，主痈肿结热。"

《药性论》云："甘蔗，君。捣傅一切痈肿上，干即更上，无不差。"

《百一方》云："发背欲死，芭蕉捣根涂上。"

《太平圣惠方》云："肿毒初起，甘蔗叶研末，和生姜汁涂之。"

123 萹蓄

《食疗》[唐氏引]：萹蓄[1]，蛔虫心痛，面青，口中沫出，临死[2]：取叶十斤，细切；以水三石三斗，煮如饧，去滓。适寒温[3]，空心服一升，虫即下。至重者再服，仍通宿勿食，来日平明服之。

患痔[4]：常取萹竹叶煮汁澄清。常用以作饭。又，患热黄[5]、五痔[6]：捣汁顿服一升，重者再服。丹石发[7]，冲眼目肿痛：取根一握，洗，捣以少水，绞取汁服之。若热肿处，捣根茎傅之。

《食疗》［《纲目》引］：萹蓄，治小儿蛔咬心痛[8]，面青，口中沫出临死者。取萹竹十斤剉，以水一石[9]，煎至一斗，去滓煎如饧。隔宿勿食，空心服一升，虫即下也。仍常煮汁作饭食。

《食疗本草》［《纲目》引］：服丹石人毒发，冲眼肿痛。萹竹根一握，洗，捣汁服之。

（《大观》卷11页15，《证类》页268，《纲目》页934）

【校注】

［1］**萹蓄**　为蓼科植物萹蓄。陶弘景云："布地生，花节间白，叶细绿，人亦呼为萹竹。煮汁与小儿饮，疗蛔虫有验。"

《药性论》云："萹竹，使，味甘。煮汁与小儿服，主蛔虫等咬心心痛，面青，口中沫出，临死者，取十斤，细剉，以水一石，煎去滓，成煎如饴，空心服，虫自下，皆尽止。主患痔疾者，常取叶，捣汁服，效。治热黄，取汁顿服一升，多年者再服之。根一握，洗去土，捣汁服之一升，恶丹石毒发，冲目肿痛。又傅热肿，效。"

《药性论》相关文字与本条全同。《药性论》文字为掌氏所引，本条为唐氏所引，按《证类》体例，前代本草已有，不再援引，不知唐氏为何重引本条。

［2］**临死**　原作"临水"，据《药性论》改。《纲目》亦改为"临死"。

［3］**适寒温**　原作"通寒温"，据文理改。

［4］**患痔**　原作"患治"，据《药性论》改。

《外台秘要》："治痔发疼痛，捣萹竹汁服一升，一两服立差。若未差，再服，效。"

《千金翼》："治外痔，捣萹竹，绞取汁，搜面作馎饦，空心吃，日三度，常吃。"

［5］**热黄**　是黄疸病的一种，其症状为发热、身黄、目黄、小便黄。

［6］**五痔**　即五种痔疾，牝痔、牡痔、血痔、脉痔、肠痔。

［7］**丹石发**　即丹石发动。古人将钟乳石等矿物制剂称为丹石。服丹石后出现发热、烦躁等反应，称为丹石发动。

［8］**小儿蛔咬心痛**　唐氏引"《食疗》"作"蛔虫心痛"，《药性论》作"蛔虫等咬心痛"。盖《纲目》引"《食疗》"文时，参合《药性论》加以化裁。

［9］**以水一石**　唐氏引"《食疗》"作"以水三石三斗"，《药性论》作"以水一石"。盖《纲目》据《药性论》改。

124 船底苔

孟诜［掌氏引］：船底苔[1]，冷，无毒。治鼻洪吐血淋疾，以炙甘草并豉汁，浓煎汤，旋呷。

又，主五淋。取一团鸭子大，煮服之。

又，水中细苔，主天行病心闷。捣，绞汁服。

孟诜［《纲目》引］：船底苔[2]，治鼻洪吐血淋疾，同炙甘草、豉汁，浓煎汤呷之。

（《大观》卷9页50，《证类》页236，《纲目》页1088）

【校注】

［1］**船底苔** 本条为《嘉祐本草》新增药，条末有“新补见孟诜、陈藏器、《日华子》”小字注。这说明本条为《嘉祐本草》糅合三家文字而成。全文分三段，《纲目》以首段为孟诜文。次段与陈藏器文合为“主五淋，取一鸭卵大块，水煮服之”。其末段当属《日华子》文。

［2］**船底苔** 其后，《纲目》注“食疗”2字。

125 干苔

孟诜［掌氏引］：干苔[1]，味咸，寒[2]。主痔，杀虫，及霍乱呕吐不止，煮汁服之[3]。

又，心腹烦闷者，冷水研如泥，饮之即止[4]。

又，发诸疮疥[5]，下一切丹石，杀诸药毒[6]。不可多食，令人萎黄，少血色[7]。杀木蠹虫，纳木孔中[8]。但是海族之流[9]，皆下丹石。

孟诜［《纲目》引］：干苔，治痔杀虫，及霍乱呕吐不止，煮汁服。

又，苔脯[10]食多，发疮疥，令人萎黄，少血色[11]。

（《大观》卷9页59，《证类》页239，《纲目》页1087）

【校注】

［1］**干苔** 为石蓴科植物条浒苔的藻体。本条为《嘉祐本草》新增药，条末注“新补见孟诜、陈藏器、《日华子》”。这说明本条由《嘉祐本草》糅三家文字而成。

［2］**寒** 原注“一云温”。《纲目》引作“大明曰温”。“大明”即《日华子》。

［3］**主痔……煮汁服之** 以上，《纲目》注出处为“孟诜”。

［4］**心腹烦闷者，冷水研如泥，饮之即止** 《纲目》注出处为“藏器”。

[5] **发诸疮疥** 《纲目》注出处为“孟诜”。

[6] **下一切丹石，杀诸药毒** 《纲目》注出处为“《日华》”。

[7] **不可多食，令人萎黄，少血色** 《纲目》注出处为“孟诜”。

[8] **杀木蠹虫，纳木孔中** 《纲目》注出处为“《日华》”。

[9] **但是海族之流** 《纲目》注出处为“藏器”。

[10] **苔脯** 掌氏所引“孟诜”文无此2字。

[11] **少血色** 掌氏所引“孟诜”文无此3字。

126 皂荚

《食疗》［唐氏引］：皂荚[1]。以皂荚两挺，盐半两，同烧令通赤，细研，夜夜用揩齿，一月后，有动者齿及血䘌齿并差，其齿牢固。

《食疗本草》［《纲目》引］：齿䘌[2]齿动，盐半两，皂荚两挺，同烧赤，研，夜夜揩，一月后并差，其齿牢固。

（《大观》卷4页7、卷14页6，《证类》页106、341，《纲目》页687、1403）

【校注】

[1] **皂荚** 为豆科植物皂荚树的果实。《唐本草》注云：“此物有三种，猪牙皂荚最下”。《本草图经》云：“今医家作疏风气丸煎，多用长皂荚，治齿及取积药多用猪牙皂荚。”

《十全方》云：“治牙疼，用猪牙皂荚、盐等分，烧为末，揩疼处，良。”

[2] **齿䘌** 即龋齿。指牙齿蛀空朽痛。症见龈肿腐臭，齿牙蛀蚀宣露，疼痛时作时止。

127 桂心

孟诜《食经》［《医心方》引］：桂心[1]，治失音[2]。杏仁三分，去皮，熬，捣作脂，桂心末一分，和如泥，取李核许，绵裹少咽之，日五夜一。

（《大观》卷12页3，《证类》页289，《纲目》页1355，《医心方》页93）

【校注】

[1] **桂心** 为樟科植物肉桂的干皮，去其内外皮者名桂心。《本草图经》云：“今岭表所出，则筒桂、肉桂、桂心、官桂、板桂之名，而医家用之，罕有分别。削去皮名桂心，今所谓官桂，疑是此也。”

[2] **治失音** 《名医别录》“桂”条，不言桂能治失音。但古方书常载之。《千金方》治失音，末桂着舌下，渐咽汁。

《千金方·食忌》云：“治中风失音，桂一尺，以水三升，煎取一升，服取汗。”

《斗门方》云："治中风失音，用桂心一两，去其粗皮，近人身体怀之至两时辰许，为末，分为三服。每服用水二盏，煎取一盏，服之，差，大妙。"

128 竹

《食疗》［唐氏引］：竹，淡竹[1]上，甘竹[2]次。主咳逆，消渴，痰饮，喉痹，鬼疰恶气。杀小虫，除烦热。

苦竹[3]叶，主口疮，目热，喑哑。

苦竹茹，主下热壅。

苦竹根，细剉一斤，水五升，煮取汁一升，分三服。大下心肺五脏热毒气。

苦笋，不发痰。

淡竹沥[4]，大寒。主中风大热，烦闷劳复。

淡竹茹[5]，主噎隔，鼻衄。

竹实，通神明，轻身益气，篁，淡、苦、甘外，余皆不堪，不宜人。

孟诜［掌氏引］：慈竹沥[6]，疗热，和食饮服之，良。

孟诜［《纲目》引］：竹叶，篁，苦、淡、甘之外，余皆不堪入药，不宜人。淡竹为上，甘竹次之。

淡竹叶，主喉痹，鬼疰恶气，烦热，杀小虫。

苦竹根，下心肺五脏热毒气。剉一斤，水五升，煮汁一升，分三服。

淡竹茹，主噎隔。苦竹茹，下热壅。

慈竹沥，疗热风，和粥饮服[7]。

（《大观》卷13页5，《证类》页316，《纲目》页1477）

【校注】

［1］**淡竹**　为禾本科植物淡竹。其沥（竹汁）、茹皆入药。

［2］**甘竹**　为禾本科植物淡竹的一种。陶弘景云："一种薄壳者名甘竹。"《本草图经》云："甘竹似篁而茂，即淡竹也。"

［3］**苦竹**　为禾本科植物苦竹。其叶、茹、根俱入药。

［4］**淡竹沥**　鲜竹竿，两端去节，劈开，中部用火烤，两端有液汁流出，即为竹沥。《本草拾遗·序》云："久渴心烦服竹沥。"

［5］**淡竹茹**　为淡竹除去外皮后刮下的中间层，能清热止呕。《金匮要略》云："治胃虚。"

［6］**慈竹沥**　为禾本科植物慈竹经火烤灼流出的汁液。

［7］**和粥饮服**　掌氏引"孟诜"作"和食饮服之，良"。

129 竹笋

孟诜［掌氏引］：竹笋[1]，寒。主逆气，除烦热，又[2]动气，发冷癥[3]，不可多食。越有芦及箭笋，新者稍可食，陈者不可食。其淡竹及中母笋虽美，然发背闷脚气。

孟诜［《医心方》引］：竹笋，动气，能发冷癥，不可多食。

孟诜《食经》［《医心方》引］：竹笋，不可共鲫鱼食之，使笋不消成癥病，不能行步。

孟诜［《纲目》引］：淡竹笋，即中母笋[4]，虽美，然发背闷脚气。箭竹笋，新者可食，陈者不宜。诸竹笋多食皆动气，发冷癥，惟苦竹笋主逆气，不发疾[5]。

（《大观》卷13页5，《证类》页316，《纲目》页1227、1476，《医心方》页670、705）

【校注】

［1］**竹笋** 为禾本科植物竹类的嫩茎芽。陶弘景云："竹类甚多，有甘竹，叶最胜。又有实中竹、篁竹，并以笋为佳。"

《本草拾遗》云："苦竹笋，主不睡，去面目并舌上热黄，消渴，明目，解酒毒，除热气，健人。诸笋皆发冷血及气。"

［2］**又** 《证类》无此字，《大观》有此字，以《大观》为正。

［3］**发冷癥** 《医心方》作"能发冷癥"。

［4］**淡竹笋，即中母笋** 掌氏引"孟诜"作"淡竹及中母笋"。二者文义全不相同。

［5］**惟苦竹笋主逆气，不发疾** 掌氏所引"孟诜"文无此句，疑为《纲目》所增。

130 竹蓐

张鼎《食疗》［陈藏器引］：慈竹夏月逢雨，滴汁着地，生蓐似鹿角，色白[1]。取洗之，和姜、酱食之，主一切赤白痢。极验。

孟诜［《纲目》引］：竹蓐[2]，慈竹林夏月逢雨，滴汁着地，生蓐似鹿角，色白，可食。治一切赤白痢，和姜、酱食之[3]。

（《大观》卷14页54，《证类》页361，《纲目》页1246）

【校注】

［1］**生蓐似鹿角，色白** 《大观》作"生物似鹿角菜，名竹蓐"。

［2］**竹蓐** 其后，《纲目》注出处为"《食疗》"，并单独立为一条，用"竹蓐"为正名。

[3] **食之** 其后，《证类》361页“桃竹笋”条中所载“张鼎《食疗》曰”，有“极验”2字。《纲目》节引时省略掉。

131 栀子

《食疗》［唐氏引］：栀子[1]，主喑哑，紫癜风，黄疸[2]，积热心躁[3]。又方，治下鲜血[4]，栀子仁烧成灰，水和一钱匕服之，量其大小多少服之。

孟诜［《纲目》引］：栀子，主喑哑，紫癜风。

《食疗本草》［《纲目》引］：治下利鲜血，栀子仁烧灰，水服一钱匕。

（《大观》卷13页11，《证类》页320，《纲目》页1439）

【校注】

[1] **栀子** 为茜草科植物栀子的果实。陶弘景云：“栀子有两三种，小异，以七棱者为良，经霜乃取之。今皆入染用。”

[2] **黄疸** 《药性论》云：“栀子解五种黄病。”《本草图经》云：“古今诸名医治发黄，皆用栀子、茵陈、香豉、甘草等四物，作汤饮之。”

[3] **积热心躁** 《别录》云：“栀子疗心中烦闷，胃中热气。”《本草衍义》云：“栀子治心经留热，小便赤涩。栀子炮，大黄、连翘、甘草炙，等分，末之，水煎，三二钱匕服之，无不效。”

[4] **治下鲜血** 《梅师方》治热毒下血，以栀子30枚擘，水三升，煎取一升，去滓服。《肘后方》治血痢挟毒热，以14枚栀子去皮，捣，蜜丸如梧子，三丸，日三，大效。

132 槟榔

《食疗》［唐氏引］：槟榔[1]，多食发热，南人生食[2]。闽中名橄榄子。所来北者，煮熟，熏干将来[3]。

孟诜［《纲目》引］：槟榔，闽中呼为橄榄子。多食亦发热。

（《大观》卷13页11，《证类》页319，《纲目》页1305）

【校注】

[1] **槟榔** 为棕榈科植物槟榔的种子。《别录》云：“槟榔，味辛，温，无毒。主消谷，逐水，除痰癖，杀三虫、伏尸，疗寸白。生南海。”

[2] **南人生食** 《本草图经》云：“槟榔，高五七丈，正直无枝，皮似青桐，节如桂竹，叶生木巅，大如楯头。其实作房，从叶中出，旁有刺若棘针，重叠其下。一房数百实，皆有皮壳，肉满壳中，正白，味苦涩。得扶留藤与瓦屋子灰，同咀嚼之，则柔滑而甘美。岭南人啖之，以当果实。”

[3] **所来北者，煮熟，熏干将来** 《唐本草》注云：“槟榔，生者极大，停数日便烂。今入北来

者，皆先灰汁煮熟，仍火熏使干，始堪停久。”

按，槟榔能驱虫、消积，除水湿。《别录》云：“槟榔主消谷，逐水除痰，杀三虫伏尸，疗寸白。”《唐本草》云：“槟榔主腹胀，生捣末服，利水谷道。”

133 食茱萸

《食疗》［唐氏引］：食茱萸[1]，温。主心腹冷气痛，中恶，除咳[2]逆，去脏腑冷，能温中，甚良。

又，齿痛，酒煎含之。

又，杀鬼毒[3]。中贼风，口偏不语者，取子一升，美豉三升，以好酒五升，和煮四五沸，冷服半升，日三四服，得汗便差。

又，皮肉痒痛。酒二升，水五升，茱萸子半升，煎取三升，去滓，微暖洗之立止。

又，鱼骨在腹中刺痛，煮汁一盏服之，其骨软出。

又，脚气冲心，和生姜煮汁饮之。

又，鱼骨刺入肉不出者，捣封之。其骨自烂而出。

又，闭目者名榄子，不堪食。

孟诜［《纲目》引］：食茱萸，主心腹冷气痛，中恶，除咳逆，去脏腑冷，温中，甚良。

（《大观》卷13页17，《证类》页322，《纲目》页1325）

【校注】

［1］**食茱萸** 唐氏引本条，原无药名，因被置于“食茱萸”之下，故以“食茱萸”为名。本条内容与“吴茱萸”条内容大同小异。

食茱萸为芸香科植物樗叶花椒的果实。

《开宝本草》云：“颗粒大，经久色黄黑，乃是食茱萸；颗粒紧小，经久色青绿，即是吴茱萸。”

《唐本草》云：“食茱萸，味辛、苦，大热，无毒。功用与吴茱萸同，少为劣尔。”

［2］**咳** 《证类》作“饮”，《大观》作“咳”，以《大观》为正。

［3］**杀鬼毒** 《本草拾遗》云：“食茱萸，杀鬼魅及恶虫毒，起阳，杀牙齿虫痛。”

134 茗

《食疗》［唐氏引］：茗[1]叶，利大肠[2]，去热解痰。煮取汁，用煮粥良。

又，茶，主下气，除好睡，消宿食，当日成者良。蒸、捣经宿，用陈故者，即动风发气。市人有用槐、柳初生嫩芽叶杂之。

孟诜［《纲目》引］：治热毒下痢，赤白下痢，以好茶一斤，炙捣末，浓煎一二盏服。久患痢者，亦宜服之[3]。

孟诜《食疗》［《纲目》引］：治腰痛难转，煎茶五合，投醋二合，顿服[4]。

（《大观》卷13页24，《证类》页325，《纲目》页1327）

【校注】

［1］**茗** 为山茶科植物茶。其叶、果实入药。《唐本草》云："树小似栀子，冬生叶，可煮作羹饮。今呼早采者为茶，晚取者为茗，一名荈，蜀人名之苦茶。"

按，《食医心镜》云："主赤白痢及热毒痢。好茶一片，炙，捣末，浓煎一二盏，吃，差。如久患痢亦宜服。又主气壅暨腰痛，转动不得，煎茶五合，投醋二合，顿服。"此文共50字。金陵本《纲目》、张本《纲目》在"茗"条之"附方"栏，对前29字，标为"热毒下痢"方，注出典作"孟诜"；对后21字，标为"腰痛难转"方，注出典作"孟诜《食疗》"。实为误注。

［2］**利大肠** 按，《食医心镜》"茶主赤白痢"，说明茶可涩大肠。《别说》云："近人以建茶治泄甚效。"此亦说明茶有止泻之功。此条言"利大肠"，疑为"利小肠"之误。《别录》云："茗，利小便，去痰热渴。"此可作为佐证。

［3］**治热毒……宜服之** 按《大观》《证类》出自《食医心镜》，《纲目》误注出处为"孟诜""孟诜《食疗》"。

［4］**治腰痛……顿服** 按《大观》《证类》出自《食医心镜》，《纲目》误注出处为"孟诜""孟诜《食疗》"。

135　桑根白皮

孟诜［掌氏引］：桑根白皮[1]，煮汁饮，利五脏。又入散用，下一切风气水气[2]。

桑叶，炙，煎饮之止渴[3]，一如茶法。

桑皮，煮汁可染褐色，久不落。柴，烧灰淋汁，入炼五金家用[4]。

孟诜［《纲目》引］：桑根白皮，煮汁饮，利五脏。入散用，下一切风气水气。

桑叶，炙熟，煎饮，代茶止渴。

桑柴灰，淋汁入炼五金家用。可结汞，伏硫硇。

孟诜［《医心方》引］：桑椹，性微寒。食之补五脏，耳目聪明，利关节，和经脉，通血气，益精神。

（《大观》卷13页1，《证类》页315，《纲目》页1429，《医心方》页696）

【校注】

[1] **桑根白皮** 为桑科植物桑的根皮。其叶、树皮、桑椹皆入药。

[2] **下一切风气水气** 《别录》云："桑根白皮，去肺中水气，唾血，热渴，水肿，腹满胪胀，利水道。"

《中藏经》："治全身浮肿，小便不利，以桑白皮、大腹皮、茯苓皮、陈皮、生姜皮煎服。"

《小儿药证直诀》："治小儿肺热气急喘嗽，以桑白皮、地骨皮、甘草为散服。"

[3] **桑叶，炙，煎饮之止渴** 桑叶能清肺润燥，配沙参、麦冬治燥热咽干口渴；配菊花、决明子泡水代茶饮，治头昏目花。

[4] **入炼五金家用** 其后，《纲目》所引"孟诜"文多"可结汞，伏硫硇"6字。按，此6字出《丹房镜源》，因文献出典标记脱落，被误为"孟诜"的续文。

136 木耳

孟诜［掌氏引］：木耳[1]，寒。无毒。利五脏，宣肠胃气壅、毒气，不可多食[2]。惟益服丹石人热发[3]，和葱豉作羹。

孟诜［《纲目》引］：桑耳，寒，无毒。主利五脏，宣肠胃气，排毒气。压丹石人热发，和葱、豉作羹食。

（《大观》卷13页1，《证类》页315，《纲目》页1242）

【校注】

[1] **木耳** 为木耳科植物。掌氏引"孟诜"文未注木耳药名，仅将条文列在《药性论》"木耳"之后。

按，《药性论》一共讲三物：一是桑白皮，二是桑耳，三是木耳。在木耳文末言"平"。掌氏接"平"字后言"孟诜云寒"。此处"孟诜云寒"，似针对"木耳平"而言。据此可知，掌氏所引"孟诜"文，指的是木耳。

《纲目》引"孟诜"文于"桑耳"之下，义为"孟诜"文指的是"桑耳"。按，《日华子》云："桑耳，温，微毒。"这与"孟诜云寒无毒"不合。则"孟诜"文所指，当是木耳而非桑耳。

[2] **宣肠胃气壅、毒气，不可多食** 《纲目》作"宣肠胃气，排毒气"。

[3] **惟益服丹石人热发** 《纲目》作"压丹石人热发"。所谓"服丹石人热发"，指古人服钟乳石等矿物制剂，出现发热、烦闷反应。

137 秦椒

孟诜［掌氏引］：秦椒[1]，温。灭瘢，长毛，去血。

若齿痛[2]，醋煎含之。

又，损疮中风者，以面作馄饨，灰中烧之使热，断，使口开，封其疮上，冷即易之。

又法，去闭口者，水洗，面拌，煮作粥，空腹吞之，以饭压之，重者可再服，以差为度。

孟诜［《纲目》引］：秦椒，主上气咳嗽，久风湿痹[3]。

孟诜《食疗》［《纲目》引］：治损疮中风，以面作馄饨，包秦椒，于灰中烧之令熟，断使开口，封于疮上，冷即易之。

又，治牙齿风痛，秦椒煎醋含漱。

《食疗本草》［《纲目》引］：治久患口疮，大椒去闭口者，水洗面拌，煮作粥，空腹吞之，以饭压下[4]。重者可再服，以差为度[5]。

（《大观》卷13页28，《证类》页326，《纲目》页1316）

【校注】

［1］**秦椒** 为芸香科植物花椒的果皮。《唐本草》注："秦椒树叶及茎、子都似蜀椒，但味短实细。"《本草衍义》云："秦椒，此秦地所实者，故言秦椒。但叶差大，椒粒亦大而纹低，不若蜀椒皱纹高为异也。"

按，本条，掌氏所引"孟诜"文，与唐氏所引"《食疗》"文前半段相同，但文多简略。掌氏引此文列在"秦椒"条下，唐氏引此文于"蜀椒"条下。

［2］**若齿痛** 唐氏引"《食疗》"作"患齿痛"。按，此病名出于同一方中，掌氏、唐氏对同方中病名讲法不一致。又，掌氏将此方列于"秦椒"条，唐氏将此方列于"蜀椒"条下。由此可见，掌氏所言秦椒与唐氏所言蜀椒，在他们所见底本中，似是分列两处，并非同列为一条。

［3］**主上气咳嗽，久风湿痹** 以上9字，《大观》《证类》将所引"《食疗》"文列在"蜀椒"条下，而《纲目》则将之列于"秦椒"条下。

［4］**治久患口疮……以饭压下** 本条，《大观》《证类》将所引"《食疗》"文列在"蜀椒"条下，而《纲目》将之列于"秦椒"条下。

［5］**重者可再服，以差为度** 以上9字为《纲目》所增，《大观》《证类》未引此。

138 蜀椒

《食疗》［唐氏引］：蜀椒[1]，温。粒大者，主上气咳嗽，久风湿痹。

又，患齿痛，醋煎含之[2]。

又，伤损成疮中风，以面裹作馄饨，灰中炮之，使熟断开口，封其疮上，冷，易热者，三五度易之[3]。亦治伤损成弓风[4]。

又，去久患口疮，去闭口者，以水洗之，以面拌煮作粥，空心吞之三五匙，饭压之，再服，差[5]。

又，椒[6]，温，辛，有毒。主风邪腹痛，痹寒，温中，去齿痛，坚齿发，明目，止呕逆，灭瘢，生毛发，出汗，下气，通神，去老，益血，利五脏。治生产后诸疾，下乳汁。久服令人气喘促。十月勿食。及闭口者大忌，子细黑者是。秦椒白色也。

孟诜［《纲目》引］：蜀椒，十月食椒，损气伤心，令人多忘[7]。

又，通神去老，益血，利五脏，下乳汁，灭瘢，生毛发。

孟诜［《医心方》引］：蜀椒，除客热，不可久食，钝人性灵。

孟诜《食经》［《医心方》引］：疗卒咳嗽方：梨一颗，刻作五十孔，每孔中内一粒椒，以面裹，于热灰中烧，令极熟，出，停冷，割食之。

（《大观》卷14页4，《证类》页340，《纲目》页1316，《医心方》页199、711）

【校注】

［1］**蜀椒**　为芸香科植物花椒的果皮。《范子计然》云："蜀椒出武都（今甘肃武都），赤色者善；秦椒出陇西天（今甘肃天水），粒细者善。"唐氏引"《食疗》"文，将之列在"蜀椒"条下，视本条文为"蜀椒"条文。但《纲目》将本条文收入"秦椒"条"附方"下，视本条文为"秦椒"条文。

［2］**患齿痛，醋煎含之**　《纲目》引"孟诜《食疗》"作"牙齿风痛，秦椒煎醋含漱"，并将此方列入"秦椒"条"附方"栏下。

［3］**伤损成疮中风……易之**　以上34字，《纲目》引"孟诜《食疗》"，并加化裁，将之列入"秦椒"条"附方"栏下，视此方为"秦椒"条文。

但《韦宙独行方》治诸疮中风用蜀椒，不用秦椒，并云："生蜀椒一升，取少面合溲裹椒，勿令漏气，分作两裹，于煻灰火中烧熟，及热出之，刺头作孔，当疮上罨着，使椒气射入疮中，冷则易之，须臾疮中出水及遍体出汗，即差。"

［4］**弓风**　指惊厥抽风，状如角弓反张。惊厥病人，头、足跟着床，胸腹挺起，如弓反张状。

［5］**又，去久患口疮……再服，差**　以上文字，《纲目》引"《食疗本草》"，略加化裁，并将之列入"秦椒"条"附方"栏下，视此方为"秦椒"条文。

［6］**椒**　在唐氏所引"《食疗》""蜀椒"全文，可分为两段：前段文讲的是"蜀椒"，而后段文仅立"椒"字为题，未言明是蜀椒或秦椒。但后段文所言性味功用同秦椒之性味功用，不同于蜀椒之性味功用，则此"椒"字，似指秦椒而言。

［7］**十月食椒……令人多忘**　以上12字，原出《证类》"蜀椒"条所引"孙真人"文字，《纲目》移之于此。

139　郁李仁

《食疗》［唐氏引］：郁李仁[1]，气结者[2]，酒服仁四十九粒，更泻尤良。又破癖气，能下四肢水[3]。

孟诜［《纲目》引］：郁核仁，破癖气，下四肢水。酒服四十九粒，能泻结气[4]。

（《大观》卷14页16，《证类》页345，《纲目》页1445）

【校注】

［1］**郁李仁** 为蔷薇科植物郁李或欧李的种仁。

《本草图经》云："木高五六尺，枝条花叶皆若李，惟子小若樱桃赤色而味甘酸，核随子熟，六月采根并实，取核中仁用。"

［2］**气结者** 《药性论》云："郁李仁，臣。味苦、辛。能治肠中结气，关格不通。根治齿痛，宣结气，破结聚。"

《必效方》："疗癖，取车下李仁，微烫褪去皮及并仁者，与干面相拌，捣之为饼，大小一如病人掌，为二饼，微炙使黄，勿令至熟，空腹食一枚，当快利。如不利，更食一枚，或饮热粥汁，以利为度。若至午后利不止，即以醋饭止之。"

［3］**能下四肢水** 《本经》云："郁李仁，主大腹水肿，面目四肢浮肿，利小便水道。"

《杨氏产乳》："疗身体肿满，水气急，卧不得，郁李仁一大合，捣为末，和麦面搜作饼子，与吃，入口，大便通利气，便差。"

按，郁李仁能润大肠，配杏仁、柏子仁、火麻仁为丸，治肠燥便闭；配白术、槟榔、茯苓能下气利水，治四肢肿满；配薏苡仁、赤小豆治脚气浮肿。

［4］**郁核仁，破癖气……能泻结气** 此与唐氏引文，词异义同，盖《纲目》予以化裁所致。

140 鼠李

《食疗》［唐氏引］：鼠李[1]，主腹胀满。其根有毒，煮浓汁含之治䘌齿[2]。并疳虫蚀人脊骨者，可煮浓汁灌之良。

其肉，主胀满谷胀，和面作饼子，空心食之，少时当泻。

其煮根汁，亦空心服一盏，治脊骨疳[3]。

孟诜［《纲目》引］：鼠李皮，治口疳龋齿[4]，及疳虫蚀人脊骨者，煮浓汁灌之。

（《大观》卷14页35，《证类》页353，《纲目》页1446）

【校注】

［1］**鼠李** 为鼠李科植物鼠李的果实。《本草衍义》云："木高七八尺，叶如李，但狭而不泽，子于条上四边生，熟则紫黑色，生则青，至秋则子落尚在枝。"

刘禹锡《传信方》："主大人口中疳疮并发背，万不失一。用山李子根、蔷薇根各细切五升，水五大斗，煎至半日，汁浓即于银、铜器中盛之，重汤煎至一二升，少少温含咽之，必差。发背，重汤煎如膏，以帛涂之疮上，神效。”

［2］**䘌齿** 即龋齿。症见龈肿腐臭，牙齿蛀空朽痛。

［3］**脊骨疳** 类似慢性骨髓炎。

［4］**口疳龋齿** 《大观》《证类》引“《食疗》”作“䘌齿”。按，“䘌齿”即“龋齿”，盖《纲目》用当时的语言节录之。又“口疳”2字，未见《大观》《证类》引，疑是《纲目》所增。

141 蔓椒

《食疗》［唐氏引］：蔓椒[1]，主贼风挛急。

孟诜［《纲目》引］：蔓椒，主治贼风挛急。

（《大观》卷14页45，《证类》页358，《纲目》页1319）

【校注】

［1］**蔓椒** 《纲目》云：“蔓椒野生林箐间，枝软如蔓，子、叶皆似椒。”同书“地椒”条，《纲目》云：“地椒出北地，即蔓椒之小者，贴地生叶，形小，味微辛。”地椒为唇形科植物百里香，则蔓椒似为地椒同一种属植物。

《本经》云：“蔓椒主风寒湿痹历节疼，除四肢厥气膝痛。”

陶弘景云：“蔓椒似椒杭小，不香尔。可以蒸病出汗也。”

142 枳椇

《食疗》［唐氏引］：枳椇[1]，多食发蛔虫。昔有南人修舍用此，误有一片落在酒瓮中，其酒化为水味[2]。

孟诜［《纲目》引］：枳椇，昔有南人修舍用此木，误落一片入酒瓮中，酒化为水也。又云：多食发蛔虫。

（《大观》卷14页36，《证类》页353，《纲目》页1313）

【校注】

［1］**枳椇** 为鼠李科植物枳椇的果实。《唐本草》云：“其树径尺，木名白石，叶如桑柘，其子作房似珊瑚在其端。人皆食之。”又云：“枳椇一名木蜜。”《本草拾遗》云：“木蜜，功用如蜜。树生南方，枝叶俱可啖，亦煎食如饴。”崔豹《古今注》云：“木蜜生南方，合体甜软可啖，味如蜜，老枝煎取倍甜，止渴也。”

［2］**昔有南人……化为水味** 《纲目》引“诜曰”，并将之化裁为“昔有南人修舍用此木，误落一片入酒瓮中，酒化为水也”。

《唐本草》云：“枳椇，以木为屋，屋中酒则味薄，此亦奇物。”

《蜀本草》云：“枳椇近酒，能薄酒味。”

143 椿

孟诜［掌氏引］：椿[1]，温。动风，熏十二经脉、五脏六腑。多食令人神昏[2]血气微。

又，女子血崩及产后血不止，月信来多，可取东引细根一大握洗之，以水一大升煮，分再服便断。亦止赤带下[3]。

又，椿，俗名猪椿，疗小儿疳痢，可多煮汁后灌之。

又，取白皮一握，仓粳米五十粒，葱白一握，甘草三寸炙，豉两合，以水一升，煮取半升，顿服之。小儿以意服之。枝叶与皮功用皆同[4]。

孟诜［《纲目》引］：椿芽，多食动风，熏十二经脉，五脏六腑，令人神昏血气微。若和猪肉、热面频食则中满，盖壅经络也。

治女子血崩，及产后血不止，月信来多，并赤带下。宜取东引细椿根一大握，洗净，以水一大升煮汁，分服便断。

治小儿疳痢，亦宜多服，仍取白皮一握，粳米五十粒，葱白一握，炙甘草三寸，豉两合，水一升，煮半升，以意服之。枝叶功用皆同。

（《大观》卷14页15，《证类》页344，《纲目》页1388）

【校注】

［1］**椿**　为楝科植物香椿。《唐本草》称椿木，并将之与樗木合为一条叙述，注云：“二树形相似，樗木疏，椿木实，为别也。”其实樗木和椿木是两种不同科属植物。樗木为苦木科植物臭椿。

［2］**神昏**　《大观》作“神不清”，《证类》作“神昏”，以《证类》为正。

［3］**女子血崩……亦止赤带下**　以上40字，《纲目》引“诜曰”，并将之化裁为“女子血崩，及产后血不止，月信来多，并赤带下。宜取东引细椿根一大握，洗净，以水一大升煮汁，分服便断”。

［4］**疗小儿疳痢……枝叶与皮功用皆同**　以上61字，《纲目》引“诜曰”，并多加化裁。

按，椿的根皮，能清热燥湿，凉血，收涩，适用于赤白带下，久泻久痢，月经过多，漏下不止，痔瘘便血。煎汤外用，洗疥癣湿疮。

144 樗

《食疗》［唐氏引］：樗[1]，主疳痢[2]，杀蛔虫。又名臭椿[3]。若和猪肉、热面频食，则中满，盖壅经脉也。

（《大观》卷 14 页 15，《证类》页 344，《纲目》页 1388）

【校注】

［1］**樗** 为苦木科植物臭椿。《唐本草》将之并在“椿木叶”条下，《证类》沿袭《唐本草》旧例，亦以“椿木叶”为正名，并将“樗木”条附于“椿木叶”条下。《纲目》以“椿樗”为正名。

［2］**疳痢** 指小儿患疳疾合并痢疾。疳疾是小儿因多种慢性疾病而致的形体干瘦，津液干枯之证，如脾胃虚弱，营养不良，慢性消化不良。痢疾以大便次数多而量少，腹痛，里急后重，下黏液及脓血样大便为特征。

［3］**臭椿** 《证类》作“臭楮”，《大观》作“臭椿”，以《大观》为正。

145 胡椒

《食疗》［唐氏引］：胡椒[1]，治五脏风冷[2]，冷气心腹痛[3]，吐清水[4]，酒服之佳，亦宜汤服。若冷气，吞三七枚[5]。

孟诜《食疗》［《纲目》引］：治心腹冷痛，胡椒三七枚，清酒吞之。或云一岁一枚。

（《大观》卷 14 页 27，《证类》页 349，《纲目》页 1320）

【校注】

［1］**胡椒** 为胡椒科植物胡椒的果实。《唐本草》云：“生西戎，形如鼠李子。”《酉阳杂俎》云：“胡椒苗蔓生，茎极柔弱，长寸半，有细条与叶齐，条上结子，两两相对，其叶晨开暮合，合则裹其子于叶中。形似汉椒，至辛辣。”

［2］**治五脏风冷** 《唐本草》云：“胡椒，味辛，大温。主下气温中，去痰，除脏腑中风冷。”徐表《南州记》云：“生南海诸国。去胃口气虚冷，宿食不消。”

［3］**冷气心腹痛** 《海药本草》云：“主心腹卒痛，冷气上冲。”《日华子》云：“止霍乱心腹冷痛及冷痢，杀一切鱼鳖、蕈毒。”

［4］**吐清水** 成化本《政和》作“用清水”。

《本草衍义》云：“胡椒去胃中寒痰，吐水，食已即吐，甚验。”

［5］**胡椒……吞三七枚** 《纲目》将之列入“胡椒”条“附方”中，并化裁为“心腹冷痛，胡椒三七枚，清酒吞之。或云一岁一粒”，注出处为“孟诜《食疗》”。文中“或云一岁一粒”，《大观》《证类》未引。

146 橡实

《食疗》［唐氏引］：橡实[1]，主止痢[2]，不宜多食[3]。

（《大观》卷 14 页 30，《证类》页 351，《纲目》页 1294）

【校注】

[1] **橡实** 为壳斗科植物麻栎的果实。《本草图经》云："橡实，栎木子也。木高二三丈，三四月开黄花，八九月结实，其实为皂斗。"

[2] **主止痢** 《唐本草》云："橡实，味苦，微温。主下痢，厚肠胃，肥健人。其壳为散及煮汁服，亦主痢。并堪染用。"

《日华子》云："橡斗子涩肠，止泻，煮食可止饥，御歉岁。壳止肠风崩中带下，冷热泻痢，并染发。入药并捣，炒焦用。又，栎树皮治水痢，消瘰疬，除恶疮。"

《太平圣惠方》云："治水谷下痢，日夜百余行者。橡实二两，楮叶（炙）一两，为末。每服一钱，食前乌梅汤调下。"

[3] **不宜多食** 《救荒本草》云："取橡子泡水换水，浸十五次，淘去涩味，蒸极熟食之，可以济饥。"

147 干枣

孟诜［掌氏引］：干枣[1]，温。主补津液[2]，强志。三年陈者核中仁，主恶气[3]、卒疰忤[4]。

又，疗耳聋、鼻塞，不闻音声、香臭者：取大枣十五枚去皮、核，蓖麻子三百颗[5]去皮，二味和捣，绵裹塞耳鼻。日一度易，三十余日闻声及香臭。先治耳，后治鼻，不可并塞之。

又方，巴豆十粒，去壳生用。松脂同捣，绵裹塞耳[6]。

又云，洗心腹邪气，和百药毒，通九窍，补不足气。

生者[7]食之过多，令人腹胀。蒸煮食之，补肠胃，肥中益气。第一青州[8]，次蒲州[9]者好。诸处不堪入药。

小儿患秋痢，与虫枣[10]食，良。

孟诜［《医心方》引］：干枣，养脾气，强志。

生枣，食之过多，令人腹胀。并煮食之，补肠胃，肥中益气。

《食疗》［唐氏引］：枣[11]和桂心、白瓜仁、松树皮为丸，久服香身，并衣亦香。

孟诜［《纲目》引］：大枣，小儿患秋痢，与蛀枣食之，良。三岁陈枣核中仁，主恶气卒疰忤。

孟诜《食疗》［《纲目》引］：耳聋鼻塞不闻音声、香臭者，取大枣十五枚，去皮核，蓖麻子三百枚去皮，和捣，绵裹塞耳、鼻，日一度。三十余日，闻声及香臭也。先治耳，后治鼻，不可并塞。

《食疗本草》［《纲目》引］：久服香身，用大枣肉和桂心、白瓜仁、松树皮为丸，久服之。

（《大观》卷23页7，《证类》页462，《纲目》页1264，《医心方》页692、693）

【校注】

［1］**干枣** 即大枣。《本经》名大枣，《别录》名干枣。为鼠李科植物枣的果实。本条“孟诜”文为掌氏所援引，《医心方》引文简略。在“干枣”条下，《医心方》引文多“养脾气”3字。按，此3字，原出《本经》“大枣”条。掌氏引文，凡前代本草已有，即不再录。

［2］**主补津液** 《本经》云：“大枣，补少气少津液。”

［3］**恶气** 古人对某些致病原因不明的疾病，称为恶气。

［4］**卒疰忤** 突然得疰忤。“疰忤”出《诸病源候论》卷24。疰者，住也，言其病连滞停住，死又注易旁人；忤者，犯也。因犯忤得之成疰，故名疰忤。

［5］**三百颗** 《纲目》引“孟诜《食疗》”作“三百枚”。

［6］**又方，巴豆十粒……绵裹塞耳** 此方中无大枣，疑掌氏漏引，或省略。因紧接“又云”文中，亦无“大枣”药名。

［7］**生者** 《医心方》引作“生枣”。“生枣”名出《别录》。《别录》云：“生枣，味甘、辛。多食令人多寒热，羸瘦者不可食。”

［8］**青州** 今山东青州。

［9］**蒲州** 今山西永济。

［10］**虫枣** 《纲目》引“孟诜”作“蛀枣”。

［11］**枣** 唐氏引“《食疗》”“枣”条，并将之列于“大枣”条，此“枣”当指“大枣”。

按，大枣能补气血，安神，缓和药物刺激。大枣合四君子汤治食少便溏，倦怠无力。大枣合四物汤治血虚，面黄肌瘦。大枣合甘草、小麦，治血虚脏躁，神志不宁。大枣入峻下药，能缓和峻下药损伤胃肠之副作用。大枣入发汗药，能缓和发汗作用。

148 栗子

孟诜［掌氏引］：栗子[1]，生食治腰脚[2]。蒸炒食之，令气壅，患风水气不宜食。

又，树皮，主瘅疮毒。

谨案：宜日中暴干，食即下气、补益。不尔犹有木气，不补益。就中吴栗大，无味，不如北栗也。其上薄皮，研，和蜜涂面，展皱。

又，壳，煮汁饮之，止反胃、消渴。

今所食生栗，可于热灰火中煨，令汗出食之，良。不得通热，热[3]则壅气，生即发气。故火煨杀其木气耳。

孟诜［《医心方》引］：今有[4]所食生栗，可于热灰中煨之，令才汗出，即啖之[5]，甚破气[6]。不得使通熟，熟即壅气。

孟诜[7]［《纲目》引］：吴栗虽大味短，不如北栗。凡栗，日中曝干食，即下气补益；不尔犹有水气[8]，不补益也。火煨去汗，亦杀水气[9]。生食则发气，蒸炒热食则壅气。凡患风水人不宜食，味咸生水也[10]。

栗壳，主反胃，消渴，煮汁饮之。

栗树皮，治丹毒五色无常，剥皮有刺者，煎水洗之。

（《大观》卷23页9，《证类》页464，《纲目》页1262，《医心方》页693、694）

【校注】

［1］**栗子**　为壳斗植物栗的果实。《本草图经》云："木极类栎，花青黄色，实有房若拳，中子三五，小者若桃李。将熟则罅拆子出。"

陈士良《食性本草》云："栗有数种，其性一类，三颗一球，其中者栗楔也，理筋骨风痛。"

［2］**生食治腰脚**　《大观》脱"脚"字，《证类》有"脚"字，以《证类》为正。

［3］**热，热**　《医心方》引"孟诜"作"熟，熟"。《本草衍义》云："栗，生者难化，熟即滞气。"据此，当以"熟，熟"为是。

［4］**今有**　掌氏所引"孟诜"文脱"有"字。

［5］**令才汗出，即啖之**　掌氏引"孟诜"作"令汗出食之，良"。

［6］**甚破气**　《医心方》在"气"字下注云："脚气也。"陶弘景云："相传有人患脚弱，往栗树下食数升，便能起行。"此与栗治脚气暗合。

［7］**孟诜**　《纲目》原作"铣曰"，按其下文字出孟诜文，应改之。

［8］**水气**　按《大观》《证类》掌氏所引"孟诜"文，应作"木气"。

［9］**水气**　同注［8］。

［10］**味咸生水也**　《大观》《证类》掌氏所引"孟诜"文无此5字，疑为《纲目》所增。

149　樱桃

孟诜［掌氏引］：樱桃[1]，热[2]，益气，多食无损[3]。又云：此名樱，非桃也[4]。不可多食，令人发闇风[5]。东行根[6]，疗寸白、蛔虫。

《食疗》［唐氏引］：樱桃，温。多食有所损。令人好颜色，美志。此名樱桃，俗名李桃，亦名柰桃者是也。甚补中益气，主水谷痢，止泄精。

东引根，疗寸白、蛔虫。

孟诜本草［《本草衍义》引］：樱桃[7]，此乃樱，非桃类。

孟诜［《纲目》引］：樱桃，止泄精、水谷痢。食多无损，但发虚热耳。有闇风人不可食，食之立发。

山婴桃[8]，此婴桃俗名李桃，又名柰桃。前樱桃名樱，非桃也。山婴桃止泄精。

（《大观》卷23页14，《证类》页466，《纲目》页1289，《本草衍义》卷18页121）

【校注】

[1] **樱桃** 为蔷薇科植物樱桃的果实。《本草图经》云：“洛中、南都者最胜，其实熟时深红色者，谓之朱樱，正黄明者谓之蜡樱。”

本条所录两家文字，各有差异，兹将其不同处，分注于后。

[2] **热** 唐氏引作“温”。陈士良云：“樱桃，平。”《本草衍义》云：“小儿食之才过多，无不作热，性故热。”

[3] **多食无损** 唐氏引作“多食有所损”。两家所云，似有牴牾。但在掌氏所引“孟诜”文中，前面讲“多食无损”，后面又说“不可多食，令人发阇风”，前后似有矛盾。盖有些药有副作用或禁忌证。从这一点来讲，当不宜多用。《本草图经》云：“樱桃，食之调中益气，美颜色，虽多无损，但发虚热耳（副作用），惟有阇风人不可啖，啖之立发（禁忌证）。”

[4] **此名樱，非桃也** 唐氏引作“此名樱桃，俗名李桃，亦名柰桃者是也”。唐氏所引“《食疗》”文，疑是张鼎的论点。张鼎对孟诜文有不同意见。《本草图经》云：“《尔雅》云：楔，荆桃。郭璞注：今之樱桃。而孟诜以为樱非桃，未知何据。”

[5] **阇风** 类似过敏反应。接触到过敏物质，出现的一些变态反应症状。

[6] **东行根** 唐氏引“《食疗》”作“东引根”。

[7] **樱桃** 《本草衍义》云：“樱桃，孟诜以为，樱非桃类。然非桃类，盖以其形肖桃，故曰樱桃，又何疑焉。”

[8] **山婴桃** 《大观》《证类》有名未用类作“婴桃”。掌氏、唐氏在“婴桃”条下未引有“孟诜”文、“《食疗》”文，仅在“樱桃”条下引有“孟诜”文、“《食疗》”文。而《纲目》分别在“樱桃”条、“山婴桃”条都引有“孟诜”文。观其旨意，《纲目》将掌氏所引“孟诜”文和唐氏所引“《食疗》”文糅合后分立为两条。

150 梅实

孟诜［《医心方》引］：梅实[1]，食之除闷，安神[2]。

孟诜［掌氏引］：乌梅，多食损齿[3]。又，刺在肉中，嚼白梅封之，刺即出。

又，大便不通，气奔欲死：以乌梅十颗置汤中，须臾挼去核，杵为丸，如枣大。纳下部，少时即通[4]。谨案：擘破，水渍，以少蜜相和，止渴[5]、霍乱心腹不安及痢赤。治疟方多用之。

孟诜［《纲目》引］：白梅，刺在肉中者，嚼，傅之即出。核仁，除烦热[6]。

《食疗本草》［《纲目》引］：大便不通，气奔欲死者：乌梅十颗，汤浸去核，九枣大，纳入下部，少时即通。

（《大观》卷23页16，《证类》页466，《纲目》页1254，《医心方》页693）

【校注】

［1］**梅实**　掌氏引作“乌梅”。为蔷薇科植物梅的果实。《本草图经》云：“五月采其黄实，火熏干作乌梅。以盐杀为白梅。”萧炳云：“今人多用烟熏为乌梅。”《本草衍义》云：“曝干为白梅。”

［2］**食之除闷，安神**　《本经》云：“梅实，除热烦满，安心。”由于《本经》有此文，故掌氏不录。

［3］**乌梅，多食损齿**　《本草图经》云：“梅实，酸，损齿伤骨，发虚热，不宜多食之。”对牙关紧闭，以乌梅肉擦牙龈治之。

［4］**大便不通……纳下部，少时即通**　按，乌梅能涩肠止泻。本条言通大便，似有矛盾，此与酸汁浓度有关。纯乌梅酸汁极浓，有强烈刺激性，塞入肛内，刺激而引起排便。乌梅入汤剂，酸汁极淡，即呈收敛止泻作用。

［5］**止渴**　乌梅能生津止渴；配天花粉、葛根、麦冬、黄芪、甘草，能治虚热烦渴。

［6］**核仁，除烦热**　此5字，原出《药性论》，《纲目》误注出处为“孟诜”。

151　枇杷

孟诜［《医心方》引］：枇杷[1]，温。利五脏，久食脏[2]发热黄。

又，枇杷子，不可合食炙肉、热面，令人发黄[3]。

孟诜［掌氏引］：枇杷，温。利五脏，久食亦发热黄。

子，食之润肺，热上焦。若和热炙肉及热面食之，令人患热毒黄病。

《食疗》［唐氏引］：卒呕啘不止，不欲食[4]。

又，煮汁饮之，止渴。偏理肺及肺风疮[5]，胸面上疮[6]。

孟诜［《纲目》引］：枇杷，温。多食发痰热，伤脾[7]。同炙肉[8]及热面食，令人患热黄疾[9]。

枇杷叶，煮汁饮，主渴疾，治肺气热嗽，及肺风疮，胸面上疮。

（《大观》卷23页21，《证类》页469，《纲目》页1287，《医心方》页670、694）

【校注】

［1］**枇杷**　为蔷薇科植物枇杷的果实。《本草图经》云：“木本高丈余。叶作驴耳形，皆有毛。四时不凋，盛冬开白花，至三四月而成实。四月采叶暴干，治肺气，主渴疾。用时须火炙，布拭去上

黄毛。木白皮，止吐逆，不下食。”

本条所引四家文字，《医心方》、掌氏引文，内容相同，字句小异；唐氏引文与其他引文，内容不同。兹将其互异处，列注于后。

[2] **脏** 掌氏引作“亦”。

[3] **枇杷子，不可合食炙肉、热面，令人发黄** 掌氏引作“子，食之润肺，热上焦。若和热炙肉及热面食之，令人患热毒黄病”。按，《医心方》在“合食禁第十一”标题下，所摘录诸家文献，都是节录文。其所引“孟诜”文亦是节录文。故其所引之文不及掌氏引文详细。

[4] **卒呕啘不止，不欲食** 唐氏引此文时，未注明药用部位。按，枇杷叶及木白皮均有此功用。《别录》云：“枇杷叶主卒啘不止，下气。”《本草图经》云：“枇杷木白皮，止吐逆，不下食。”《日华子》云：“枇杷子下气，止吐逆。”

上述枇杷叶、木白皮、枇杷子均有此功用。而唐氏将此文置于《别录》“枇杷叶”条下，当指枇杷叶而言。

按，枇杷叶能清肺、胃热，下气，止咳逆、呕哕。

《本草衍义》云：“妇人肺热久嗽，身如炙。以枇杷叶、木通、款冬花、紫菀、杏仁、桑白皮各等分，大黄减半，同为末，蜜丸，如樱桃大，食后，夜卧，各含化一丸，未终一剂而愈。”

《本事方》：“治胃气上逆，恶心呕哕，枇杷叶、党参、茯苓、半夏、生姜煎服。”

[5] **肺风疮** 即酒皶鼻。

[6] **煮汁饮之……胸面上疮** 《纲目》作“煮汁饮，主渴疾，治肺气热嗽，及肺风疮，胸面上疮”。

[7] **多食发痰热，伤脾** 掌氏引“孟诜”作“久食亦发热黄”。

[8] **同炙肉** 掌氏引“孟诜”作“若和热炙肉”。

[9] **令人患热黄疾** 掌氏引“孟诜”作“令人患热毒黄病”。

152 柿

孟诜 [《医心方》引]：柿[1]，主通鼻耳气，补虚劳[2]。

又，干柿，厚肠胃，温中[3]，消宿血。

孟诜 [掌氏引]：柿，寒。主通鼻、耳气，补虚劳不足。

谨案：干柿，厚肠胃，涩中，健脾胃气，消宿血。

又，红柿[4]，补气；续经脉气。

又，醂柿[5]，涩下焦，健脾胃气，消宿血。作饼及糕，与小儿食，治秋痢。

又，研柿，先煮粥欲熟，即下柿。更三两沸，与小儿饱食，并奶母吃亦良。

又，干柿二斤，酥一斤，蜜半升。先和酥、蜜，铛中消之。下柿，煎十数沸，下[6]津器贮之。每日空腹服三五枚，疗男子、女人脾虚，腹肚薄，食不消化，面上黑点，久服甚良。

孟诜 [《纲目》引]：柿，续经脉气。

白柿，补虚劳不足，消腹中宿血，涩中厚肠，健脾胃气。

醂柿，涩下焦，健脾胃，消宿血。

柿糕，作饼及糕与小儿食，治秋痢。

柿蒂，治咳逆哕气，煮汁服。

孟诜《食疗》［《纲目》引］：凡男女脾虚腹薄[7]，食不消化，面上黑点者，用干柿三斤[8]，酥一斤，蜜半斤，以酥、蜜煎匀，下柿煮十余沸，用不津器贮之。每日空腹食三五枚，甚良。

《食疗》［《纲目》引］：小儿秋痢，以粳米煮粥，熟时入干柿末，再煮三两沸食之。奶母亦食之。

（《大观》卷23页18，《证类》页468，《纲目》页1277，《医心方》页694）

【校注】

［1］**柿**　为柿树科柿属植物果实的通称。《本草图经》云："柿之种亦多。黄柿生近京州郡，红柿南北都有。朱柿出华山，似红柿。椑柿出宣、歙州。"

本条有《医心方》、掌氏两家引文。两家引文头两条，基本相同，仅个别处小异，兹列注于后。

［2］**补虚劳**　掌氏引作"补虚劳不足"。

［3］**温中**　掌氏引作"涩中"。按，柿性冷。《别录》云："柿，甘寒。"陶弘景云："生柿弥冷。惟乌柿火熏者性热。"《本草拾遗》云："柿，日干者温补。多食去面皯，除腹中宿血。"

［4］**红柿**　《纲目》名烘柿。烘柿非谓火烘也，即青绿之柿，收置器中，自然红熟如烘成。涩味尽去，其甘如蜜。《纲目》在"烘柿"条"主治"下引有"孟诜"文"续经脉气"。

［5］**醂柿**　《集韵》云："醂，藏柿也。"《纲目》云："醂，藏醂也。水收、盐浸之外，又有以熟柿用灰汁澡三四度，令汁尽，着器中，经十余日即可食。"

［6］**下**　《证类》作"不"，《大观》作"下"。

又，本条外，《纲目》在"柿蒂"条下引有"孟诜"文"柿蒂，治咳逆哕气，煮汁服"。按，此文原出《本草图经》，《纲目》误注出处为"孟诜"。

［7］**腹薄**　掌氏引"孟诜"作"腹肚薄"。

［8］**三斤**　掌氏引"孟诜"作"二斤"。

153　桑椹

孟诜［《医心方》引］：桑椹[1]，性微寒。食之补五脏，耳目聪明，利关节，和经脉，通血气，益精神。

（《医心方》页696）

【校注】

[1] **桑椹** 为桑科植物桑的果实。《诗》云："无食桑椹。"注云："葚，桑实也。食过则醉伤其性。"

《本草拾遗》云："桑椹利五脏关节，通血气。多收暴干，捣末，蜜和为丸，每日服六十丸，变白不老。又，取黑葚一升和科斗子一升，瓶盛封闭，悬屋东头一百日，尽化为黑泥，染白鬓如漆。"

《杨氏产乳》："凡子不得与桑椹食，令儿心寒。"

154 石榴

孟诜［《医心方》引］：石榴[1]，温。实，主谷利、泄精[2]。又云：损齿令黑。

《食疗》［残卷本］：石榴，疗疣虫、白虫[3]。案经：久食损齿令黑[4]。其皮炙令黄，捣为末，和枣肉为丸，日服卅丸[5]，后以饭押[6]，断赤白痢[7]。

又，久患赤白痢，肠肚绞痛：以醋石榴一个，捣令碎，布绞取汁，空腹顿服之，立止。

又，其花叶阴干，捣为末，和铁丹[8]服之。一年白发尽黑，益面红色。仙家重此，不尽书其方。

孟诜［掌氏引］：石榴，温。多食损齿令黑。皮，炙令黄，杵末，以枣肉为丸，空腹三十丸，日二服，治赤白痢。腹痛者，取醋者一枚并子捣汁，顿服[9]。

孟诜［《纲目》引］：甘石榴，能理乳石毒。多食损齿令黑。凡服食药物人忌食之。

酸石榴，治赤白痢腹痛，连子捣汁，顿服一枚。

《食疗本草》［《纲目》引］：赤白痢下腹痛，食不化者。用醋榴皮炙黄为末，枣肉或粟米饭和，丸梧子大。每空腹米饮服三十丸，日三服，以知为度。如寒滑，加附子、赤石脂各一倍。

（《大观》卷23页33，《证类》页475，《纲目》页1279，《医心方》页694）

【校注】

[1] **石榴** 为石榴科植物石榴的果实。《本草图经》云："安石榴，或云本生西域。陆玑与弟书云：张骞为汉使外国十八年，得涂林安石榴是也。"

[2] **实，主谷利、泄精** 《别录》云："安石榴，酸，实壳疗下痢，止漏精。""泄精"2字，残卷本《食疗》未见，或因残卷本《食疗》有脱漏，或因《医心方》所据本不同。

[3] **疣虫、白虫** 按《别录》应作"安石榴东行根疗蛔虫、寸白"。《本草拾遗》云"石榴东引根及皮主蛔虫。"《十全方》："治寸白虫以醋石榴东引根一握，净洗细剉，用水三升，煎取半碗，去

滓，五更初温服尽，至明下虫一大团。”

[4] **久食损齿令黑** 《医心方》引作“损齿令黑”。掌氏引作“多食损齿令黑”。《纲目》引作“多食损齿令黑。凡服食药物人忌食之”。

[5] **日服卅丸** 掌氏引作“空腹三十丸，日二服”。

[6] **后以饭押** 掌氏未见引。

[7] **断赤白痢** 掌氏引作“治赤白痢”。

[8] **铁丹** 《本草拾遗》云：“铁丹，飞铁为丹，亦铁粉之属是也”。

[9] **腹痛者，取醋者一枚并子捣汁，顿服** 《纲目》引“孟诜”作“酸石榴，治赤白痢腹痛，连子捣汁，顿服一枚。”

155 木瓜

《食疗》［残卷本］：木瓜[1]，温。右主治霍乱、涩痹风气[2]。

又，顽痹人若吐逆下[3]，病转筋不止者[4]，取枝叶煮汤饮之愈，亦去风气。消痰。每欲霍乱时，但呼其名字。亦不可多食，损齿[5]。

又，脐下绞痛，可以木瓜一片，桑叶七枚炙，大枣三个中破，以水二大升，煮取半大升，顿服之即[6]。

孟诜［掌氏引］：木瓜，谨案枝叶煮之饮，亦治霍乱，不可多食，损齿及骨。又，脐下绞痛，木瓜一两片，桑叶七片，大枣三枚，碎之，以水二升，煮取半升，顿服之，差。

《食疗》［唐氏引］：木瓜，主呕啘风气。又吐后转筋，煮汁饮之，甚良。脚膝筋急痛，煮木瓜令烂，研作浆粥样，用裹痛处，冷即易，一宿三五度，热裹，便差。煮木瓜时，入一半酒同煮之[7]。

孟诜［《纲目》引］：木瓜，不可多食，损齿及骨。

《食疗本草》［《纲目》引］：脚筋挛痛，用木瓜数枚，以酒、水各半，煮烂捣膏，乘热贴于痛处，以帛裹之，冷即换，日三五度。

（《大观》卷23页17，《证类》页467，《纲目》页1271）

【校注】

[1] **木瓜** 为蔷薇科植物贴梗海棠的果实。《本草图经》云：“其木状若柰花，生于春末而深红色，其实大者如瓜，小者如拳。”

本条共录3种文，掌氏所引，可见于残卷本《食疗》；唐氏所引，不见于残卷本《食疗》。由此可见，唐氏引文所据的本子，不同于残卷本《食疗》。

又，3种文，在文句、内容上，互有出入，兹将其间不同处，列注于后。

[2] **右主治霍乱、涩痹风气** 唐氏引作“主呕啘风气”。按，呕啘是霍乱主症之一。

[3] **吐逆下** “下”字后似脱“利”字。“吐逆”与“下利”应成对应文。

[4] **病转筋不止者** “者”字后似有脱文。唐氏所引此句之后有“煮汁饮之，甚良”。

[5] **取枝叶煮汤饮之愈……损齿** 掌氏所引与此文差异较大。又“损齿”后，掌氏引文有“及骨”2字。

[6] **即** 其后似有脱文。掌氏引此文作“即差”。

《日华子》云：“木瓜止吐泻，贲㹠及脚气水肿，冷热痢，心腹痛，疗渴，呕逆，痰唾等。根，治脚气。”

《三因方》治吐泻转筋，以木瓜、吴茱萸、苏叶、生姜、茴香、甘草等，水煎服。

治腰膝痛，木瓜与牛膝、海风藤、虎骨、当归、川芎研末为丸服。

[7] **脚膝筋急痛……入一半酒同煮之** 残卷本《食疗》无此文，似有脱漏。

156 胡桃

《食疗》［残卷本］：胡桃[1]，平。右不可多食[2]，动痰[3]。

案经：除去风[4]，润脂肉，令人能食。

不得多食之，计日月，渐渐服食[5]。通经络气，血脉，黑人鬓发[6]，毛落再生也。

又，烧至烟尽，研为泥，和胡粉为膏。拔去白发，傅之即黑毛发生[7]。

又，仙家压油，和詹香涂黄发，便黑如漆，光润[8]。

初服日一颗，后随日加一颗。至廿颗，定得骨细肉润[9]。

又方，一切痔病[10]。

按经：动风，益气，发痼疾。多吃不宜。

孟诜［《医心方》引］：胡桃卒不可多食，动痰饮。计日月渐服食，通经络，黑人鬓发，毛生。能差一切痔病。

孟诜《食经》［《医心方》引］：治白发方：胡桃烧令烟尽，研为泥，和胡粉，拔白毛，傅之即生毛。

孟诜［掌氏引］：胡桃不可多食，动痰饮，除风，令人能食。不得并，渐渐食之，通经脉，润血脉，黑鬓发。

又服法：初日一颗，五日加一颗，至二十颗止。

常服骨肉细腻光润，能养一切老痔疾。

孟诜［《纲目》引］：胡桃，食之令人能食，通润血脉，骨肉细腻。服胡桃法：凡服胡桃不得并食，须渐渐食之。初日服一颗，每五日加一颗，至二十颗止，周而复始。常服令人能食，骨肉细腻光润，须发黑泽，血脉通润，养一切老痔。

（《大观》卷23页39，《证类》页478，《纲目》页1291，《医心方》页105、695）

【校注】

[1] **胡桃** 为胡桃科植物胡桃的果实。《开宝本草》云："胡桃，生北土，云张骞从西域将来。"《本草图经》云："胡桃，大株厚叶多阴，实亦有房，秋冬熟时采之。"

本条所录三家文，内容相同，词句互异。其中《医心方》引文有两出处：一为"孟诜"，一为"孟诜《食经》"。两处文字同见于残卷本《食疗》"胡桃"条，由此可见，《医心方》引文所注两个出处，实为一书。

[2] **右不可多食** 《医心方》作"卒不可多食"。

[3] **动痰** 《医心方》、掌氏俱引作"动痰饮"。

[4] **除去风** 掌氏引作"除风"。

[5] **计日月，渐渐服食** 掌氏引作"不得并，渐渐食之"。

[6] **通经络气，血脉，黑人髭发** 《医心方》作"通经络，黑人髭发"。掌氏引作"通经脉，润血脉，黑髭发"。

[7] **又，烧至烟尽……毛发生** 《医心方》所引与此句词异义同，并冠有"治白发方"小标题。

[8] **又，仙家压油……光润** 《开宝本草》著录此文，故掌氏不录。

[9] **初服日一颗……骨细肉润** 掌氏所引此条与此句，词异义同。

[10] **一切痔病** 此句前有脱文，按《医心方》应补"能差"2字。掌氏引作"能养一切老痔疾"。

157 软枣

《食疗》[残卷本]：软枣[1]，平[2]。多食动风，令人病冷气[3]，发咳嗽。

《食疗》[唐氏引]：软枣，温。多食动风，发冷风并咳嗽。

（《大观》卷23页，《证类》页462，《纲目》页1264）

【校注】

[1] **软枣** 诸书未见此名。从字义上看，软枣当是质软，惟无核则软。《尔雅》"枣"条云："晳，无实枣"。郭璞注："不着子者。"郝懿行疏云："晳者，无实枣名。《晏子春秋》所谓东海有枣，华而不实者也。今乐陵枣无核。"

本条，残卷本《食疗》独立为条。唐氏引"《食疗》"此条，将之续在"枣"条之下。

[2] **平** 唐氏引"《食疗》"作"温"。

[3] **令人病冷气** 唐氏引"《食疗》"作"发冷风"。

158 榧实

《食疗》［残卷本］：棐子[1]，平。右主治五种痔[2]，去三虫[3]，杀鬼毒，恶疰[4]。

又，患寸白虫[5]人，日食七颗，经七日满，其虫尽消作水即差。

案经：多食三升、二升佳，不发病。令人消食，助筋骨，安营卫，补中益气，明目轻身。

孟诜［掌氏引］：榧实，平。多食一二升佳。不发病，令人能食，消谷，助筋骨，行荣卫，明目轻身。

《食疗》［唐氏引］：治寸白虫，日食七颗，七日满，其虫皆化为水。

孟诜［《纲目》引］：榧实，消谷，助筋骨，行营卫，明目轻身，令人能食。多食一二升，亦不发病。

治寸白虫，日食榧子七颗，满七日，虫皆化为水也。

（《大观》卷14页41，《证类》页356，《纲目》页1303）

【校注】

［1］**棐子**　《大观》《证类》《纲目》俱作“榧实”。为红豆杉科植物榧的种子。《大观》有名无用类“棑华”条，有陈藏器云：“棑树似杉，子如槟榔，食之肥美。主痔杀虫，春花。《本经》（指《唐本草》）虫部云：彼子。苏注云：彼子合从木。《尔雅》云彼一名棑，陶复于果部重出棑（指榧实），此即是其花也。”

本条，掌氏所引“孟诜”文与残卷本《食疗》文第三点相同；唐氏所引“《食疗》”文与残卷本《食疗》文第二点相同；残卷本《食疗》文第一点与《别录》“榧实”主治同，故掌氏、唐氏对残卷本《食疗》文第一点均未摘录。但他们所引“孟诜”文、“《食疗》”文，在细节上仍有小异。

［2］**五种痔**　指牝痔、牡痔、血痔、脉痔、肠痔5种痔疾。

［3］**三虫**　出《诸病源候论》。长虫、赤虫、蛲虫的合称。

［4］**恶疰**　指有传染性的疾病。《释名·释疾病》云：“疰病，一人死，一人复得，气相灌注也。”

［5］**寸白虫**　即绦虫。所称寸白虫长寸许，实为绦虫一个节片。

159　芜荑

《食疗》［残卷本］：芜荑[1]，平。右主治五内邪气，散皮肤肢节间风气，能化食，去三虫，逐寸白，散腹中冷气[2]。

又，患热疮，为末和猪脂涂[3]，差。

又方，和白沙蜜[4]治湿癣。

又方，和马酪治干癣[5]，和沙牛酪疗一切疮[6]。

案经：作酱食之，甚香美。其功尤胜于榆人，惟陈久者更良。可少吃，多食发热、心痛，为其味辛之故。秋天食之宜人。长吃治五种痔病[7]。

又，杀肠恶虫。

孟诜［掌氏引］：主五脏皮肤肢节邪气。

又，热疮，捣和猪脂涂，差。

又，和白蜜治湿癣，和沙牛酪疗一切疮。

陈者良，可少食之；伤，多发热心痛，为辛故也。

秋天食之尤宜人。长食治五痔，诸病不生。

《食疗》［唐氏引］：散腹中气痛。又，和马酪可治癣。

作酱甚香美，功尤胜于榆人。陈者良。

又，杀中恶虫毒。

孟诜［《纲目》引］：芜荑，作酱甚香美，功尤胜于榆人。可少食之，过多发热，为辛故也。秋月食之，尤宜人。又主五脏皮肤肢节邪气。长食，治五痔，杀中恶虫毒，诸病不生。

张鼎［《纲目》引］：芜荑和猪胆捣，涂热疮；和蜜，治湿癣；和沙牛酪或马酪，治一切疮。

（《大观》卷13页19，《证类》页322，《纲目》页1418）

【校注】

［1］**芜荑**　为榆科植物大果榆果实的加工品。

本条所录残卷本《食疗》、掌氏所引“孟诜云”、唐氏所引“《食疗》云”三家条文，前者大体为后二者之和，这提示残卷本《食疗》似是张鼎修订本。但三家条文在细节上互有出入。盖唐代书是手工抄的，抄的次数越多，其间差异就越大。

［2］**右主治五内邪气……散腹中冷气**　以上29字。基本上与《本经》《别录》“芜荑”条文同。掌氏所录孟诜文，仅节录“主五脏皮肤肢节邪气”。掌氏引文以前代本草所无为主，故不再转录此29字中所含的《本经》文、《别录》文。

又，在此29字中，唐氏所引“《食疗》”文，仅节录“散腹中气痛”。句中“气痛”，残卷本《食疗》作“冷气”。这种小异，或因抄本不同，或由节录人所化裁。

［3］**患热疮，为末和猪脂涂**　掌氏引“孟诜”作“热疮，捣和猪脂涂”。

［4］**白沙蜜**　掌氏引“孟诜”作“白蜜”。

［5］**和马酪治干癣**　掌氏未引此文，唐氏引“《食疗》”作“和马酪可治癣”。

［6］**和沙牛酪疗一切疮**　唐氏未引此文。

［7］**案经……治五种痔病**　以上，冠以“案经”，说明此文为张鼎续补。掌氏所引“孟诜”文，与此文基本相同，但掌氏所引文多“诸病不生”及“尤宜人”的“尤”字。据此可知，掌氏所引“孟诜”文，含有张鼎修订的文字。

160　榆荚

《食疗》［残卷本］：榆荚[1]，右疗小儿痫疾[2]。

又方，患石淋[3]、茎又暴赤肿者：榆皮三两，熟捣，和三年米醋滓，封茎上，日六七遍易。

又方，治女人石痈[4]，妒乳肿[5]。

案经：宜服丹石人[6]。取叶煮食，时服一顿亦好。高昌[7]人多捣白皮为末，和菜菹食之甚美。消食，利关节。

又，其子可作酱，食之甚香。然稍辛辣，能助肺气。杀诸虫，下心腹间恶气，内消之。陈滓者久服尤良。

又，涂诸疮癣，妙[8]。

又，卒冷气心痛，食之差。

孟诜［掌氏引］：生皮，主暴患赤肿[9]，以皮三两，捣，和三年醋滓封之，日六七易。

亦治女人妒乳肿。

服丹石人采叶，生服一两顿，佳。

子作酱食，能助肺，杀诸虫，下气，令人能食，消心腹间恶气。卒心痛，食之良。

《食疗》［唐氏引］：生榆皮，利小便，主石淋，又取叶煮食之，时复食一顿，尤良。高昌人多捣白皮为末，和菜菹食之甚美，令人能食。仙家长服，服丹石人亦食之，取利关节故也。

又，榆仁可作酱，食之亦甚香美，有少辛味，能助肺气，杀诸虫，下气，令人能食。又，心腹间恶气内消之。陈者尤良。又，涂诸疮癣妙。又卒患冷气心痛，食之差。并主小儿痫，小便不利。

孟诜［《纲目》引］：榆白皮，生皮捣，和三年醋滓，封暴患赤肿，女人妒乳肿，日六七易，效。

又，高昌人多捣白皮为末，和菜菹食甚美，令人能食。仙家长服，服丹石人亦服之，取利关节故也。

又，荚仁作子酱，似芜荑，能助肺，杀诸虫，下气，令人能食，消心腹间恶气，卒心痛，涂诸疮癣，以陈者良。

孟诜《食疗》［《纲目》引］：治齁喘不止。榆白皮，阴干焙为末，每日旦夜用水五合，末二钱，煎如胶，服[10]。

（《大观》卷 12 页 21，《证类》页 298，《纲目》页 1416）

【校注】

[1] **榆荚** 为榆科植物榆树的果实。《本草拾遗》云："榆荚四月收实，作酱似芜荑，杀虫，以陈者良。嫩叶作羹食之，压丹石，消水肿。江东有刺榆，无大榆，皮入用不滑（大榆皮滑），刺榆秋实（《别录》云：八月采实）。"

[2] **疗小儿痫疾** 《别录》云："花主小儿痫，小便不利。"盖榆花、荚、仁有同功。又掌氏所引"孟诜"文，无"疗小儿痫疾"。疑此文为张鼎所增。

[3] **石淋** 即砂淋。其症见尿出困难，阴中痛引少腹，若有砂石排出则痛解，尿多黄赤或尿血。

[4] **石痈** 是一种肿核，坚硬如石，皮色不变，渐渐增大，难消难溃，即溃难敛。其类似肿瘤。掌氏所引"孟诜"文，无"石痈"2 字。

[5] **妒乳肿** 即乳痈。初起乳房有硬结，胀痛，乳汁不畅；继而肿块增大，红肿剧痛，伴有恶寒发热，蕴而成脓。

[6] **案经：宜服丹石人** 在孟诜文中，"服丹石人"之前，无"案经"2 字。疑此 2 字为张鼎所加，其指"孟诜《食经》"而言。若如是，则残卷本《食疗》可能是张鼎《食疗》的一种抄本。

[7] **高昌** 今新疆吐鲁番东南处。

[8] **涂诸疮癣，妙** 掌氏所引"孟诜"文无此 5 字。

[9] **主暴患赤肿** 此文未指明何处暴患赤肿。残卷本《食疗》言"茎又暴赤肿"。掌氏所引"孟诜"文无"茎"字。

[10] **治齁喘不止……服** 按《大观》《证类》"榆皮"条，此条原出《药性论》。《纲目》误注出处为"《食疗本草》"。

161 吴茱萸

《食疗》［残卷本］：吴茱萸[1]，温。右主治心痛，下气，除咳逆，去脏中冷。能温脾气消食[2]。

又方，生树皮，上牙疼痛痒等，立止[3]。

又[4]，取茱萸一升，清酒五升，二味和煮，取半升去滓，以汁微暖洗。

如中风、贼风[5]，口偏不能语[6]者，取茱萸一升，美清酒四升[7]，和煮四五沸，冷服之半升，日二服，得小汗[8]为差。

案经：杀鬼毒尤良[9]。

又方，夫人冲冷风欲行房，阴缩不怒者[10]，可取二七粒，之[11]，良久，咽下津液。并用唾涂玉茎头即怒[12]。

又，闭目者名椋子，不宜食[13]。

又方，食鱼骨在腹中，痛，煮汁一盏，服之即止[14]。

又，鱼骨刺在肉中不出，及蛇骨者，以封其上，骨即烂出[15]。

又，奔豚气冲心，兼脚气上者[16]，可和生姜汁饮之，甚良。

孟诜［掌氏引］：茱萸[17]，主心痛，下气，除呕逆、脏冷。又，皮止齿痛。又，患风瘙痒痛者，取茱萸一升，清酒五升，和煮取一升半，去滓，以汁暖洗。中贼风口偏不能语者，取茱萸一升，清酒一升，和煮四五沸，冷服之半升，日三服，得少汗，差。

谨案：杀鬼疰气。又开目者不堪食。

又，鱼骨在人腹中刺痛，煮一盏汁服之，止。

又，骨在肉中不出者，嚼封之，骨当烂出。

脚气冲心，可和生姜汁饮之，甚良。

膳玄子张《食经》［《医心方》引］：治鱼骨在腹中痛，煮吴茱萸，服一盏汁。又，在肉中不出，捣吴茱萸，封上即烂出。

《食疗》［唐氏引］：茱萸，微温，主痢，止泻[18]，厚肠胃，肥健人，不宜多食。

孟诜［《纲目》引］：吴茱萸，主痢，止泻，厚肠胃，肥健人[19]。

孟诜《食疗》［《纲目》引］：风瘙痒痹[20]：茱萸一升，酒五升，煮取一升半，温洗之，立止。

又，贼风口偏不能语者：茱萸一升，姜豉三升，清酒五升，和煎五沸，待冷服半升，一日三服，得少汗即差[21]。

又，骨在肉中不出者：咀茱萸封之，骨当腐出[22]。

又，鱼骨入腹，刺痛不得出者：吴茱萸水煮一盏，温服，其骨必软，出。未出再服[23]。

孟诜本草［《纲目》引］：治牙齿疼痛：茱萸煎酒，含漱之[24]。

孟诜方［《纲目》引］：治脚气冲心：吴茱萸、生姜擂汁饮，甚良[25]。

（《大观》卷13页8，《证类》页318，《纲目》页1322，《医心方》页682）

【校注】

［1］**吴茱萸** 为芸香科植物吴茱萸的果实。本条所录残卷本《食疗》文、掌氏所引“孟诜”文、唐氏所引“《食疗》”文中，前二者基本相同。残卷本《食疗》文间有脱文。

［2］**右主治心痛……消食** 掌氏所引“孟诜”文作“主心痛，下气，除呕逆、脏冷”。

［3］**生树皮，上牙疼痛痒等，立止** 掌氏所引“孟诜”文简化为“皮止齿痛”。

[4] **又** 其后有脱文。按掌氏所引“孟诜”文，其后应有“患风瘙痒痛者”6字。

[5] **中风、贼风** 掌氏所引“孟诜”文作“中贼风”。

[6] **语** 柯本《大观》作“言”。

[7] **美清酒四升** 柯本《大观》作“清酒五升”，《证类》作“清酒一升”。

[8] **日二服，得小汗** 掌氏所引“孟诜”文作“日三服，得少汗”。

[9] **案经：杀鬼毒尤良** 掌氏所引“孟诜”文作“谨案：杀鬼疰气”。

[10] **阴缩不怒者** 指男子阴茎萎缩，不能勃起。

[11] **之** 其上有脱文。按医理，应作“含之”。

[12] **夫人冲冷风……玉茎头即怒** 以上，掌氏所引“孟诜”文缺。

[13] **又，闭目者名椃子，不宜食** 掌氏所引“孟诜”文作“又开目者不堪食”。

[14] **又方，食鱼骨……即止** 《医心方》页682引“膳玄子张《食经》”作“治鱼骨在腹中痛，煮吴茱萸，服一盏汁”。

[15] **又，鱼骨刺……骨即烂出** 《医心方》页682引“膳玄子张《食经》”作“又，在肉中不出，捣吴茱萸，封上即烂出”。

[16] **奔豚气冲心，兼脚气上者** 掌氏所引“孟诜”文作“脚气冲心”。

以上注[2]至注[9]、注[12]、注[13]、注[16]是将残卷本《食疗》与掌氏所引“孟诜”文勘比后，发现的小异之处。惟注[12]是残卷本《食疗》所有，掌氏所引“孟诜”文所缺。这些小异之处和缺文，疑是掌氏引“孟诜”文时节录所致。

[17] **茱萸** 有山茱萸、吴茱萸。古方中所讲茱萸，多指吴茱萸而言。如张仲景治呕而胸满者，茱萸汤主之：吴茱萸一升，枣二十枚，生姜一大两，人参一两，以水五升，煎取三升，每服七合，月三。干呕涎沫而头痛者亦主之。

[18] **止泻** 吴茱萸能温中散寒，治阳虚泄泻。本品配五味子、肉豆蔻、补骨脂为丸，治五更泻。

在本条残卷本《食疗》文、掌氏所引“孟诜”文、《医心方》所引“膳玄子张《食经》”文、唐氏所引“《食疗》”文中，前三者大体相同，惟唐氏所引“《食疗》”文是前三者所无。疑唐氏所引“《食疗》”文，或出“食茱萸”条，错置在“吴茱萸”条。吴茱萸、食茱萸本相同。《唐本草》云：“食茱萸功用与吴茱萸同，力为劣尔。”

[19] **吴茱萸……肥健人** 本条，《纲目》所引“孟诜”文，与唐氏所引“《食疗》”文全同。则《纲目》所引“孟诜”文，当出自《证类》所引“《食疗》”文。

[20] **风瘙痒痹** 掌氏引“孟诜”作“风瘙痒痛”。

[21] **贼风……即差** 本条，《纲目》所引“孟诜《食疗》”，与掌氏所引“孟诜”文全同，仅标注的出处名称不同，《纲目》标“孟诜《食疗》”，掌氏标“孟诜”。

[22] **骨在肉中不出……骨当腐出** 同注[21]。

[23] **鱼骨入腹……未出再服** 同注[21]。

[24] **治牙齿疼痛……含漱之** 掌氏引“孟诜”作“皮止齿痛”。掌氏与《纲目》所标出处亦异。《纲目》注出处为“孟诜本草”，掌氏注出处为“孟诜”。而“孟诜本草”，未见诸书目著录，疑为《纲目》所题。

[25] **治脚气冲心……甚良** 本条与掌氏所引“孟诜”文词异义同，但所注出典与其不同。《纲目》注出典为“孟诜方”，掌氏注出典为“孟诜”。

162　葡萄

《食疗》［残卷本］：葡萄[1]，平[2]。右益脏气，强志，疗肠间宿水[3]，调中。

案经：不问土地，但取藤，收之酿酒[4]，皆得美好。

其子不宜多食[5]，令人心[6]卒烦闷，犹如火燎。亦发黄病。凡热疾后不可食之，眼闇、骨热，久成麻疖病。

又方，其根可煮取浓汁饮之，呕哕[7]及霍乱后恶心。

又方[8]，女人有娠，往往子上冲心。细细饮之即止。其子便下，胎安好。

孟诜［掌氏引］：葡萄，不问土地，但收酿酒，皆得美好。

或云：子不堪多食，令人卒烦闷，眼闇。根，浓煮汁，细细饮之，止呕哕及霍乱后恶心。妊孕人子上冲心，饮之即下，其胎安。

孟诜［《医心方》引］：葡萄，食之治肠间水，调中。其子不堪多食，令人卒烦闷。

孟诜［《纲目》引］：葡萄，甘、酸，温。多食，令人卒烦闷，眼暗。根及藤叶，煮浓汁细饮，止呕哕及霍乱后恶心。孕妇子上冲心，饮之即下，胎安。

（《大观》卷23页10，《证类》页463，《纲目》页1334，《医心方》页696）

【校注】

［1］**葡萄**　为葡萄科植物葡萄的果实。《蜀本草·图经》云："蔓生，苗叶似蘡薁而大，子有紫、白二色。七月八月熟，子酿为酒及浆。"

［2］**平**　《纲目》引"诜曰"作"甘、酸，温"。

［3］**疗肠间宿水**　《医心方》引"孟诜"作"食之治肠间水"，与此句小异。

按，残卷本《食疗》用"疗"，此乃沿袭避唐高宗李治讳之例，改"治"为"疗"所致。《医心方》引用时，不忌避讳，直用"治"。

［4］**但取藤，收之酿酒**　《本经》云："葡萄可作酒。"陶弘景注："魏国使人多赍来，状如五味子而甘美，可作酒。云用其藤汁殊美好。"

《唐本草》注："葡萄作酒，取子汁酿之。陶云用藤汁为酒谬矣。"

残卷本《食疗》言"但取藤，收之酿酒"，盖沿袭陶氏之说。

［5］**不宜多食**　掌氏、《医心方》所引"孟诜"文，俱作"不堪多食"。

［6］**令人心**　掌氏、《医心方》所引"孟诜"文，俱作"令人"，无"心"字。

［7］**呕哕**　掌氏引"孟诜"作"止呕哕"。疑残卷本《食疗》脱"止"字。

［8］**又方**　连同上一"又方"，掌氏引"孟诜"文，并将之合并为一条，作"根，浓煮汁，细细

饮之，止呕哕及霍乱后恶心。妊孕人子上冲心，饮之即下，其胎安”。《纲目》所引“孟诜”文同掌氏所引。惟“细细饮之”“妊孕人”，《纲目》作“细饮”“孕妇”。

从以上［5］［6］两注看，掌氏、《医心方》引“孟诜”文时，所据底本似是同一种抄本。

又，《史记·大宛列传》云：“大宛以葡萄为酒，富人藏酒至万余石（担），久者十数岁不败。张骞使西域得其种而还种之。”

163 甜瓜

《食疗》［残卷本］：甜瓜[1]，寒。右止渴，除烦热。多食令人阴下痒湿[2]，生疮。

又，发瘅黄，动宿冷病，患癥瘕人不可食瓜[3]。

其瓜蒂，主治身面四肢浮肿，杀虫，去鼻中息肉，阴瘅黄及急黄。

又，生瓜叶，捣取汁，治人头不生毛发者，涂之即生。

案经：多食令人羸惙虚弱，脚手少力。其子热，补中焦，宜人。其肉止渴，利小便，通三焦间壅寒气[4]。

又方，瓜蒂七枚，丁香七枚，捣为末，吹鼻中，少时治壅气，黄汁即出，差。

孟诜［掌氏引］：甜瓜[5]，寒，有毒。止渴，除烦热，多食令人阴下湿痒，生疮。动宿冷病，发虚热，破腹。又，令人惙惙弱，脚手无力。少食即止渴，利小便，通三焦间壅塞气。兼主口鼻疮。

叶，治人无发，捣汁涂之即生[6]。

孟诜［《纲目》引］：甜瓜瓤，多食，令人阴下湿痒生疮，动宿冷癥癖病，破腹，虚热，令人惙惙气弱，脚手无力。少食则可。《龙鱼河图》云：凡瓜有两鼻、两蒂者，杀人。五月瓜沉水者，食之得冷病，终身不差。九月被霜者，食之冬病寒热。与油饼同食，发病。多食瓜作胀者，食盐花即化[7]。

甜瓜子，炒食，补中宜人。

（《大观》卷27页17，《证类》页504，《纲目》页1331）

【校注】

［1］**甜瓜** 为葫芦科植物甜瓜。按，卷子本所载“甜瓜”条同现存文献中“甜瓜”条，且两者在内容上、词句结构上、编排次序上多不相同。其间差异，提示各种文献所载“孟诜”文、“《食疗》”文，不是来源于同一个底本。在内容上，卷子本以甜瓜为正名，其中含有瓜蒂内容。唐氏所引“《食疗》”文，以瓜蒂为正名，且其中含有甜瓜内容。《医心方》在“白瓜子”条下，所引“孟诜”文，含有甜瓜内容。如果各书所据底本相同，不应有此等差异。

［2］**阴下痒湿** 掌氏引作“阴下湿痒”。

[3] **发痹黄……不可食瓜** 《医心方》在“白瓜子”条下所引“孟诜”文与此同。又“痹黄”，《医心方》作“痺黄”。

[4] **壅寒气** 掌氏引“孟诜”作“壅塞气”。疑“寒”为“塞”之笔误。

[5] **甜瓜** 《大观》《证类》将本条与“胡瓜”条并列，并在“胡瓜”条末注云：“以上二种新补，见《千金方》及孟诜、陈藏器、《日华子》。”这说明本条由掌氏糅合四家文字而成，用残卷本《食疗》校之，其文与残卷本《食疗》“甜瓜”条文字全同。由此可见，本条是掌氏据孟诜文改编而成。

[6] **叶，治人无发，捣汁涂之即生** 《纲目》注此文出处为“《嘉祐》”。

[7] **《龙鱼河图》……食盐花即化** 本条，唐氏引“《食疗》”文，将之并在“甜瓜蒂”条下。《纲目》引“孟诜”文，将之并在“甜瓜瓤”条。两家引文有出入。

164 瓜蒂

《食疗》［唐氏引］：瓜蒂[1]，主身面、四肢浮肿，杀蛊[2]，去鼻中息肉，阴黄黄疸及暴急黄[3]。取瓜蒂、丁香各七枚，小豆七粒[4]，为末，吹黑豆许于鼻中[5]，少时黄水出，差。其子，热，补中，宜人。瓜有毒，止渴，益气，除烦热，利小便，通三焦壅塞气。多食令人阴下湿痒，生疮。动宿冷病、癥癖人不可食之[6]。若食之饱胀，入水自消[7]。多食令人惙惙虚弱，脚手无力[8]。叶，捣汁生发。又，补中，打损折，碾末酒服，去瘀血，治小儿疳[9]。《龙鱼河图》云：瓜有两鼻者杀人[10]；沉水者杀人；食多腹胀，可食盐花成水。

孟诜［《纲目》引］：甜瓜叶，补中，治小儿疳，及打伤损折，为末酒服，去瘀血。

（《大观》卷27页6，《证类》页503，《纲目》页1332）

【校注】

[1] **瓜蒂** 为葫芦科植物甜瓜的蒂。本条与卷子本“甜瓜”条文义大体相近，但细节出入很大。两家文字所据的底本，似非同一种本子。

[2] **杀蛊** 《大观》作“杀虫”。

[3] **阴黄黄疸及暴急黄** 残卷本《食疗》作“阴痺黄及急黄”。

[4] **小豆七粒** 残卷本《食疗》无。

[5] **吹黑豆许于鼻中** 残卷本《食疗》作“吹鼻中”。

[6] **食之** 残卷本《食疗》作“食瓜”。

[7] **若食之饱胀，入水自消** 残卷本《食疗》无。

[8] **多食令人惙惙虚弱，脚手无力** 残卷本《食疗》作“多食令人羸惙虚弱，手足少力”。

[9] **又，补中……治小儿疳** 《纲目》引“孟诜”文，并将之化裁为“补中，治小儿疳，及打

伤损折，为末酒服，去瘀血”。

[10] **瓜有两鼻者杀人** 《纲目》所引“孟诜”文为“《龙鱼河图》云：凡瓜有两鼻、两蒂者，杀人”。

165 越瓜

《食疗》［残卷本］：越瓜[1]，寒。右主治利阴阳，益肠胃，止烦渴，不可久食，发痢。

案：此物动风。虽止渴，能发诸疮。令人虚，脚弱，虚不能行。小儿夏月不可与食，成痢，发虫。令人腰脚冷，脐下痛。患时疾后不可食，不得和牛乳及酪食之[2]。

又，不可空腹和醋食之，令人心痛。

孟诜［《医心方》引］：越瓜，寒。利阳[3]，益肠胃，止渴[4]，不可久食，动气，虽止渴，仍发诸疮。令虚，脚不能行立[5]。

《食疗》［唐氏引］：越瓜，小儿夏月不可与食。又，发诸疮，令人虚弱，冷中。常令人脐下为癥痛不止。又，天行病后不可食。

孟诜《食经》［《本草和名》引］：越瓜，陶景[6]注曰：作菹食之。

孟诜［《纲目》引］：越瓜，生食多冷中动气，令人心痛，脐下癥结，发诸疮。又，令人虚弱不能行，不益小儿。天行病后不可食。又，不得与牛乳酪及鲊同食。

（《大观》卷27页18，《证类》页505，《纲目》页1236，《医心方》页705，《本草和名》第18菜）

【校注】

[1] **越瓜** 为葫芦科植物越瓜。《纲目》云：“越瓜以地名，俗名梢瓜，南人呼为菜瓜。”

[2] **不得和牛乳及酪食之** 唐氏所引“《食疗》”文无此句。但《开宝本草》“越瓜”条中有此文。这说明《开宝本草》越瓜新增药及其条文出自《食疗》。又《纲目》“越瓜”条所引“诜曰”亦有此句。但《纲目》时代没有出土残卷本《食疗》，所以《纲目》所引“诜曰”不应有此文。是《纲目》引“诜曰”文字，当是转引自《开宝本草》。

[3] **利阳** 残卷本《食疗》作“利阴阳”。《医心方》省去“阴”字。

[4] **止渴** 残卷本《食疗》作“止烦渴”。《医心方》增“烦”字。

[5] **令虚，脚不能行立** 残卷本《食疗》作“令人虚，脚弱，虚不能行”。唐氏引“《食疗》”作“令人虚弱，冷中”。

[6] **陶景** 即陶弘景。因避唐高宗太子弘讳，省去“弘”字。

166 胡瓜

孟诜［《医心方》引］：胡瓜[1]，寒，不可多食，动寒热，发疟病。

膳玄子张［《医心方》引］：发痃气，生百病，消人阴，发诸疮疥，发脚气。天行后，卒不可食之，必再发。

《食疗》［残卷本］：胡瓜，寒。不可多食，动风及寒热。又发痁疟[2]，兼积瘀血[3]。

案：多食令人虚热上气，生百病，消人阴，发疮[4]，及发痃气，及脚气，损血脉。天行后不可食。

小儿食，发痢，滑中，生甘虫[5]。

又，不可和酪食之[6]，必再发。

又，捣根傅胡刺毒肿，甚良。

孟诜《食经》［《本草和名》引］：胡瓜，胡域多之，故以名之。

孟诜［掌氏引］：胡瓜[7]叶，味苦，平，小毒。主小儿闪癖：一岁服一叶，以上斟酌与之。生挼绞汁服，得吐、下。

根，捣傅胡刺毒肿。

其实，味甘，寒，有毒。不可多食，动寒热，多疟病，积瘀热，发疰气[8]，令人虚热上逆，少气，发百病[9]及疮疥，损阴血脉气，发脚气。天行后不可食。小儿切忌，滑中，生疳虫。不与醋同食[10]。北人亦呼为黄瓜，为石勒讳[11]，因而不改。

孟诜［《纲目》引］：胡瓜，不可多食，动寒热，多疟病，积瘀热，发疰气，令人虚热上逆少气，损阴血，发疮疥脚气，虚肿百病。天行病后不可食之。小儿切忌，滑中生疳虫。不可多用醋。

（《大观》卷27页17，《证类》页504，《纲目》页1236，《医心方》页705，《本草和名》第18菜）

【校注】

［1］**胡瓜** 即黄瓜。为葫芦科植物黄瓜。

［2］**痁疟** 《说文解字》段玉裁注："痁疟，有热无寒之疟也。"

［3］**积瘀血** 掌氏引"孟诜"作"积瘀热"。

［4］**发疮** 《医心方》所引"膳玄子张"文及掌氏所引"孟诜"文俱作"疮疥"。

［5］**生甘虫** 按掌氏所引"孟诜"文，应作"生疳虫"。

[6] **不可和酪食之** 掌氏引“孟诜”作“不与醋同食”。

[7] **胡瓜** 《大观》《证类》在本条末注：“以上二种（指甜瓜、胡瓜）新补，见《千金方》及孟诜、陈藏器、《日华子》。”这说明本条由掌氏糅合四家文字而成。

[8] **发疰气** 《医心方》所引“膳玄子张”文、残卷本《食疗》俱作“发痃气”。

[9] **发百病** 《纲目》引“诜曰”作“虚肿百病”。

[10] **不与醋同食** 《纲目》引“诜曰”作“不可多用醋”。按，《纲目》节引此段文字时，多加化裁，在词句编排上多加改动。

[11] **北人亦呼为黄瓜，为石勒讳** 石勒，是羯族，上党武乡人，东晋后赵建立者。古代对北方、西北方少数民族泛称“胡”，石勒为胡人，故避胡字讳，改胡瓜为黄瓜。

167 冬瓜

膳玄子张［《医心方》引］：冬瓜[1]，食之，压丹石，去头面热。

孟诜［《医心方》引］：白瓜子，寒。多食发瘅黄，动宿冷病。又，瘕癖人不可多食之。

《食疗》［残卷本］：冬瓜，寒。右主治小腹水鼓胀。

又，利小便，止消渴。

又，其子，主益气耐老，除心胸气满[2]，消痰止烦。

又，冬瓜子七升，绢袋盛，投三沸汤中，须臾，曝干，又纳汤中，如此三度乃止。曝干。与滑苦酒浸之[3]，一宿，曝干为末，服之方寸匕，日二服，令人肥悦。

又，明目，延年不老。

案经：压丹石，去头面热风。

又，热发者服之良。患冷人勿食之，令人益瘦。

取冬瓜一颗，和桐叶与猪食之。一冬更不食诸物，其猪肥长三四倍矣。

又，煮食之，能炼五脏精细。欲得肥者，勿食之，为下气。欲瘦小轻健者，食之甚健人。

又，冬瓜仁三升，退去皮壳，捣为丸[4]。空腹及食后各服廿丸，令人面滑静如玉。可入面脂中用。

孟诜［掌氏引］：冬瓜，益气耐老，除胸心满，去头面热。热者食之佳，冷者食之瘦人。

又，取冬瓜仁七升，以绢袋盛之，投三沸汤中，须臾出暴干，如此三度止。又，与清苦酒渍，经一宿，暴干为末，日服之方寸匕。令人肥悦，明目，延年不老。又，取子三五升，褪去皮，捣为丸。空腹服三十丸，令人白净如玉。

《食疗》［唐氏引］：益气耐老，除心胸满。取瓜子七升，下同白瓜条。压丹石。又，取瓜一颗，和桐叶与猪肉食之。一冬更不要与诸物食，自然不饥，长三四倍矣。又，煮食之，炼五脏，为下气故也。欲得瘦轻健者，则可长食之。若要肥，则勿食。孟诜说[5]：肺热消渴[6]，取濮瓜去皮[7]，每食后嚼吃三二两，五七度，良。

孟诜［《纲目》引］：白冬瓜，益气耐老，除心胸满，去头面热[8]。热者食之佳，冷者食之瘦人。煮食炼五脏，为其下气故也。欲得体瘦轻健者，则可长食之；若要肥，则勿食也。取瓜一颗和桐叶与猪食之[9]，一冬更不要与诸物食，自然不饥，长三四倍也。

孟诜《食疗》［《纲目》引］：积热消渴，白瓜去皮，每食后吃三二两，五七度良。

服食法：取冬瓜仁七升，以绢袋盛，投三沸汤中，须臾取曝干，如此三度，又与清苦酒渍之二宿，曝干为末，日服方寸匕，令人肥悦明目，延年不老。

又法，取子三五升，去皮为丸，空心日服三十丸，令人白净如玉。

（《大观》卷27页7，《证类》页503，《纲目》页1234，《医心方》页705）

【校注】

［1］**冬瓜**　为葫芦科植物冬瓜。冬瓜的种仁称为白瓜子。

［2］**其子，主益气耐老，除心胸气满**　掌氏、《纲目》所引“孟诜”文，俱视之为冬瓜的作用。又，“除心胸气满”，掌氏、《纲目》俱作“除心胸满”。

［3］**与清苦酒浸之**　掌氏引“孟诜”作“与清苦酒渍”。按，“苦酒”即醋。

［4］**冬瓜仁三升，退去皮壳，捣为丸**　掌氏引“孟诜”作“取子三五升，褪去皮，捣为丸”。

［5］**孟诜说**　此3字，疑为唐氏引“《食疗》”文时所加，非《食疗》原书所有。

［6］**热消渴**　《纲目》引“孟诜《食疗》”作“积热消渴”。

［7］**取濮瓜去皮**　《纲目》引“孟诜《食疗》”作“白瓜去皮”。《纲目》所言“白瓜”，指“冬瓜”而言。不知本条的“濮瓜”是什么瓜。

［8］**去头面热**　唐氏所引“《食疗》”文无此4字。残卷本《食疗》又作“压丹石，去头面热风”。掌氏所引“孟诜”文有此4字。盖本条，为《纲目》转录掌氏引文而成。

［9］**与猪食之**　唐氏引“《食疗》”作“与猪肉食之”。此两句，因一个“肉”字之差，句义全别。疑唐氏多一“肉”字。

168　瓠子

《食疗》［残卷本］：瓠子[1]，冷。右主治消渴。患恶疮，患脚气虚肿者，不得食之，加甚[2]。

案经：治热风，及服丹石人始可食之。除此，一切人不可食也[3]。患冷气人食之，加甚。又发痼疾。

孟诜［掌氏引］：瓠，冷。主消渴、恶疮。又患脚气及虚胀，冷气人，不可食之，尤甚。

压热，服丹石人方可食，余人不可辄食。

孟诜［《纲目》引］：壶瓠，消热，服丹石人宜之。

（《大观》卷29页1，《证类》页516，《纲目》页1232）

【校注】

[1] **瓠子**　《本经》名苦瓠。为葫芦科植物苦葫芦。《唐本草》注："瓠味皆甜，时有苦者，而似越瓜，长者尺余，头尾相似。其瓠瓤，形状大小非一。瓠，夏中便熟，秋末并枯；瓠瓤，夏末始实，秋中方熟，取其为器，经霜乃堪。瓠与甜瓠瓤体性相类，但味甘冷，通利水道，止渴消热，无毒，多食令人吐。"

[2] **患脚气虚肿者，不得食之，加甚**　掌氏引"孟诜"作"又患脚气及虚胀，冷气人，不可食之，尤甚"。二者文字，词异义同。这说明古人引文时，很少原文转录，多加化裁。

[3] **治热风，及服丹石人始可食之。除此，一切人不可食也**　掌氏引"孟诜"作"压热，服丹石人方可食，余人不可辄食"。《纲目》引"孟诜"作"消热，服丹石人宜之"。三家文字，内容相同，文字繁简各异。残卷本《食疗》文字较繁，掌氏引文已简化，《纲目》引文更精练。

169　莲子

《食疗》［残卷本］：莲子[1]，寒[2]。右主治[3]五脏不足，伤中气绝，利益十二经脉、廿五络血气[4]。生吃动气，蒸熟为上[5]。

又方，去心，曝干为末，着蜡及蜜，等分为丸服。令不肥，学仙人最为胜[6]。若雁腹中者，空腹服之七枚[7]，身轻，能登高涉远。采其雁之，或粪于野田中，经年犹生[8]。

又，或于山岩石下息[9]、粪中者，不逢阴雨，数年不坏[10]。

又，诸飞鸟及猿猴，藏之于石室之内，其猿、鸟死后，经数百年者，取得之服，永世不老也[11]。

其子房及叶，皆破血[12]。

又，根停久者，即有紫色。叶亦有褐色，多采食之，令人能变黑如瑿。

孟诜［《医心方》引］：莲子，寒。主五脏不足，利益十二经脉，廿五络。

孟诜［掌氏引］：莲子，性寒。主五脏不足，伤中气绝，利益十二经血气。生食微动气，蒸食之良。

又，熟，去心，为末，蜡蜜和丸，日服三十丸，令人不饥。此方仙家用尔。

又，雁腹中者，空腹食十枚，身轻，能登高涉远。

雁食，粪于田野中，经年尚生。

又，或于山岩之中止息，不逢阴雨，经久不坏。

又，诸鸟、猿猴不食，藏之石室内，有得三百余年者，逢此食，永不老矣。

其房、荷叶，皆破血。

孟诜［《纲目》引］：藕实，主五脏不足，伤中[13]，益十二经脉血气，生食过，微动冷气胀人。蒸食甚良。大便燥涩者，不可食。诸鸟、猿猴取得不食，藏之石室内，人得三百年者，食之永不老也。又雁食之，粪于田野山岩之中，不逢阴雨，经久不坏。人得之，每旦空腹食十枚，身轻能登高涉远也。

石莲肉蒸熟去心，为末，炼蜜丸梧子大，日服三十丸。此仙家方也。莲房，破血。

（《大观》卷23页2，《证类》页460，《纲目》页1338，《医心方》页698）

【校注】

［1］**莲子**　为睡莲科植物莲的种子。陶弘景云："藕实，即今莲子，八月、九月取坚黑者，干捣破之。《本经》云：主补中，养神，益气力，除百疾。"

［2］**寒**　掌氏引作"性寒"。

［3］**右主治**　掌氏引作"主"。

［4］**利益十二经脉、廿五络血气**　掌氏节略为"利益十二经血气"。

［5］**生吃动气，蒸熟为上**　掌氏引作"生食微动气，蒸食之良"。

［6］**令不肥，学仙人最为胜**　掌氏引作"日服三十丸，令人不饥。此方仙家用尔"。

［7］**空腹服之七枚**　掌氏引作"空腹食十枚"。

［8］**采其雁之，或粪于野田中，经年犹生**　掌氏引作"雁食，粪于田野中，经年尚生"。

［9］**或于山岩石下息**　掌氏引作"或于山岩之中止息"。

［10］**数年不坏**　掌氏引作"经久不坏"。

［11］**又，诸飞鸟及猿猴……永世不老也**　掌氏引作"又，诸鸟、猿猴不食，藏之石室内，有得三百余年者，逢此食，永不老矣"。

［12］**其子房及叶，皆破血**　掌氏引作"其房、荷叶，皆破血"。

［13］**伤中**　掌氏引"孟诜"作"伤中气绝"。《纲目》引文简化，省去"气绝"2字。

170　燕覆子

《食疗》［残卷本］：燕覆子[1]，平。右主利肠胃，令人能食，下三焦，除恶气，和子食更良。江北人多不识此物，即南方人食之。

又，主续五脏音声及气，使人足气力。

又，取枝叶煮饮服之，治卒气奔绝。亦通十二经脉。

其茎为（通）草，利关节壅塞不通之气。今北人只识通草，而不委子功。

孟诜［掌氏引］：燕覆子，平。厚肠胃，令人能食，下三焦，除恶气，和子食之更好。江北人多不识，江南人多食。

又，续五脏断绝气，使语声足气，通十二经脉。

其茎名通草，食之通利诸经脉壅不通之气。

北人但识通草，不委子之功。其皮不堪食。

《食疗》[2]［唐氏引］：煮饮之，通妇人血气。浓煎三五盏，即便通。又，除寒热不通之气，消鼠瘘、金疮、踒折。煮汁酿酒妙[3]。

孟诜［《纲目》引］：通草，利诸经脉寒热不通之气。

通草子，厚肠胃，令人能食，下三焦恶气，续五脏断绝气，使语声足气，通十二经脉。和核食之。

孟诜本草［《纲目》引］：治妇人血气，木通浓煎三五盏，饮之即通。又，金疮踒折、鼠瘘不消[4]：通草煮汁酿酒，日饮。

（《大观》卷 8 页 21，《证类》页 200，《纲目》页 1043）

【校注】

［1］**燕覆子**　为马兜铃科植物木通马兜铃的种子。

本条所录残卷本《食疗》文、掌氏所引“孟诜”文、唐氏所引“《食疗》”文，前两文基本相同，仅个别字句小异。唐氏所引“《食疗》”文为前二者所无。掌氏所引“孟诜”文既与残卷本《食疗》文相同，则残卷本《食疗》文似出孟诜原书。而唐氏所引“《食疗》”文既与前二者不同，则唐氏所据者，似是张鼎修订之书。

又，本条以燕覆子为正名，将通草并入本条内。历代主流本草均以通草为正名。古代本草所称的通草为马兜铃科植物的木通，实即木通。而后世所称的通草为五加科植物通脱木。

《食性本草》云：“燕覆子，寒，无毒。主胃口热闭，反胃，不下食，除三焦客热，此是木通实，名桴棪子。茎名木通，主理风热淋疾，小便数急疼，小腹虚满，宜煎汤并葱食之，有效。”

［2］**《食疗》**　《纲目》作“孟诜本草”。

［3］**煮饮之……煮汁酿酒妙**　以上文字，与《纲目》引文，文义大同小异。

［4］**鼠瘘不消**　唐氏引“《食疗》”作“消鼠瘘”。

171　楂子

《食疗》［残卷本］：楂子[1]，平。右多食损齿及损筋。惟治霍乱转筋，煮汁饮之。与木瓜功相似，而小者不如也。昔孔安国不识，而谓之不藏[2]。今验其形小，况相似。江南将为果子[3]，顿食之。其酸涩也，亦无所益。俗呼为桪梨也。

孟诜［《掌氏》引］：楂子，平。损齿及筋，不可食。亦主霍乱转筋，煮汁食之，与木瓜功稍等，余无有益人处。江外常为果食。

孟诜［《纲目》引］：楂子，多食伤气[4]，损齿及筋。煮汁饮，治霍乱转筋，功与木瓜相近。榠楂，气辛香，致衣箱中杀蠹虫[5]。

（《大观》卷23页17，《证类》页467，《纲目》页1271）

【校注】

［1］**楂子**　为蔷薇科植物木桃的果实。《本草拾遗》云："楂子，食之去恶心酸咽，止酒痰黄水。小于榅桲而相似，北土无之，中都有。"《本草纲目》云："木桃，酢涩而多渣，故谓之楂。"

［2］**昔孔安国不识，而谓之不藏**　此文各家说法不一。陶弘景注："楂子涩，断痢。……郑公不识楂，乃云是梨之不藏者。"陈藏器云："郑注《礼》云：楂、梨之不藏者。"据各家所说，此文末"而谓之不藏"，应作"而谓梨之不藏者"。

［3］**江南将为果子**　掌氏引作"江外常为果食"。将掌氏引文与残卷本《食疗》相勘比，可知掌氏引文既节略原文，又化裁原文。

［4］**多食伤气**　掌氏所引"孟诜"文无此句，疑其为《纲目》所增。

［5］**榠楂，气辛香，致衣箱中杀蠹虫**　以上文字原出《本草拾遗》，《纲目》误注出处为"孟诜"。

172　藤梨

《食疗》［残卷本］：藤梨[1]，寒。右主下丹石，利五脏。其熟时收[2]，取瓤和蜜煎作煎[3]，服之去烦热[4]，止消渴。久食发冷气[5]，损脾胃。

《食疗》［唐氏引］：候熟收之，取瓤和蜜煎作煎。去人烦热。久食亦得令人冷，能止消渴。

孟诜［《纲目》引］：猕猴桃，止暴渴，解烦热，压丹石，下淋石热壅，并宜取瓤和蜜作煎食。

（《大观》卷23页39，《证类》页478，《纲目》页1335）

【校注】

［1］**藤梨**　《开宝本草》云："猕猴桃，一名藤梨。生山谷，藤生，着树，叶圆有毛，其形似鸡卵大，其皮褐色，经霜始甘美。"

藤梨为猕猴科植物猕猴桃的果实。《本草衍义》云："枝条柔弱，高二三丈，多附木而生，浅山旁道则有存者，深山则多为猴所食。"

本条所录两家文，内容相同，词句小异。

[2] **其熟时收** 唐氏引作"候熟收之"。

[3] **煎作煎** 后一"煎"即煎剂，《大观》作"膏"。

[4] **服之去烦热** 唐氏引作"去人烦热"。

[5] **久食发冷气** 唐氏引作"久食亦得令人冷"。《本草衍义》亦云："过多则令人脏寒泄。"

173 杨梅

《食疗》［残卷本］：杨梅[1]，温。右主脏腑，调腹胃[2]，除烦溃[3]。消恶气[4]，去痰实。

不可多食[5]，损人筋[6]，然断下痢[7]。

又，烧为灰，断下痢，其味酸美，小有胜白梅。

又，取干者[8]常含一枚，咽其液，亦通利五脏，下少气。若多食，损人筋骨。甚酸之物，是土地使然。若南人北[9]，杏亦不食；北人南[10]，梅亦不啖[11]，皆是地气郁蒸，令烦溃，好食斯物也。

孟诜［掌氏引］：杨梅，和五脏，能涤肠胃，除烦愦恶气。切不可多食，甚能损齿及筋。亦能治痢，烧灰服之。

《食疗》［唐氏引］：温，和五脏腹胃，除烦愦恶气，去痰实。亦不可久食，损齿及筋也。甚能断下痢。又烧为灰亦断下痢。甚酸美，小有胜白梅。

又白梅未干者，常含一枚，咽其液，亦通利五脏，下少气。若多食之，损人筋骨。其酸酸之物，自是土使然。若南方人北居，杏亦不食；北地人南住，梅乃啖多，岂不是地气郁蒸，令人烦愦，好食斯物也。

孟诜［《纲目》引］：杨梅，热，微毒。止渴，和五脏，能涤肠胃，除烦愦恶气。烧灰服，断下痢甚验。盐者常含一枚，咽汁，利五脏下气。久食令人发热，损齿及筋。忌生葱同食。

（《大观》卷23页36，《证类》页477，《纲目》页1288）

【校注】

[1] **杨梅** 为杨梅科植物杨梅的果实。《开宝本草》云："其树若荔枝树，而叶细阴青。其形似水杨子，而生青熟红，肉在核上，无皮壳，生江南岭南山谷，四月五月采。"

本条共录三家文。三家文内容相近，词句各不相同。又，《纲目》所引"孟诜"文，是糅合掌氏、唐氏两家引文而成的。文中所云"忌生葱同食"，疑为《纲目》据《日华子》文增的。

[2] **右主脏腑，调腹胃** 掌氏引作"和五脏，能涤肠胃"。唐氏引作"和五脏腹胃"。同一内容，三家词句各不相同，可见古人引文取义不取词。

[3] **烦渍** 掌氏、唐氏俱作"烦愦"，即烦躁昏愦。

[4] **消恶气** 掌氏、唐氏俱省"消"字。

[5] **不可多食** 掌氏引作"切不可多食"。唐氏引作"亦不可久食"。

[6] **损人筋** 掌氏引作"甚能损齿及筋"。唐氏引作"损齿及筋也"。

[7] **然断下痢** 掌氏作"亦能治痢"。唐氏作"甚能断下痢"。

[8] **取干者** 唐氏引作"又白梅未干者"。按，本条讲的是杨梅。不知唐氏引文为何扯到白梅，疑唐氏引文有误。

[9] **若南人北** 此文过简，其义不明。唐氏引作"若南方人北居"，义较明白。

[10] **北人南** 此文亦过简，其义难明。唐氏引作"北地人南住"，义甚明。

[11] **梅亦不咳** 唐氏引作"梅乃咳多"，其义正相反。从后文"好食斯物也"看，唐氏所引较可信。据此，"梅亦不咳"应作"梅亦多咳"。

174 覆盆子

《食疗》［残卷本］：覆盆子[1]，平[2]。右主益气轻身，令人发不白[3]。其味甜[4]、酸。五月[5]麦田中得者良。采其子于烈日中晒之，若天雨即烂，不堪收也[6]。江东十月[7]有悬钩子，稍小，异形[8]。气味一同[9]。然北地无悬钩子，南方无覆盆子[10]，盖土地殊也。虽两种则不是两种之物，其功用亦相似[11]。

孟诜［掌氏引］：覆盆子，味酸。五月于麦田中得之良。采得及烈日晒干，免烂不堪。江东亦有名悬钩子，大小形异，气味、功力同。北土即无悬钩，南地无覆盆，是土地有前后生，非两种物耳。

孟诜［《纲目》引］：覆盆，江东名悬钩子，大小、形状、气味、功力同。北土无悬钩，南地无覆盆，是土地有前后生，非两种物也。

覆盆子五月采之，烈日曝干。不尔易烂。

（《大观》卷23页13，《证类》页465，《纲目》页1006）

【校注】

[1] **覆盆子** 为蔷薇科植物华东覆盆子的果实。本条，残卷本《食疗》与掌氏所引"孟诜"文，基本相同，但文句互异不少。掌氏所引"孟诜"文非原文转录。

《药性论》云："覆盆子，臣，微热，味甘，辛。能主男子肾精虚竭，女子食之有子。主阴痿，能令坚长。"

《本草衍义》云："覆盆子，益肾脏，缩小便，服之，当覆其溺器。"此言覆盆子有固肾、涩精、缩尿之功。配桑螵蛸、益智仁、山萸肉治小便频数；配莲须、芡实、龙骨、山萸肉、潼蒺藜，治遗溺、遗精。

[2] **平** 掌氏省略"平"字。因《别录》"覆盆子"条已有"平"字。

[3] **右主益气轻身，令人发不白** 以上文字，《别录》"覆盆子"条已有此文，故掌氏未录。凡前代《本草》已有，掌氏皆不录。

[4] **甜** 掌氏省略"甜"字，因《别录》"覆盆子"条已有"味甘"。"甘"即"甜"。

[5] **月** 其后，掌氏引文有"于"字。

[6] **采其子于烈日中晒之，若天雨即烂，不堪收也** 掌氏引作"采得及烈日晒干，免烂不堪"。

[7] **十月** 掌氏引文省略此2字。

[8] **稍小，异形** 掌氏引文作"大小形异"。

[9] **气味一同** 掌氏引文作"气味、功力同"。

[10] **然北地无悬钩子，南方无覆盆子** 掌氏引文作"北土即无悬钩，南地无覆盆"。

[11] **盖土地殊也。虽两种则不是两种之物，其功用亦相似** 此三句，前两句，掌氏引文将之简化为"是土地有前后生，非两种物耳"。末句，掌氏将之简化为"功力"2字，并将之并入上句"气味、功力同"之内。

175 藕

《食疗》［残卷本］：藕[1]，寒。右主补中焦，养神，益气力，除百病。久服轻身耐寒，不饥延年。

生食，则主治霍乱后虚渴、烦闷、不能食。长服生肌肉，令人心喜悦。

案经：神仙家重之，功不可说。其子能益气，即神仙之食，不可具说。

凡产后诸忌生冷物不食。惟藕不同生类也。为能散血之故[2]。但美即而已，可以代粮[3]。

蒸食甚补益下焦[4]，令肠胃肥厚，益气力。与蜜食相宜，令腹中[5]不生诸虫。

仙家有贮石莲子及干藕经千年者，食之不饥，轻身能飞，至妙[6]。世人何可得之。凡男子食，须蒸熟服之，生吃损血。

孟诜［掌氏引］：藕，生食之，主霍乱后虚渴烦闷，不能食。其产后忌生冷物，惟藕不同，生冷为能破血故也。

又，蒸食，甚补五脏，实下焦。与蜜同食，令人腹脏肥，不生诸虫。亦可休粮。

仙家有贮石莲子及干藕经千年者，食之至妙矣。

孟诜［《纲目》引］：藕，生食，治霍乱后虚渴。蒸食，甚补五脏，实下焦。同蜜食，令人腹脏肥，不生诸虫，亦可休粮。产后忌生冷物，独藕不同生冷者，为能破血也。

（《大观》卷23页2，《证类》页460，《纲目》页1338）

【校注】

[1] **藕** 为睡莲科植物莲的肥大根茎。《蜀本草·图经》云："叶名荷，圆径尺余。《尔雅》云：荷，芙蕖。其茎茄，其叶蕸，其本蔤，其花菡萏，其实莲，其根藕，其中的，的中薏。"陆玑疏云："莲青皮，里白，子为的，的中有青为薏，味甚苦。"

本条，掌氏所引"孟诜"文，多系节略，在文句上略有小异。

[2] **为能散血之故** 掌氏引作"为能破血故也"。

[3] **可以代粮** 掌氏引作"亦可休粮"，并移之于"不生诸虫"之后。

[4] **蒸食甚补益下焦** 掌氏引作"又，蒸食，甚补五脏，实下焦"。

[5] **令腹中** 掌氏引作"令人腹脏肥"。

[6] **食之不饥，轻身能飞，至妙** 掌氏将之节略为"食之至妙矣"。

176 鸡头实

《食疗》［残卷本］：鸡头子[1]，寒，主温。治风痹，腰脊强直，膝痛；补中焦，益精，强志意，耳目聪明[2]。作粉食之，甚好[3]。此是长生之药。与莲实同食，令小儿不[4]长大，故知长服当亦驻年[5]。

生食动少气。可取蒸，于烈日中曝之，其皮壳自开。挼却皮，取仁食，甚美。可候皮开，于臼中舂取末[6]。

孟诜［《医心方》引］：鸡头实，作粉食之，甚好。此是长生之药。与莲实合饵，令小儿不能长大，故知长服，当驻其年耳。生食动小儿冷气。

孟诜［掌氏引］：鸡头，作粉食之甚妙，是长生之药，与小儿食，不能长大，故驻年耳。生食动风冷气，蒸之于烈日晒之，其皮即开，亦可舂作粉。

孟诜［《纲目》引］：芡实，生食多动风冷气[7]。凡用蒸熟，烈日晒裂取仁，亦可舂取粉用。

（《大观》卷23页11，《证类》页466，《纲目》页1344，《医心方》页698）

【校注】

[1] **鸡头子** 《医心方》引作"鸡头实"。为睡莲科植物芡实种仁。《蜀本草·图经》云："此生水中，叶大如荷，皱而有刺，花子若拳大，形似鸡头，实若石榴，皮青黑肉白，如菱米也。"

本条所列三种文，大体相同，但亦互有小异。从以上注文勘比看，掌氏引文多节略或化裁，并非原文转录。

按，鸡头实即芡实，性收涩，配莲子、山药、党参、白术，治久泻；配山药、乌贼骨、煅龙骨、菟丝子、茯苓，治带下清白；如白带呈黄色，应配黄柏、白果、山药、车前子合用。

鸡头实，亦能固肾涩精，止梦遗，尿失禁。

《本草图经》云："八月采实，捣烂暴干，再捣下筛，熬金樱子煎和丸服之，补下益人，谓之水陆丹。”水陆丹亦称水陆二仙丹，专治肾虚梦遗滑精，小便不禁等。

[2] **治风痹……耳目聪明** 以上21字，《本经》已有，故《医心方》、掌氏均省略之。

[3] **甚好** 《医心方》引文与此同，掌氏引作“甚妙”。

[4] **不** 其后，《医心方》、掌氏引文，有“能”字。

[5] **长服当亦驻年** 《庄子·徐无鬼》云：“鸡雍，鸡头草也，服之延年。”

[6] **可取蒸……于臼中舂取末** 以上32字，掌氏将之简化为“蒸之于烈日晒之，其皮即开，亦可舂作粉”16字。

[7] **生食多动风冷气** 掌氏引作“生食动风冷气”。《纲目》增“多”字。“多”字如属前2字断句为“生食多，动风冷气”，则其文义不同，即食的多，动风冷气；食的少，不一定会动风冷气。又，残卷本《食疗》作“生食动少气”。

177 菱实

《食疗》 [残卷本]：菱实[1]，平[2]。右主治安中焦，补脏腑气，令人不饥[3]。仙方[4]亦蒸熟曝干作末[5]，和米食之，休粮[6]。

凡水中之果[7]，此物最发冷气，不能治众疾[8]。

损阴，令玉茎消衰[9]。

令人或腹胀者，以姜、酒一盏，饮即消[10]；含吴茱萸子咽其液亦消[11]。

孟诜 [《医心方》引]：芰实，食之神仙。此物尤发冷，不能治众病。

孟诜 [掌氏引]：菱实，仙家蒸作粉，蜜和食之，可休粮。水族之中，此物最不能治病。

又云：令人脏冷，损阳气，痿茎。可少食，多食令人腹胀满者，可暖酒和姜，饮一两盏即消矣。

《食疗》 [唐氏引]：神仙家用发冷气。人含吴茱萸，咽其津液，消其腹胀矣。

孟诜 [《纲目》引]：芰实，生食，性冷利。多食，伤人脏腑，损阳气，痿茎，生蛲虫。水族中此物最不治病。若过食腹胀者，可暖姜酒服之即消，亦可含吴茱萸咽津。

（《大观》卷23页15，《证类》页465，《纲目》页1343，《医心方》页697）

【校注】

[1] **菱实** 即芰实。芰实为菱科植物菱的果肉。《蜀本草·图经》云：“生水中，叶浮水上，其花黄白色，实有二种，一四角，一两角。”

本条共录五种文，前一种残卷本《食疗》较全，后四种皆是节录文。

[2] **平** 《别录》“芰实”条有“味甘平”，故掌氏引“孟诜”文时省之。

［3］**右主治安中焦，补脏腑气，令人不饥**　《别录》“芰实”条有此文，故掌氏不录。

［4］**仙方**　掌氏引作“仙家”。唐氏引作“神仙家”。

［5］**亦蒸熟曝干作末**　掌氏将之简化为“蒸作粉”。

［6］**和米食之，休粮**　掌氏引作“蜜和食之，可休粮”。陶弘景亦云：“皆取火燔以为米充粮，今多蒸暴蜜和饵之。”按，“休粮”即“代替粮食”。《本草衍义》云：“芰，煮熟取仁，食之代粮。”

［7］**凡水中之果**　掌氏引作“水族之中”。

［8］**此物最发冷气，不能治众疾**　《医心方》引作“此物尤发冷，不能治众病”。掌氏引作“此物最不能治病”，省去“发冷气”。

［9］**损阴，令玉茎消衰**　掌氏引作“又云：令人脏冷，损阳气，痿茎”。

［10］**令人或腹胀者，以姜、酒一盏，饮即消**　掌氏引作“可少食，多食令人腹胀满者，可暖酒和姜，饮一两盏即消矣”。掌氏引文多“可少食，多食”，残卷本《食疗》无此5字。这说明掌氏引文所据的本子与残卷本《食疗》不是同一本子。

［11］**含吴茱萸子咽其液亦消**　唐氏引作“神仙家用发冷气。人含吴茱萸，咽其津液，消其腹胀矣”。

178　石蜜

《食疗》［残卷本］：石蜜[1]，寒[2]。右心腹胀热，口干渴[3]。波斯者良。注少许于目中，除去热膜，明目。蜀川者为次。今东吴亦有，并不如波斯。此皆是煎甘蔗汁及牛膝汁[4]，煎则细白耳。

又，和枣肉及巨胜仁作末，为丸，每食后含一丸如李核大[5]，咽之津，润肺气，助五脏津。

孟诜［掌氏引］：石蜜，治目中热膜，明目。蜀中、波斯者良。东吴亦有，并不如两处者。此皆煎甘蔗汁及牛乳汁，则易细白耳。和枣肉及巨胜末丸，每食后含一两丸，润肺气，助五脏津。

孟诜［《纲目》引］：石蜜，治目中热膜，明目。和枣肉、巨胜末为丸噙之，润肺气，助五脏，生津。自蜀中、波斯来者良。东吴亦有，不及两处者。皆煎蔗汁、牛乳，则易细白耳。

（《大观》卷23页24，《证类》页470，《纲目》页1337）

【校注】

［1］**石蜜**　《唐本草》云：“用水牛乳、米粉和，煎炼沙糖为之，可作饼块黄白色。”《开宝本草》云：“此石蜜，其实乳糖也，前卷已有石蜜之名，故注此条为乳糖。”

按，石蜜同名异物有二。一为《本经》“石蜜”，陶弘景注“即岩蜜也”。《本草拾遗》云：“岩蜜，出南方岩岭间，生悬岩上，蜂大如虻，房着岩窟，以长竿刺令蜜出承取之，味碱色绿。”二为

《唐本草》"石蜜"，即本条石蜜。

[2] **寒** 《唐本草》"石蜜"条有"味甘，寒"，故掌氏不录。

[3] **右心腹胀热，口干渴** 《唐本草》"石蜜"条有此文，掌氏不录。

[4] **牛膝汁** 掌氏引作"牛乳汁"。疑"膝"为"乳"之讹。

[5] **含一丸如李核大** 掌氏引作"含一两丸"。

179 甘蔗

《食疗》[唐氏引]：甘蔗[1]，主补气，兼下气。不可共酒食，发痰[2]。

孟诜[《纲目》引]：甘蔗，共酒食，发痰。

蔗有赤色者名昆仑蔗，白色者名荻蔗。竹蔗，以蜀及岭南者为胜，江东虽有而劣于蜀产。会稽所作乳糖，殆胜于蜀[3]。

（《大观》卷23页24，《证类》页471，《纲目》页1336）

【校注】

[1] **甘蔗** 为禾本科植物甘蔗的茎杆。《食医心镜》云："甘蔗，理正气，止烦渴，和中，补脾，利大肠，解酒毒。削甘蔗去皮，食后吃之。"《开宝本草》云："甘蔗去烦，止渴，解酒毒。"

按，《证类本草》卷23"石蜜"条与"沙糖"条之间，有"甘蔗"条，在"甘蔗"条下，唐氏引"《食疗》"文作注。这说明《食疗》果部"石蜜"条与"沙糖"条之间应有"甘蔗"条，而残卷本《食疗》脱漏"甘蔗"条。

[2] **不可共酒食，发痰** 《纲目》引"孟诜"文，将之简化为"共酒食，发痰"。

[3] **蔗有赤色者……殆胜于蜀** 以上44字，原出《开宝本草》注，《纲目》误注出处为"孟诜"。

180 沙糖

《食疗》[残卷本]：沙糖[1]，寒。右功体与石蜜同也[2]，多食令人心痛。养三虫[3]，消肌肉，损牙齿，发疳䘌[4]。不可多服之[5]。

又，不可与鲫鱼同食，成疳虫。

又，不可共笋食之，笋不消[6]，成癥，病心腹痛，重不能行李[7]。

孟诜[掌氏引]：沙糖，多食令人心痛。不与鲫鱼同食，成疳虫。

又，不与葵同食，生流澼[8]。又，不与笋同食，使笋不消，成癥，身重不能行履耳。

《食疗》[唐氏引]：主心热口干。多食生长虫，消肌肉，损齿，发疳䘌。不可长食之。

孟诜［《纲目》引］：沙糖，性温不冷。多食令人心痛，生长虫，消肌肉，损齿，发疳䘌。与鲫鱼同食，成疳虫；与葵同食，生流澼；与笋同食，不消成瘕，身重不能行。

（《大观》卷23页25，《证类》页471，《纲目》页1337）

【校注】

［1］**沙糖**　《唐本草》云："榨甘蔗汁煎作。味甘，寒，功体与石蜜同，而冷利过之。"《本草衍义》云："甘蔗，石蜜、沙糖、糖霜皆自此出，惟川浙者为胜。"

本条录四家文，四家文大意相同。如掌氏所引"孟诜"文有"不与葵同食，生流澼"，而残卷本《食疗》无。可见掌氏所据底本与残卷本《食疗》非同一种抄本。

［2］**寒。右功体与石蜜同也**　此文已见《唐本草》"沙糖"条，故掌氏引文不录。

［3］**养三虫**　唐氏引作"主心热口干。多食生长虫"。据此，唐氏所见本，与残卷本《食疗》不同。

［4］**疳䘌**　即鼻䘌疮，见《小儿药证直诀》。症见鼻中赤痒，连唇生疮，涕多而黄，皮毛枯焦，肌肤枯瘦，手足潮热。或见鼻下两旁色紫微烂，痒而不痛，脓汁浸淫。

［5］**不可多服之**　唐氏引作"不可长食之"。

［6］**不可共笋食之，笋不消**　掌氏引作"不与笋同食，使笋不消"。

［7］**病心腹痛，重不能行李**　掌氏引作"身重不能行履耳"。

［8］**流澼**　即痃澼，腹腔内痞块。

181　芋

《食疗》［残卷本］：芋[1]，平。右主宽缓肠胃，去死肥[2]，令脂肉悦泽。

白净者无味[3]，紫色者良，破气。煮汁饮之，止渴。十月以后收之，曝干[4]。冬蒸服，则不发病，余月不可服[5]。又，和鱼煮为羹[6]甚下气，补中焦，令人虚，无气力[7]。此物但先肥而已[8]。又，煮生芋汁，可洗垢腻衣，能洁白[9]。

孟诜［《医心方》引］：芋，主宽缓肠胃，去死肌，令脂肉悦泽。

孟诜［掌氏引］：芋，白色者无味，紫色者破气。煮汁饮之止渴。十月后晒干收之。冬月食不发病，他时月不可食。

又，和鲫鱼、鳢鱼作臛，良。久食令人虚劳无力。

又，煮汁洗腻衣白如玉，亦可浴去身上浮风[10]，慎风[11]半日。

《食疗》［唐氏引］：芋，煮汁浴之，去身上浮气。浴了，慎风半日许。

孟诜［《纲目》引］：芋，白色者无味，紫色者破气。煮汁啖之，止渴。十月后晒干收之。冬月食不发病，他时月不可食。又，和鲫鱼、鳢鱼作臛良。久食治人虚劳无力[12]。又煮汁洗腻衣，白如玉也。

孟诜《食疗》[《纲目》引]：身上浮风，芋煮汁浴之。慎风半日。

（《大观》卷23页19，《证类》页468，《纲目》页1222，《医心方》页697）

【校注】

[1] **芋** 为天南星科植物芋的块茎。《唐本草》云："芋有六种，有青芋、紫芋、真芋、白芋、连禅芋、野芋。青芋细长毒多，初煮要须灰汁易水，煮熟乃堪食。野芋大毒不堪啖也。"

本条共有四家引文。《医心方》、唐氏所引均是片段。唐氏所引见于掌氏引文，而不见于残卷本《食疗》。由此可见，掌氏、唐氏所据的本子，与残卷本《食疗》不是同一种本子。《医心方》引文同残卷本《食疗》条文，但残卷本《食疗》因抄写有讹误脱漏。

[2] **去死肥** 按《医心方》应作"去死肌"。"肥"当为"肌"之误。

[3] **白净者无味** 掌氏引作"白色者无味"。所谓"白净""白色"，均指白芋而言。

[4] **十月以后收之，曝干** 掌氏引文作"十月后晒干收之"。

[5] **冬蒸服，则不发病，余月不可服** 掌氏引作"冬月食不发病，他时月不可食"。

[6] **和鱼煮为羹** 掌氏引作"和鲫鱼、鳢鱼作臛，良"。按，羹、臛同义异文。本句指用五味烹调的鱼肉佳肴。

[7] **令人虚，无气力** 掌氏引作"久食令人虚劳无力"。

[8] **此物但先肥而已** 《本草拾遗》云："芋，食之令人肥白。"

[9] **煮生芋汁，可洗垢腻衣，能洁白** 掌氏引作"煮汁洗腻衣白如玉"。

[10] **浮风** 唐氏引作"浮气"。浮风、浮气多指皮肤异常反应，如瘙痒、风疹等。《梦溪笔谈》云："刘汤尝于斋中，见一大蜂落于蛛网，蛛缚之，为蜂所螫，坠地，俄顷，蛛鼓腹欲裂，徐徐行入草，啮芋梗微破，以疮就啮处磨之，良久，腹渐消，轻躁如故。自后，人有为蜂螫者，挼芋梗傅之则愈。"

[11] **慎风** 《大观》作"忌风"。按，柯本《大观》据南宋刻本影刻。南宋刻本避赵昚（音慎）讳，改"慎"为"忌"。

[12] **久食治人虚劳无力** 掌氏引作"久食令人虚劳无力"，与本句意义义恰相反。又，残卷本《食疗》亦作"令人虚无气力"。《纲目》云"治人虚劳无力"的"治"字，可能为"令"字之笔误。

182 凫茨

孟诜[掌氏引]：凫茨[1]，冷。下丹石，消风毒，除胸中实热气。可作粉食。明耳目，止渴，消疸黄[2]。若先有冷气，不可食。令人腹胀气满。小儿秋食，脐下当痛[3]。

孟诜[《纲目》引]：乌芋，性冷。先有冷气人不可食，令人腹胀气满。小儿秋月食多，脐下结痛也。下丹石，消风毒，除胸中实热气。可作粉食，明耳目，消黄疸。

（《大观》卷23页21，《证类》页469，《纲目》页1345）

【校注】

［1］**凫茨** 为莎草科植物荸荠。掌氏引此文，将之列在《别录》“乌芋”条下。《证类》“乌芋”被释为两种药。陶弘景、《唐本草》释乌芋为茨菰（慈姑）。《本草图经》《本草衍义》释乌芋为凫茨（荸荠）。《食疗》《日华子》在“乌芋”条下，既论凫茨，又释茨菰。《纲目》释乌芋为凫茨。但《别录》“乌芋”条文中明言其“叶如芋”，而凫茨“叶如龙须”。则《纲目》所释可疑。

《本草衍义》云：“乌芋，今人谓之荸荠。”

《食疗》《日华子》所言凫茨，实即荸荠。

据此，乌芋同名异物有二，一指荸荠（凫茨），一指慈姑（茨菰）。

［2］**消疸黄** 《纲目》作“消黄疸”。

［3］**小儿秋食，脐下当痛** 《纲目》作“小儿秋月食多，脐下结痛也”。

按，《名医别录》“乌芋”条云：“一名藉姑，二月生，叶如芋。”陶弘景注云：“藉姑生水田中，叶有椏，状如泽泻。”《唐本草》注云：“此草一名茨菰，生水中，叶似箭镞，泽泻之类也。”

183　茨菰

孟诜［《医心方》引］：乌芋[1]，主消渴，下石淋[2]，吴人好啖之[3]。发脚气瘫缓风。损齿，紫黑色，令人失颜色[4]。

孟诜［掌氏引］：茨菰，不可多食，吴人常食之，令人患脚。

又，发脚气，瘫缓风。损齿，令人失颜色，皮肉干燥。卒食之，令人呕水。

孟诜［《纲目》引］：慈姑，吴人常食之，令人发脚气瘫缓风，损齿，失颜色，皮肉干燥。卒食之，使人干呕也[5]。

（《大观》卷23页21，《证类》页469，《纲目》页1345，《医心方》页697）

【校注】

［1］**乌芋** 同名异物有二：一指凫茨（荸荠），一指茨菰（慈姑）。《名医别录》、陶弘景注、《唐本草》所言乌芋，皆是慈姑。《本草图经》《本草衍义》所言乌芋，皆是荸荠。

《日华子》云：“茨菰，冷，有毒。叶，研傅蛇虫咬。多食发虚热及肠风痔瘘，崩中，带下，疖疮，煮以生姜御之，佳。怀孕人不可食。”

《医心方》在“乌芋”条下，所引“孟诜”文，是有关慈姑的内容。

慈姑为泽泻科植物慈姑的球茎。

［2］**主消渴，下石淋** 此两句，掌氏省之。因《别录》“乌芋”条中已有“主消渴”，《唐本草》引《千金方》云：“下石淋。”凡前代本草已有，掌氏皆不录。

[3] **吴人好啖之** 掌氏引作“不可多食，吴人常食之，令人患脚”。

[4] **紫黑色，令人失颜色** 掌氏引作“令人失颜色，皮肉干燥。卒食之，令人呕水”。

[5] **使人干呕也** 掌氏引作“令人呕水”。

184 杏

孟诜［《医心方》引］：杏[1]，热。主咳逆上气，金创[2]，惊痫，心下烦，热风头痛[3]。

孟诜《食经》［《医心方》引］：治失音方[4]：杏仁三分，去皮[5]，熬，捣作脂[6]，桂心末一分[7]，和如泥，取李核许，绵裹，少咽之，日五夜一[8]。

孟诜［掌氏引］：杏，热，面皯者，取仁去皮，捣和鸡子白。夜卧涂面，明早以暖清酒洗之。

人患卒哑，取杏仁三分，去皮尖熬，别杵桂一分，和如泥。取李核大，绵裹含，细细咽之，日五夜三。

谨案：心腹中结伏气：杏仁、橘皮、桂心、诃梨勒皮为丸，空心服三十丸，无忌。又，烧令烟尽，研如泥，绵裹纳女人阴中[9]治虫疽。

《食疗》［唐氏引］：主热风头痛。

又，烧令烟尽，去皮，以乱发裹之，咬于所患齿下，其痛便止。熏诸虫出，并去风便差。重者不过再服。

《食疗》［《纲目》引］：牙齿虫䘌，杏仁烧存性，研膏发裹，内虫孔中。杀虫去风，其痛便止。重者不过再上。

孟诜《食疗》［《纲目》引］：心腹结气，杏仁、桂枝、橘皮、诃黎勒皮等分，为丸，每服三十丸，白汤下。无忌。

面上皯疱，杏仁去皮，捣和鸡子白。夜涂之，旦以暖酒洗去。

孟诜《食疗本草》［《纲目》引］：产门虫疽，痛痒不可忍[10]。用杏仁去皮烧存性，杵烂绵裹，纳入阴中，取效。

（《大观》卷23页32，《证类》页473，《纲目》页1250，《医心方》页93、693）

【校注】

[1] **杏** 为蔷薇科植物杏或山杏的果实。本条录四家文字，其间各有小异处。

[2] **主咳逆上气，金创** 此文原出《本经》，为前代本草已有，故唐氏不录。文中“创”，《证类》作“疮”。

[3] **惊痫，心下烦，热风头痛** 以上9字，前6字已见于《别录》，故唐氏不录。唐氏摘取后4

字作“热风头痛”。

[4] **治失音方** 掌氏引作“人患卒哑”。

[5] **去皮** 掌氏引作“去皮尖”。

[6] **捣作脂** 掌氏未录。

[7] **桂心末一分** 掌氏引作“别杵桂一分”。

[8] **取李核许，绵裹，少咽之，日五夜一** 掌氏引作“取李核大，绵裹含，细细咽之，日五夜三”。

[9] **女人阴中** 以上4字，《大观》错简在“陈藏器”文中。

[10] **产门虫疽，痛痒不可忍** 似是参考陈藏器文增改而成。陈藏器云：“杏人杀虫……亦主产门中虫疮，痒不可忍者。”

185 桃仁

孟诜《食经》[《医心方》引]：生桃叶[1]，治妇人阴痒方[2]。捣生桃叶，绵裹纳阴中，日三四易[3]。亦煮汁洗之。今按煮皮洗之，良。

孟诜[《医心方》引]：桃实，温。能发诸丹石[4]，不可多食，生食[5]尤损人。

孟诜[掌氏引]：桃仁，温，杀三虫，止心痛。

又，女人阴中生疮，如虫咬疼痛者，可生捣叶，绵裹纳阴中，日三四易，差。

又，三月三日收花晒干，杵末，以水服二钱匕。小儿半钱，治心腹痛。

又，秃疮：收未开花阴干，与桑椹赤者，等分作末，以猪脂和。先用灰汁洗去疮痂，即涂药。

又云：桃，能发丹石，不可食之。生者尤损人。

又，白毛，主恶鬼邪气。胶亦然。

又，桃符及奴，主精魅邪气。符，煮[6]汁饮之；奴者，丸、散服之。

桃仁，每夜嚼一颗，和蜜涂手、面良。

孟诜[《纲目》引]：桃实，能发丹石毒，生者尤损人。

桃核仁，温，杀三虫。又每夜嚼一枚和蜜，涂手、面良。

桃毛，治恶鬼邪气。

桃花，治心腹痛及秃疮。

桃胶，主恶鬼邪气。

桃符，主中恶，精魅邪气，水煮汁服之。

《食疗》[《纲目》引]：头上秃疮，三月三日收未开桃花阴干，与桑椹赤者等分作末，以猪脂和。先取灰汁洗去痂，即涂之。

《食疗本草》［《纲目》引］：女人阴疮如虫咬痒痛者，生捣桃叶，绵裹纳之，日三四易。

孟诜《食疗本草》［《纲目》引］：心腹积痛，三月三日采桃花晒干杵末，以水服二钱匕，良。

（《大观》卷23页25，《证类》页471，《纲目》页1256，《医心方》页474、693）

【校注】

［1］**桃叶**　为蔷薇科植物桃或山桃的树叶。其花、果实、毛、核仁、根、皮皆入药。

［2］**治妇人阴痒方**　掌氏引作"又，女人阴中生疮，如虫咬疼痛者"。

［3］**易**　其后，掌氏引文有"差"字。

［4］**桃实，温。能发诸丹石**　掌氏引作"桃，能发丹石"，《纲目》引"诜曰"作"桃实，能发丹石毒"。

［5］**生食**　掌氏、《纲目》所引作"生者"。

［6］**符，煮**　《大观》作"符者"，与下文"奴者"作对应文。

186　李核仁

孟诜《食经》［《本草和名》引］：李核仁[1]，牛李[2]。

孟诜［《医心方》引］：李，平。主卒下赤[3]。生李，亦去关节间劳热[4]，不可多食之。

孟诜［掌氏引］：李，主女人卒赤、白下：取李树东面皮，去外[5]皮，炙令黄香，以水三升，煮汁去滓服之，日再验。

谨案：生子，亦去骨节间劳热，不可多食。临水食之，令人发痰疟[6]。

又，牛李，有毒。煮汁使浓，含之治䘌齿。脊骨有疳虫，可后灌此汁，更空腹服一盏。

其子中仁，主鼓胀。研和面作饼子，空腹食之，少顷当泻矣。

孟诜［《纲目》引］：李实，去骨节间劳热。临水食之，令发痰疟。不可合雀肉食。合蜜食，损五脏。

（《大观》卷23页36，《证类》页477，《纲目》页1249，《医心方》页693，《本草和名》卷下）

【校注】

［1］**李核仁**　为蔷薇科植物李的种仁。《别录》云："李核仁，主僵仆跻，瘀血骨痛。"

[2] **牛李** 《本草和名》注："牛李，出孟诜《食经》。"

[3] **主卒下赤** 掌氏引作"主女人卒赤、白下"。

[4] **生李，亦去关节间劳热** 掌氏引作"谨案：生子，亦去骨节间劳热"。

[5] **外** 《证类》作"皴"，《大观》作"外"，以《大观》为正。

[6] **痰疟** 其后，《纲目》所引"诜曰"有"不可合雀肉食。合蜜食，损五脏"12字。前6字出陶弘景注，后6字节录自《食医心镜》所引"黄帝云"之文"李不可和蜜食，食之损五脏"。

187 梨

孟诜［《医心方》引］：梨[1]，胸中痞塞、热结者，可多食生梨便通[2]。

又云：寒，除客热，止心烦[3]。

又云：卒暗，失音不语者，捣梨汁一合，顿服[4]。

又云：卒咳，冻梨一颗，刻作五十孔[5]，每孔中纳一粒椒，以面裹于热灰烧令极熟，出，停冷食之[6]。

又云：去皮，割梨，纳于苏中，煎，冷食之[7]。

孟诜《食经》[8]［《医心方》引］：疗卒咳嗽方：梨一颗，刻作五十孔，每孔中纳一粒椒，以面裹于热灰中烧，令极熟，出，停冷，割食之。

又方，梨去核，纳酥、蜜、面裹，烧令熟食之，大良。

又方，割梨肉于酥中煎之，停冷食之。

疗失音：捣梨汁一合，顿服之。

孟诜［掌氏引］：梨，除客热，止心烦。不可多食。

又，卒咳嗽，以一颗刺作五十孔，每孔纳以椒一粒以面裹，于热火灰中煨，令熟，出停冷，去椒食之。

又方，去核，纳酥蜜，面裹，烧令熟。食之。

又，取梨肉，纳酥中煎，停冷食之。

又，捣汁一升，酥一两，蜜一两，地黄汁一升，缓火煎，细细含咽。凡治嗽，皆须待冷，喘息定后方食。热食之，反伤矣，令嗽更极不可救。如此者，可作羊肉汤饼，饱食之，便卧少时。

又，胸中痞塞、热结者，可多食好生梨即通。

卒暗风，失音不语者，生捣汁一合，顿服之。日再服，止。

《食疗》［唐氏引］：梨，金疮及产妇不可食，大忌。

孟诜［《纲目》引］：梨，卒暗风不语者，生捣汁频服[9]。胸中痞塞、热结者，宜多食之。

卒得咳嗽。用梨一颗，刺五十孔，每孔纳椒一粒，面裹灰火煨熟，停冷去椒食之。

又方，去核纳酥、蜜，面裹烧熟，冷食。

又方，切片，酥煎食之。

又方，捣汁一升，人酥、蜜各一两，地黄汁一升，煎成含咽。

凡治嗽须喘急定时冷食之。若热食反伤肺，令嗽更剧，不可救也。若反，可作羊肉汤饼，饱食之，即佳[10]。

《食疗本草》［《纲目》引］：喑风失音，生梨捣汁一盏饮之，日再服。

（《大观》卷23页34，《证类》页476，《纲目》页1269，《医心方》页93，199，694）

【校注】

［1］**梨**　为蔷薇科植物白梨、秋沙梨的果实。《开宝本草》云："梨有数种：其消梨味甘，寒。主客热中风不语。又有青梨、茅梨等并不任用。"

本条，《医心方》在卷30果部引"孟诜云"，在卷9治咳嗽方引"孟诜《食经》云"，两处引文内容一样，但标注出典不同。疑两处引文出于同一本书，所标注出典不同可能是因抄本不同所致。

又，掌氏所引"孟诜"文与《医心方》所引"孟诜"文，内容相同，但在文字上及各子条排列次序上各不相同。

［2］**胸中痞塞、热结者，可多食生梨便通**　此一条，《医心方》列在全文之首，而掌氏列在全文中间。又"食生梨便通"，掌氏引作"食好生梨即通"。

［3］**除客热，止心烦**　掌氏将此子条列在全文之首。又，"烦"字后，掌氏引文多"不可多食"4字。

［4］**卒喑，失音不语者，捣梨汁一合，顿服**　掌氏将此子条引文列在全文之末。又，"卒喑"，掌氏作"卒喑风"。"顿服"，掌氏作"顿服之。日再服，止"。

［5］**卒咳，冻梨一颗，刺作五十孔**　掌氏引作"卒咳嗽，以一颗刺作五十孔"。

［6］**于热灰烧令极熟，出，停冷食之**　掌氏引作"于热火灰中煨，令熟，出停冷，去椒食之"。

［7］**去皮……冷食之**　此子条，掌氏引作"取梨肉，纳酥中煎，停冷食之"。

［8］**孟诜《食经》**　《医心方》所引"孟诜《食经》"的"疗卒咳嗽方"共3方。3方在文字上与《医心方》所引"孟诜"文及掌氏所引"孟诜"文，俱不相同；在内容上与之相同。这可能是因抄本不同所致。

［9］**生捣汁顿服**　掌氏引"孟诜"作"生捣汁一合，顿服之"。

［10］**饱食之，即佳**　掌氏引"孟诜"作"饱食之，便卧少时"。

188　柰

孟诜［《医心方》引］：柰[1]，益心气。

膳玄子张[2]［《医心方》引］：补中焦诸不足[3]。

孟诜［掌氏引］：柰，主补中焦诸不足气，和脾。卒患食后气不通，生捣汁服之[4]。

孟诜［《纲目》引］：柰，补中焦诸不足气，和脾。治卒食饱气壅不通者，捣汁服。

（《大观》卷23页40，《证类》页478，《纲目》页1276，《医心方》页694）

【校注】

［1］**柰**　《纲目》云："梵言谓之频婆，今北人亦呼之。"为苹果的一种，属蔷薇科植物，比林檎（花红）大。

［2］**膳玄子张**　即张鼎之号。按，《宋史·艺文志》有膳玄子《安神养性方》，《新唐书·艺文志》有张鼎《冲和子玉房秘诀》。疑膳玄子、冲和子皆为张鼎之号。《医心方》引作"膳玄子张"，或作"膳玄子张《食经》"。

本条，《医心方》引"膳玄子张"之文列于"孟诜"之下，而其与掌氏所引"孟诜"文同，则此条"膳玄子张"当指张鼎。

［3］**足**　其后，掌氏引文有"气"字。

［4］**卒患食后气不通，生捣汁服之**　《纲目》引"孟诜"文，将之化裁为"治卒食饱气壅不通者，捣汁服"。

《食医心镜》云："柰子，味苦，寒，涩，无毒。主忍饥，益心气，多食虚胀。"

《日华子》云："柰，冷，无毒。治饱食多肺壅气胀。"

189　林檎

孟诜［掌氏引］：林檎[1]，主止消渴[2]。

《食疗》［唐氏引］：林檎，温。主谷痢[3]、泄精。东行根，治白虫、蛔虫[4]，消渴，好睡[5]。不可多食[6]。又，林檎，味苦、涩，平，无毒。食之闭百脉[7]。

孟诜［《纲目》引］：林檎，疗水谷痢、泄精。

东行根，主白虫、蛔虫，消渴，好唾。

（《大观》卷23页32，《证类》页476，《纲目》页1276）

【校注】

［1］**林檎**　为蔷薇科植物林檎的果实。《开宝本草》云："其树似柰树，其形圆如柰，六七月熟。"

［2］**主止消渴**　《本草图经》云："病消渴者，宜食之。"

［3］**主谷痢**　《食医心镜》云："治水痢，以十枚半熟者，以水二升煎取一升，和林檎空心食。"

[4] **白虫、蛔虫** 白虫即寸白虫，为绦虫一个节片。

[5] **好睡** 《纲目》引“孟诜”作“好唾”。

[6] **不可多食** 《本草图经》云：“林檎，不可多食，多食令人心中生冷痰。”

[7] **食之闭百脉** 《开宝本草》云：“林檎，涩气，生疮疖，脉闭不行。”《千金方·食治》云：“林檎，不可多食，令人百脉弱。”

190 橄棪

孟诜［掌氏引］：橄棪[1]，主鯸鱼[2]毒，汁服之[3]。中此鱼肝、子毒，人立死，惟此木能解。生岭南山谷。树大数围[4]，实长寸许。其子先生者向下，后生者渐高。八月熟，蜜藏极甜[5]。

孟诜［《纲目》引］：橄榄，其树大数围。实长寸许，先生者向下，后生者渐高。熟时生食味酢，蜜渍极甜。

（《大观》卷23页37，《证类》页479，《纲目》页1301）

【校注】

[1] **橄棪** 即橄榄。为橄榄科植物橄榄的果实。《南方草木状》云：“橄榄子大如枣，八月熟，生交趾（今越南的北部河内地区）。”《海药本草》云：“橄榄木高大，难采，以盐擦木身，其实自落。”

[2] **鯸鱼** 为河豚古名，或称鯸鲐。为鱼纲，鲀科鱼类的俗称。其肝脏、生殖腺及血液含有毒素。肉味鲜美。

[3] **汁服之** 《本草图经》云：“橄榄，生啖及煮饮并解诸毒。人误食鯸鲐肝至迷闷者，饮其汁立差。”

[4] **生岭南山谷。树大数围** 《大观》作“出岭南山谷，大树阔数围”。

[5] **八月熟，蜜藏极甜** 《纲目》引“诜曰”作“熟时生食味酢，蜜渍极甜”。又“八”字前，《大观》有“至”字。

191 荔枝

《食疗》［唐氏引］：荔枝[1]，微温。食之通神益智，健气及颜色[2]，多食则发热[3]。

孟诜［《纲目》引］：荔枝，通神，益智，健气。

（《大观》卷23页22，《证类》页470，《纲目》页1299）

【校注】

[1] **荔枝** 为无患子科植物荔枝的果实。《本草图经》云："《扶南记》云此木以荔枝为名者，以其结实时，枝弱而蒂牢，不可摘取，以刀斧劙取其枝，故以为名耳。其木高二三丈……叶蓬蓬然，四时荣茂不凋。"《食疗》最早将荔枝收为药品，其后《开宝本草》将其收为正品。

[2] **健气及颜色** 《本草拾遗》云："荔枝实白如肪脂，甘而多汁美，极益人也。"《开宝本草》云："荔枝子，止渴，益人颜色。"

[3] **多食则发热** 《海药本草》云："今泸、渝人食之，多则发热疮。"《本草衍义》云："多食令人发虚热。"又云："以核煨火中烧存性为末，酒调一枚末服，治心痛及小肠气。"

192 酸枣

《食疗》［唐氏引］：酸枣[1]，平。主寒热结气[2]，安五脏，疗不得眠[3]。

（《大观》卷12页22，《证类》页298，《纲目》页1440）

【校注】

[1] **酸枣** 为鼠李科植物酸枣的种子。《本草衍义》云："酸枣，其木高数丈，味酸，医之所重，今市人卖者，皆棘子。后有白棘条，乃是酸枣未长大时枝上刺也，及至长成，其刺亦少。"

[2] **主寒热结气** 《本经》云："酸枣，平。主心腹寒邪结气聚。"《日华子》云："酸枣，人治脐下满痛。"

[3] **疗不得眠** 《别录》云："酸枣，主烦心不得眠。"

《五代史》后唐刊石药验云："酸枣仁，睡多生使，不得睡炒熟。"

《圣惠方》："治夜不眠睡，用酸枣仁半两，炒黄，研末，以酒三合浸汁，先以粳米三合煮作粥，临熟枣仁汁，煮三五沸，空心食之。"

《金匮要略》酸枣仁汤，以酸枣、知母、川芎、茯苓、甘草煎汤，治虚烦不眠，惊悸多梦。

又，酸枣仁合人参、麦冬、五味子治体虚多汗，津亏口渴。

193 槐实

《食疗》［唐氏引］：槐实[1]，主邪气，产难，绝伤。春初嫩叶亦可食[2]，主瘾疹[3]牙齿诸风疼。

孟诜［《纲目》引］：槐叶，主邪气产难绝伤[4]，及瘾疹牙齿诸风[5]，采嫩叶食。

治脚气[6]，盐三升，槐白皮蒸之，分裹，近壁，以脚踏之，令脚心热，夜夜用之。

（《大观》卷12页9，《证类》页292，《纲目》页687、1398）

【校注】

[1] **槐实** 为豆科植物槐树的果实，其花、叶、树皮皆入药。

[2] **春初嫩叶亦可食** 《纲目》引“孟诜”文，并将之化裁为“采嫩叶食”，并移此句于条末。

[3] **瘾疹** 即荨麻疹。症见皮肤出现大小不等风团，小如麻粒，大如豆瓣；甚则成块成片，剧痒，时隐时现。

又，槐树花蕾名槐米，其花朵名槐花。能凉血止血，善治便血、痔血，亦治肝热头痛目赤，配黄芩、菊花、夏枯草水煎代茶饮之。

[4] **邪气产难绝伤** 以上6字，按唐氏所引“《食疗》”文，应是槐实功效，《纲目》移之于“槐叶”条之下。

[5] **风** 其后，唐氏所引“《食疗》”文有“疼”字。《纲目》省之。

[6] **脚气** 一称脚弱。脚软弱无力，酸痛，麻木，或挛急，或肿胀，或萎枯，或胫红肿，发热；重则入腹攻心，小腹不仁，呕吐，心悸，胸闷，喘促；严重者出现神志恍惚，言语错乱。

194 枸杞

《食疗》［唐氏引］：枸杞[1]，寒，无毒。叶及子，并坚筋能老[2]，除风，补益筋骨，能益人，去虚劳。

根，主去骨热，消渴[3]。

叶和羊肉作羹，尤善益人。代茶法煮汁饮之，益阳事。

能去眼中风痒赤膜，捣叶汁点之，良。

又，取洗去泥[4]，和面拌作饮，煮熟吞之，去肾气尤良。又益精气。

孟诜［《纲目》引］：枸杞子，坚筋骨，耐老，除风，去虚劳，补精气。根，去骨热消渴。

（《大观》卷12页11，《证类》页293，《纲目》页1453）

【校注】

[1] **枸杞** 为茄科植物枸杞，或宁夏枸杞的果实。其根、叶亦入药。陶弘景云：“今出堂邑，石头烽火楼下最多。其叶可作羹，味小苦，俗谚云：去家千里，勿食萝摩、枸杞。”又，本条与《药性论》文亦相似。

《药性论》云：“枸杞，臣，子、叶同说。味甘，平。能补益精诸不足，易颜色，变白，明目，安神，令人长寿。叶和羊肉作羹，益人，甚除风明目。若渴，可煮作饮，代茶饮之。白色无刺者良。与乳酪相恶，发热诸毒烦闷，可单煮汁解之，能消热、面毒。又，根皮细剉，面拌，熟煮吞之，主治肾家风良。主患眼风障赤膜昏痛，取叶捣汁注眼中妙。”

[2] **能老** “能”通“耐”，即耐老。

[3] **根，主去骨热，消渴** 此处“根”，指根皮，又名地骨皮，为退热除蒸佳品。配青蒿、知母

治骨蒸劳热；配玉米须治消渴多尿；配桑白皮、甘草治肺热喘咳。又，鲜地骨皮捣汁服，治血热吐及尿血。

[4] **取洗去泥** 按《药性论》，即取根皮洗去泥。

195 橘

孟诜［掌氏引］：橘[1]，止泄痢。食之，下食，开胸膈痰实结气[2]。下气不如[3]皮也。穰不可多食，止气。性虽温，止渴[4]。

又，干皮一斤，捣为末，蜜为丸。每食前酒下三十丸，治下焦冷气。

又，取陈皮一斤，和杏仁五两，去皮尖，熬，加少蜜为丸。每日食前饮下三十丸，下腹脏间虚冷气。脚气冲心，心下结硬，悉主之。

孟诜［《医心方》引］：橘皮[5]，主胸中瘕气热逆[6]。又云：下气不如皮也。性虽温，甚能止渴。

《食疗》［《纲目》引］：陈皮，治脚气冲心，或心下结硬，腹中虚冷。陈皮一斤，和杏仁五两，去皮尖，熬，少加蜜捣和，丸如梧桐子大[7]，每日食前，米饮下三十丸。

《食疗本草》［《纲目》引］：治下焦冷气。干陈橘皮一斤为末，蜜丸梧子大[8]，每食前，温酒下三十丸。

（《大观》卷23页5，《证类》页461，《纲目》页1281，《医心方》页692）

【校注】

[1] **橘** 为芸香科植物多种橘类成熟果实的通称。《本经》以橘柚为正名，后世本草将橘、柚分立为条。其后橘又分穰、皮、络、核、叶。

[2] **止泄痢……痰实结气** 以上14字，掌氏所引“孟诜”文，未言明药用部位。从下文“下气不如皮也”看，似指橘穰而言。

[3] **如** 《大观》作“加”，《证类》《医心方》俱作“如”，以《证类》为正。

[4] **止渴** 按《医心方》应作“甚能止渴”。

[5] **皮** 《医心方》在“橘”条下，引“孟诜”文，先讲“皮”，接着又说：“下气不如皮也。”前后两句同言皮，文意有牴牾。疑此“皮”为“穰”之讹。

[6] **主胸中瘕气热逆** 按《本经》橘柚主治，应作“主胸中瘕热逆气”。

按，橘皮以陈者为佳，能消食除胀，化痰止咳。配党参、白术、茯苓、甘草，治脾胃虚弱，食少倦怠；配茯苓、半夏、甘草，治痰饮呕吐，咳嗽。

[7] **丸如梧桐子大** 掌氏所引“孟诜”文无此句，疑其为《纲目》所增。

[8] **蜜丸梧子大** 掌氏所引“孟诜”文无此句，疑其为《纲目》所增。

196 柚

孟诜［《医心方》引］：柚[1]，味酸，不能食。可以起盘[2]。

（《大观》卷23页5，《医心方》页692，《证类》页461，《纲目》页1286）

【校注】

［1］**柚** 为芸香科植物柚的成熟果实。《吕氏春秋》云："果之美者，有云梦之柚。"郭璞注云"柚似橙而大于橘。孔安国云：小曰橘，大曰柚。"《唐本草》注："柚皮厚，味甘，不如橘皮味辛而苦，其肉亦如橘。"崔禹《食经》云："柚，多食之，令人有淡（痰）。"

《日华子》云："柚子无毒。治妊孕人吃食少并口淡，去胃中恶气，消食，去肠胃气，解酒毒，治饮酒人口气。"

本条为《医心方》"柚"条所引"孟诜"文。其他书未见引孟诜此文。

［2］**起盘** 《医心方》眉注云："正本盘，瘢欤。"

197 橙

《食疗》［唐氏引］：橙[1]，温。去恶气，胃风[2]。取其皮和盐贮之[3]。

又，瓤[4]，去恶气。和盐蜜细细食之。

孟诜［《纲目》引］：橙皮，和盐贮食，止恶心，解酒病。

（《大观》卷23页15，《证类》页466，《纲目》页1285）

【校注】

［1］**橙** 为芸香科植物香橙的果实。《开宝本草》云："其树亦似橘树而叶大，其形圆大于橘而香，皮厚而皱。"

［2］**去恶心，胃风** 《开宝本草》云："橙子皮，味苦、辛，温，作酱醋香美。散肠胃恶气，消食，去胃中浮风气。"

［3］**取其皮和盐贮之** 《纲目》引"孟诜"作"和盐贮食，止恶心，解酒病"。《证类》所引"《食疗》"文无"解酒病"3字。《本草衍义》云："橙子，宿酒未醒，食之速醒。"《纲目》或将此文化裁并入孟诜文。

［4］**瓤** 《开宝本草》云："瓤，洗去酸汁，细切，和盐蜜煎成煎，食之，去胃中浮风。"

又，陈士良《食性本草》云："橙子，暖，无毒。行风气，发虚热，疗瘿气，发瘰疬，杀鱼虫毒；不与猨小獭肉同食，发头旋、恶心。"

198 柑

孟诜［《本草和名》引］：柑[1]，得霜后即美，故名甘子，一名李衡木奴[2]。

孟诜［《医心方》引］：柑，性寒[3]。堪食之。皮[4]不任药用。

初未霜时，亦酸；及得霜后，方即甜美。故名之曰甘[5]。和肠胃热毒[6]，下丹石渴[7]。食多令人肺燥，冷中，发流癖病也[8]。

《食疗》［唐氏引］：寒，堪食之。其皮不任药用。食多令人肺燥，冷中，发痃癖。

孟诜［《纲目》引］：柑皮，多食令肺燥。

（《大观》卷23页23，《证类》页470，《纲目》页1284，《医心方》页692，《本草和名》卷下）

【校注】

［1］**柑**　为芸香科植物茶枝柑或瓯柑等多种柑类的果实的通称。《开宝本草》云："其树若橘树，其形似橘而圆大，皮色生青熟黄赤。未经霜时尤酸，霜后甚甜，故名柑子。"

本条所引三家文字，《医心方》引文较详，唐氏引文次之，《本草和名》引文简略。

［2］**一名李衡木奴**　《本草和名》"柑子"条云："孟诜曰：一名李衡木奴。"注云："出孟诜也。李衡人名。"《本草纲目》云："汉李衡种柑于武陵（今湖南常德）洲上，号为木奴焉。"

［3］**性寒**　唐氏引作"寒"，无"性"字。

［4］**皮**　唐氏引作"其皮"。

按，柑、橘虽同类，其皮入药不同。橘皮擅长健脾胃，燥痰湿；柑皮长于醒酒。

《本草衍义》云："乳柑子，今人多作橘皮售于人，不可不择也。柑皮不甚苦，橘皮极苦，至熟亦苦。"

《日华子》云："柑皮炙作汤，可解酒毒及酒渴。"

《圣惠方》："治酒毒，或醉昏闷烦渴，取柑皮二两，焙干为末，以三钱匕，水一中盏，煎三五沸，入盐如茶法服，妙。"《经验后方》同。

［5］**甘**　按《本草和名》应作"甘子"。《开宝本草》作"柑子"。

［6］**和肠胃热毒**　《开宝本草》"乳柑子"条有"利肠胃中热毒"。则本句"和肠胃热毒"的"和"字，似为"利"字笔误。

［7］**下丹石渴**　《开宝本草》"乳柑子"条有"解丹石，止暴渴"。则本句"渴"字前，似脱"止"字。

［8］**流癖病也**　唐氏引作"发痃癖"。《开宝本草》"乳柑子"条作"发痼癖"。按，"痃癖"出《外台秘要》，是脐腹部或胁肋部时有筋脉攻撑急痛的病证的泛称，伴有消瘦，食少，疲乏等全身症状。

兽禽虫鱼部 卷第三

199 麝香

《食疗》［唐氏引］：麝香[1]作末服之，辟诸毒热，杀蛇毒[2]，除惊怖、恍惚[3]。蛮人常食，似獐肉而腥气。蛮人云：食之不畏蛇毒故也。

脐中有香，除百病[4]，治一切恶气疰病。研了，以水服之。

孟诜［《纲目》引］：麝香，除百病，治一切恶气及惊怖、恍惚。

（《大观》卷16页4，《证类》页369，《纲目》页1784）

【校注】

［1］**麝香** 为鹿科动物麝的雄性动物脐下腺囊中之分泌物。《本草图经》云："麝形似獐而小，其香正在阴前皮内，别有膜裹之，春分取之。今人带真香过园中，瓜果皆不实，此其验也。"

［2］**辟诸毒热，杀蛇毒** 《本经》云："主辟恶气，杀鬼精物"。《抱朴子》云："辟蛇法：入山以麝香丸着足爪中有效。"

［3］**除惊怖、恍惚** 《药性论》云"麝香除百邪魅鬼疰心痛，小儿惊痫、客忤，镇心安神，以当门子（粒状优质麝香）一粒，丹砂相似，细研，熟水灌之。"

［4］**除百病** 麝香能开窍、通络、消肿、止痛。对中风、痰厥、高热神昏等症有效。制成丸剂灌服之，有清醒神志之功。配川芎、赤芍、桃仁、红花，能活血化瘀，通行经络，治癥瘕、经闭。配肉桂为散，能催产，坠死胎及胞衣不下。对痈疽肿毒、跌打损伤疼痛，疗效尤为显著，所以麝香又为外科良药。

200　牛乳

孟诜［掌氏引］：牛乳[1]，寒。患热风人宜服之[2]。

《食疗》［唐氏引］：牛乳，患冷气人不宜服之。

乌牛乳酪，寒。主热毒，止渴，除胸中热[3]。

孟诜［《纲目》］：牛乳，患热风人宜食之。

（《大观》卷16页12，《证类》页373，《纲目》页1734）

【校注】

［1］**牛乳**　为牛科动物牛的乳。

［2］**患热风人宜服之**　《本草拾遗》云："黄牛乳生服利人，下热气。"《日华子》云："黄牛乳解热毒。"《圣惠方》："治小儿烦热哕，以牛乳二合，姜汁一合，银器中慢火煎过五六沸，一岁儿饮半合，量儿大小加减服之。"

［3］**乌牛乳酪……除胸中热**　唐氏在"酪"条下所引"《食疗》"文重出此条。

201　羊乳

孟诜［掌氏引］：羊乳[1]，治卒心痛，可温服之。

《食疗》［唐氏引］：补肺[2]肾气，和小肠[3]。亦主消渴，治虚劳，益精气，合脂作羹食，补肾虚。

亦主女子与男子中风[4]。蚰蜒入耳，以羊乳灌耳中即成水。

又，主小儿口中烂疮[5]，取羖羊生乳[6]，含五六日差。

孟诜［《纲目》引］：羊乳，主心卒痛，可温服之。蚰蜒入耳，灌之即化成水。

张鼎［《纲目》引］：羊乳，疗虚劳，益精气，补肺、肾气，和小肠气。合脂作羹[7]，补肾虚，及男女中风。

（《大观》卷16页11，《证类》页372，《纲目》页1724）

【校注】

［1］**羊乳**　为牛科动物羊的乳。

［2］**肺**　《大观》作"肝"，《纲目》《证类》作"肺"。

［3］**和小肠**　《纲目》引"张鼎"作"和小肠气"。

［4］**亦主女子与男子中风**　《纲目》引"张鼎"文，并将之简化为"及男女中风"。

［5］**主小儿口中烂疮**　陈藏器云："羊乳，小儿含之主口疮。"《日华子》云："羊乳利大肠，含

疗口疮。”《小品方》：“小儿口疮，羊乳细滤入含之，数次愈。”

[6] **取羖羊生乳** 按，“羖羊”即雄羊。雄羊无乳汁，本条指生雄羊的羊之乳。

[7] **合脂作羹** 唐氏引“《食疗》”作“合脂作羹食”，《纲目》省去“食”字。

202 乳腐

孟诜［掌氏引］：乳腐[1]，微寒。润五脏，利大小便，益十二经脉。微动气。细切如豆，面拌，醋浆水煮二十余沸，治赤白痢。小儿患，服之弥佳[2]。

孟诜［《纲目》引］：乳腐，水牛乳凉，犊牛乳温[3]。润五脏，利大小便，益十二经脉。微动气。

（《大观》卷16页15，《证类》页373，《纲目》页1751）

【校注】

[1] **乳腐** 为牛乳所造。《纲目》引《臞仙神隐书》云：“造乳饼法：以牛乳一斗，绢滤入釜，煎三五沸，水解之。用醋点入，如豆腐法，渐渐结成，漉出，以帛裹之，用石压成，入盐，瓮底收之。”

本条是《嘉祐本草》新增药，条末注：“新补见孟诜及萧炳。”即此条由掌氏糅合孟诜、萧炳两家文字而成。故本条含有萧炳《四声本草》文字。

[2] **润五脏……服之弥佳** 以上40字，前15字，《纲目》注出典为“孟诜”；后25字，《纲目》注出典为“萧炳”。

[3] **水牛乳凉，犊牛乳温** 按，此文原出《本草图经》“牛黄”条，《纲目》移之于此。《本草图经》原文为“凡牛之入药者，水牛、犊牛、黄牛取乳及造酥、酪、醍醐等，然性亦不同，水牛乳凉，犊牛乳温”。《纲目》认为乳腐亦是牛乳所造，其性亦当同牛乳。

203 酥

孟诜［掌氏引］：酥[1]，寒。主[2]胸中热，补五脏，利肠胃。

孟诜《食经》［《医心方》引］：疗卒咳嗽，割梨肉于酥中煎之，停冷食之。

又，梨去核，酥、蜜、面裹，烧令熟，食之，大良。

《食疗》［唐氏引］：酥，寒。除胸中热，补五脏，利肠胃。

水牛酥功同，寒，与羊酪同功。羊酥真者胜牛酥[3]。

孟诜［《纲目》引］：酥，水牛酥与羊酥[4]同功。其羊酥胜牛酥。

（《大观》卷16页13，《证类》页373，《纲目》页1750）

【校注】

［1］**酥** 陶弘景云："是牛、羊乳所为作之。《佛经》称乳成酪，酪成酥，酥成醍醐，醍醐色黄白。作饼甚甘肥。"酥是牛、羊乳煎炼成的酥油。《纲目》引《臞仙神隐书》云："以牛乳入锅煮二三沸，倾入盆内冷定，待面结皮，取皮再煎，油出去渣，即成酥油。"

［2］**主** 唐氏引"《食疗》"作"除"。

［3］**水牛酥……胜牛酥** 此条，《纲目》引"诜曰"，并将之简化为"水牛酥与羊酥同功。其羊酥胜牛酥"。

［4］**羊酥** 唐氏引"《食疗》"作"羊酪"。

204 熊脂

《食疗》［唐氏引］：熊脂[1]，微寒，甘滑。冬中凝白时取之，作生，无以偕也。脂入拔白发膏中用，极良[2]。脂与猪脂相和燃灯，烟入人目中，令失光明。缘熊脂烟损人眼光。

肉，平，味甘，无毒。主风痹筋骨不仁[3]。若腹中有积聚寒热者，食熊肉永不除差[4]。

其骨煮汤浴之，主历节风[5]，亦主小儿客忤[6]。

胆，寒。主时气盛热，疳䘌[7]，小儿惊痫[8]。十月勿食，伤神。

小儿惊痫瘈疭，熊胆两大豆许，和乳汁及竹沥服并得，去心中涎，良。

孟诜［《纲目》引］：熊肉，补虚羸。

熊胆，治小儿惊痫瘈疭，以竹沥化两豆许服之，去心中涎，甚良。

熊骨，作汤，浴历节风，及小儿客忤。

张鼎［《纲目》引］：熊肉，若腹中有积聚寒热者食之，永不除也。十月勿食之，伤神[9]。

（《大观》卷16页7，《证类》页370，《纲目》页1771）

【校注】

［1］**熊脂** 为熊科动物熊的脂肪。陶弘景云："此脂即是熊白，是背上膏，寒月则有，夏月则无。"《食疗》称之为"冬中凝白"。

［2］**脂入拔白发膏中用，极良** 《唐本草》云："脂长发令黑。"《杨氏产乳》云："疗白秃疮及发中生癣，取熊白傅之。"

［3］**主风痹筋骨不仁** 《食医心镜》云："疗脚气风痹不仁，五缓筋急，熊肉半斤，于豉汁中和姜、椒、葱白、盐、酱作腌腊，空腹食之。"

［4］**若腹中有积聚寒热者，食熊肉永不除差** 陶弘景云："痼疾不可食熊肉，令终身不除愈。"

[5] **历节风** 即痛风。关节肿痛，游走不定，痛势剧烈，屈伸不利，昼轻夜重。

[6] **客忤** 即中恶。突然见异物，吓昏倒，是谓客忤。

[7] **瘑䶌** 即鼻瘑疮。

《圣惠方》："治小儿瘑疮、虫蚀鼻，用熊胆半分，汤化调涂于鼻中。"按，熊胆能清热解毒，熊胆汁调少许冰片，涂火毒疮肿、痔疮。

[8] **小儿惊痫** 指急惊风发作。《小儿卫生总微论方》："小儿惊痫者，轻者但身热面赤，睡眠不安，惊惕上窜，不发搐者，此名惊也。重者上视身强，手足拳，发搐者，此名痫也。"

按，熊胆能清热镇痉，善治热盛惊风、癫痫、抽搐。

又，熊胆能清热明目，治目赤肿痛、畏光、障翳。

[9] **十月勿食之，伤神** 唐氏所引"《食疗》"文原在"熊胆"条下，《纲目》移之于熊肉之下。

205 黄明胶

《食疗》［唐氏引］：黄明胶[1]，傅肿四边，中心留一孔子，其肿即头自开也。

治咳嗽不差者[2]，黄明胶[3]炙令半焦为末，每服一钱匕，人参末二钱匕，用薄豉汤一盏[4]八分，葱少许，入铫子煎一两沸后，倾入盏，遇咳嗽时呷三五口后，依前温暖，却准前咳嗽时吃之也。

又，止吐血，咯血[5]，黄明胶一两，切作小片子，炙令黄；新绵一两，烧作灰细研，每服一钱匕，新米饮调下。不计年岁，深远并宜，食后卧时服。

孟诜［《纲目》引］：作胶法[6]：鹿角细破寸截，以河水[7]浸七日令软，方煮。

《食疗本草》［《纲目》引］：治肺虚久咳：人参末二两，鹿角胶[8]炙研一两。每服三钱，用薄荷豉汤一盏，葱少许，入铫子煎一二沸，倾入盏内。遇咳时，温呷三五口甚佳。

（《大观》卷16页9，《证类》页371，《纲目》页722、1778）

【校注】

[1] **黄明胶** 《本草图经》云："今时方家用黄明胶，多是牛皮。然今牛皮胶制作不甚精，但以胶物者，不堪药用之。"《本草图经》所云"黄明胶"即牛皮胶。但《药性论》云："白胶又名黄明胶。"《本经》云："白胶一名鹿角胶。"唐氏将《食疗》"黄明胶"列在"白胶"条，则《食疗》"黄明胶"指白胶而言。《纲目》云："甄权以黄明为鹿角白胶，唐慎微又采黄明诸方附之，并误矣。"又云："黄明胶即今水胶，乃牛皮所作，其色黄明，非白胶也。"

按李时珍所云，《食疗》"黄明胶"即牛皮胶，唐氏误列之于"白胶"条下。但《纲目》卷12"人参"条"附方"所引"《食疗本草》"中的"治肺虚久咳"之方，将"黄明胶"改成了"鹿角胶"。这就说明，李时珍亦承认《食疗》"黄明胶"的主治功用，即鹿角胶的主治功用。所以李时珍评唐氏误列等语，自相牴牾。

药名含义变迁有时代性，黄明胶，在唐代指鹿角胶，宋以后指牛皮胶。犹如通草，古今名义不同，古代通草为马兜铃科植物木通马兜铃，今日通草为五加科植物通脱木。

［2］**治咳嗽不差者** 《纲目》引“《食疗本草》”作“肺虚久咳”。

［3］**黄明胶** 《纲目》引“《食疗本草》”作“鹿角胶”。

［4］**薄豉汤一盏** 《纲目》作“薄荷豉汤一盏”，《大观》作“薄豉汤一钱”。

［5］**止吐血，咯血** 《药性论》云：“白胶又名黄明胶，主吐血。”《别录》云：“白胶疗吐血下血，崩中不止。鹿角作之。”

《肘后方》：“妊娠卒下血，以酒煮胶二两，消尽顿服。”

按，鹿角胶能益精血，止血，且作用强度居于鹿角、鹿茸之间。其性温。治吐衄崩漏尿血，以偏于虚寒者为佳，阴虚火旺者忌服。

［6］**作胶法** 此法原出唐氏所引“《食疗》”文。（详“鹿茸”条唐氏所引“《食疗》”文）

［7］**河水** 唐氏引“《食疗》”作“饙水”。饙水即蒸饭的水。

［8］**鹿角胶** 唐氏引“《食疗》”作“黄明胶”。据此，黄明胶即鹿角胶。详见注[1]。

206 醍醐

《食疗》［唐氏引］：醍醐[1]，平。主风邪，通润骨髓。性冷利[2]，乃酥之本精液也。

（《大观》卷16页13，《证类》页373，《纲目》页1751）

【校注】

［1］**醍醐** 为牛乳制成的脂肪。《本草衍义》云：“醍醐，作酪时，上一重凝者为酪面，酪面上其色如油者为醍醐，熬之即出。”

［2］**主风邪，通润骨髓。性冷利** 《唐本草》云：“醍醐，味甘，平，无毒。主风邪痹气，通润骨髓，可为摩药，性冷利，功优于酥，生酥中。”

《食医心镜》云：“主补虚，去风湿痹，醍醐二大两，暖酒一杯，和醍醐一匙服之。”

《圣惠方》云：“治中风烦热，皮肤瘙痒，用醍醐四两，每服酒调下半匙。”

《本草衍义》云：“醍醐润养疮痂最相宜。”

207 酪

《食疗》［唐氏引］：酪[1]，寒。主热毒，止渴，除胃中热。患冷人勿食羊乳酪。

孟诜［《纲目》引］：患冷、患痢人[2]，勿食羊乳酪。合酢食成瘕。

（《大观》卷16页13，《证类》页373，《纲目》页1750）

【校注】

[1] **酪** 为牛、马、羊、骆驼等乳煎炼而成。《别录》云："酪，味甘，酸，寒。主热毒，止渴，除胸中虚热，身面上热疮，肌疮。"

[2] **患痢人** 以上3字，原出《大观》《证类》所引的《千金方·食忌》，《纲目》移之于此。

208 犀

《食疗》［唐氏引］：犀[1]，此只是山犀牛，未曾见人得水犀取其角。此两种者，功亦同也。其生角，寒。可烧成灰，治赤痢，研为末，和水服之。

又，主卒中恶心痛，诸饮食中毒及药毒、热毒[2]，筋骨中风，心风烦闷，皆差[3]。

又，以水磨取汁，与小儿服，治惊热[4]。鼻上角尤佳。

肉，微温，味甘，无毒。主瘴气、百毒、蛊疰[5]邪鬼，食之入山林，不迷失其路。除客热头痛及五痔、诸血痢。若食过多，令人烦，即取麝香少许，和水服之，即散也。

孟诜［《纲目》引］：犀角，烧灰水服，治卒中恶心痛，饮食中毒，药毒，热毒，筋骨中风，心风烦闷，中风失音，皆差。以水磨服，治小儿惊热。山犀、水犀，功用相同。

（《大观》卷17页17，《证类》页383，《纲目》页1767）

【校注】

[1] **犀** 为犀科动物犀牛。其角入药名犀角。

[2] **热毒** 犀角能凉血解毒，对热病所致热毒发斑疹、发黄，吐衄下血，配生地、丹皮、赤芍能解之。

[3] **皆差** 《纲目》引"孟诜"作"中风失音，皆差"。按，"中风失音"原出《日华子》，非"孟诜"文。

[4] **治惊热** 《纲目》引"孟诜"作"治小儿惊热。山犀、水犀，功用相同"。按，犀角能清心热镇惊。由高热所致神昏谵语，惊厥抽搐，配羚羊角、石膏等能解之。

[5] **百毒、蛊疰** 《大观》作"百毒虫疰"，《证类》作"百毒蛊疰"。《本经》谓"犀角主百毒蛊疰"，《本草拾遗》谓"犀肉主诸蛊蛇兽咬毒"，以《证类》为正。

209 羚羊

孟诜［掌氏引］：羚羊[1]，北人多食。南人食之，免为蛇虫所伤。和五味子炒之，投酒中经宿饮之，治筋骨急强、中风。

又，角，主中风筋挛[2]，附骨疼痛，生摩和水涂肿上及恶疮，良。

又，卒热闷，屑作末，研和少蜜服，亦治热毒痢及血痢。

《食疗》［唐氏引］：伤寒热毒下血[3]，末，服之即差。又疗疝气。

孟诜［《纲目》引］：羚羊肉，和五味炒熟，投酒中，经宿饮之，治筋骨急强、中风。北人恒食，南人食之，免蛇虫伤。

羚羊角，治中风筋挛，附骨疼痛。作末，蜜服，治卒热闷，及热毒痢血，疝气。摩水涂肿毒[4]。

（《大观》卷17页15，《证类》页382，《纲目》页1773）

【校注】

［1］**羚羊** 为牛科动物赛加羚羊。《尔雅》云："羚，大羊；羱，吴羊。"郭璞注："羚似羊而大，其角细而圆锐，好在山崖间。"陶弘景云："今出建平（四川巫山）、宜都（湖北宜都）诸蛮中及西域。多两角，一角者为胜，角甚多节蹙蹙圆绕。"

［2］**角，主中风筋挛** 羚羊角能平肝息风，善治热甚风动、神昏痉厥，或惊痫抽搐。《本经》云："羚羊角辟不祥，安心气，常不魇寐。"《别录》云："除邪气惊梦，狂越僻谬及食噎不通。"

［3］**伤寒热毒下血** 羚羊角能散血解毒，亦可用于治疗痈肿疮毒，血热毒盛。配犀角、石膏、知母，可治壮热神昏谵语，热毒斑疹。

［4］**摩水涂肿毒** 掌氏引"孟诜"作"生摩和水涂肿上及恶疮，良"。

210 羊

孟诜［掌氏引］：羊[1]肉，温。主风眩瘦病，小儿惊痫，丈夫五劳七伤，脏气虚寒。河西[2]羊最佳，河东[3]羊亦好。纵驱至南方，筋力自劳损，安能补益人。

肚，主补胃，小便数，以肥肚作羹食，三五度差。

又，羊肉，患天行[4]及疟人食，令发热困重致死。

羊毛，醋煮裹脚，治转筋[5]。

角灰，主鬼气下血。

《食疗》［唐氏引］：羊角，主惊邪，明目，辟鬼，安心益气。烧角作灰，治鬼气并漏下恶血。

羊肉，妊娠人勿多食。

头肉，平。主缓中，汗出虚劳，安心止惊。宿有冷病人勿多食。主热风眩，疫疾[6]，小儿痫，兼补胃虚损及丈夫五劳骨热。热病后宜食羊头肉。

肚，主补胃病虚损，小便数，止虚汗。

肝，性冷。治肝风虚热，目赤暗痛，热病后失明者，以青羊肝或子肝薄切，水浸傅之，极效。生子肝吞之尤妙。

主目失明，取羖羊[7]肝一斤，去脂膜薄切，以未着水新瓦盆一口，揩令净，铺肝于盆中，置于炭火上煿[8]，令脂汁尽，候极干。取决明子半升，蓼子一合，炒令香为末，和肝杵之为末。以白蜜浆下方寸匕。食后服之，日三，加至三匕止，不过二剂，目极明。一年服之妙，夜见文字并诸物。

其羖羊[9]，即骨历羊是也。常患眼痛涩，不能视物，及看日光并灯火光不得者，取熟羊头眼睛中白珠子二枚，于细石上和枣汁研之，取如小麻子大，安眼睛上，仰卧。日二夜二，不过三四度差。

羊心，补心肺，从二月至五月，其中有虫如马尾毛，长二三寸以来。须割去之，不去令人痢。

又，取皮去毛煮羹，补虚劳。煮作臛食之，去一切风，治脚中虚风。

羊骨，热。主治虚劳，患宿热人勿食。

髓，酒服之，补血。主女人风血虚闷。

头中髓，发风。若和酒服，则迷人心，便成中风也。

羊屎，黑人毛发。主箭镞不出。粪和雁膏傅毛发落，三宿生。

白羊黑头者[10]，勿食之。令人患肠痈。一角羊不可食。六月勿食羊，伤神。

谨案：南方羊都不与盐食之，多在山中吃野草，或食毒草。若北羊，一二年间亦不可食，食必病生尔。为其来南地食毒草故也。若南地人食之，即不忧也。今将北羊于南地养三年之后，犹亦不中食，何况于南羊能堪食乎？盖土地各然也。

孟诜［《纲目》引］：羊肉，温。治风眩瘦病，丈夫五劳七伤，小儿惊痫。羊头蹄，安心止惊，缓中止汗补胃，治丈夫五劳骨热。热病后宜食之，冷病人勿多食。

羊皮，主一切风，及脚中虚风，补虚劳，去毛作羹臛食。

羊脑，发风病。和酒服，迷人心，成风疾。男子食之，损精气，少子。白羊黑头，食其脑，作肠痈。

羊髓，和酒服，补血。主女人血虚风闷[11]。

羊肺，自三月至五月，其中有虫，状如马尾，长二三寸。须去之，不去令人痢下。

羊胃，主胃反，止虚汗，治虚羸，小便数，作羹食，三五差[12]。

羊胫骨，性热，主虚冷劳[13]。有宿热人勿食。

羊毛，主转，醋煮裹脚。

河西羊最佳，河东羊亦好。若驱至南方，则筋力自劳损，安能补益人？今南方羊多食野草、毒草，故江浙羊少味而发疾。南人食之，即不忧也。惟淮南州郡或有佳者，可亚北羊。北羊至南方一二年，亦不中食，何况于南羊，盖土地使然也。

《食疗》［《纲目》引］：目病失明。青羖羊肝一斤，去膜切片[14]，入新瓦内炕干[15]，同决明子半升，蓼子一合，炒为末。以白蜜浆服方寸匕，日三。不过三剂，目明。至一年，能夜见文字。

（《大观》卷16页9，《证类》页379，《纲目》页1724）

【校注】

［1］**羊** 为牛科动物山羊。本条，《大观》《证类》列在“羖羊角”条下。羖亦作牯，即雄羊。其多毛名骨历。

［2］**河西** 黄河经过山西、陕西之间，呈南北向。黄河以西为河西，包括陕西地区；黄河以东为河东，包括山西地区。

［3］**河东** 见注［2］。

［4］**天行** 即流行病。《三因方》云：“一方之内，长幼患状，率皆相类者，谓之天行是也。”

［5］**转筋** 小腿肚肌肉痉挛。

［6］**主热风眩，疫疾** “风眩”即头目眩晕。“疫疾”即传染性流行病。按《唐本草》注“羊头疗风眩瘦疾”，疑“疫疾”为“瘦疾”之误。

［7］**羖羊** 即黑色雄羊。

［8］**焞** 《说文解字》注：“灼也，暴声。”即加热到有爆裂声。按，缪希雍《炮炙大法》卷前列“雷公炮制十七法”，“焞”是十七法中的一法。

［9］**羖羊** 即羖羊，黑雄羊。

［10］**白羊黑头者** 《大观》作“白羊羔头者”。按，“羔”即小羊。《证类》作“白羊黑头者”。以《证类》为正。《纲目》云：“白羊黑头、黑羊白头、独角者，并有毒，食之生痈。”与本条文义正同。

［11］**血虚风闷** 唐氏引“孟诜”作“风血虚闷”。

［12］**羊胃……三五差** 本条是《纲目》糅合掌氏所引“孟诜”文和唐氏所引“《食疗》”文而成的。此亦与《千金方·食治》“羖羊角”条内羊肚功用相似。

［13］**羊胫骨，性热，主虚冷劳** 唐氏引“《食疗》”作“羊骨，热。主治虚劳”。

［14］**去膜切片** 唐氏引“《食疗》”作“去脂膜薄切”。

［15］**入新瓦内炕干** 唐氏引“《食疗》”作“以未着水新瓦盆一口，揩令净，铺肝于盆中，置于炭火上焞，令脂汁尽，候极干”。盖唐氏引文详，《纲目》简化之。

211 牛

孟诜［掌氏引］：牛[1]者，稼穑[2]之资，不多屠杀。自死者，血脉已绝，骨髓已竭，不堪食。黄牛发药动病，黑牛尤不可食。黑牛尿[3]及屎，只入药。

又，头、蹄，下热风，患冷人不可食。

其肝醋煮食之，治痩。

黑牛髓和地黄汁[4]、白蜜等分，作煎服，治瘦病[5]。

乌牛粪为上。又，小儿夜啼：取干牛粪如手大，安卧席下，勿令母知，子、母俱吉。

《食疗》［唐氏引］：肚，主消渴，风眩[6]，补五脏，以醋煮食之。

肝，治痢。

肾，主补肾。

髓，安五脏，平三焦，温中。久服增年。以酒送之。

和地黄汁、白蜜等分，作煎服之，治瘦病。恐是牛脂也[7]。

粪，主霍乱，煮饮之。

又，妇人无乳汁，取牛鼻作羹，空心食之。不过三两日，有汁下无限。若中年壮盛者，食之良。

又，宰之尚不堪食，非论自死者。其牛肉取三斤，烂切，将啖解槽咬人恶马，只两啖后，颇甚驯良。若[8]三五顿后，其马狞豚[9]不堪骑。十二月勿食，伤神。

孟诜［《纲目》引］：黄牛动病，黑牛尤不可食。牛者稼穑之资，不可多杀[10]，若自死者，血脉已绝，骨髓已竭，不可食之[11]。恶马食牛肉即驯，亦物性也[12]。

牛头、蹄，下热风。

牛鼻，治妇人无乳，作羹食之，不过两日，乳下无限，气壮人尤效。

牛髓，治瘦病，以黑牛髓、地黄汁、白蜜等分，煎服。

牛肝，治疟及痢，醋煮食之。

牛胃，治消渴，风眩，补五脏，醋煮食之。

《食疗》［《纲目》引］：小儿夜啼，牛屎一块，安席下[13]，勿令母知。

（《大观》卷17页7，《证类》页377，《纲目》页1738）

【校注】

[1] **牛** 为牛科动物黄牛或水牛。本条，《大观》《证类》列在“牛角鰓”条下。《本草图经》云：“牛有数种：南人以水牛为牛，北人以黄牛、乌牛为牛。”

[2] **稼穑** 农事的总称。

[3] **屎** 《大观》作“屎”，《证类》作“尿”，以《证类》为正。

[4] **地黄汁** 《大观》作“鹿黄汁”，《证类》作“地黄汁”，以《证类》为正。

[5] **黑牛髓……治瘦病** 掌氏引此条，注明“黑牛髓”；唐氏引此条，仅言“髓”，未注明是“黑牛髓”。

[6] **风眩** 即风头眩。头晕眼花，呕逆；甚则厥逆，发作无常，伴有肢体疼痛。

[7] **恐是牛脂也** 掌氏引此条时，未录此5字。

[8] **若** 《大观》作“若”，《证类》作“苦”，以《大观》为正。

[9] **狞豚** 样子很凶恶。

[10] **不可多杀** 掌氏引“孟诜”作“不多屠杀”，其义稍异。

[11] **不可食之** 掌氏引“孟诜”作“不堪食”，其义稍异。

[12] **恶马食牛肉即驯，亦物性也** 唐氏引“《食疗》”作“其牛肉取三斤，烂切，将啖解槽咬人恶马，只两啖后，颇甚驯良。若三五顿后，其马狞豚不堪骑”。《纲目》引文简化，其义稍异。

[13] **牛屎一块，安席下** 掌氏引“孟诜”作“取干牛粪如手大，安卧席下”。《纲目》引文简化。

212 马

孟诜［掌氏引］：白马茎[1]，益丈夫阴气[2]。阴干者末，和苁蓉蜜丸[3]，空腹[4]酒下四十丸，日再，百日见效。

悬蹄，主惊痫[5]。

赤马蹄，主辟温疟[6]。

马心[7]，患痢人不得食。

肉，有小毒。不与仓米同食，必卒得恶[8]，十有九死。不与姜同食，生气嗽。其肉多着浸洗方煮，得烂熟兼去血尽，始可煮食[9]。肥者亦然，不尔毒不出。

屎[10]，患丁肿，中风疼痛者，炒驴马粪[11]，熨疮满五十遍，极效。

男子患，未可及，新差后，合阴阳，垂至死[12]，取白马粪五升，绞取汁，好器中盛停一宿，一服三合，日夜二服。

尿，恶刺疮，取黑马尿热渍，当愈。数数洗之。

《食疗》［唐氏引］：白马黑头，食令人癫[13]。白马自死，食之害人[14]。

肉，冷，有小毒。主肠中热，除下气，长筋骨。

赤马蹄，辟温。

又，食诸马肉心闷[15]，饮清酒即解，浊酒即加。

又，刺疮，取黑驳马尿热浸，当虫出。

患杖疮并打损疮，中风疼痛者，炒马驴湿粪，分取半，替换热熨之。冷则易之，日五十遍[16]，极效。又，小儿患头疮，烧马骨作灰，和醋傅。亦治身上疮。

白秃疮，以驳马不乏者尿，数数暖洗之十遍，差。白马脂五两，封疮上。稍稍封之，白秃者发即生。

又，马汗入人疮，毒气攻作脓，心懑欲绝者，烧粟秆草作灰，淋作浓灰汁，热煮，蘸疮于灰汁中，须臾白沫出尽即差。白沫者，是毒气也。此方岭南[17]新有人曾得力。

凡生马血入人肉中，多只三两日便肿，连心则死。有人剥马，被骨伤手指，血入肉中，一夜致死。

又，臆膍，次胪膍[18]也。蹄无夜眼[19]者勿食。又黑脊而斑不可食。患疮疥人切不得食，加增难差。赤马皮临产铺之，令产母坐上催生。

孟诜［《纲目》引］：马肉，有小毒。同仓米、苍耳食，必得恶，十有九死。同姜食，生气嗽。同猪肉食，成霍乱。食马肉毒发心闷，饮清酒则解，饮浊酒则加。

马心，患痢人食马心，则痞闷加甚[20]。

白马阴茎，阴干，同肉苁蓉等分为末，蜜丸梧子大[21]。每空心酒下四十丸，日再。百日见效。益丈夫阴气。

马骨，烧灰和醋，敷小儿头疮及身上疮。

马悬蹄，赤马者辟温疟。

马皮，妇人临产，赤马皮催生，良[22]。

马脑，食之令人癫。

马血，凡生马血入人肉中，一二日便肿起，连心即死。有人剥马伤手，血入肉，一夜致死。

马汗入疮，毒攻心欲死者，烧粟秆灰淋汁浸洗，出白沫，乃毒气也。岭南有人用此得力。

白马通，治时行病起合阴阳垂死者，绞汁三合，日夜各二服。又治杖疮、打损伤疮中风作痛者，炒热，包熨五十遍，极效。

（《大观》卷17页1，《证类》页374，《纲目》页1742）

【校注】

[1] **白马茎** 《纲目》作“白马阴茎”。为马科动物白马的阴茎。

[2] **益丈夫阴气** 《本经》云：“白马茎，主伤中脉绝阴不起，强志益气。”《药性论》云：“白马茎，味咸，能主男子阴痿，坚长，房中术偏要。”

[3] **阴干者末，和苁蓉蜜丸** 《纲目》引“诜曰”作“阴干，同肉苁蓉等分为末，蜜丸梧子大”。

[4] **空腹** 《证类》作“空心”，《大观》作“空腹”，从《大观》。

[5] **惊痫** 《本经》云：“悬蹄，主惊邪瘈疭。”

[6] **主辟温疟** 唐氏引作“辟温”。

[7] **马心** 掌氏引此条，无“马心”标题，故补之。

[8] **不与仓米同食，必卒得恶** 《纲目》引“诜曰”作“同仓米、苍耳食，必得恶病”。

[9] **食** 《证类》作“炙”，《大观》作“食”，以《大观》为正。

[10] **屎** 掌氏将此条列在“屎”条下，故补“屎”字。

[11] **炒驴马粪** 唐氏引作“炒马驴湿粪”。

[12] **男子患，未可及，新差后，合阴阳，垂至死** 《纲目》引“孟诜”作“治时行病起合阴阳垂死者”。

[13] **白马黑头，食令人癫** 《纲目》引“鼎曰”作“马生角，马无夜眼，白马青蹄，白马黑头者，并不可食，令人癫”。

[14] **白马自死，食之害人** 《纲目》引“鼎曰”作“马鞍下肉色黑及马自死者，并不可食，杀人”。

[15] **食诸马肉心闷** 《纲目》引“诜曰”作“食马肉毒发心闷”。又，“食”字上，《纲目》引“诜曰”有“同猪肉食，成霍乱”。《大观》《证类》未见此文。

[16] **日五十遍** 《证类》作“满五十过”，《大观》作“日五十遍”。

[17] **岭南** 今广东、广西一带。

[18] **胪腮** 胪，肚腹。《集韵》云：“腮，驴肠胃也。”

[19] **夜眼** 《纲目》云：“在足膝上。马有此能夜行，故名。”

[20] **患痢人食马心，则痞闷加甚** 掌氏引“孟诜”作“马心，患痢人不得食”。

[21] **蜜丸梧子大** 掌氏引“孟诜”无“梧子大”3字，疑为《纲目》所增。

[22] **妇人临产，赤马皮催生，良** 唐氏引“《食疗》”作“赤马皮临产铺之，令产母坐上催生”。盖《纲目》在引此文时，加以化裁了。

213 犬[1]

孟诜［掌氏引］：犬胆，去肠中脓水[2]。

又，白犬胆和通草、桂为丸服，令人隐形[3]，青犬[4]尤妙。

犬肉[5]，益阳事，补血脉，厚肠胃，实下焦，填精髓。不可炙食，恐成消渴。但和五味煮，空腹食之。不与蒜同食，必顿损人。若去血则力少，不益人。瘦者多是病，不堪食。

《食疗》［唐氏引］：牡狗阴茎，补髓。

肉，温。主五脏，补七伤五劳，填骨髓，大补益气力。空腹食之。黄色牡者上，白、黑色者次，女人妊娠勿食。

又，上伏日采胆，以酒调服之。明目，去眼中脓水。

又，主恶疮痂痒，以胆汁傅之止。胆傅恶疮，能破血。有中伤因损者，热酒调半个服，瘀血尽下。

又，犬伤人，杵生杏仁，封之，差。

比来去血食之，却不益人也。肥者血亦香美，即何要去血？去血之后，都无效矣。

犬自死，舌不出者，食之害人。九月勿食犬肉，伤神。

孟诜［《纲目》引］：狗肉，补五劳七伤，益阳事，补血脉，厚肠胃，实下焦，填精髓[6]。和五味煮，空心食之。凡食犬不可去血[7]，则力少不益人。

犬胆，去肠中脓水[8]。又和通草、桂为丸服，令人隐形。

牡狗阴茎，补精髓[9]。

（《大观》卷 17 页 13，《证类》页 381，《纲目》页 1729）

【校注】

［1］**犬**　《本经》以牡狗阴茎为正名。为犬科动物狗。

［2］**去肠中脓水**　唐氏引“《食疗》”作“去眼中脓水”。

［3］**令人隐形**　使人不见其身。似是魔术。

［4］**青犬**　本草仅记白犬、黑犬、黄犬，未见青犬。

［5］**犬肉**　《纲目》在狗肉主治下，所引“孟诜”文是糅合掌氏、唐氏两家的引文而成。《食医心镜》云：“治脾胃冷弱，肠中积冷胀满刺痛：肥狗肉半斤，以米、盐、豉等煮粥，频吃一两顿。又，治浮肿小便涩少：精肥狗肉五斤，熟蒸，空腹服之。又，主气水鼓胀浮肿：狗肉一斤，细切，和米煮粥，空腹吃，作羹臛吃，亦佳。”

［6］**填精髓**　唐氏引“《食疗》”作“填骨髓”。

［7］**不可去血**　掌氏引“孟诜”作“若去血”。

［8］**去肠中脓水**　《圣济总录》治目中脓水，“上伏日采犬胆，酒服之”。据此，“去肠中脓水”的“肠”字，当为“眼”之误。

［9］**补精髓**　唐氏引“《食疗》”作“补髓”。《纲目》增“精”字。

214　鹿茸

孟诜［《医心方》引］：鹿头[1]，主消渴，多梦，梦见物[2]。

蹄肉，主脚膝骨髓中疼痛。

生肉，主中风口偏不正[3]。

孟诜［掌氏引］：鹿茸[4]，主益气。不可以鼻嗅其茸，中有小白虫，视之不见，入人鼻必为虫颡[5]，药不及也。

鹿头肉，主消渴，夜梦见物。

又，蹄肉，主脚膝骨髓中疼痛。

肉，主补中益气力。

又，生肉，主中风口偏不正。以生椒同捣傅之。专看正，即速除之。

九月以后、正月以前，堪食之也[6]。

角，错为屑，白蜜五升，腌之，微火熬令小变，曝干，更捣筛服之。令人轻身益气，强骨髓，补绝伤[7]。

又，妇人梦与鬼交者，鹿角末三指一撮，和清酒服，即出鬼精[8]。

又，女子胞中余血不尽、欲死者，以清酒和鹿角灰服方寸匕，日三夜一，甚效。

又，小儿以煮小豆汁和鹿角灰，安重舌下，日三度。

《食疗》［唐氏引］：谨案：肉，九月后、正月前食之，则补虚羸瘦弱，利五脏，调血脉。自外皆不食，发冷痛[9]。

角，主痈疽疮肿，除恶血。若腰脊痛、折伤，多取鹿角并截取尖，错为屑，以白蜜腌浸之，微火熬令小变色，曝干，捣筛令细，以酒服之，轻身益力，强骨髓，补阳道。

角，烧飞为丹，服之至妙。但于瓷器中或瓦器中，寸截，用泥裹，大火烧之一日，如玉粉。亦可炙令黄，末，细罗，酒服之益人。若欲作胶者，细破寸截，以饙水[10]浸七日，令软方煮也。

骨，温。主安胎，下气，杀鬼精，可用浸酒。凡是鹿白臆者，不可食。

孟诜［《纲目》引］：鹿茸，不可以鼻嗅之，中有小白虫，视之不见，入人鼻，必为虫颡，药不及也。

鹿角，蜜炙研末酒服，轻身强骨髓，补阳道绝伤。又治妇人梦与鬼交者，清酒服一撮，即出鬼精。烧灰，治女子胞中余血不尽欲死，以酒服方寸匕，日三[11]，甚妙。

鹿骨，安胎下气，杀鬼精物，久服耐老[12]，可酒浸服之。

鹿肉，补虚瘦弱，调血脉。九月以后、正月以前，堪食。他月不可食，发冷痛。白臆者、豹文者，并不可食。

鹿肉脯，炙之不动，及见水而动，或曝之不燥者，并杀人[13]。不可同雉肉、蒲白、鮠鱼、虾食，发恶疮。《礼记》云：食鹿去胃[14]。

（《大观》卷17页4，《证类》页376，《纲目》页1775，《医心方》页699）

【校注】

[1] **鹿头** 掌氏引作“鹿头肉”。按，鹿为鹿科动物梅花鹿或马鹿。

按，本条共有《医心方》、掌氏、唐氏、《纲目》四家引文，其间互有异同。尤以《纲目》引文，掺杂他书文字，失去“孟诜”文原义。

[2] **多梦，梦见物** 掌氏引作“夜梦见物”。《纲目》注此文出典为“苏恭”。疑“苏恭”为“孟诜”之误。

[3] **正** 其后，掌氏引“孟诜”有“以生椒同捣傅之。专看正，即速除之”。

[4] **鹿茸** 为雄鹿头上尚未骨化而带毛茸的幼角。春季或初夏，将幼角锯下，或用快刀砍下，置沸水中略烫过，晾干，再烫再晾，至积血排尽为度。同时燎去毛，以瓷片刮净，湿布包润，使稍软，切片烘干。

鹿茸善治畏寒，手足冷，阳痿、宫冷不孕，腰膝痛，崩漏，白带。对阴疽久溃不敛，脓水清稀，配当归、黄芪，有温补内托之功。

[5] **虫颡** 颡即额。《周易·说卦》：“其于人也，为寡发，为广颡。”虫颡指前额内疾病。

[6] **堪食之也** 其后，唐氏引“《食疗》”有“则补虚羸瘦弱，利五脏，调血脉。自外皆不食，发冷痛”。

[7] **角，错为屑……补绝伤** 掌氏在引此文时有省略，不及唐氏引文详细。

[8] **妇人梦与鬼交者……即出鬼精** 《证类》引《百一方》云“若男女喜梦与交通，致恍惚者方：截鹿角屑三指撮，日二服，酒下”，并注云“《食疗》同”。但本条文字与《百一方》所云之文，不完全相同。

[9] **发冷痛** 《大观》作“发冷病”，《证类》作“发冷痛”。

[10] **馈水** 即蒸饭的水。

[11] **日三** 掌氏引“孟诜”作“日三夜一”。《纲目》省去“夜一”2字。

[12] **久服耐老** 以上4字原出《别录》，《纲目》据《别录》增入，其实不是孟诜文。

[13] **鹿肉脯……并杀人** 以上21字，原出陶弘景注鹿茸文，非“孟诜”文。《纲目》错简于此。

[14] **不可同雉肉……食鹿去胃** 以上21字，不见于掌氏所引“孟诜”文和唐氏所引“《食疗》”文。

215 麋

孟诜［掌氏引］：麋肉[1]，益气补中，治腰脚。不与雉肉同食。

谨案：肉多无功用。所食亦微补五脏不足气。多食令人弱房，发脚气。

骨，除虚劳至良。可煮骨作汁，酿酒饮之。令人肥白，美颜色。

其角，补虚劳，填髓。理角法：可五寸截之，中破，炙令黄香后，末和酒，空腹服三钱匕。若卒心痛，一服立差。常服之，令人赤白如玉，益阳道。不知何因与肉功不同尔。亦可煎作胶，与鹿角胶同功。

茸，甚胜鹿茸，仙方甚重。

又，丈夫冷气及风，筋骨疼痛，作粉长服。

又，于浆水中研为泥，涂面，令不皱，光华可爱。

又，常俗：人以皮作靴，熏脚气。

孟诜［《纲目》引］：麋肉，益气补中，治腰脚。多食令人弱房，发脚气。妊妇食之，令子目病[2]。

麋角，凡用麋角，可五寸截之，中破，炙黄为末，入药。作粉常服，治丈夫冷气及风，筋骨疼痛。若卒心痛，一服立差。浆水磨泥涂面，令人光华，赤白如玉可爱[3]。

又云：麋角常服，大益阳道，不知何因与肉功不同也。煎胶与鹿角胶同功，茸亦胜鹿茸，仙方甚重之。

麋皮，作靴、袜，除脚气。

（《大观》卷18页5，《证类》页390，《纲目》页1781）

【校注】

［1］**麋肉**　为鹿科动物麋鹿的肉。

［2］**妊妇食之，令子目病**　掌氏所引“孟诜”文无此文。此文似出《淮南子》“孕女见麋而子四目也”。《纲目》据此化裁，误注出处为“孟诜”。

216　獐

孟诜［掌氏引］：獐肉[1]，亦同麋[2]，酿酒。道家名为白脯[3]，惟麋鹿是也。余者不入。

又，其中往往得香，栗子大，不能全香。亦治恶病。

其肉，八月止十一月食之，胜羊肉。自十二月止七月食，动气也。

又，若瘦恶者食，发瘤疾也。

《食疗》［唐氏引］：道家用供养星辰者，盖为不管十二属，不是腥腻也。

孟诜［《纲目》引］：獐，獐中往往得香，如栗子大，不能全香，亦治恶病。

獐肉，八月至十一月食之，胜羊[4]；十二月至七月食之，动气。多食，令人消渴[5]。若瘦恶者，食之发痼疾。不可合鹄肉食，成癥疾[6]。又，不可合梅、李、虾食，病人[7]。

獐肉同麋肉酿酒，良。道家以其肉供养[8]，名为白脯，云不属十二辰，不是腥腻，无禁忌也[9]。

（《大观》卷17页24，《证类》页386，《纲目》页1783）

【校注】

［1］**獐肉** 为鹿科动物獐的肉。陶弘景云："獐，又呼为麋。麋肉不可合鹄肉食，成癥痼也。"《本草图经》云："獐之类甚多，麋其总名也。"崔豹《古今注》曰："獐有牙而不能噬，鹿有角而不能触。"

按，本条三家引文，掌氏引文多而详，唐氏节录掌氏未引的文字，故此两家引文不同；《纲目》引文除糅合掌氏、唐氏引文外，又增录陶弘景注"獐"条、"麋脂"条的文字。

［2］**麋** 为鹿科动物麋鹿。

［3］**白脯** 《本草拾遗》云："道家名白脯者麋鹿是也。"《本草图经》云："道家以獐鹿肉㸃为白脯，言其无禁忌也。"

［4］**胜羊** 掌氏引"孟诜"作"胜羊肉"，《纲目》省去"肉"字。

［5］**多食，令人消渴** 以上6字，掌氏所引"孟诜"文、唐氏所引"《食疗》"文俱无，疑为《纲目》所增。

［6］**不可合鹄肉食，成癥疾** 以上9字，原为陶弘景注獐骨文，非孟诜文。掌氏所引"孟诜"文、唐氏所引"《食疗》"文俱无此9字。

［7］**又，不可合梅、李、虾食，病人** 以上10字，原出陶弘景注"麋脂"条的文，非孟诜文。掌氏所引"孟诜"文、唐氏所引"《食疗》"文俱无此10字。

［8］**以其肉供养** 唐氏引"《食疗》"作"用供养星辰者"。《纲目》化裁时，省去"星辰"2字。

［9］**无禁忌也** 以上4字，原出《本草图经》，《纲目》移之于此。唐氏所引"《食疗》"文无此4字。

217 虎

孟诜［掌氏引］：虎[1]肉，食之入山，虎见有畏，辟三十六种精魅。

又，眼睛，主疟病，辟恶，小儿热、惊悸[2]。

胆，主小儿疳痢[3]，惊神不安，研水服之。

骨，煮汤浴，去骨节风毒[4]。

膏，内下部，治五痔[5]下血。

《食疗》[唐氏引]：又[6]，主腰膝急疼，煮作汤浴之；或和醋浸亦良。主筋骨风急痛，胫骨尤妙。

又，小儿初生，取骨煎汤浴，其孩子长大无病。

又[7]，和通草煮汁，空腹服半升。覆盖卧少时，汗即出。治筋骨节急痛。切忌热食，损齿[8]。小儿齿生未足，不可与食，恐齿不生。

又，正月勿食虎肉。

孟诜[《纲目》引]：虎骨，煮汁浴之，去骨节风毒肿。和醋浸膝，止脚痛肿。胫骨尤良。初生小儿煎汤浴之，辟恶气，去疮疥，惊痫鬼疰，长大无病。

虎肉，食之治疟[9]，辟三十六种精魅。入山，虎见畏之。正月勿食虎，伤神。

虎睛，主疟病，小儿热疾惊悸。

虎膏，纳下部，治五痔下血。

虎胆，主小儿疳痢，神惊不安，研水服之。

《食疗》[《纲目》引]：筋骨急痛。虎骨和通草煮汁，空肚服半升。覆卧，少时汗出为效。切忌热食，损齿。小儿不可与食[10]，恐齿不生。

（《大观》卷17页19，《证类》页384，《纲目》页1761）

【校注】

[1] **虎** 为猫科动物虎。《本草图经》云："虎骨用头及胫，色黄者佳，雄虎者胜。凡鹿虎之类，多是药箭射杀者，不可入药，盖药毒浸渍骨肉间，犹能伤人也。"

[2] **小儿热、惊悸** 《纲目》引"孟诜"作"小儿热疾惊悸"。

《经验后方》："治小儿惊痫掣疭，以虎睛细研，水调灌之良。大小加减服之。"《杨氏产乳》："疗小儿惊痫，以虎睛一豆许，火炙为末，水和服之。"

[3] **疳痢** 出《颅囟方》。指疳疾患儿合并痢疾。疳泛指小儿因多种慢性疾病而致的形体干瘦，津液干枯之证。

[4] **去骨节风毒** 《药性论》云："虎骨治筋骨毒风挛急，屈伸不得，走疰疼痛。"《李绛兵部手集方》："虎骨酒法：治臂胫痛。虎胫骨二大两，粗捣，熬黄，羚羊角一大两，屑，新芍药二大两，切细，三物以无灰酒浸之。春夏七日，秋冬倍日，每旦空腹饮一杯。"

[5] **五痔** 指牝痔、牡痔、血痔、脉痔、肠痔。

[6] **又** 唐氏引"《食疗》"时，未注明标题，只列于"虎骨"条下。此处"又"，当指虎骨而言。

[7] **又** 此"又"指"虎肉"而言。

[8] **切忌热食，损齿** 陶弘景云："俗方热食虎肉坏人齿，信自如此。"（此文中"方"，疑为"云"之讹）

[9] **虎肉，食之治疟** 掌氏引“孟诜”作“眼睛，主疟病”，未言虎肉治疟。

[10] **小儿不可与食** 唐氏引“《食疗》”作“小儿齿生未足，不可与食”。《纲目》省去“齿生未足”4字。

218 豹肉

孟诜［掌氏引］：豹肉[1]，食之，令人志性粗[2]，少时消即定。久食令人耐寒暑。

脂，可合生发膏，朝涂暮生。

头骨，烧灰淋汁，去白屑。

《食疗》［唐氏引］：肉，补益人。食之令人强筋骨，志性粗疏。食之即觉也，少时消即定。久食之，终令人意气粗豪。惟令筋健，能耐寒暑。正月食之伤神。

孟诜［《纲目》引］：豹肉，令人志性粗豪，食之便觉，少顷消化乃定。久食亦然[3]。

豹脂，合生发膏，朝涂暮生。

豹头骨，烧灰淋汁，去头风白屑[4]。

（《大观》卷17页25，《证类》页386，《纲目》页1764）

【校注】

[1] **豹肉** 为猫科动物豹的肉。《本草衍义》云：“豹肉，毛赤黄，其纹黑如钱而中空，比比相次，此兽猛捷过虎。”

[2] **食之，令人志性粗** 《日华子》云：“豹肉，微毒，壮筋骨，强志气，令人猛健。”

[3] **久食亦然** 掌氏引“孟诜”作“久食令人耐寒暑”。《纲目》之化裁失去孟诜文旨义。

[4] **去头风白屑** 掌氏引“孟诜”作“去白屑”。《纲目》化裁之，增加“头风”2字。

219 狸骨

孟诜［掌氏引］：狸骨[1]，主痔病。作羹臛食之[2]，不与酒同食。

其头烧作灰，和酒服二钱匕，主痔。

又，食野鸟肉中毒：烧[3]骨灰服之差。

炙骨和麝香、雄黄为丸服，治痔及瘘疮[4]。

粪，烧灰，主鬼疟[5]。

《食疗》［唐氏引］：尸疰[6]，腹痛，痔瘘：炙之[7]令香，末，酒服二钱，十服后见验。头骨最妙。

治尸疰邪气[8]：烧为灰，酒服二钱。亦主食野鸟肉物中毒肿也。再服之即差。五月收者，粪极神妙。

正月勿食[9]，伤神。

孟诜［《纲目》引］：狸肉，温。正月勿食，伤神。

狸骨，烧灰水服，治食野鸟肉中毒。头骨炙研或烧灰，酒服二钱，治尸疰、邪气腹痛及痔瘘，十服后见验。

狸屎，烧灰，水服，主鬼疟寒热[10]。

（《大观》卷17页23，《证类》页385，《纲目》页1788）

【校注】

［1］**狸骨**　为猫科动物豹猫的骨。陶弘景云："狸类甚多，今此用虎狸，无用猫者。猫狸亦好，其骨至难别。"

［2］**主痔病。作羹臛食之**　《本草衍义》评曰："孟诜云：骨理痔病，作羹臛食之。然则骨如何作羹臛（臛音郝，肉羹也）。"《本草图经》亦云："华佗方有狸骨散，治尸疰。肉主痔，可作羹臛食之。"《外台秘要》云："治痔发疼痛，狸肉作羹食之良，作脯食之，不过三顿差，此肉甚妙。"

据诸家所说，"主痔病作羹臛食之"当用狸肉，而不是狸骨。

［3］**烧**　《大观》作"狸"，《证类》作"烧"。"烧"字义长，以《证类》为正。

［4］**瘘疮**　《淮南子》云："狸头治鼠瘘；鼠齧人疮，狸愈之。"《本草衍义》云："炙骨和麝香、雄黄为丸服，治痔及瘘疮甚效。"

［5］**粪，烧灰，主鬼疟**　《纲目》引"孟诜"作"屎，烧灰，水服，主鬼疟寒热"。

［6］**尸疰**　其上缺标题，唐氏引此文列在"狸骨"条下，其标题应是"狸骨"。

［7］**炙之**　此指"狸骨炙之"。《圣惠方》云："治瘰疬肿硬痛，久不差，用狸头蹄骨等，并涂酥炙令黄，捣罗为散，每日空心粥饮调下一钱匕。"

［8］**治尸疰邪气**　其上缺标题。按下文有"五月收者，粪极神妙"，其标题似是"狸屎"。

《唐本草》云："狸屎灰主寒热鬼疟，发无期度者极验。"

《子母秘录》："疗小儿鬼舐方：狸屎烧灰和腊月猪脂涂上。"

［9］**正月勿食**　其上无标题。《纲目》引"诜曰"作"肉，温。正月勿食，伤神。"据此，其标题当是"狸肉"。

［10］**水服，主鬼疟寒热**　掌氏引"孟诜"作"主鬼疟"。则"水服""寒热"当为《纲目》所增。

220　兔

孟诜［掌氏引］：兔[1]肝，主明目[2]，和决明子作丸服之。

又，主丹石人上冲眼暗不见物，可生食之，一如服羊子肝法。八月止十一月可食[3]，服丹石人相宜，大都损阳事，绝血脉[4]。

《食疗》［唐氏引］：兔头骨并同肉，味酸。

谨案：八月至十月，其肉酒炙吃，与丹石人甚相宜。注：以性冷故也。大都绝人血脉，损房事，令人痿黄。

肉，不宜与[5]姜、橘同食之，令人卒患心痛，不可治也。又，兔死而眼合者，食之杀人。二月食之伤神。又，兔与生姜同食，成霍乱[6]。

孟诜［《纲目》引］：兔肉，酸，冷。

兔肝和决明子作丸服，甚明目。切洗生食如羊肝法，治丹石毒发上冲，目暗不见物。

（《大观》卷17页21，《证类》页385，《纲目》页1794）

【校注】

［1］**兔**　为兔科动物多种兔的通称。

［2］**兔肝，主明目**　《别录》云："兔肝主目暗。"《日华子》云："肝明目，补劳，治头旋目疼。"

［3］**八月止十一月可食**　此指兔肉而言。唐氏引"《食疗》"作"八月至十月，其肉酒炙吃"。两家引文词异义同。可见古人引文取义不取词。

［4］**服丹石人相宜，大都损阳事，绝血脉**　唐氏引"《食疗》"作"与丹石人甚相宜。注：以性冷故也。大都绝人血脉，损房事，令人痿黄"。

两家引文，大同小异。如掌氏所引"损阳事"，唐氏引作"损房事"。

［5］**与**　《大观》作"吃"，《证类》作"与"，以《证类》为正。

［6］**兔与生姜同食，成霍乱**　《梅师方》云："兔肉合干姜拌食之，令人霍乱。"

221　猪

孟诜［掌氏引］：猪[1]肾，主人肾虚[2]，不可久食。

肚，主暴痢虚弱。

大猪头[3]，主补虚，乏气力，去惊痫、五痔，下丹石。

又，肠，主虚渴，小便数，补下焦虚竭。

东行母猪粪一升，宿浸，去滓顿服，治毒黄、热病。

孟诜［《医心方》引］：鹑不可共猪肉食之，令人多生疮。

孟诜《食经》［《医心方》引］：鹑肉不可共猪肉食之。

《食疗》［唐氏引］：肉，味苦，微寒。压丹石，疗热闭血脉。虚人动风，不可久食[4]，令人少子精，发宿瘮。主疗人肾虚。肉发痰，若患疟疾人切忌，食必再发。

江猪[5]，平。肉，酸。多食令人体重。今捕人作脯，多皆不识。但食，少有腥气[6]。

又，舌和五味煮取汁饮，能健脾，补不足之气，令人能食。

孟诜［《纲目》引］：猪肉，久食杀药，动风发疾。伤寒、疟痢、痰痼、痔漏诸疾，食之必再发[7]。

猪肾，久食，令人伤肾[8]。

猪肠，主虚渴，小便数，补下焦虚竭。

猪舌，健脾，补不足，令人能食，和五味煮汁食。

（《大观》卷18页1，《证类》页388，《纲目》页1718）

【校注】

［1］**猪**　为猪科动物猪。《本经》以豚卵为正名。《纲目》以豕为正名。

［2］**肾，主人肾虚**　《经验方》疗男子水脏虚惫，遗精盗汗。取豮猪（牡猪去势为豮猪）肾一枚，以刀开去筋膜，入附子末一钱匕，以湿纸裹煨熟，空心稍热服之。

［3］**大猪头**　《证类》作“犬猪头”，《大观》作“大猪头”，以《大观》为正。

［4］**不可久食**　陶弘景云：“猪为用最多，惟肉不宜食，人有多食，皆能暴肥，此盖虚肥故也。”《本草拾遗》云：“猪肉食之，杀药动风。”

［5］**江猪**　《本草纲目》云：“猪，天下畜之，而各有不同。生江南者耳小谓之江猪。”

［6］**多食令人体重……少有腥气**　《纲目》引此文续在“思邈曰”之后，脱漏“《食疗》”标记，后人遂误此文为“思邈曰”的文字。此处“思邈”指《千金方·食治》。

［7］**伤寒、疟痢、痰痼、痔漏诸疾，食之必再发**　唐氏引“《食疗》”作“肉发痰，若患疟疾人切忌，食必再发”。至于“伤寒、疟痢、痰痼、痔漏诸疾”等语，未见唐氏、掌氏引过，疑为《纲目》所增。

［8］**猪肾，久食，令人伤肾**　掌氏引“孟诜”作“猪肾，主人肾虚，不可久食。”

222　獭肝

孟诜［掌氏引］：獭肝[1]，主疰病[2]相染。一门悉患者，以肝一具，火炙，末，以水和方寸匕服之，日再服。

谨案：服之下水胀，但热毒风虚胀，服之即差。若是冷气虚胀食，益虚肿甚也。只治热，不治冷，不可一概尔。

《食疗》［唐氏引］：肉，性寒，无毒。煮汁治时疫及牛马疫，皆煮汁停冷灌之。

又，若患寒热毒，风水虚胀，即取水獭一头，剥去皮，和五脏、骨、头、尾等，炙令干。杵末，水下方寸匕，日二服，十日差。

孟诜［《纲目》引］：獭肉，患热毒[3]风水虚胀者，取水獭一头，去皮[4]，连五脏及骨、头炙干为末[5]。水服方寸匕，日二服，十日差。若冷气虚胀者，服之甚益也[6]。只治热，不治冷，为其性寒耳[7]。疰病，一门悉患者，以肝一具火烧[8]，水服方寸匕，日再服之。

（《大观》卷18页8，《证类》页392，《纲目》页1796）

【校注】

［1］**獭肝** 为鼬科动物水獭的肝。陶弘景云："獭有两种，有猵獭，形大，头如马，身似蝙蝠，不入药用。"《淮南子》云："养池鱼者，不畜猵獭。"

［2］**疰病** 即劳瘵。《济生方》："夫劳瘵一证，为人之患。凡患此病者，传变不一，积年染疰，甚至灭门。"

［3］**患热毒** 唐氏引"《食疗》"作"患寒热毒"。《纲目》化裁，省去"寒"字。

［4］**去皮** 唐氏引"《食疗》"作"剥去皮"。《纲目》简化，省去"剥"字。

［5］**头炙干为末** 唐氏引"《食疗》"作"头、尾等，炙令干。杵末"。《纲目》化裁，省去"尾等""令""杵"字。

［6］**若冷气虚胀者，服之甚益也** 掌氏引"孟诜"作"若是冷气虚胀食，益虚肿甚也"。《纲目》化裁之文与掌氏引文，义正相反。

［7］**为其性寒耳** 掌氏引"孟诜"作"不可一概尔"。《纲目》引文已加化裁改动。

［8］**火烧** 掌氏引"孟诜"作"火炙，末"。

223 狐

孟诜［掌氏引］：狐[1]，补虚，煮、炙食之。又，主五脏邪气。患蛊毒寒热[2]，宜多服之。

《食疗》［唐氏引］：肉，温。有小毒。主疮疥，补虚损，及女子阴痒绝产，小儿㿗卵肿[3]，煮炙任食之，良。五脏邪气，服之便差。空心服之佳。

肠肚，微寒。患疮疥久不差，作羹臛食之。小儿惊痫及大人见鬼，亦作羹臛食之，良。其狐魅状候：或叉手有礼见人，或于静处独语，或裸形见人，或祗揖无度，或多语，或紧合口。叉手坐，礼度过，常尿屎乱放，此之谓也。如马疫亦同，灌鼻中便差。头，烧，辟邪。

孟诜 [《纲目》引]：狐肉，煮炙食，补虚损。及脏邪气，患蛊毒寒热者，宜多服之。有小毒。《礼记》云食狐去首，为害人也。

狐五脏及肠肚，作羹臛，治大人见鬼。

张鼎 [《纲目》引]：狐魅之状，见人或叉手有礼，或祗揖无度，或静处独语，或裸形见人也。

（《大观》卷 18 页 7，《证类》页 391，《纲目》页 1790）

【校注】

[1] **狐** 为犬科动物狐。陶弘景云："江东无狐，皆出北方及益州间，形似狸而黄，亦善能为魅。"《本草图经》云："今江南亦时有，京洛（开封、洛阳）尤多，形似黄狗，鼻尖尾大。"

[2] **患蛊毒寒热** 此处未指明狐的药用部位。《别录》言明用肠，谓："五脏及肠主蛊毒寒热。"《食医心镜》用肉，谓："治蛊毒寒热，肉一片及五脏，治如食法，豉汁中煮，五味和作羹，或作粥炙食并得。"

[3] **及女子阴痒绝产，小儿㿉卵肿** 唐氏引"《食疗》"作为"狐肉"主治。但《别录》将之作为狐阴茎主治，谓："狐阴茎，主女子绝产阴痒，小儿阴㿉卵肿。"

224 貒

孟诜 [掌氏引]：貒[1]，主服丹石劳热。患赤白痢多时不差者，可煮肉经宿露中，明日，空腹和酱食之一顿，即差。

又，瘦人可和五味煮食，令人长脂肉肥白。曾服丹石，可时时服之。丹石恶发热，服之妙。

《食疗》 [唐氏引]：肉，平，味酸。

骨，主上气咳嗽，炙末，酒和三合服之。日二，其嗽必差。

孟诜 [《纲目》引]：貒肉，服丹石动热[2]，下痢赤白久不差，煮肉露一宿，空腹和酱食，一顿即差。瘦人煮和五味食，长肌肉[3]。

貒骨，主上气咳嗽，多研[4]，酒服三合，日二，取差。

（《大观》卷 18 页 9，《证类》页 392，《纲目》页 1791）

【校注】

[1] **貒** 为鼬科动物猪獾。《本草图经》云："貒似犬而矮，尖喙黑足褐色。与獾、狢三种，而大抵相类，头、足小别。"《本草衍义》云："貒肥矮，毛微灰色，头连脊毛一道黑，嘴尖黑，尾短阔。"

按，本条共录三家引文。掌氏、唐氏引文不同，盖掌氏未录的文字，唐氏补录之。《纲目》糅合掌氏、唐氏两家引文，并多加化裁。

[2] **动热** 掌氏引“孟诜”作“劳热”。

[3] **长肌肉** 掌氏引“孟诜”作“令人长脂肉肥白”。

[4] **多研** 唐氏引“《食疗》”作“炙末”。

225 野猪

孟诜［掌氏引］：野猪[1]，主补肌肤，令人虚肥。

胆中有黄[2]，研如[3]水服之，治疰病。

其肉尚胜诸猪，雌者肉美。

其冬月在林中食橡子，肉色赤，补五脏风气。

其膏，炼令精细，以二匙和一盏酒服，日三服，令妇人多乳。服十日，可供三四孩子。

齿作灰服，主蛇毒。胆治恶热气。

《食疗》［唐氏引］：野猪黄，三岁胆中有黄，和水服之，主鬼疰痫病。

又，其肉，主癫痫，补肌肤，令人虚肥。雌者肉美。

肉色赤者，补人五脏，不发风虚气也。其肉胜家猪也。又，胆，治恶热毒邪气内不发病，减药力，与家猪不同。脂，主妇人无乳者，服之即乳下。本来无乳者，服之亦有。青蹄者，不可食。

孟诜［《纲目》引］：野猪肉，主癫痫，补肌肤，益五脏，令人虚肥，不发风虚气。不发病，减药力，与家猪不同。但青蹄者不可食，微动风。

胆，主恶热毒气。冬月在林食橡子，其黄在胆中，三岁乃有，亦不常得。

（《大观》卷18页11，《证类》页393，《纲目》页1718）

【校注】

[1] **野猪** 为猪科动物野猪。《本草衍义》云：“京西界野猪甚多，形如家猪，但腹小脚长，毛色褐，作群行。猎人惟敢射最后者，射中前奔者，则群猪散走伤人。”

[2] **胆中有黄** 《日华子》云：“胆中黄治鬼疰痫疾及恶毒风，小儿疳气客忤天吊。”

[3] **如** 疑为“和”之讹。按原文“研如水服之”，不好理解。唐氏引“《食疗》”作“三岁胆中有黄，和水服之”，可作佐证。

226 豪猪

孟诜［《纲目》引］：豪猪[1]肚及屎主水病，热风，鼓胀。同烧存性，空心温酒服二钱匕。用一具即消。

此猪多食苦参，故能治热风水胀，而不治冷胀也。

(《纲目》页 1771)

【校注】

[1] **豪猪** 为豪猪科动物豪猪。《纲目》云："豪猪，深山中有之，多者成群害稼。状如猪，而项脊有棘鬣，长近尺许，其状似笄及帽刺，白本而黑端，怒则激去，如矢射人。"

227　驴

孟诜［掌氏引］：驴肉[1]，主风狂，忧愁不乐，能安心气。

又，头，烀去毛，煮汁以渍曲酝酒，去大风。

又，生脂和生椒熟捣，绵裹塞耳中，治积年耳聋。狂癫不能语、不识人者，和酒服三升良。

皮，覆患疟人，良[2]。

又，和毛煎，令作胶，治一切风毒，骨节痛，呻吟不止者，消和酒服良。

又，骨煮作汤，浴渍身，治历节风。

又，煮头汁，令服三二升，治多年消渴，无不差者。

又，脂和乌梅为丸，治多年疟。未发时服三十丸。

又，头中一切风，以毛一斤炒令黄，投一斗酒中，渍三日。空心细细饮，使醉，衣覆卧取汗。明日更依前服。忌陈仓米、麦面等。

《食疗》［唐氏引］：卒心痛，绞结连腰脐者，取驴乳三升，热服之差。

孟诜［《纲目》引］：驴肉，主风狂，忧愁不乐，能安心气。同五味煮食，或以汁作粥食[3]。

头肉，煮汁，服二三升，治多年消渴，无不差者。又，以渍曲酿酒服，去大风动摇不伏者[4]。

驴骨，煮汤，浴历节风。

驴脂，和酒服三升，治狂癫，不能语，不识人。和乌梅为丸，治多年疟，未发时服二十丸[5]。又，生脂和生椒捣熟，绵裹塞耳，治积年聋疾。

驴乳，卒心痛连腰脐者[6]，热服三升。

驴皮，煎胶食之[7]，治一切风毒，骨节痛，呻吟不止。和酒服更良。

驴毛，主骨头中一切风病[8]，用一斤炒黄，投一斗酒中，渍三日。空心细饮令醉，暖卧取汗。明日更饮如前。忌陈仓米、面[9]。

（《大观》卷18页6，《证类》页390，《纲目》页1746）

【校注】

[1] **驴肉** 为马科动物驴的肉。《日华子》云："驴肉，凉，无毒。解心烦，止风狂，酿酒治一切风。"

[2] **皮，覆患疟人，良** 《纲目》引此文化裁为"其生皮覆疟疾人良"，并将之续在《日华子》文之后。这就误注孟诜文为《日华子》文了。

[3] **同五味煮食，或以汁作粥食** 以上11字，原出《食医心镜》，非孟诜文，《纲目》移之于此。

[4] **去大风动摇不伏者** 掌氏引"孟诜"仅作"去大风"，无"动摇不伏者"5字。按《千金方·食治》"驴肉"条有"动摇不伏者"，《纲目》化裁并移之于此。

[5] **服二十丸** 掌氏引"孟诜"作"服三十丸"。

[6] **连腰脐者** 唐氏引"《食疗》"作"绞结连腰脐者"。《纲目》省去"绞结"2字。

[7] **煎胶食之** 掌氏引"孟诜"作"和毛煎，令作胶"。

[8] **主骨头中一切风病** 掌氏引"孟诜"作"头中一切风"。二者文义相差较大。

[9] **面** 掌氏引"孟诜"作"麦面"。

228 豺

孟诜［掌氏引］：豺[1]，主疳痢，腹中诸疮，煮汁饮之。或烧灰和酒服之，其灰傅䘌齿疮[2]。

肉，酸，不可食，消人脂肉，损人神情。

《食疗》［唐氏引］：豺皮，寒[3]。头骨烧灰，和酒灌解槽牛马，便驯良，即更附人也。

孟诜［《纲目》引］：豺肉，食之，损人精神，消人脂肉，令人瘦[4]。

豺皮，疗诸疳痢，腹中诸疮，煮汁饮，或烧酒服之，亦可傅䘌齿疮[5]。

（《大观》卷18页12，《证类》页394，《纲目》页1792）

【校注】

[1] **豺** 为犬科动物豺。唐氏作《证类》，在"豺皮"条下，列引《圣惠方》《外台秘要》《子母秘录》《抱朴子》诸书中有关狼的药用部位注释之。据此，唐氏以豺、狼为一物了。

[2] **主疳痢……其灰傅䘌齿疮** 掌氏引此条，未言明药用部位，但置之于"豺皮"之下，则此条当指豺皮主治。《纲目》引"孟诜"文，亦将之置于"豺皮"条"主治"之下。

[3] **寒** 《唐本草》谓"豺皮性热"，与本条所述正相反。

［4］**令人瘦** 掌氏所引“孟诜”文无此3字，疑为《纲目》所增。

［5］**亦可傅䘌齿疮** 掌氏引“孟诜”作“其灰傅䘌齿疮”。

229 鸡

孟诜［掌氏引］：丹雄鸡[1]，主患白虎[2]，可铺饭于患处，使鸡食之良。又，取热粪封之取热，使伏于患人床下。

其肝入补肾方中，用冠血和天雄四分，桂心二分，太阳粉[3]四分，丸服之，益阳气。

乌雄鸡，主心痛，除心腹恶气。

又，虚弱人取一只，治如食法。五味汁和肉一器中，封口，重汤中煮之，使骨肉相去即食之，甚补益。仍须空腹饱食之。肉须烂，生即反损。亦可五味腌，经宿，炙食之，分作两顿[4]。

又，刺在肉中不出者，取尾二七枚，烧作灰，以男子乳汁[5]和封疮，刺当出。

又，目泪出不止者，以三年冠血傅目睛上，日三度。

产后血不止，以鸡子三枚，醋半升，好酒二升，煎取一升，分为四服，如人行三二里，微暖进之。

又，新产妇可取一只，理如食法，和五味炒熟，香，即投二升酒中，封口经宿，取饮之，令人肥白。

又，和乌油麻二升，熬令黄香，末之入酒，酒尽极效。

黄雌鸡，主腹中水癖水肿，以一只理如食法：和赤小豆一升同煮，候豆烂即出食之。其汁，日二夜一，每服四合。补丈夫阳气，治冷气。瘦着床者，渐渐食之良。

又，先患骨热者，不可食之。鸡子动风气，不可多食。

又，光粉诸石为末，和饭与鸡食之，后取鸡食之，甚补益。

又，子[6]醋煮熟，空腹食之，治久赤白痢。

又，人热毒发[7]，可取三颗鸡子白，和蜜一合，服之差。

孟诜《食经》［《医心方》引］：治毒肿，末赤小豆和鸡子白，薄之，立差。

《食疗》［唐氏引］：鸡子，治大人及小儿发热，可取卵三颗，白蜜一合，相和服之，立差。卵不得和蒜食，令人短气。

又，胞衣不出，生吞鸡子清一枚，治目赤痛，除心胸伏热[8]，烦满咳逆，动心气，不宜多食。

乌雌鸡，温，味酸，无毒。主除风寒湿痹，治反胃、安胎及腹痛，踒折骨疼，乳痈。

月蚀疮绕耳根，以乌雌鸡胆汁傅之，日三。

以乌油麻一升，熬之令香，末，和酒服之，即饱热能食。

鸡具五色者，食之致狂。肉和鱼肉汁食之，成心瘕。六指，玄鸡白头家鸡，及鸡死足爪不伸者，食并害人。

鸡子和葱，食之气短。鸡子白共鳖同食损人。鸡子共獭肉同食，成遁尸疰，药不能治。

鸡、兔同食成泄痢。小儿五岁以下，未断乳者，勿与鸡肉食。

孟诜［《纲目》引］：鸡，有五色者，玄鸡白首者，六指者，四距者[9]，鸡死足不伸，并不可食，害人。

乌雄鸡肉，虚弱人用乌雄鸡一只治净，五味煮极烂食[10]，生即反损人。

黑雌鸡肉，治反胃及腹痛，踒折骨痛，乳痈。又，新产妇以一只治净，和五味炒香，投二升酒中，封一宿取饮，令人肥白。又，和乌油麻二升熬香[11]，入酒中，极效。

黄雌鸡肉，补丈夫阳气，治冷气疾着床者[12]，渐渐食之，良。以光粉、诸石末和饭饲鸡，煮食甚补益。

腹中水癖水肿，以黄雌鸡一只，如常治净，和赤小豆一升同煮汁饮，日二夜一[13]。

鸡冠血，治目泪不止，日点三次，良[14]。

丹雄鸡冠血[15]，和天雄、太阳粉各四分，桂心二分，丸服之，益助阳气。

鸡肝，补肾。治心腹痛，安漏胎下血。以一具切，和酒五合服之[16]。

鸡胆，治月蚀疮，绕耳根，日三涂之[17]。

鸡屎白，治白虎风痛。铺饭于患处，以丹雄鸡食之。良久，取热粪封之。取讫，使伏于患人床下。

鸡子，治小儿发热[18]，以白蜜一合，和三颗搅服，立差。

张鼎［《纲目》引］：鸡子，勿多食，令人腹中有声，动风气。和葱、蒜食之，气短；同韭子食，成风痛；共鳖肉食，损人；共獭肉食，成遁尸[19]；同兔肉食，成泄痢。妊妇以鸡子、鲤鱼同食，令儿生疮；同糯米食，令儿生虫[20]。

（《大观》卷19页1，《证类》页397，《纲目》页1667）

【校注】

[1] **丹雄鸡** 为雉科动物家鸡。《本草衍义》云:"丹雄鸡,今言赤鸡者是也,盖以毛色言之。"古本草将鸡按雌、雄毛色分为丹雄鸡、乌雄鸡、乌雌鸡、黄雌鸡、黑雌鸡。

[2] **白虎** 即历节,为痹证的一种。见《金匮要略·中风历节病脉证并治》。症见关节肿痛,游走不定,痛势剧烈,屈伸不利,昼轻夜重。

[3] **太阳粉** 本草未见此名。本条言补肾方中用,疑是阳起石一类药物。

[4] **分作两顿** 《大观》作"分为两顿"。

[5] **以男子乳汁** 即"以首生男乳"。《唐本草》注人乳汁云:"《别录》云:首生男乳,和雀屎,去目赤胬肉。"

[6] **又,子** 《大观》作"又云"。此处"子"指鸡子。本条言鸡子醋煮治赤白痢。《药性论》亦云:"鸡子醋煮治产后虚及痢。"

[7] **人热毒发** 唐氏引"《食疗》"作"大人及小儿发热"。同一条内容,两家引文互异。

[8] **除心胸伏热** 《大观》作"除心胸伏热",《证类》作"除心下伏热"。按,其下文为"烦满咳逆"。联系起来看,当以"除心胸伏热"义长。

[9] **六指者,四距者** 唐氏所引"《食疗》"文无此句。疑为《纲目》所增。

[10] **五味煮极烂食** 掌氏引"孟诜"作"五味汁和肉一器中,封口,重汤中煮之,使骨肉相去即食之,甚补益。仍须空腹饱食。肉须烂"。

[11] **熬香** 掌氏引"孟诜"作"熬令黄香,末之"。

[12] **治冷气疾着床者** 掌氏引"孟诜"作"治冷气。瘦着床者"。《纲目》化裁之,化裁之文与掌氏引文文义略异。

[13] **和赤小豆一升同煮汁饮,日二夜一** 掌氏引"孟诜"作"和赤小豆一升同煮,候豆烂即出食之。其汁,日二夜一,每服四合"。《纲目》引文省去"候豆烂即出食之""每服四合"。

[14] **鸡冠血,治目泪不止,日点三次,良** 掌氏引"孟诜"作"目泪出不止者,以三年冠血傅目睛上,日三度"。《纲目》引文简化。

[15] **丹雄鸡冠血** 掌氏引"孟诜"作"冠血",并无"丹雄鸡"3字。

[16] **治心腹痛……和酒五合服之** 以上19字,原出《证类》所引"葛氏方",《纲目》误注出处为"孟诜"。

[17] **日三涂之** 唐氏引"《食疗》"作"以乌雌鸡胆汁傅之,日三"。《纲目》省去"以乌雌鸡胆汁"6字。

[18] **治小儿发热** 唐氏引"《食疗》"作"治大人及小儿发热"。《纲目》省去"大人及"3字。

[19] **成遁尸** 唐氏引"《食疗》"作"成遁尸疰,药不能治"。

[20] **妊妇……令儿生虫** 以上21字,原出《证类》所引"《杨氏产乳》",非孟诜文。

230 鹅

孟诜[掌氏引]:鹅脂[1],可合面脂。

肉,性冷,不可多食。令人易霍乱。与服丹石人相宜[2]。亦发痼疾[3]。

《食疗》［唐氏引］：卵，温。补五脏，亦补中益气。多发痼疾。

孟诜［《纲目》引］：鹅肉，解五脏热[4]，服丹石人宜之。鹅肉，性冷，多食令人霍乱[5]，发痼疾。

鹅卵，补中益气。多食发痼疾。

（《大观》卷19页6，《证类》页399，《纲目》页1657）

【校注】

［1］**鹅脂**　为鸭科动物鹅的脂肪。《别录》名白鹅膏。

［2］**与服丹石人相宜**　《纲目》引“孟诜”作“解五脏热，服丹石人宜之”。文中“解五脏热”，原出《日华子》，《纲目》移之于此。

《日华子》云：“白鹅，凉，解五脏热。”而“服丹石人”亦发热，故李时珍将此两句连在一起。

［3］**痼疾**　见《金匮要略·脏腑经络先后病脉证并治》。指久延不愈，比较顽固的疾病。

［4］**解五脏热**　以上4字原出《日华子》，《纲目》移之于此。

［5］**多食令人霍乱**　掌氏引“孟诜”作“不可多食。令人易霍乱”。《纲目》引文简化，省去“不可”“易”3字。

231　鸭

孟诜［《医心方》引］：鸭[1]，寒。补中益气，消食。

孟诜［掌氏引］：野鸭，主补中益气，消食。九月以后即中食，全胜家者。虽寒不动气，消十二种虫[2]，平胃气，调中轻[3]身。

又，身上诸小热疮，多年不可者，但多食之即差。

白鸭肉，补虚，消毒热，利水道，及小儿热惊痫，头生疮肿。

又，和葱豉作汁饮之，去卒烦热。

又，粪，主热毒、毒痢。

又，取和鸡子白，封热肿毒上消。

又，黑鸭，滑中，发冷痢下，脚气，不可多食。

子，微寒。少食之，亦发气，令背膊闷。

《食疗》［唐氏引］：项中热血，解野葛毒，饮之差。

卵，小儿食之，脚软不行，爱倒。盐腌食之，即宜人。

屎，可搨蚯蚓咬疮。

孟诜［《纲目》引］：鸭肉，主头生疮肿。和葱、豉煮汁饮之，去卒然烦热。白鸭肉最良。黑鸭肉有毒[4]，滑中，发冷利、脚气，不可食[5]。目白者，杀人[6]。

鸭血，热饮，解野葛毒。已死者，入咽即活[7]。

鸭卵，多食发冷气，令人气短背闷。小儿多食，脚软[8]。盐藏[9]食之，即宜人。

白鸭通[10]，主热毒、毒痢。又，和鸡子白，涂热疮肿毒[11]，即消。涂蚯蚓咬，亦效[12]。

（《大观》卷19页6，《证类》页400，《纲目》页1660）

【校注】

[1] **鸭** 为鸭科动物家鸭。《别录》名鹜。陶弘景注："鹜即是鸭，鸭有家有野。"掌氏引"孟诜"文作"野鸭"。

[2] **消十二种虫** "虫"疑为"水"之误。《唐本草》注："《别录》云：鸭肪主水肿。头主水肿，通利小便，古方疗水用疗头丸。"《百一方》："卒大腹水病，取青雄鸭，以水五升，煮取一升，饮尽，厚盖之，取汗，佳。"

[3] **轻** 《证类》作"经"，《大观》作"轻"，以《大观》为正。

[4] **黑鸭肉有毒** 掌氏引"孟诜"作"黑鸭"。《纲目》增"肉有毒"3字。

[5] **不可食** 掌氏引"孟诜"作"不可多食"。《纲目》化裁之，省去"多"字，其文义则异。

[6] **目白者，杀人** 掌氏所引"孟诜"文、唐氏所引"《食疗》"文俱无此句。疑为《纲目》所增。

[7] **已死者，入咽即活** 唐氏引"《食疗》"作"饮之差"。《纲目》对其加以化裁，化裁之文与唐氏引文文异义同。

[8] **脚软** 唐氏引"《食疗》"作"脚软不行，爱倒"。《纲目》简化之，省去"不行爱倒"4字。

[9] **盐藏** 唐氏引"《食疗》"作"盐腌"。

[10] **白鸭通** 掌氏引"孟诜"作"又，粪"。

[11] **涂热疮肿毒** 掌氏引"孟诜"作"封热肿毒"。《纲目》化裁之，增加"疮"字，则文义亦变。掌氏所言"封热肿毒"是治一个病。《纲目》所言"涂热疮、肿毒"是治两个病。

[12] **涂蚯蚓咬，亦效** 唐氏引"《食疗》"作"屎，可搨蚯蚓咬疮"。《纲目》化裁之，化裁之文与唐氏引文义同文异。

232 凫

孟诜［《纲目》引］：凫[1]肉，补中益气，平胃消食[2]，除十二种虫[3]。身上有诸小热疮，年久不愈者[4]，但多食之，即差。

九月以后，立春以前[5]，即中食，大益病人[6]，全胜家者，虽寒不动气。

（《大观》卷19页6，《证类》页400，《纲目》页1661）

【校注】

[1] **凫** 即野鸭。为鸭科动物绿头鸭。野鸭能飞，家鸭不能飞。本条，原在《大观》《证类》“鹜肪”条中，《纲目》将之从中分出，单立一条，以“凫”为正名，并在“凫”后注出处为“《食疗》”。

掌氏所引“孟诜”文以“野鸭”为正名。

[2] **平胃消食** 掌氏引“孟诜”作“消食”。《纲目》增“平胃”2字。

[3] **除十二种虫** 掌氏引“孟诜”作“消十二种虫”。

[4] **年久不愈者** 掌氏引“孟诜”作“多年不可者”。

[5] **立春以前** 掌氏引“孟诜”无此4字。此4字原出《日华子》，《纲目》移之于此。

[6] **大益病人** 以上4字原出《日华子》，非“孟诜”文，《纲目》移之于此。

233 刁鸭

《食疗》［《纲目》引］：刁鸭[1]。

（《纲目》页1662）

【校注】

[1] **刁鸭** 《纲目》“䴙䴘”条“释名”项下有“刁鸭”，注出处为“《食疗》”，但条内未引《食疗》文。《大观》《证类》“鹜肪”条引《蜀本草》注云：“野鸭小者名刀鸭。”“刀鸭”与本条“刁鸭”名字形近。按，《纲目》“䴙䴘”条“集解”云：“䴙䴘，南方湖溪多有之。似野鸭而小。”扬雄《方言》云：“野凫甚小而好没水中者，南楚之外，谓之䴙䴘。”据此，䴙䴘即野鸭之小者。《蜀本草》注云：“野鸭小者名刀鸭。”则刀鸭即䴙䴘。是否《纲目》误《蜀本草》为《食疗》，存疑。

234 雁膏

孟诜［掌氏引］：雁膏，可合生发膏[1]，仍治耳聋。骨灰和泔洗头，长发。

孟诜［《纲目》引］：雁肪，长毛发须眉，合生发膏用之。

骨，烧灰[2]和米泔沐头[3]，长发。

（《大观》卷19页9，《证类》页400，《纲目》页1658）

【校注】

[1] **雁膏，可合生发膏** 雁为鸭科动物多种雁（鸿雁、豆雁、白额雁）的通称。雁膏，《本经》名雁肪。《别录》云：“雁肪长毛发须眉。”又，《纲目》引“诜曰”作“合生发膏用之”。

《食医心镜》云："主风挛拘急偏枯，血气不通利。雁肪四两，炼滤过，每日空心暖酒一杯，肪一匙头，饮之。"

[2] **骨，烧灰** 掌氏引"孟诜"作"骨灰"。

[3] **和米泔沐头** 掌氏引"孟诜"作"和泔洗头"。

235 石燕

孟诜［掌氏引］：石燕，在乳穴右洞中者，冬月采之，堪食；余者不中，只可治病。食如常法，都二十枚，投酒一斗渍之，三日后取饮，每服一二盏，随性多少，甚益气力。

《食疗》［唐氏引］：石燕[1]，在乳穴洞中者，冬月采之，堪食；余月采者，只堪治病，不堪食也[2]。又，治法：取石燕二七枚[3]和五味炒令熟，以酒一斗[4]浸三日。即每夜卧时饮一两盏，随性也。甚能补益，能吃食，令人健力也[5]。

孟诜［《纲目》引］：石燕，在乳穴石洞中者，冬月采之，堪食；余月，止可治病。

肉，治法，取石燕二七枚[6]，和五味炒熟，以酒一斗浸三日。每夜卧时饮一二盏，甚能补益，令人健力能食。

（《大观》卷19页10、卷5页16，《证类》页401、129，《纲目》页1687、1680）

【校注】

[1] **石燕** 同名异物有二：一为化石石燕，是古代腕足类石燕子科动物中华弓石燕及近缘动物的化石，色青黑，质坚硬；一为有生命的石燕。萧炳云："别有乳洞中食乳有命者，亦名石燕，似蝙蝠，口方，生气物也。"本条石燕指后者。《证类》页402"燕屎"条下掌氏所引"孟诜"文同此。

按，石燕在《证类》卷5已载，卷19"燕屎"条下又重出。两处引文全同，唯所标出处不同，卷5标出处为"《食疗》"，卷19标出处为"孟诜"。

[2] **余月采者，只堪治病，不堪食也** 《证类》页402"燕屎"条引"孟诜"作"余者不中，只可治病，食如常法"。

[3] **取石燕二七枚** 《证类》"燕屎"条引"孟诜"作"都二十枚"。

[4] **一斗** 《大观》作"二升"。

[5] **取石燕……令人健力也** 《证类》"燕屎"条下所引"孟诜"文较此文为简。

[6] **取石燕二七枚** 掌氏所引"孟诜"文及《证类》"燕屎"条所引"孟诜"文俱作"都二十枚"。但唐氏所引"《食疗》"文仍作"取石燕二七枚"。

236 鹧鸪

孟诜［掌氏引］：鹧鸪[1]，能补五脏，益心力，聪明。此鸟出南方，不可与竹笋同食[2]，令人小腹胀。自死者不可食。一言此鸟天地之神，每月取一只飨至尊。所以自死者不可食也。

孟诜［《纲目》引］：鹧鸪，能利五脏[3]，益心力，聪明。不可与竹笋同食，令人小腹胀。自死者不可食。或言此鸟天地之神，每月取一只飨至尊。所以自死者不可食。

（《大观》卷19页7，《证类》页400，《纲目》页1681）

【校注】

［1］**鹧鸪** 为雉科动物鹧鸪。《唐本草》云："鹧鸪生江南，形似母鸡，鸣云钩辀格磔者是。"《本草图经》云："今江西、闽、广、蜀、夔（四川奉节）州郡皆有之。形似母鸡，臆前有白圆点，背间有紫赤毛。"

［2］**不可与竹笋同食** 《本草图经》云："彼土人食鹧鸪云：主野葛、生金、蛇、菌等毒。不可与竹笋同食。自死者亦禁食之。"

［3］**能利五脏** 掌氏引"孟诜"作"能补五脏"。

237 山鸡

孟诜［掌氏引］：山鸡[1]，主五脏气喘不得息者，食之发五痔。和荞麦面食之，生肥虫。卵不与葱同食，生寸白虫。又，野鸡[2]，久食令人瘦。又，九月至十二月食之，稍有补。他月即发五痔及诸疮疥。不与胡桃同食，菌子、木耳同食发五痔，立下血。

《食疗》［唐氏引］：不与胡桃同食，即令人发头风，如在船车内，兼发心痛。亦不与豉同食。自死足爪不伸，食之杀人。

孟诜［《纲目》引］：雉肉，久食令人瘦。九月至十一月稍有补，他月则发五痔、诸疮疥。不与胡桃同食，发头风眩晕及心痛。与菌蕈[3]、木耳同食，发五痔，立下血。同荞麦食[4]，生肥虫。

卵，同葱食，生寸白虫。自死爪甲[5]不伸者，杀人。

山鸡肉，主五脏气喘不得息者，作羹臛食[6]。

又，发五痔，久食瘦人。和荞麦食，生肥虫。同豉食，害人。

卵，同葱食，生寸白虫。余并同雉。

（《大观》卷19页12，《证类》页403，《纲目》页1678）

【校注】

[1] **山鸡** 为雉科动物长尾雉。《本草图经》云："伊洛、江淮间一种雉，小而尾长者，为山鸡。人多畜之樊中，即《尔雅》所谓：鸐，山雉也。"《纲目》将"山鸡"条从"雉"条中分出，单立一条，以"鸐雉"为正名，并注出处为"《食疗》"。

[2] **野鸡** 即雉的别名。西汉高后（前187—前141）名吕雉，因避"雉"字讳，改雉为野鸡。野鸡生活于原野，山鸡生活于山林。

[3] **菌蕈** 掌氏引"孟诜"作"菌子"。

[4] **同荞麦食** 掌氏引"孟诜"作"荞麦面食"。《纲目》省去"面"字。

[5] **爪甲** 唐氏引"《食疗》"作"足爪"。

[6] **作羹臛食** 掌氏所引"孟诜"文无此句，疑为《纲目》所增。

238 鹑

孟诜［《医心方》引］：鹑[1]，温。补五脏，益中续气，实筋骨，耐寒暑，消结气。

又云：不可共猪肉食之，令人多生疮。

又云：患痢人可和生姜煮食之。

孟诜《食经》［《医心方》引］：四月以后及八月以前，鹑肉不可食之。又云：鹑肉不可共猪肉食之。

（《医心方》页664、670、700，《证类》页405，《纲目》页1682）

【校注】

[1] **鹑** 为雉科动物鹌鹑。《纲目》云："鹑大如鸡雏，头细而无尾，毛有斑点，甚肥。雄足高，雌足卑。性畏寒。其在田野，昼则草伏，夜则群飞。"

《嘉祐本草》云："鹑补五脏，益中续气，实筋骨，耐寒温，消结热。小豆和生姜煮食之，止泄痢。酥煎，偏令人下焦肥。与猪肉同食之，令人生小黑子。又，不可和菌子食之，令人发痔。"此文与本条内容多相合。《嘉祐本草》在文末仅注"新补"，未言出处为"孟诜"，疑为后人翻刻时脱漏所致。检《大观》所载此文，连"新补"2字亦脱，此为一佐证。

239 鸽

《食疗》［《纲目》引］：鸽[1]，名鹁鸽。

孟诜［《纲目》引］：白鸽肉，暖。治恶疮疥癣，风疮[2]白癜，疬疡风。炒熟酒服。虽益人，食多恐减药力。

（《大观》卷19页16，《证类》页405，《纲目》页1683）

【校注】

［1］**鸽**　为鸠鸽科动物多种鸽的通称，如家鸽、岩鸽、原鸽等。本条末，《大观》《证类》注“新补”。这说明本条是《嘉祐本草》新增药。按《嘉祐本草》新增药编写体例，一般都注出所参考文献的出处，如“孟诜”“陈藏器”“陈士良”“萧炳”“《日华子》”等。而本条末没有注明文献出处。唐氏《证类本草》本条，亦没有援引《食疗》的资料。《纲目》认为鸽是可食之物，《嘉祐本草》“鸽”条当是参考“《食疗》”文、“孟诜”文等资料编写的。所以《纲目》在“鸽”条，对某些资料分别注出处为“《食疗》”“孟诜”。

［2］**风疮**　《大观》《证类》“白鸽”条作“风瘙”。

240　雀肉

孟诜［掌氏引］：雀[1]肉，十月以后、正月以前食之。续五脏不足气，助阴道，益精髓，不可停息。粪和天雄、干姜为丸，令阴强。脑，涂冻疮。

孟诜［《本草衍义》引］：雀肉，十月以后、正月以前食之。

《食疗》［唐氏引］：卵白，和天雄末、菟丝子末为丸，空心酒下五丸。主男子阴痿不起，女子带下，便溺不利，除疝瘕，决痈肿[2]，续五脏气。

孟诜［《纲目》引］：雀肉，益精髓，缩[3]五脏不足气。宜常食之，不可停辍。

雀卵[4]，和天雄、菟丝子末为丸，空心酒下五丸，治男子阴痿不起，女子带下，便溺不利，除疝瘕。

雀脑，绵裹塞耳，治聋[5]。又，涂冻疮。

雄雀屎，和天雄、干姜丸服，能强阴。

（《大观》卷19页9，《证类》页401，《纲目》页1684，《本草衍义》卷16页102）

【校注】

［1］**雀**　为文鸟科动物麻雀。

［2］**决痈肿**　似指雀粪功能。《别录》云：“雄雀屎，决痈疖。”《梅师方》：“治诸痈不消已成脓，惧针，不得破，令速决。取雀屎涂头上，干即易之。”

［3］**缩**　掌氏所引“孟诜”文、唐氏所引“《食疗》”文俱作“续”。盖“缩”为刻印笔误。

［4］**雀卵**　唐氏引“《食疗》”作“卵白”。

［5］**绵裹塞耳，治聋**　掌氏所引“孟诜”文、唐氏所引“《食疗》”文俱无此句，疑为《纲目》所增。

241　鸲鹆肉

《食疗》［唐氏引］：鸲鹆肉[1]，主五痔，止血[2]。

又，食法：腊日采之，五味炙之，治老嗽。或作羹，食之亦得；或捣为散，白蜜和丸并得。治上件病，取腊月腊日得者良，有效。非腊日得者不堪用。

孟诜［《纲目》引］：鸲鹆肉，寒。治老嗽。腊月腊日取得[3]，五味腌炙食[4]，或作羹食，或捣散蜜丸服之。非腊日者不可用[5]。

（《大观》卷19页13，《证类》页403，《纲目》页1695）

【校注】

［1］**鸲鹆肉** 为椋鸟科动物八哥的肉。鸲鹆的喙和足黄色，鼻羽呈冠状，体羽黑色有光泽。翼羽有白斑，飞时显露，呈“八”字形，故称“八哥”。雄鸟善鸣，经笼养训练，能模仿人言。

［2］**主五痔，止血** 此文原出《唐本草》。《唐本草》云：“鸲鹆肉主五痔，止血，炙食，或为散饮服。”

［3］**腊月腊日取得** 唐氏引“《食疗》”作“腊日采之”。《纲目》化裁之，增“腊月”2字。

［4］**五味腌炙食** 唐氏引“《食疗》”作“五味炙之”。《纲目》增“腌”字。

［5］**不可用** 唐氏引“《食疗》”作“不堪用”。

242 鸱头

《食疗》［唐氏引］：鸱[1]头，烧灰，主头风目眩[2]，以饮服之。

肉，食之，治癫痫疾。

孟诜［《纲目》引］：鸱肉，食之，治癫痫[3]。

（《大观》卷19页13，《证类》页403，《纲目》页1704）

【校注】

［1］**鸱** 为鹰科动物白尾鹞。《本草纲目》云：“鸱似鹰而稍小，其尾如舵，极善高翔，专捉鸡、雀。”

［2］**主头风目眩** 《别录》云：“鸱头，主头风目眩颠倒，痫疾。”

［3］**癫痫** 唐氏引“《食疗》”作“癫痫疾”。《纲目》省去“疾”字。

243 慈鸦

《食疗》［唐氏引］：慈鸦[1]，主瘦病，咳嗽，骨蒸者，可和五味腌炙，食之良[2]。其大鸦不中食，肉涩，只能治病，不宜常食也。

以目睛汁注眼中，则夜见神鬼。又，神通目法中亦要用此物。又，《北帝摄鬼录》中，亦用慈鸦卵。

孟诜［《纲目》引］：慈鸦，《北帝摄鬼录》中亦用慈鸦卵。

（《大观》卷19页18，《证类》页405，《纲目》页1698）

【校注】

［1］**慈鸦** 为鸦科动物寒鸦。慈鸦反哺，《说文》谓之孝鸦。《嘉祐本草》云："慈鸦似乌而小，多群飞作鸦鸦声者是。北土极多，不作膻臭也。今谓之寒鸦。"

［2］**主瘦病，咳嗽，骨蒸者，可和五味腌炙，食之良** 《嘉祐本草》新补《慈鸦》条，与此文同，盖《嘉祐本草》"慈鸦"条文本于此。

244 乌鸦

孟诜［《纲目》引］：乌鸦[1]，肉涩臭不可食，止可治病。

（《大观》卷19页14，《证类》页404，《纲目》页1698）

【校注】

［1］**乌鸦** 为鸦科动物大嘴乌鸦。乌鸦为《嘉祐本草》新增药，《大观》《证类》"乌鸦"条末无文献出处，亦未见掌氏所引"孟诜"、唐氏所引"《食疗》"资料。《纲目》所引"孟诜"文，疑为《纲目》所增。

245 鸳鸯

《食疗》［唐氏引］：鸳鸯[1]肉，主瘘疮，以清酒炙食之。食之则令人美丽。又，主夫妇不和，作羹臛，私与食之，即立相怜爱也。

孟诜［《纲目》引］：鸳鸯肉，清酒炙食，治瘘疮。作羹臛食之[2]，令人肥丽[3]。夫妇不和者，私与食之，即相爱怜[4]。多食，令人患大风[5]。

（《大观》卷19页18，《证类》页406，《纲目》页1662）

【校注】

［1］**鸳鸯** 为鸭科动物鸳鸯。崔豹《古今注》云："鸳鸯雌雄不相离，人获其一，则一相思而死，故谓之匹鸟。"

［2］**作羹臛食之** 唐氏引"《食疗》"作"食之则"。《纲目》增"作羹臛"3字。

［3］**令人肥丽** 唐氏引"《食疗》"作"令人美丽"。

［4］**即相爱怜** 唐氏引"《食疗》"作"即立相怜爱也"。《纲目》引文简化之。

［5］**多食，令人患大风** 以上7字，原出《嘉祐本草》新增药"鸳鸯"条文字。《纲目》移为"孟诜"文。按，《嘉祐本草》"鸳鸯"条末仅注"新补"2字，未具体指明出何家文献。《纲目》认为"鸳

鸯”为可食之物，则《嘉祐本草》收录此条，这当是据《食疗》编的。因此，《纲目》注其出处为“孟诜”。

246 蜜

《食疗》［唐氏引］：蜜[1]，微温，主心腹邪气，诸惊痫，补五脏不足气。益中止痛，解毒。能除众病，和百药，养脾气，除心烦闷，不能饮食。

治心肚痛，血刺腹痛及赤白痢，则生捣地黄汁，和蜜一大匙，服即下。

又，长服之，面如花色，仙方中甚贵此物。若觉热，四肢不和，即服蜜浆一碗，甚良。

又，能止肠澼，除口疮[2]，明耳目，久服不饥。

又，点目中热膜，家养白蜜为上，木蜜次之，崖蜜更次。

又，治癞，可取白蜜一斤，生姜二斤[3]，捣取汁。先秤铜铛，令知斤两，即下蜜于铛中消之。又，秤，知斤两，下姜汁于蜜中，微火煎，令姜汁尽。秤蜜，斤两在即休，药已成矣。患三十年癞者，平旦服枣许大一丸，一日三服，酒饮任下。忌生冷醋滑臭物。功用甚多，活人众矣[4]，不能一一具之[5]。

孟诜《食经》［《医心方》引］：疗卒咳嗽，梨去核，纳酥、蜜、面裹烧令熟，食之，大良。

孟诜［《纲目》引］：蜂蜜，治心腹血刺痛，及赤白痢，同生地黄汁各一匙服，即下。但凡觉有热，四肢不和，即服蜜浆一碗，甚良。又，点目中热膜，以家养白蜜为上，木蜜次之，崖蜜更次之也。与姜汁熬炼，治癞甚效。

《食疗》［《纲目》引］：大风癞疮。取白蜜一斤，生姜二斤，捣取汁。先秤铜铛斤两，下姜汁于蜜中消之，又秤之，令知斤两。即下蜜于铛中，微火煎，令姜汁尽，秤蜜斤两在[6]，即药已成矣。患三十年癞者，平旦服枣许大一丸，一日三服，温酒下[7]。忌生冷醋滑臭物。功用甚多[8]，不能一一具之。

（《大观》卷20页1，《证类》页410，《纲目》页1502）

【校注】

［1］**蜜**　《本经》作“石蜜”。《唐本草》注：“今自有以水牛乳煎沙糖作者，亦名石蜜。此既蜂作，宜去石字。”《本草纲目》以“蜂蜜”为正名。蜂蜜为蜜蜂科昆虫中华蜜蜂等所酿的蜜。

［2］**除口疮**　《药性论》云：“白蜜治口疮，浸大青叶含之。”

［3］**生姜二斤**　《大观》作“生姜三斤”，《证类》《附广肘后方》作“生姜二斤”。

［4］**活人众矣**　原作“世人众委”，据杨用道《附广肘后方》改。

[5] **又，治癞……不能一一具之** 本条，与杨用道整理《肘后方》所增的附方“《食疗》治癞方”文字全同。

[6] **秤蜜斤两在** 唐氏引“《食疗》”作“秤蜜，斤两在即休”。《纲目》省去“即休”2字。

[7] **温酒下** 唐氏引“《食疗》”作“酒饮任下”。

[8] **功用甚多** 其后，唐氏所引“《食疗》”文有“活人众矣”。《纲目》省之。

247 牡蛎

孟诜［《医心方》引］：牡蛎[1]，火上令沸，去壳，食甚美。令人细润[2]肌肤，美颜色。

孟诜［掌氏引］：牡蛎，火上炙，令沸。去壳食之，甚美。令人细肌肤，美颜色。又，药家比来取左顾者，若食之，即不拣左右也。可长服之。海族之中，惟此物最贵。北人不识。

孟诜［《纲目》引］：牡蛎，治女子崩中，止痛，除风热风疟，鬼交精出[3]。

（《大观》卷20页6，《证类》页412，《纲目》页1638，《医心方》页703）

【校注】

[1] **蛎** 《大观》《证类》所引“孟诜”文俱作“牡蛎”。牡蛎为牡蛎科动物多种牡蛎贝壳的通称。

[2] **令人细润** 掌氏所引“孟诜”文无“润”字。

[3] **治女子崩中……鬼交精出** 以上16字，原出《药性论》，《纲目》误注出处为“孟诜”。

248 魁蛤

《食疗》［唐氏引］：魁蛤[1]，寒。润五脏，治消渴，开关节。服丹石人食之，使人免有疮肿及热毒所生也[2]。

张鼎［《纲目》引］：魁蛤，寒。润五脏，止消渴[3]，利关节[4]。服丹石人宜食之，免生疮肿热毒。

（《大观》卷20页14，《证类》页417，《纲目》页1647）

【校注】

[1] **魁蛤** 陶弘景云：“《本经》海蛤一名魁蛤，与此为异也。”又云：“海蛤以细如巨胜，润泽光净者好。”按陶弘景所云，魁蛤非海蛤。《别录》云：“魁蛤一名魁陆。”郭璞注《尔雅》云：“魁陆即今之蚶也。”《本草拾遗》云：“蚶生海中，壳如瓦屋。”据此，魁蛤即蚶（瓦垄子）。今日所讲魁蛤为蚶科动物多种蚶的通称。《纲目》将“蚶”条、“魁蛤”条并为一条论述。

[2] **润五脏……及热毒所生也** 《大观》《证类》“海蛤”条所引“萧炳”文同本条。据此，海蛤、魁蛤似有同功。

[3] **止消渴** 唐氏引“《食疗》”作“治消渴”。

[4] **利关节** 唐氏引“《食疗》”作“开关节”。

249 龟

《食疗》［唐氏引］：龟[1]，味酸。主除温瘴气，风痹，身肿，踒折。又，骨带入山林中，令人不迷路。其食之法，一如鳖法也。其中黑色者，常啖蛇，不中食之。其壳亦不堪用。

其甲，能主女人漏下赤白、崩中，小儿囟不合，破癥瘕、痎疟[2]，疗五痔，阴蚀，湿痹，女子阴隐疮及骨节中寒热，煮汁浴渍之良。

又，以前都用水中龟，不用啖蛇龟。五月五日取头，干末服之，亦令人长远入山不迷。

又方，卜师处钻了者，涂酥炙，细罗，酒下二钱，疗风疾。

孟诜［《纲目》引］：龟肉，煮食，除湿痹[3]风痹，身肿踒折。

秦龟甲，主顽风冷痹，关节气壅，妇人赤白带下，破积癥[4]。

头，阴干炙研服，令人长远入山不迷[5]。

摄龟[6]，此物啖蛇，肉不可食，壳亦不堪用。

（《大观》卷20页7，《证类》页413，《纲目》页1625、1628、1630）

【校注】

[1] **龟** 为龟科动物乌龟、水龟、花龟、金龟等的通称。

[2] **痎疟** 《本草拾遗》云：“老疟发无时者，亦名痎疟，下俚人呼为妖疟。”

[3] **除湿痹** 唐氏引“《食疗》”作“除温瘴气”。

[4] **主顽风冷痹……破积癥** 以上18字所讲内容与唐氏所引“《食疗》”文的内容大致相同，但文句全与《海药本草》“秦龟”条相同。从文句上看，对此18字之出处，《纲目》应注为“李珣”，不应注为“孟诜”。

[5] **头，阴干炙研服，令人长远入山不迷** 以上14字，唐氏将之列在“水中龟”条下，而《纲目》将之列在“秦龟”条下。秦龟，《纲目》称为山龟。

[6] **摄龟** 唐氏所引“《食疗》”文无此名。但唐氏引文中有“其中黑色者，常啖蛇，不中食之。其壳亦堪用”等语，此正与《纲目》所说“摄龟”相同。

250 鲤鱼

孟诜［《医心方》引］：鲤鱼[1]，天行病后不可食，再发即死。

又，砂石中者，毒[2]多在脑髓中，不可食其头。

又，每断去脊上两筋及脊内黑血，此是毒故也。

孟诜［掌氏引］：鲤鱼，白煮食之，疗水肿脚满，下气。腹有宿瘕不可食。又，修理，可去脊上两筋及黑血，毒故也。又，天行病后不可食，再发即死。其在沙石中者，毒多在脑中，不得食头。

《食疗》［唐氏引］：鲤鱼胆，主除目中赤及热毒痛，点之良。肉，白煮食之，疗水肿脚满，下气。腹中有宿瘕不可食，害人。久服天门冬人，亦不可食。刺在肉中，中风水肿痛者，烧鲤鱼眼睛作灰，纳疮中，汁出即可。谨案：鱼血，主小儿丹毒，涂之即差。鱼鳞，烧，烟绝，研，酒下方寸匕，破产妇滞血。脂，主诸痫，食之良。肠，主小儿腹中疮。鲤鱼鲊，不得和豆藿叶食之，成瘦。其鱼子，不得合猪肝食之。凡修理，可去脊上两筋及黑血，毒故也。炙鲤鱼，切忌烟，不得令熏着眼，损人眼光，三两日内必见验也。又，天行病后不可食，再发即死。其在砂石中者，有毒，多在脑中，不得食头。

孟诜［《纲目》引］：鲤鱼，脊上两筋及黑血有毒，溪涧中者毒在脑，俱不可食。凡炙鲤鱼不可使烟入目，损目光，三日内必验也。天行病后下痢及宿癥[3]，俱不可食。服天门冬、朱砂人不可食。不可合犬肉及葵菜食[4]。

（《大观》卷20页10，《证类》页419，《纲目》页1596，《医心方》页700）

【校注】

［1］**鲤鱼** 为鲤科动物鲤鱼。

［2］**毒** 唐氏引“《食疗》”作“有毒”。

［3］**下痢及宿癥** 唐氏引“《食疗》”作“下气。腹中有宿瘕”。《纲目》引此文时已加化裁。

［4］**不可合犬肉及葵菜食** 掌氏所引“孟诜”文、唐氏所引“《食疗》”文俱无此句，疑为《纲目》所增。

251　鳢鱼

孟诜［掌氏引］：鳢鱼[1]，下大小便壅塞气[2]。

又，作脍，与脚气风气人食之，效。

又，以大者洗去泥，开肚，以胡椒末半两，切大蒜三两颗，内鱼腹中缝合，并和小豆一升煮之。临熟，下萝卜三五颗如指大，切葱一握，煮熟。空腹食之，并豆等强饱，尽食之，至夜即泄气无限。三五日更一顿，下一切恶气。又，十二月作酱，良也。

孟诜［《纲目》引］：鳢鱼肉，下大小便，壅塞气。作脍，与脚气、风气人食，良。下一切气，用大鳢一头，开肚，入胡椒末半两，大蒜片三颗[3]，缝合，同小豆一升煮熟，下萝卜三五颗[4]，葱一握，俱切碎，煮熟，空腹食之至饱，并饮汁[5]。至夜，泄恶气无限也。五日更一作[6]。

（《大观》卷 20 页 15，《证类》页 417，《纲目》页 1607）

【校注】

［1］**鳢鱼**　为鳢科动物乌鳢。鳢，《本经》作“蠡”。《本草衍义》云：“蠡鱼，今人谓之黑鲤鱼。”按，鲤鱼扁如鲫鱼，鳢鱼圆如筒柱。

［2］**下大小便壅塞气**　《本经》云：“蠡鱼，主湿痹面目浮肿，下大水。”

［3］**大蒜片三颗**　掌氏引“孟诜”作“大蒜三两颗”。

［4］**下萝卜三五颗**　掌氏引“孟诜”作“下萝卜三五颗如指大”。《纲目》省去“如指大”3 字。

［5］**并饮汁**　掌氏引“孟诜”作“尽食之”。

［6］**五日更一作**　掌氏引“孟诜”作“三五日更一顿”。

252　鲇

《食疗》［唐氏引］：鲇与鳠大约相似[1]，主诸补益，无鳞，有毒，勿多食。赤目、赤须者并杀人也。

孟诜［《纲目》引］：鮧鱼[2]无鳞，有毒，勿多食。

（《大观》卷 20 页 16，《证类》页 417，《纲目》页 1612）

【校注】

［1］**鲇与鳠大约相似**　《大观》《证类》统称鮧鱼。

《蜀本草·图经》云：“鮧有三种。口腹俱大者名鳠（音护），背青而口小者名鲇，口小背黄腹白者名鮠。”

《纲目》认为鲇鱼即鮧鱼，鳠鱼印鮠鱼。今之鮧鱼为鲇科动物鲇鱼。鳠鱼即鮠科动物鮠鱼。

［2］**鮧鱼**　陶弘景云“鮧鱼，此是鳀（音题）也，今人皆呼慈音，即是鲇。”《唐本草》注云：“鮧鱼一名鲇鱼，一名鳀鱼。主水浮肿，利小便也。”《纲目》云：“鲇乃无鳞之鱼，大首偃额，大口大腹。鮠身鳢尾，有齿有胃有须。生流水者色青白，生止水者色青黄。”

253　鳝鱼

孟诜［掌氏引］：鳝鱼[1]，补五脏，逐十二风邪。患恶气人当作臛[2]，空腹饱食，便以衣盖卧。少顷当汗出如白胶，汗从腰脚中出。候汗尽[3]，暖五木汤[4]

浴，须慎风[5]一日。更三五日一服，并治湿风。

孟诜［《纲目》引］：鳝鱼肉，补五脏，逐十二风邪。患湿风[6]、恶气人，作臛空腹饱食，暖卧取汗出如胶，从腰脚中出。候汗干，暖五枝汤浴之，避风。三五日一作，甚妙。

（《大观》卷20页17，《证类》页418，《纲目》页1609）

【校注】

［1］**鳝鱼** 为鳝科动物黄鳝。《蜀本草·图经》云："似鳗鲡鱼而细长，亦似蛇而无鳞，有青黄二色，生水岸泥窟中，所在皆有之。"

［2］**患恶气人当作臛** 《大观》作"患气人常作臛"。《纲目》作"患湿风、恶气人作臛"。

［3］**候汗尽** 《纲目》引"孟诜"作"候汗干"。

［4］**五木汤** 《纲目》引"孟诜"作"五枝汤"。

［5］**慎风** 《纲目》作"避风"，《大观》作"忌风"。按，《大观》刻于南宋时，避孝宗赵昚（音慎）讳，改慎为忌。

［6］**湿风** 掌氏所引"孟诜"文无此2字，疑为《纲目》所增。

254 鲫鱼

孟诜［《医心方》引］：鲫鱼[1]，作脍食之，断暴痢。其子调中益肝气。

孟诜《食经》［《医心方》引］：竹笋不可共鲫鱼食之，使笋不消成癥病，不能行步。

孟诜［掌氏引］：鲫鱼，平胃气，和中[2]，益五脏，和蓴作羹食，良[3]。又鲫鱼与鰤，其状颇同，味则有殊。鰤是节化，鲫是稷米化之，其鱼肚[4]上尚有米色。宽大者是鲫，背高肚狭小者是鰤，其功不及鲫。鱼子调中，益肝气。

《食疗》［唐氏引］：鲫鱼，食之平胃气，和中，益五脏，和菜[5]作羹食良。

作脍食之，止[6]暴下痢；和蒜食之，有少热；和姜、酱食之，有少冷。

又，夏月热痢可食之，多益。冬月则不治也。

骨，烧为灰，傅恶疮[7]上，三五次[8]差。

谨案：其子调中，益肝气。凡鱼生子，皆粘在草上及土中。寒冬月水过后，亦不腐坏。每到五月三伏时，雨中便化为鱼。

食鲫鱼不得食沙糖，令人成疳虫。丹石热毒发者，取茭首和鲫鱼作羹，食一两顿即差。

孟诜［《纲目》引］：鲫鱼肉合蓴作羹，主胃弱不下食[9]，调中益五脏。合茭首作羹，主丹石发热。

一种鲫鱼，与鲫颇同，而味不同，功亦不及[10]。云鲫是栉化；鲫是稷米所化，故腹尚有米色。宽大者是鲫，狭小者是鲫也[11]。

鲫脍[12]，主久痢肠澼痔疾，大人小儿丹毒风眩。

张鼎［《纲目》引］：鲫鱼，和蒜食，少热；同沙糖食，生疳虫；同芥菜食，成肿疾；同猪肝、鸡肉、雉肉、鹿肉、猴肉食，生痈疽；同麦门冬食，害人[13]。

鲫鱼子，调中，益肝气。

鲫鱼骨，主䘌疮。烧灰傅，数次即愈。

（《大观》卷20页18，《证类》页418，《纲目》页1602、1621，《医心方》页670、701）

【校注】

［1］**鲫鱼**　为鲤科动物鲫鱼。

［2］**和中**　《证类》作“调中”，《大观》作“和中”。

［3］**良**　其后，《纲目》引“孟诜”有“主胃弱不下食”6字。

［4］**肚**　《证类》作“腹”，《大观》作“肚”，下同。

［5］**莱**　《证类》作“蓴”，《大观》作“莱”。

［6］**止**　《证类》作“断”，《大观》作“止”。

［7］**恶疮**　《证类》作“䘌疮”，《大观》作“恶疮”。

［8］**次**　《证类》作“度”，《大观》作“次”。

［9］**主胃弱不下食**　以上6字，原出《唐本草》，非“孟诜”文，《纲目》移之于此。

［10］**而味不同，功亦不及**　掌氏引“孟诜”作“味则有殊”。《纲目》引此文时多加化裁。

［11］**狭小者是鲫也**　掌氏引“孟诜”作“背高肚狭小者是鲫”。《纲目》引此文省去“背高肚”3字。

［12］**鲫脍**　《纲目》云：“剑切而成，故谓之脍。凡诸鱼之鲜活者，薄切洗净血腥，沃以蒜齑、姜、醋、五味食之。”鲫脍是用鲫鱼剑切而成的。

［13］**同芥菜食……害人**　以上29字，掌氏所引“孟诜”文、唐氏所引“《食疗》”文俱无，疑为《纲目》所增。

255　猬

孟诜［掌氏引］：猬[1]，食之肥下焦，理胃气[2]。其脂可煮五金八石，皮烧灰酒服治胃逆。又，煮汁服止反胃。又，可五味腌、炙食之。不得食骨，令人瘦小。

《食疗》［唐氏引］：猬肉，可食。以五味汁腌、炙食之，良。不得食其骨也。其骨能瘦人，使人缩小也。

谨案：主下焦弱，理胃气，令人能食。

其皮可烧灰，和酒服。及炙令黄，煮汁饮之，主胃逆。细剉，炒令黑，入丸中治肠风、鼠奶痔，效。主肠风、痔瘘。可煮五金八石，与桔梗、麦门冬反恶。

又有一种，村人谓之豪猪，取其肚烧干，和肚屎用之。捣末细罗，每朝空心温酒调二钱匕。有患水病鼓胀者，服此猪肚[3]一个便消，差。此猪多食苦参，不理冷胀，只理热风水胀。形状样似猬鼠。

孟诜［《纲目》引］：猬肉，炙食，肥下焦，理胃气，令人能食。

猬脂，可煮五金八石，伏雄黄[4]，柔铁[5]。

（《大观》卷21页1，《证类》页423，《纲目》页1805）

【校注】

［1］**猬**　为刺猬科动物刺猬。《本草图经》云："猬皮，生楚山川谷田野，今在处山林中皆有之。状类貒、豚，脚短多刺，尾长寸余，人触近便藏头足，外皆刺不可向尔。"

［2］**食之肥下焦，理胃气**　唐氏引"《食疗》"作"谨案：主下焦弱，理胃气，令人能食"。两家引文小异，疑两家所据底本，非同一种本子。

［3］**猪肚**　《证类》作"豪猪肚"，《大观》作"猪肚"，以《大观》为正。

［4］**伏雄黄**　掌氏所引"孟诜"文、唐氏所引"《食疗》"文俱无此句。此句原出《丹房镜源》，非"孟诜"文，《纲目》移之于此。

［5］**柔铁**　掌氏所引"孟诜"文、唐氏所引"《食疗》"文俱无此句。此句原出陶弘景注"猬脂烊铁"，非孟诜文，《纲目》移之于此。

256　鳖

孟诜［掌氏引］：鳖[1]，主妇人漏下，羸瘦。中春食之美，夏月有少腥气。

其甲，岳州昌江[2]者为上。赤足不可食，杀人。

孟诜［《纲目》引］：鳖肉，主妇人漏下五色，羸瘦，宜常食之[3]。

（《大观》卷21页4，《证类》页425，《纲目》页1630）

【校注】

［1］**鳖**　为鳖科动物中华鳖。《本草图经》云："鳖，古今治瘕癖虚劳方中用之最多。妇人漏下五色羸瘦者，烧甲令黄色，筛末，酒服方寸匕，日二。"

［2］**岳州昌江**　岳州即今湖南岳阳。昌江是岳州地区一个县，位于汨罗江上游，在今湖南平江之东。

［3］**宜常食之** 掌氏引“孟诜”作“中春食之美，夏月有少腥气”。

257 鼋

《食疗》［唐氏引］：鼋[1]，微温。主五脏邪气，杀百虫蛊毒，消百药毒，续人筋。又，膏涂铁，摩之便明。淮南术方[2]中有用处。

张鼎［陈藏器引］：鼋膏，摩风及恶疮。

张鼎［陈藏器引］：鼋膏涂铁，摩之便明。膏[3]摩风及恶疮。子如鸡卵，正圆，煮之白不凝。今时人谓藏卵为鼋子，似此非为木石机也。至难死，剔其肉尽，头犹咬物，可以张鸢鸟。

孟诜［《纲目》引］：鼋脂，摩风及恶疮[4]。

（《大观》卷21页27，《证类》页431、436，《纲目》页1633）

【校注】

［1］**鼋** 为鳖科动物鼋。《说文》云“鼋，大鳖也。”

［2］**淮南术方** 《大观》作“淮南方术”，《证类》作“淮南术方”。《淮南术方》疑即《唐志》所称《淮南万毕术》，传为西汉刘安门客编撰，专讲用药用符、黄白变化之事，包含有关物理、化学的知识。书久佚，后世所见散引于唐宋类书。

［3］**膏** 《纲目》引“张鼎”作“脂”，并将之列在“鼍”条下。

［4］**脂，摩风及恶疮** 《纲目》在“鼋”条引此文，注出处为“孟诜”；又在“鼍”条下重出此文，注出处为“张鼎”。

258 鼍

孟诜［掌氏引］：鼍[1]，疗惊恐及小腹气疼。

孟诜［《纲目》引］：鼍甲，治小腹气疼及惊恐。

张鼎［《纲目》引］：鼍脂，摩风及恶疮[2]。

（《大观》卷21页14，《证类》页431，《纲目》页1577）

【校注】

［1］**鼍** 为鼍科动物扬子鳄。《本经》名鮀鱼甲，《纲目》名鼍龙。《蜀本草·图经》云：“鮀鱼甲，生湖畔土窟中，形似守宫而大，长丈余，背尾俱有鳞甲，今江南诸州皆有。”

［2］**脂，摩风及恶疮** 陈藏器引“张鼎”作“膏，摩风及恶疮”，并将之列在“鼋”条下。古代鼋、鼍混为一物，现代分鼋为鳖科动物，鼍为鼍科动物。

259　乌贼鱼

孟诜［《医心方》引］：乌贼鱼[1]，食之少有[2]益髓。

孟诜［掌氏引］：乌贼骨，主目中一切浮翳。细研和蜜点之。又，骨末治眼中热泪。

《食疗》［唐氏引］：乌贼骨，主小儿、大人下痢，炙令黄，去皮细研成粉，粥中调服之良。

其骨，能消目中一切浮翳。细研和蜜点之妙。又，点马眼热泪甚良。

久食之，主绝嗣无子，益精。其鱼腹中有墨一片，堪用书字。

孟诜［《纲目》引］：乌贼鱼骨，治眼中热泪及一切浮翳，研末和蜜点之。久服益精。

张鼎［《纲目》引］：乌贼鱼骨，久服绝嗣无子[3]。

（《大观》卷21页11，《证类》页428，《纲目》页1615，《医心方》页702）

【校注】

［1］**乌贼鱼**　为乌贼科动物金乌贼或无针乌贼。陶弘景云："其鱼腹中有墨，今作好墨用之。"《唐本草》注云："此鱼骨，疗牛、马目中障翳，亦疗人目中翳，用之良也。"陈藏器本草云："乌贼鱼骨，主小儿痢下，细研为末，饮下之。亦主妇人血瘕。"

［2］**少有**　此2字有两种理解，一是"没有"，一是"稍有"，本条当指后者。

［3］**久服绝嗣无子**　唐氏引"《食疗》"作"久食之，主绝嗣无子"。《纲目》引张鼎文，在"久服"后脱"主"，使文义正相反，并评曰："按，《本经》云：主癥瘕无子。《别录》云：令人有子。孟诜亦云：久服益精。而张鼎此说独相背戾，亦误矣。"可能是《纲目》据误本所致。

260　白鱼

孟诜［掌氏引］：白鱼[1]，主肝家不足气，不堪多食，泥人心。虽不发病，终养匶所食。新者好，久食令人心腹诸病。可煮炙，于葱、醋中一两沸食。犹少调五脏气，理经脉。

《食疗》［唐氏引］：白鱼和豉作羹，一两顿而已，新鲜者好食。若经宿者不堪食，令人腹冷生诸疾。或腌，或糟藏，犹可食。又可炙了，于葱、醋中重煮食之。调五脏，助脾气，能消食，理十二经络，舒展不相及气。时人好作饼，炙食之。犹少动气，久亦不损人也。

孟诜［《纲目》引］：白鱼鲜者宜和豉作羹，虽不发病，多食亦泥人[2]。经宿者勿食，令人腹冷。炙食，亦少动气。或腌，或糟藏，皆可食。

《食疗》［《纲目》引］：白鱼肉，助脾气，调五脏[3]，理十二经络，舒展不相及气。

（《大观》卷21页23，《证类》页434，《纲目》页1599）

【校注】

［1］**白鱼** 为鲤科动物翘嘴鲌。

［2］**泥人** 掌氏引“孟诜”作“泥人心”。《纲目》省去“心”字。

［3］**助脾气，调五脏** 唐氏引“《食疗》”作“调五脏，助脾气，能消食”。《纲目》引此文，化裁后，省去“能消食”3字。

按，本条掌氏所引“孟诜”文和唐氏所引“《食疗》”文，词异义同。《纲目》所引“孟诜”文，糅合掌氏、唐氏两家引文中部分文字而成。《纲目》所引“《食疗》”文，是节录唐氏所引“《食疗》”文而成的。

261 鲎

孟诜［掌氏引］：鲎[1]，平，微毒。治痔，杀虫，多食发嗽并疮癣。壳入香，发众香气。尾，烧焦，治肠风泻血并崩中带下及产后痢。脂，烧，集鼠[2]。

孟诜［《纲目》引］：鲎肉，治痔杀虫。多食发嗽及疮癣。

（《大观》卷21页26，《证类》页436，《纲目》页1636）

【校注】

［1］**鲎** 为鲎科动物东方鲎。

［2］**鲎，平……烧，集鼠** 《大观》《证类》在本条末注“新补见孟诜、《日华子》”。这说明本条是《嘉祐本草》糅合“孟诜”“《日华子》”两家文字而成的。

262 鲈鱼

孟诜［掌氏引］：鲈鱼[1]，平。补五脏，益筋骨，和肠胃，治水气。多食宜人，作脍尤良。又暴干，甚香美。虽有小毒，不至发病。一云：多食发痃癖及疮肿，不可与乳酪同食。

《食疗》［唐氏引］：鲈鱼，平。主安胎，补中。作脍尤佳。

孟诜［《纲目》引］：鲈鱼肉，安胎补中。作脍尤佳。中鲈鱼毒者，芦根汁解之[2]。

（《大观》卷 21 页 26，《证类》页 436，《纲目》页 1604）

【校注】

[1] **鲈鱼** 为鮨科动物鲈鱼。《大观》《证类》将“鲈鱼”条和“鲎”条并列，且在“鲎”条末，有《嘉祐本草》注，其云：“以上二种新补，见孟诜、《日华子》。”这说明“鲈鱼”条是《嘉祐本草》据“孟诜”“《日华子》”两家文字糅合而成的。

[2] **中鲈鱼毒者，芦根汁解之** 以上 10 字，《大观》《证类》“鲈鱼”条未见引。但《本草衍义》云：“河豚有大毒，芦根汁解其毒。”疑《纲目》仿此增之。

263　蚶

孟诜［掌氏引］：蚶[1]，温[2]。主心腹冷气，腰脊冷风；利五脏，建胃，令人能食。每食了，以饭压之。不尔令人口干[3]。

又云：温中，消食，起阳。时最重[4]。出海中，壳如瓦屋。

又云：蚶，主心腹腰肾冷风，可火上暖之，令沸，空腹食十数个，以饮压之，大妙[5]。

又云：无毒。益血色[6]。

壳，烧，以米醋三度淬后埋，令坏。醋膏丸，治一切血气、冷气、癥癖。

（《大观》卷 22 页 6，《证类》页 442，《纲目》页 1647）

【校注】

[1] **蚶** 为蚶科动物多种蚶的通称。《纲目》将之并在“魁蛤”条内。《大观》《证类》中本条末有《嘉祐本草》注：“新见陈藏器、萧炳、孟诜、《日华子》。”这说明本条为《嘉祐本草》糅合四家文字而成。

[2] **温** 《纲目》引“鼎曰”作“寒”，引“炳曰”作“温”。

[3] **每食了，以饭压之。不尔令人口干** 《纲目》注此文出典为“炳”。

[4] **时最重** 《证类》作“味最重”。按，“时最重”，意义为当时人最重视之。《大观》作“时最重”。以《大观》为正。

[5] **又云：蚶……大妙** 以上 29 字，《证类》脱。《大观》有。

[6] **益血色** 《纲目》注出典为“《日华》”。

264　蛏

孟诜［掌氏引］：蛏[1]，味甘，温，无毒。补虚，主冷利。煮食之，主妇人产后虚损[2]。生海泥中，长二三寸，大如指，两头开[3]。

主胸中邪热、烦闷气。与服丹石人相宜。天行病后不可食，切忌之。

又云：蛏，寒，主胸中烦闷邪气[4]，止渴。须在饭食后，食之佳[5]。

孟诜［《纲目》引］：蛏肉，天行病后不可食。

（《大观》卷22页6，《证类》页442，《纲目》页1646）

【校注】

［1］**蛏** 为竹蛏科动物缢蛏。《纲目》云："蛏乃海中小蚌，其形长短大小不一。与江湖中马刀、蛾蚬相似。"

《大观》《证类》中本条末有《嘉祐本草》注："新见陈藏器、萧炳、孟诜。"这说明本条是《嘉祐本草》糅合三家文字而成。

［2］**主妇人产后虚损** 《纲目》注出处为"《嘉祐》"。

［3］**生海泥中……两头开** 《纲目》注出处为"藏器"。

［4］**主胸中烦闷邪气** 《纲目》作"去胸中邪热烦闷"。

［5］**蛏，寒……食之佳** 《证类》脱，《大观》有此文。

265 淡菜

孟诜［掌氏引］：淡菜[1]，温。补五脏，理腰脚气，益阳事。能消食，除腹中冷气，消痃癖气。亦可烧，令汁沸出食之。多食令头闷、目暗，可微利即止。北人多不识。虽形状不典，而甚益人。

又云：温，无毒。补虚劳损，产后血结，腹内冷痛。治癥瘕，腰痛，润毛发，崩中带下。烧一顿令饱，大效。又名壳菜，常时频烧食即苦，不宜人。与少米先煮熟后，除肉内两边绞及毛了，再入萝卜，或紫苏，或冬瓜皮同煮，即更妙[2]。

孟诜［《纲目》引］：淡菜，主产后血结，腹内冷痛，治癥瘕，润毛发，治崩中带下，烧食一顿令饱。常时烧食[3]即苦，不宜人。与少米先煮熟，后除去毛，再入萝卜，或紫苏，或冬瓜[4]同煮，即更妙。

（《大观》卷22页6，《证类》页442，《纲目》页1649）

【校注】

［1］**淡菜** 为贻贝科动物厚壳贻贝。《本草拾遗》名东海夫人，并云："东海夫人，味甘，温，无毒。主虚羸劳损，因产瘦瘠，血气结积，腹冷，肠鸣，下痢，腰疼，带下，疝瘕。久服令人发脱。取肉作臛宜人，发石令肠结。生南海，似珠母，一头尖，中衔少毛，海人亦名淡菜。"

［2］**即更妙** 其后，《大观》《证类》注："新见孟诜、《日华子》。"这说明本条由《嘉祐本草》糅合两家文字而成。

[3] **常时烧食** 掌氏引“孟诜”作“常时频烧食”，《纲目》省去“频”字。

[4] **冬瓜** 掌氏引“孟诜”作“冬瓜皮”。

266 虾

孟诜［掌氏引］：虾[1]，无须及煮色白者，不可食。

谨案：小者生水田及沟渠中，有小毒。小儿患赤白游肿，捣碎傅之。

鲊内者甚有毒尔[2]。

《食疗》［唐氏引］：虾，平。动风发疮疥。

孟诜［《纲目》引］：虾，主五野鸡病[3]，小儿赤白游肿，捣碎傅之。生水田及沟渠者有毒，鲊内者尤有毒。

（《大观》卷22页7，《证类》页442，《纲目》页1619）

【校注】

[1] **虾** 为长臂虾科动物，多种淡水虾通称。《纲目》云：“江湖出者大而色白，溪池出者小而色青。凡有数种。”

[2] **虾，无须……有毒尔** “鲊内者甚有毒尔”，据《本草拾遗》所云“以热饭盛密器中，作鲊食之，毒人至死”，可知虾不可作鲊食。

本条末，《大观》《证类》注云：“新见孟诜。”这说明本条为《嘉祐本草》录孟诜文而成。但条文中有“谨案”标记。“谨案”原是张鼎修孟诜书添加之语，故《嘉祐本草》所录孟诜文，亦包含有张鼎之文。

[3] **主五野鸡病** 以上5字，原出《本草拾遗》，非孟诜文，《纲目》移之于此。

267 蟹

孟诜［《医心方》引］：蟹[1]脚中髓及脑，能续断筋骨。人取蟹脑髓，微熬之，令内疮中，筋即连续。

孟诜［掌氏引］：蟹，主散诸热。治胃气，理经脉，消食。八月输芒后食好，未输时为长未成[2]。就醋食之，利肢节，去五脏中烦气。其物虽形状恶，食甚宜人[3]。

《食疗》［唐氏引］：蟹，足斑、目赤不可食，杀人。又，堪治胃气，消食。

又，八月前，每个蟹腹内有稻谷一颗，用输海神。待输芒后，过八月方食即好。经霜更美，未经霜时有毒。

又，盐腌之作蝑[4]，有气味。和酢食之，利肢节，去五脏中烦热气[5]。其物虽恶形容，食之甚益人。爪，能安胎。

孟诜［《纲目》引］：蟹散诸热，治胃气，理经脉，消食。以醋食之，利肢节，去五脏中烦闷气，益人。

张鼎［《纲目》引］：蟹，娠妇食之，令子横生[6]。蟹爪，能安胎。

（《大观》卷21页7，《证类》页426，《纲目》页1634，《医心方》页704）

【校注】

［1］**蟹** 陶弘景云："蟹类甚多，蝤（音道）蝶（音谋）、拥剑、彭蜎（音滑）皆是，并不入药。海边又有彭蜞、拥剑，似彭蜎而大，似蟹而小，不可食。蔡谟初渡江，不识而啖之，几死，叹曰：读《尔雅》不熟，为劝学者所误。"

今日所讲的蟹为蟹科动物中华绒螯蟹。

［2］**八月输芒后食好，未输时为长未成** 《本草图经》云："俗传蟹八月一日，取稻芒两枚，长一二寸许，东行输送其长。故今南方捕得蟹，差早则有衔稻芒者，此后方可食之。以前时长未成就，其毒尤猛也。"

［3］**其物虽形状恶，食甚宜人** 唐氏引"《食疗》"作"其物虽恶形容，食之甚益人"。

［4］**蝑** 音胥。《证类》作"蝺"，《大观》作"蝑"。

［5］**热气** 《证类》作"闷气"，《大观》作"热气"。

［6］**蟹，娠妇食之，令子横生** 以上9字原出《杨氏产乳》，非张鼎文。《纲目》误引。

268 鳗鲡鱼

孟诜［掌氏引］：鳗鲡鱼[1]，杀诸虫毒，干末，空腹食之，三五度差。又，熏下部痔，虫尽死。患诸疮瘘及疬疡风，长食之甚验。腰肾间湿风痹，常如水洗者，可取五味、米煮，空腹食之，甚补益。湿脚气人服之良。又，诸草石药毒，食之，诸毒不能为害。五色者，其功最胜。兼女人带下百病，一切风，五色者出歙州，头似蝮蛇，背有五色文者是也。

《食疗》［唐氏引］：鳗鲡鱼，杀虫毒，干烧炙之令香。食之，三五度即差。长服尤良。又，压诸草石药毒，不能损伤人。又，五色者，其功最胜也。又，疗妇人带下百病，一切风瘙如虫行。其江海中难得五色者，出歙州溪泽潭中，头似蝮蛇，背有五色文者是也。又，烧之熏毡中，断蛀虫。置其骨于箱衣中，断白鱼、诸虫咬衣服。又，烧之熏舍屋，免竹木生蛀蚛。

孟诜［《纲目》引］：鳗鲡鱼肉，疗湿脚气，腰肾间湿风痹，常如水洗，以五味煮食，甚补益。患诸疮瘘疬疡风人，宜长食之。

痔瘘熏之，虫即死。杀诸虫，烧炙为末，空腹食，三五度即差。歙州溪潭中出一种，背有五色文者，头似蝮蛇，入药最胜。江河中难得五色者。

张鼎［《纲目》引］：鳗鲡鱼主妇人带下，疗一切风瘙如虫行，又压诸草石药毒，不能为害。

烧烟熏蚊，令化为水。熏毡及屋舍竹木，断蛀虫。置骨于衣箱，断诸蠹。

（《大观》卷21页13，《证类》页431，《纲目》页1608）

【校注】

［1］**鳗鲡鱼** 为鳗鲡鱼科动物鳗鲡。

在本条中，《纲目》所引“孟诜”文是节录掌氏所引“孟诜”文而成的。《纲目》所引“张鼎”文是节录唐氏所引“《食疗》”文，并加以化裁而成的。

269 鲛鱼

《食疗》［唐氏引］：鲛鱼[1]，补五脏。作脍食之，亚于鲫鱼。作鲊鳙，食之并同[2]。

又，如有大患喉闭，取胆汁和白矾灰，丸之如豆颗，绵裹纳喉中。良久吐恶涎沫，即喉咙开。腊月取之[3]。

孟诜［《纲目》引］：鲛鱼肉作脍，补五脏，功亚于鲫，亦可作鳙、鲊。胆，主喉痹，和白矾灰为丸，绵裹纳喉中，吐去恶涎即愈。

（《大观》卷21页23，《证类》页434，《纲目》页1615）

【校注】

［1］**鲛鱼** 为皱唇鲨科动物鲨鱼的通称。

《本草图经》引《山海经》云：“鲛，沙鱼，其皮可以饰剑是也。今南人但谓之沙鱼。然有二种：其最大而长喙如锯者，谓之胡沙，性善而肉美；小而皮粗者曰白沙，肉强而有小毒。二种彼人皆盐为修脯，其皮刮治去沙，翦为脍，皆食品之美者，食之益人。然皆不类鳖，盖其种类之别耳。”

［2］**补五脏……食之并同** 《纲目》引“孟诜”文，并将之化裁为“鲛鱼肉作脍，补五脏，功亚于鲫，亦可作鳙、鲊”。鳙为干鱼。鲊为糟鱼、腌鱼加工品的通称。

［3］**又，如有大患喉闭……腊月取之** 《纲目》引“孟诜”文，并将之化裁为“胆，主喉痹，和白矾灰为丸，绵裹纳喉中，吐去恶涎即愈”。盖《纲目》化裁截取其义，不录原文。

270 牡鼠

孟诜［掌氏引］：牡鼠[1]，主小儿痫疾[2]、腹大贪食者。可以黄泥裹烧之，细拣去骨[3]，取肉和五味汁[4]作羹，与食之。勿令食者骨，甚瘦人。

又，取腊月新死者一枚，油一大升，煎之使烂，绞去滓，重煎成膏[5]。涂冻疮及折破疮。

孟诜［《纲目》引］：牡鼠，腊月以油煎枯，去滓，熬膏收用，治打扑折伤、冻疮、汤火伤。

鼠肉，主小儿疳疾腹大贪食者[6]，黄泥裹，烧熟去骨，取肉和五味豉汁作羹食之。勿食骨[7]，甚瘦人。

（《大观》卷22页2，《证类》页440，《纲目》页1799）

【校注】

［1］**牡鼠**　陶弘景云："牡鼠，父鼠也。"《纲目》单名鼠。鼠为鼠科动物多种鼠的通称。一般泛指家鼠。

［2］**痫疾**　《纲目》引"孟诜"文作"疳疾"。

［3］**可以黄泥裹烧之，细拣去骨**　《纲目》化裁为"黄泥裹，烧熟去骨"。

［4］**五味汁**　《纲目》作"五味豉汁"。

［5］**取腊月新死者……重煎成膏**　《纲目》引"诜曰"作"腊月以油煎枯，去滓，熬膏收用"。

［6］**主小儿疳疾腹大贪食者**　掌氏引"孟诜"作"主小儿痫疾、腹大贪食者"。《纲目》化裁之，改"痫疾"为"疳疾"，使之成一个病，而"腹大贪食"即成"疳疾"的症状。观掌氏引文，似是指两个病。

［7］**勿食骨**　掌氏引"孟诜"作"勿食着骨"。二者文义似有差异。

271　蚺蛇胆

孟诜［掌氏引］：蚺蛇膏[1]，主皮肉间毒气[2]。肉作脍食之良，除疳疮[3]。小儿脑热，水渍注鼻中。齿根宣露，和麝香末傅之[4]。其胆难识，多将诸胆代之。可细切于水中，走者真也。又，猪及大虫胆亦走，迟于此胆。

《食疗》［唐氏引］：蚺蛇胆，主䘌疮瘘，目肿痛，疳䘌[5]。肉，主温疫气。可作脍食之。如无此疾及四月勿食之。膏，主皮肤间毒气。小儿疳痢，以胆灌鼻中及下部[6]。

孟诜［《纲目》引］：蚺蛇胆，杀五疳。水化灌鼻中，除小儿脑热、疳疮䘌漏。灌下部，治小儿疳痢。同麝香，傅齿疳宣露。人多以猪胆、虎胆伪之，虽水中走，但迟耳。

蚺蛇肉，除疳疮，辟瘟疫瘴气。

（《大观》卷22页8，《证类》页443，《纲目》页1584）

【校注】

[1] **蚺蛇膏** 即蟒蛇膏。为蟒蛇科动物蟒蛇的脂肪。《蜀本草·图经》云："蚺蛇出交、广二州，岭南诸州。大者径尺，长丈许，若蛇而粗短。"

[2] **主皮肉间毒气** 《别录》云："蚺蛇膏，主皮肤风毒。"

[3] **除疳疮** 其后，《纲目》引"孟诜"有"辟瘟疫瘴气"。

[4] **齿根宣露，和麝香末傅之** 以上10字，指蚺蛇胆功用。《纲目》引"孟诜"作"同麝香，傅齿疳宣露"。

[5] **胆，主䘌疮瘘，目肿痛，疳䘌** 《纲目》化裁为"杀五疳。水化灌鼻中，除小儿脑热，疳疮䘌漏。"

[6] **小儿疳痢，以胆灌鼻中及下部** 《纲目》化裁为"灌下部，治小儿疳痢"。

272 蝮蛇胆

《食疗》［唐氏引］：蝮蛇胆[1]，主诸䘌。

肉，疗癞[2]，诸瘘；下结气，除蛊毒。如无此疾者，即不假食也[3]。

（《大观》卷22页13，《证类》页445，《纲目》页1590）

【校注】

[1] **蝮蛇胆** 为蝮蛇科动物蝮蛇的胆。《大观》《证类》引本条"《食疗》"文，未注主题药名，但将之列在"蝮蛇胆"条下，则主题药名当是"蝮蛇胆"。

[2] **疗癞** 《别录》云："蝮蛇肉酿作酒，疗癞疾、诸瘘。"

[3] **不假食也** "假"，义同"给与"。《汉书·龚遂传》："遂乃开仓廪，假贫民。"

273 蛇蜕皮

《食疗》［唐氏引］：蛇蜕皮[1]，主去邪，明目[2]。治小儿一百二十种惊痫，寒热，肠痔，蛊毒，诸䘌恶疮，安胎。熬用之。

孟诜［《纲目》引］：蛇蜕，安胎[3]。

（《大观》卷22页9，《证类》页443，《纲目》页1582）

【校注】

[1] **蛇蜕皮** 为游蛇科动物多种蛇褪下的皮膜。

《本经》云："蛇蜕，味咸，平。主小儿百二十种惊痫，瘈疭，癫疾，寒热，肠痔，虫毒，蛇痫。"

[2] **明目** 《本草衍义》云："蛇蜕，今眼药及去翳膜用之。"

[3] **安胎** 唐氏所引"《食疗》"文与此同。但《日华子》云："蛇蜕催生。"此正与安胎作用

相反。

274　嘉鱼

《食疗》［唐氏引］：嘉鱼[1]，微温。常于崖石下孔中吃乳石沫，甚补益[2]。微有毒。其味甚珍美也[3]。

孟诜［《纲目》引］：嘉鱼肉，微有毒，而味多珍美。嘉鱼，常于崖石下孔中，食乳石沫，故补益也。

（《大观》卷21页25，《证类》页435，《纲目》页1601）

【校注】

［1］**嘉鱼**　为鲤科动物卷口鱼。《开宝本草》云："嘉鱼，味甘，温，无毒。食之令人肥健悦泽。此乳穴中小鱼，常食乳水，所以益人，能久食之，力强于乳，有似英鸡，功用同乳。"

［2］**甚补益**　《纲目》引"孟诜"文，并将之化裁为"故补益也"。

［3］**其味甚珍美也**　《纲目》引"孟诜"文，并将之化裁为"而味多珍美"。

275　石首鱼

《食疗》［唐氏引］：石首鱼[1]，作干鲞[2]，消宿食，主中恶，不堪鲜食[3]。

张鼎［《纲目》引］：石首鱼，消宿食，主中恶，鲜者不及。

（《大观》卷21页25，《证类》页435，《纲目》页1600）

【校注】

［1］**石首鱼**　为石首鱼科动物大黄鱼或小黄鱼。

［2］**作干鲞**　石首鱼肉干制品名鲞（音想）。《开宝本草》云："石首鱼，味甘，无毒。头中有石如棋子。主下石淋，磨石服之，亦烧为灰末服，和蓴菜作羹，开胃益气。"

［3］**不堪鲜食**　《纲目》引"张鼎"作"鲜者不及"。

276　青鱼

《食疗》［唐氏引］：青鱼[1]，主脚气烦闷。又，和韭白煮食之，治脚气脚弱、烦闷，益心力也[2]。

又，头中有枕，取之蒸，令气通，曝干，状如琥珀。此物疗卒心痛，平水气。以水研服之，良。又，胆、眼睛，益人眼，取汁注目中，主目暗。亦涂热疮，良。

张鼎［《纲目》引］：青鱼，同韭白煮食，治脚气脚弱、烦闷，益气力[3]。

（《大观》卷 21 页 24，《证类》页 435，《纲目》页 1598）

【校注】

[1] **青鱼** 为鲤鱼科动物青鱼。《本草图经》云："青鱼，生江湖间，今亦出南方，北地或时有之。似鲤、鲩而背正青色。"

[2] **和韭白煮食之……益心力也** 《纲目》引"张鼎"文，并将之化裁为"同韭白煮食，治脚气脚弱、烦闷，益气力"。

[3] **益气力** 唐氏引"《食疗》"作"益心力也"。但《日华子》作"益气力"。《纲目》可能据《日华子》文改。

277 鳜鱼

《食疗》［唐氏引］：鳜鱼[1]，平。补劳，益脾胃。稍有毒。

孟诜［《纲目》引］：鳜鱼肉，补虚劳[2]，益脾胃。

（《大观》卷 21 页 23，《证类》页 434，《纲目》页 1605）

【校注】

[1] **鳜鱼** 鳜音桂，亦称桂鱼。为鮨科动物鳜鱼。

《开宝本草》云："鳜鱼，味甘，平，无毒。主腹中恶血，益气力，令人肥健，去腹内小虫。背有黑点，味尤重。昔仙人刘凭，常食石桂鱼。今此鱼犹有桂名，恐是此也。生江溪间。"

[2] **补虚劳** 唐氏引"《食疗》"作"补劳"。《纲目》增"虚"字。

278 鲟鱼

《食疗》［唐氏引］：鲟鱼[1]，有毒。主血淋。可煮汁食之[2]，其味虽美，而发诸药毒。

鲊，世人虽重，尤不益人。服丹石人不可食，令人少气。发一切疮疥，动风气。不与笋同食，发瘫痪风[3]。小儿不与食，结癥瘕及嗽。大人久食，令人卒心痛，并使人卒患腰痛[4]。

孟诜［《纲目》引］：鲟鱼肉，有毒。味虽美而发诸药毒，动风气，发一切疮疥。久食，令人心痛、腰痛[5]。服丹石人忌之[6]。勿与干笋同食，发瘫痪风。小儿食之，成咳嗽及癥瘕。作鲊虽珍，亦不益人[7]。煮汁饮，治血淋。

（《大观》卷 20 页 22，《证类》页 420，《纲目》页 1611）

【校注】

[1] **鲟鱼** 为鲟科动物中华鲟。

[2] **食之** 《证类》作“饮之”，《大观》作“食之”。

[3] **瘫痪风** 《证类》作“瘫缓风”，《大观》《纲目》作“瘫痪风”。

[4] **鲊，世人虽重……并使人卒患腰痛** 《纲目》引“诜曰”，多加化裁，化裁之文与原文，文异义同。又，《本草拾遗》云：“鲟鱼，味甘，平，无毒。主益气补虚，令人肥健。生江中，背如龙，长一二丈。鼻上肉作脯名鹿头。一名鹿肉。补虚下气，子如小豆。食之肥美，杀腹内小虫。”

[5] **久食，令人心痛、腰痛** 唐氏引“《食疗》”作“大人久食，令人卒心痛，并使人卒患腰痛”。《纲目》引此予以简化。

[6] **忌之** 唐氏引“《食疗》”作“不可食”。《纲目》加以简化。

[7] **作鲊虽珍，亦不益人** 唐氏引“《食疗》”作“鲊，世人虽重，尤不益人”。《纲目》引文化裁之，词异义同。盖古人引文，多取义，很少转原文。

279 鲥鱼

《食疗》余［唐氏引］：鲥鱼[1]，平。补虚劳，稍发疳痼。

孟诜［《纲目》引］鲥鱼[2]，肉：补虚劳，稍发疳痼[3]。

（《大观》卷20页21，《证类》页420，《纲目》页1601）

【校注】

[1] **鲥鱼** 为鲱科动物鲥鱼。《集韵》云：“鲥，鱼之美者。”《纲目》云：“鲥鱼形秀而扁，微似鲂而长。白色如银，肉中多细刺如毛。大者不过三尺，腹下有三角硬鳞如甲。”

[2] **鲥鱼** 《纲目》在“鲥鱼”正名下，注出处为“《食疗》”，但条中引文后注出处为“孟诜”。

[3] **发疳痼** 唐氏引“《食疗》余”作“稍发疳痼”，《纲目》省去“稍”字。

280 黄赖鱼

《食疗》余［唐氏引］：黄赖鱼[1]，一名䱀䰾。醒酒[2]。亦无鳞，不益人也。

孟诜［《纲目》引］：黄颡鱼[3]，无鳞之鱼，不益人，发疮疥[4]。

（《大观》卷20页21，《证类》页420，《纲目》页1613）

【校注】

[1] **黄赖鱼** 为鲿科动物黄颡鱼。

[2] **醒酒** 《纲目》注出典为“弘景”。

[3] **黄颡鱼** 唐氏引“《食疗》余”作“黄赖鱼”。本条，《纲目》对药名出处注为“《食疗》”，

对药名中引文，注出处为“孟诜”。

［4］**发疮疥**　唐氏引“《食疗》余”无此3字，疑为《纲目》所增。

281　比目鱼

《食疗》余［唐氏引］：比目鱼[1]，平。补虚，益气力。多食稍动气。

孟诜［《纲目》引］：比目鱼[2]，补虚，益气力。多食动气[3]。

（《大观》卷20页21，《证类》页420，《纲目》页1614）

【校注】

［1］**比目鱼**　为鲽形目鱼类的总称，包括鲽科及其他科鱼类。《尔雅》云：“东方有比目鱼，不比不行，其名曰鲽。”郭璞注：“状如牛脾及女人鞋底，细鳞紫黑色，两片相合乃得行。其合处半边平而无鳞，口近腹下。”

［2］**比目鱼**　本条，《纲目》在正名下，注出处为“《食疗》”，在文中注出处为“孟诜”。

［3］**多食动气**　唐氏引“《食疗》余”作“多食稍动气”。《纲目》省去“稍”字。

282　鲚鱼

《食疗》余［唐氏引］：鲚鱼[1]，发疥，不可多食。

孟诜［《纲目》引］：鲚鱼[2]，发疥，不可多食。

（《大观》卷20页21，《证类》页420，《纲目》页1601）

【校注】

［1］**鲚鱼**　为鳀科动物鲚鱼。《纲目》云：“鲚，状狭而长薄，如削木片，细鳞白色，腹下有硬角刺，快利若刀。”

［2］**鲚鱼**　本条，《纲目》对药名注出处为“《食疗》”，对引文注出处为“孟诜”。

283　鯸鮧鱼

《食疗》余［唐氏引］：鯸鮧鱼[1]，有毒，不可食之。其肝毒杀人[2]。缘腹中无胆，头中无鳃，故知害人。若中此毒及鲈鱼毒者，便剉芦根煮汁饮，解之。

又，此鱼行水之次，或自触着物，即自怒气胀，浮于水上，为鸦鹞鸰所食。

《食疗》［《纲目》引］：鯸鮧[3]。

（《大观》卷20页21，《证类》页420，《纲目》页1613）

【校注】

[1] **鯸鮧鱼** 《开宝本草》名河豚，为鲀科动物多种东方鲀的通称。

[2] **有毒，不可食之。其肝毒杀人** 《日华子》云："河豚，有毒。毒以芦根及橄榄等解之。肝有大毒。又名鲄鱼、规鱼、吹肚鱼也。"

[3] **鯸鮧** 《纲目》在"河豚"条药名下"校正"云："并入《食疗》鯸鮧。"但其在"河豚"条内，并未引与鯸鮧相关的文字。

284 鯮鱼

《食疗》余［唐氏引］：鯮鱼[1]，平。补五脏，益筋骨，和脾胃。多食宜人，作鲊尤佳，曝干甚香美。不毒，亦不发病。

孟诜［《纲目》引］：鯮鱼，补五脏，益筋骨，和脾胃。多食宜人，作鲊尤宜[2]，曝干香美，亦不发病。

（《大观》卷20页21，《证类》页420，《纲目》页1600）

【校注】

[1] **鯮鱼** 《纲目》云："生江湖中，体圆厚而长，扁额，长喙，口在颔下，细鳞，腹白，背微黄色。大者二三十斤。"

[2] **尤宜** 唐氏引"《食疗》余"作"尤佳"。

285 黄鱼

《食疗》余［唐氏引］：黄鱼[1]，平。有毒。发诸气病，不可多食。亦发疮疥，动风。不宜和荞麦同食，令人失音也。

《食疗》［《纲目》引］：黄鱼[2]。

孟诜［《纲目》引］：鳣鱼肉，发气[3]，动风，发疮疥。和荞麦食，令人失音。

（《大观》卷20页22，《证类》页420，《纲目》页1610）

【校注】

[1] **黄鱼** 为鲟鱼科动物鲟鱼。

[2] **黄鱼** 《纲目》认为黄鱼即鳣鱼，并在"鳣鱼"条作"校正"云："《食疗》黄鱼系重出，今并为一条。"

[3] **发气** 唐氏引"《食疗》余"作"有毒。发诸气病"。《纲目》引文简化为"发气"2字。

286　鲂鱼

《食疗》余［唐氏引］：鲂鱼[1]，调胃气，利五脏。和芥子酱[2]食之，助肺气，去胃家风[3]消谷不化者[4]，作脍食，助脾气，令人能食。患痔痢者，不得食[5]。作羹臛食，宜人。其功与鲫鱼同。

《食疗》［《纲目》引］：鲂鱼。

孟诜［《纲目》引］：鲂鱼，调胃气，利五脏。和芥食之能助肺气，去胃风，消谷，作脍食之，助脾气，令人能食。作羹臛食，宜人，功与鲫同。痔痢人勿食。

（《大观》卷20页22，《证类》页420，《纲目》页1604）

【校注】

［1］**鲂鱼**　为鲤科动物三角鲂。《诗》云："岂其食鱼，必河之鲂。"鲂鱼味美，故有"美如牛羊"之称。

［2］**芥子酱**　《纲目》引"孟诜"作"芥"。

［3］**胃家风**　《纲目》引"孟诜"作"胃风"。胃风泛指消化功能不好，时易腹满，受凉则腹胀，饮食寒冷则泄泻，伴有形瘦腹大。

［4］**消谷不化者**　《纲目》引"孟诜"作"消谷"，省去"不化者"3字。

［5］**患痔痢者，不得食**　《纲目》引"孟诜"文，将之化裁为"痔痢人勿食"。"痔痢"，指患痔疾合并痢疾。

287　鱼子

孟诜［《纲目》引］：鱼子[1]，凡鱼生子，皆粘在草上及土中。冬月寒水过后，亦不腐坏。到五月三伏日，雨中，便化为鱼。

（《纲目》页1622）

【校注】

［1］**鱼子**　《纲目》云："凡鱼皆冬月孕子，至春末夏初则于湍水草际生子。有牡鱼随之，洒白盖其子。数日即化出，谓之鱼苗，最易长大。孟氏之说，盖出谬传也。"

288　蚌

《食疗》［唐氏引］：蚌[1]，大寒。主大热，解酒毒，止渴，去眼赤[2]。动冷热气。

孟诜［《纲目》引］：蚌肉，止渴除热，解酒毒，去眼赤。

（《大观》卷22页5，《证类》页442，《纲目》页1639）

【校注】

［1］**蚌**　《纲目》云："蚌与蛤同类而异形。长者通曰蚌，圆者通曰蛤。"《本草拾遗》云："蚌，寒，煮之，主妇人劳损，下血，明目，除湿，止消渴。老蚌含珠，壳堪为粉，烂壳为粉，饮下，主反胃，心胸间痰饮。生江溪渠渎间。"

［2］**去眼赤**　《嘉祐本草》云："蚌，以黄连末纳之，取汁点赤眼并暗，良。"

289　车螯

《食疗》［唐氏引］：车螯[1]，与蝤螯类，并不可多食之。

孟诜［《纲目》引］：车螯肉，不可多食。

（《大观》卷22页6，《证类》页442，《纲目》页1646）

【校注】

［1］**车螯**　是帘蛤科动物文蛤的一种，为海产软体动物。又，"螯"，《大观》作"螯"。《嘉祐本草》云："车螯是大蛤，一名蜄。"又云："车螯，冷，无毒。治酒毒，消渴，酒渴并痈肿。壳，治疮疖肿毒。烧二度，各以醋煅，捣为末。又，甘草等分，酒服，以醋调傅肿上，妙。"

290　田中螺

《食疗》［唐氏引］：田中螺汁[1]，大寒。汁饮疗热、醒酒、压丹石。不可常食。

孟诜［《纲目》引］：田螺肉，压丹石毒[2]。

（《大观》卷22页19，《证类》页449，《纲目》页1650）

【校注】

［1］**田中螺汁**　即田螺汁。田中螺，为田螺科动物中国圆田螺。陶弘景注云："田中螺，生水田中及湖渎岸侧，形圆大如梨、橘者，人亦煮食之。煮汁，亦疗热，醒酒，止渴。患眼痛，取珍珠并黄连纳其中，良久汁出，取以注目中，多差。"

［2］**压丹石毒**　唐氏引"《食疗》"作"压丹石"，无"毒"字。《纲目》化裁增"毒"字。

291　海月

《食疗》［唐氏引］：海月[1]，平。主消痰，辟邪鬼毒。

以生椒酱调和食之，良。能消诸食，使人易饥。

又，其物是水沫化之，煮时犹是水。入腹中之后，便令人不小便。故知益人也。

又，有食之人，亦不见所损。此看之，将是有益耳。亦名以下鱼。

（《大观》卷22页34，《证类》页456，《纲目》页1653）

【校注】

[1] **海月** 为不等蛤科动物海月。《本草拾遗》云："海月似半月，故以名之。"又云："海月，味辛，平，无毒。主消渴，下气，令人能食，利五脏，调中。生姜、酱食之，消腹中宿物，令易饥，止小便。"

《食疗》文献考

一、敦煌出土残卷本《食疗》考

（一）残卷本《食疗》出土情况

残卷本《食疗》是甘肃敦煌莫高窟出土的古本草之一。该书于 1907 年为斯坦因（Aurel Stein）所掠，现存于英国国家博物馆，馆藏编号为斯氏 76 号（Stein Rolls No. 76）。原件存文 137 行，每行 22 字左右，各行中药名、“又方”及“又”、分割点均朱书，其余文字均墨书。全卷无首尾，存药 26 种。前人用《证类》中所引“孟诜”文、“《食疗》”文校之，确认其为《食疗》残卷。

（二）残卷本《食疗》抄写年代

该残卷本《食疗》为卷子本，原卷子背面有陈鲁佾、谭、刘廷坚、潘宗绪、刘筹诸牒状。其中陈鲁佾牒题有“长兴五年正月一日行首陈鲁佾牒”之文。

按，“长兴”是五代十国时后唐明宗李嗣源年号。李嗣源死于长兴四年（933）。其死后，李从厚继位，并于次年正月改为应顺元年（934）。

后唐之都洛阳，距离敦煌较远，信息难通，长兴四年虽终止，而敦煌处仍袭旧历，故书“长兴五年”。因此，“长兴五年”，即 934 年，距离孟诜书成书时间较近。

从以上事实来看，残卷本《食疗》抄写年代，当在934年或稍前几年。

（三）残卷本《食疗》所存药物数目

残卷本《食疗》仅存26种药物，计有石榴、木瓜、胡桃、软枣、�子、芜荑、榆荚、吴茱萸、蒲桃、甜瓜、越瓜、胡瓜、冬瓜、瓠子、莲子、燕覆子、楂子、藤李、杨梅、覆盆子、藕、鸡头子、菱实、石蜜、沙糖、芋。其余皆缺。

从残卷本《食疗》所存26种药物品种来看，此残卷似是瓜果类中的一部分。按《证类》所引《食疗》药物品种推测，《食疗》应有米谷、蔬菜、虫鱼、鸟兽等类。

（四）残卷本《食疗》药物内容

残卷本《食疗》每个药条的内容包括药名、药性、主治功用、禁忌、附方。有些药物下还记有药物形态、修治、产地。

残卷本《食疗》药物条文中的药名、“又方”及“又”、分割点皆朱书。

王国维认为：“其药名皆朱书，余所见唐写本《周易》释文之卦名，《唐韵》之部首皆然。但用以与余文识别，更无他义。”

残卷本《食疗》存药26种，其中有些药物条文，都被“案经”分割为前后两段。“案经”的“案”字前标有朱点。

一般认为“案经”前的一段文字为孟诜书的原文，“案经”后的一段文字为张鼎增补的文字。从编修层次看，应是如此。

（五）残卷本《食疗》与诸书引文勘比

将残卷本《食疗》与诸书引文勘比，发现几点不同，兹分述如下。

1. 内容多寡不同

残卷本《食疗》中药物条文，都很完整，现存诸医药书中所引的《食疗》资料，都不完整，多是节略后的文字。而且诸书在引文时，多取其大意，很少原文转录，有些还会加以修改，将文句重新组合。

2. 诸书引文标注名称多不同

出土的残卷本《食疗》无书名，故诸书引《食疗》时标注出很多不同名称。

如诸书在节引《食疗》同一药物中的文字时，或注“孟诜”，或注“《食疗》”，或注“孟诜《食经》”，或注“瘖玄子张”，或注“瘖玄子张《食经》”。

在《证类》引文中，掌禹锡所引注出处为“孟诜”；唐慎微所引注出处为“《食疗》”。

在《医心方》中，引文或注“孟诜”，或注“孟诜《食经》”，或注“瘖玄子张”，或注“瘖玄子张《食经》”。

在《本草和名》中，引文或注“孟诜”，或注“孟诜《食经》”。

诸书引文所注名称虽不同，但所引药物，只要在残卷本《食疗》能找出者，其内容均相同，这就提示《食疗》有异名之同种书存在，否则诸书节引同一种《食疗》资料，不会标注出许多不同的名称。

3. 残卷本《食疗》药物条文有脱漏

将残卷本《食疗》同诸书节引文互勘，发现残卷本《食疗》药物条文有脱漏，兹举例如下。

例如，“木瓜”条，《证类》页467“木瓜”条，唐慎微所引“《食疗》”文有“脚膝筋急痛，煮木瓜令烂，研作浆粥样，用裹痛处，冷即易，一宿三五度，热裹便差，煮木瓜时，入一半酒同煮之”。而残卷本《食疗》无此文。这说明残卷本《食疗》有脱漏。

又如，残卷本《食疗》“甜瓜”条，用《证类》页503“甜瓜”条唐慎微所引“《食疗》”文校之，发现二者大体相同。但唐慎微所引“《食疗》”文有“又补中，打损折，碾末酒服，去瘀血，治小儿疳。《龙鱼河图》云：瓜有两鼻者杀人，沉水者杀人。食腹胀，可食盐花成水”等语。残卷本《食疗》无此等语。这说明残卷本《食疗》有脱漏。

《本草和名》第18菜“胡瓜”条引“孟诜《食经》”云：“胡瓜，胡域多之，故以名之。”查残卷本《食疗》 “胡瓜”条无此文。这说明残卷本《食疗》有脱漏。

《证类》卷23果部“石蜜”条、“沙糖”条之间有“甘蔗”条，在“甘蔗”条下，唐慎微引“《食疗》”中的“甘蔗”条文作注。这说明唐慎微所引“《食疗》”中“石蜜”条、“沙糖”条之间有“甘蔗”条。残卷本《食疗》“石蜜”条、“沙糖”条之间没有“甘蔗”条。

4. 残卷本《食疗》中药物合并与分条

《嘉祐本草·补注所引书传》云：“《食疗本草》，唐同州刺史孟诜撰，张鼎又补其不足者八十九种，并归为二百二十七条，凡三卷。”

今从《证类》《医心方》所引，除去重复，共得291余条，比227条要多出64条。为何多出呢？可能因各书对药物的合并与分条不同所致。

例如“莲子”条及“藕”条，《证类》页460将之并为1条，残卷本《食疗》将之分列为2条。

“木瓜”条及“楂子”条，《证类》页467将之并为1条，残卷本《食疗》将之分列为2条。

“大枣”条及“软枣”条，《证类》页462将之并为1条，残卷本《食疗》将之分列为2条。

又如，“白瓜子”条及“白冬瓜”条，《证类》页503、504将之分列作2条，残卷本《食疗》将之并为1条。

“瓜蒂”条及“甜瓜”条，《证类》页503、504将之分列作2条，残卷本《食疗》将之并为1条。

“燕覆子”条，《证类》页200将之附在“通草”条内，残卷本《食疗》将之独立为1条。

由于药物合并或分条的不同，诸书所引《食疗》药物，在数目上，互有出入。《嘉祐本草·补注所引书传》中，说《食疗》载药227条，但本书所收药物有291条，比掌氏所言227条多64条，所多64条可能由于分条所致。

（六）残卷本《食疗》传录与翻印

（1）最早传录残卷本《食疗》的，为日本人狩野直喜。1924年国人罗振玉将狩野直喜抄本录入《敦煌石室碎金》。

罗振玉说：“此卷初见日狩野博士直喜抄录，其目凡二十四种，未及全文。今年友人从美国某博物馆借影印本，则总得二十六种。因命儿子福葆稽录付印。原本伪误，悉仍其旧，惟正其太甚香。”1925年该抄本由东方学会刊印问世。书后附有王国维、唐兰、罗振玉题跋。兹将王国维、唐兰题跋摘录如下。

王国维“唐写本《食疗本草》残卷跋”云：“唐写本本草存药名二十六，惟木瓜、胡桃有注，余未录。其木瓜、胡桃二注，以《政和本草》所引《食疗本草》校之皆合，惟语有长略耳。案《唐书·艺文志》有孟诜《食疗本草》三卷。《嘉祐补注本草·所引书传》有《食疗本草》，云：唐同州刺史孟诜撰，张鼎又补其不足者二十九种，并归为二百七十七条，凡三卷云云。今存二十六条，则仅得十之一

矣。”（《观堂集林》卷21，中华书局）

唐兰跋云：“案今《食疗本草》久亡，而其二百二十七条尚存于《证类》中，惟仅题孟诜，未有题张鼎者。……此残卷起石榴，止芋，凡得药二十六味。前后皆阙，本无书题，以《证类》校之，始知为《食疗本草》，其为孟本，抑为张本，亦不可辨也。其体，先主治，次按语，次处方。……以此本与《证类》对较，则此多详。其主治与按语，《证类》每有削落，其处方也不全载。”

（2）日本人中尾万三根据残卷本《食疗》原文，参考《证类》《医心方》等书，辑校《食疗》佚文，共录药241种。中尾万三辑本漏收的《食疗》药有16种，即薏苡仁、木耳、邪蒿、同蒿、罗勒、石胡荽、橙子、樱桃、乳腐、鹿、鲈鱼、慈竹、酱、胡荽、蚶、蛏。其所录佚文，悉数堆积，未加连缀。

1930年《上海自然科学研究所汇报》一集刊登的中尾万三《食疗本草之考察》论述了以下几个问题：①敦煌残卷本《食疗》的发现和研究状况；②孟诜著《补养方》，后来张鼎增订之，改名为“《食疗本草》”，孟诜编书约在武后长安（701—704）中，而张鼎增补在开元九年至开元二十七年之间（721—739）；③张鼎增补的内容；④《食疗》的文献源流；⑤几种古食经的内容。

（3）1931年范凤源取日本中尾万三辑本，删去其中校注及旁注假名，摘录正文，定名为《敦煌石室古本草》。该书由大东书局铅印。

［附］ 敦煌出土残卷本《食疗》（影印）

花，患白毛。[illegible]
末和蜜丸為丸，日服[illegible]
寒赤非白痢，腸肚絞痛，以醋石榴一箇，搗，令碎，布絞取
汁，空腹頓服之，立止。其花葉陰乾，搗為末，和鐵丹
服之，一年白髮盡黑，益面紅色。仙家重此，不盡書其方。
木瓜 溫 右主治霍亂，澁痺，風氣。又，頑痺人若吐逆下
痢，轉筋不止者，取枝葉煮湯飲之，愈。亦去風氣，
消痰，每欲霍亂時，但呼其名字。亦不可多食，損齒
及腰。下纹痛，可以木瓜一片，桑葉七枚，炙，大棗三個
中破，以水二大升煮取半大升，頓服之即
胡桃 平 右不可多食，動痰。案經：除去風，潤脂肉，令人
能食。不得多食之，計日月漸漸服食，通經絡氣，血脈
黑。人髭髮毛落再生也。又，燒至煙盡，研為泥，和胡粉為
膏，拔去白髮，傅之，即黑毛髮生。又，仙家壓油，和詹香
塗黃髮，便黑如漆，光潤。初服日一顆，後隨日加一顆，至廿
顆，定得骨細肉潤。又，方：一切瘡疥病，案經：動風，益氣，發
固疾。多吃不宜。[illegible] 多食動風，令人病發氣，發咳嗽
蕪荑 平 右主治五種痔，去三蟲，殺鬼毒惡疰。又，患寸白蟲
人，日食七顆，經七日滿，其蟲盡消作水，即差。按經：多食
三升二升，佳，不發病，令人消食，助腸胃，發肌膚，補中
益氣，明目，輕身。
榆莢 平 右主治五內邪氣，散皮膚支節間風氣，能化食，
去三虫，治寸白，散腹中冷氣。又，患熱瘡，為末，和豬脂
塗，差。又，方：和白沙蜜治濕癬。又，方：和馬酪治乾癬。和沙
牛酪療一切瘡。案經：作醬食之，甚香美，其功尤勝於

半酢療一切[illegible]經[illegible][illegible]食之[illegible][illegible][illegible][illegible][illegible]用[illegible]
榆人唯陳久者更良可少啖多食發熱心痛為其味
辛之故秋天食之宜人長啖治五種痔病 又殺腸惡蟲

榆莢 平 右療小兒癇疾 又方患石淋莖 又暴赤腫者
榆皮三兩熟擣和三年米醋滓封莖上日六七遍易 又方
治女人石癰妒乳腫 ・案經宜服丹石人取葉煮食時
服一頓亦好高昌人多擣白皮為末和菹菜食之甚
美消食利關節 又其子可作醬食之甚香然稍
辛辣能[illegible]助肺氣殺諸蟲下心腹間惡氣內消之陳
滓者久服尤良 又塗諸瘡癬妙 又卒冷氣心痛 食之差
茱萸 溫 右主治心痛下氣除咳逆去藏中冷能溫脾氣
消食 又方主樹皮上牙疼痛痒等立止 又取茱萸一升清
酒五升二味和煮取半升去滓以汁微煖洗如中風賊風
口偏不能語者取茱萸一升美清酒四升和煮四五沸冷
服之半升日三服得小汗為差 ・案經殺鬼毒尤良 又方
夫人衝冷風欲行房陰縮不怒者可取二七粒之良久咽
下津液 并用唾塗玉莖頭即怒 又閉目者名欓子不宜食 又方食
魚骨在腹中痛煮汁一盞服之即止 又魚骨刺在肉中
不出及蛇骨者以封其上骨即爛出 又奔豚氣衝心腳
腳氣上者可和生薑汁飲之甚良

蒲桃 平 右益藏氣強志療腸間宿水調中 按經
不問土地但取藤汁釀酒皆得美好其子不宜多食
令人心卒煩悶猶如火燎亦發黃病凡熱疾後不可食之
眼闇骨熱久成麻癤病 又方其根可煮取濃汁飲之
嘔噦及霍亂後惡心 又方女人有娠往往子上衝心細細飲
之即止其子便下胎安好

之時止其子便下胎安好

甜瓜 寒 右止渴除煩熱多食令人陰下痒濕生瘡

又發痺黃動宿冷病患癥瘕人不可食瓜其瓜蔕

主治身面四支浮腫殺虫去鼻中息肉陰痺黃及急黃

又生瓜葉搗取汁治人頭不生毛髮者塗之即生。案經

多食令人羸惙虛弱脚手少力其子熱補中焦宜人

其肉止渴利小便通三焦間擁塞氣又方瓜蔕七枚丁

香七枚搗為末吹鼻中少時治癰氣黃汁即出差

越瓜 寒 右主治利陰陽益腸胃止煩渴不可久食發痢。

案此物動風雖止渴能發諸瘡令人虛脚弱虛不能行

小兒夏月不可与食成痢發虫令人腰脚冷臍下痛

患時疾後不可食。不得和乳牛及酪食之 又不可空

腹和醋食之令人心痛 胡瓜 寒 不可多食動風及寒熱

又發瘧病積瘀血。案多食令人虛熱上氣生百病

消人陰發瘡及發痃氣及脚氣損血脉天行後不可

食。小兒食發痢滑中生甘虫 又不可和酪食之必再發

又搗根傅胡刺毒腫甚良

冬瓜 寒 右主治小腹水鼓脹又利小便止消渴又其子主益

氣耐老除心胸氣滿消痰止煩 又 冬瓜子七升絹袋盛

投三沸湯中須臾曝乾 又内湯中如此三度乃止曝乾

与滑苦酒浸之一宿曝乾為末服之方寸匕日二服令人肥悅

明目延年不老。案經壓丹石去頭面熱風 又 熱發者

服之良患冷人勿食之令人益瘦。取冬瓜一顆和桐葉

与猪食之一冬更不食諸物其猪肥長三四倍矣

煮食之能鍊五藏精細欲得肥者勿食之為下氣欲瘦

煮食之能鍊五藏精細欲得肥者勿食之為下氣欲瘦
小輕健者食之甚健人 又冬瓜人三升退去皮殼擣為丸
空腹及食後各服廿丸令人面滑靜如玉可入面脂中用
瓠子 冷 右主治消渴患惡瘡患脚氣虛腫者不得食之
加甚 ·案經治熱風及服丹石人始可食之除此一切人不可
食也 患冷氣人食之加甚又發固疾
蓮子 寒 右主治五藏不足傷中氣絕利益十二經脉廿五絡
血氣生吃動氣蒸熟為上 又方去心曝乾為末着蠟及
蜜等分為丸服令不肥學仙人最為勝若鴈腹中者
空腹服之七枚身輕能登高陟遠採其鴈之或糞於野
田中經年猶生又或於山巖石下息糞中者不逢陰雨數
年不壞 又諸飛鳥及猿猴藏之於石室之內其猨鳥
死後經數百年者取得之服永世不老也其子房及葉皆
破血 又根停久者即有紫色葉亦有褐色多採食之令
人能變黑如瑿 [illegible]子 平 右主利腸胃令人能食下三
焦除惡氣和子食更良江北人多不識此物即南方人食
之 又主續五藏音聲及氣使人足氣力又取枝葉煮
飲服之治卒氣奔絕亦通十二經脉其莖為草利關節
擁塞不通之氣今北人只識蓪草而不委子功
[illegible] 平 右多食損齒及損筋唯治霍亂轉筋煮飲汁
之与木瓜功相似而小者不如也昔孔安國不識而謂之不藏
今驗其形小况相似江南將為果子頓食之其酸澁也亦
無所益俗呼為擣梨也 [illegible] 寒 右主下丹石利五藏其熟
時收取瓤和蜜煎作煎服之去煩熱止消渴久食發冷氣
損疥脾胃 [illegible] 溫 右主藏腑調腹胃除煩潰消惡

損痺脾胃　楊梅　温　右主藏腑調腹胃除煩憒消惡
氣去痰實 ●不可多食損人筋 然斷下痢 又燒為灰亦
斷下痢其味酸美小有勝白梅 又取乾者常含一枚咽
其液亦通利五藏下少氣 ●若多食損人筋骨甚酸之
物是土地使然若南人北杏亦不食北人南梅亦不啖
皆是地氣鬱蒸令煩憒好食斯物也　覆盆子　平　右
主益氣輕身令人髮不白其味甜酸五月麥田中得者良
採其子於烈日中曬之若天雨即爛不堪收也江東十月有
懸鈎子稍小異形氣味一同然北地無懸鈎子南方無覆
盆子蓋土地殊也雖兩種則不是兩種之物其功用亦相似
藕　寒　右主補中焦養神益氣力除百病久服輕身耐
寒不飢延年 ●生食則主治霍乱後虛渴煩悶不能食
長服生肌肉令人心喜悅　案經神仙家重之功不可說
其子能益氣即神仙之食不可具說 ●凡產後諸忌生
冷物不食唯藕不同生類也為能散血之故但美即而
已可以代糧 ●蒸食甚補益下焦令腸胃肥厚益氣
力与蜜食相宜令腹中不生虫 ●仙家有貯石蓮子及乾
藕經千年者食之不飢輕身能飛至妙世人何可得
之　凡男子食須蒸熟服之生吃損血
雞頭子　寒　主温治風痺腰脊強直膝痛補中焦益精
強志意耳目聰明作粉食之甚好此是長生之藥与蓮實
同食令小兒不長大故知長服當亦駐年 ●生食動少氣
可取蒸於烈日中曝之其皮殼自開挼却皮取人食甚
美可候皮開於臼中舂取末
菱實　平　右主治安中焦補藏腑氣令人不飢仙方亦
蒸熟曝乾作末和米食之休粮 ●凡水中之果此物最
發冷氣　不能治眾疾負食令玉莖消衰令人或腹

[illegible]右主治安中[illegible]

蒸熟曝乾作末和米食之休粮。凡水中之果此物家

發冷氣 不能治衆疾損陰令玉莖消衰令人惑腹

脹者以薑酒一盞飲即消 含吴茱萸子咽其液亦消

石蜜 寒 右心腹脹熱口乾渴波斯者良注少許於目中除

去熱膜明目蜀川者爲次今東吴亦有並不如波斯此

皆是煎甘蔗汁及牛膝汁煎則細白耳 又和棗肉及巨

勝人作末爲丸每食後含一丸如李核大咽之津潤肺氣

助五藏津 沙糖 寒 右功體与石蜜同也多食令人心痛

養三虫消肌肉損牙齒發疳𧏾不可多服之 又不可

与鯽魚同食成疳虫 又不可共笋食之笋不消成癥

病心腹痛重不能行李 芋 平 右主寬緩腸胃去死

肌令脂肉悦澤白淨者無味紫色者良破氣煮汁飲

之止渴十月已後收之曝乾冬蒸服則不發病餘外不可服

又和魚煮爲羹甚下氣補中焦令人虛無氣力此

物但先肥而已 又煮生芋汁可洗垢膩衣能潔白 又

二、《食疗》纵考

（一）作者

本书原作者是孟诜，增补者是张鼎。按《旧唐书》《新唐书》“孟诜传”所载，孟诜是唐代汝州梁县（今河南汝州）人，生于武德年间（618—626），少好方术，长举进士，垂拱（685—688）初，累迁凤阁舍人；长安（701—704）中出任同州刺史；神龙（705—707）初致仕，归伊阳之山，第以药饵为事。孟诜年虽晚暮，志力如壮。710年睿宗即位，召其赴京师，其固辞。其撰有《补养方》《必效方》《丧服要》《家礼》《祭礼》等书。

孟诜《补养方》，后由张鼎增补，更名为“《食疗本草》”。张鼎史书无传。《新唐书·艺文志·医术类》载《冲和子玉房秘诀》10卷，题张鼎撰。《宋史·艺文志》载有脂玄子《安神养性方》1卷。另，《医心方》引“脂玄子张”12条，经核校，发现其和《证类》所引“《食疗》”文字大体相同，是知“脂玄子”即张鼎的道号。

（二）成书时间

孟诜作《补养方》的时间，大约为神龙（705—707）初。《旧唐书》本传说孟诜此时以药饵为事，并云孟诜年虽晚暮，志力如壮。而孟诜亦尝谓“若能保身养性者，常须善言莫离口，良药莫离手”。从孟诜晚年身体健壮，和在养生方法上重视药饵来看，《补养方》似在这个时候所著。

张鼎增订《补养方》，并将之更名为“《食疗本草》”，其时似在开元中（约721—739）。

因为在开元九年（721）唐代所编的《开元四部书目》中有孟诜《补养方》，而无《食疗》。开元二十七年（739）陈藏器《本草拾遗》“鮀鱼甲”条、“鼋”条，则引有张鼎之名。“假苏”条、“桃竹笋”条引有张鼎《食疗》的书名。

《食疗》原书已佚，它的内容通过《本草拾遗》《开宝本草》《嘉祐本草》，保存在《证类》中。又，日本丹波康赖《医心方》亦保存了很多本书内容。此外，出土的该书残卷，亦是很重要参考资料。

（三）同书异名的讨论

《证类》《医心方》援引该书资料时，所标注名称各不相同，有“孟诜云”“孟诜《食经》”“蓓玄子张云”“蓓玄子张《食经》云”。把这些标注不同名称的资料，相互核校一下，发现其内容大致相同。由此可知，这些不同的标注下的资料都是《食疗》的内容。

例如，《证类》记载掌禹锡所引该书资料，全标注“孟诜云”。但掌禹锡在《嘉祐本草·补注所引书传》中仍题“《食疗本草》”书名。

《食疗》中“石燕”条和“菌子”条的条文，掌禹锡引此文时标注“孟诜云”（见《证类》“燕屎”条和“桑根白皮”条注），而唐慎微引此文时即标注“《食疗》云”（见《证类》“石燕”条和“雚菌”条注）。由此可见《证类》中标注“孟诜云”和“《食疗》云”的资料，皆是《食疗》的内容。

《医心方》卷30页689“白粱米”条，援引该书资料“除胸膈中客热，移易五脏气，续筋骨”，标注为“蓓玄子张云”。但《证类》卷25页490“白粱米”条引此文时，就标注为“孟诜云”。

《医心方》卷30页689“荞麦”条及页694“柰”条引该书资料，均标注为“蓓玄子张云”。但《证类》页493“荞麦”条、页478“柰”条引该书资料，均标注为“孟诜云”。由此可见，《医心方》中标注“蓓玄子张云”的资料，亦是《食疗》的内容。

关于敦煌出土的残卷，原无书名，把它的条文同《医心方》及《证类》所引“孟诜云”“孟诜《食经》云”“《食疗》云”“蓓玄子张云”等进行核对，发现二者相同。前人据此考订该出土的残卷是《食疗》。该残卷本《食疗》存药仅26种，每一种药的条文都很完整。同一个条文的各部分，在被《证类》《医心方》引用时，标注的名称都各不相同。

例如，残卷本《食疗》“棐子”条原文为：

棐子，平，右主治五种痔，去三虫，杀鬼毒恶疰。又，患寸白虫，人日食七颗，经七日满，其虫尽消作水，即差。案经：多食三升二升佳，不发病，令人消食助筋骨，安荣卫，补中益气，明目轻身。

以《证类》卷14页356“榧实”条校之，条文下画曲线者为掌禹锡引文，标注“孟诜云”。条文下画直线者为唐慎微引文，标注“《食疗》云”。由此可见掌禹锡标注“孟诜云”的内容和唐慎微标注“《食疗》云”的内容，皆是《食疗》的内容。掌禹锡引文时，对该书资料中，凡与旧本药物正文大字相同的文字，皆省略。如残卷本《食疗》“榠子”条中“治五种痔，去三虫，杀鬼毒恶疰”，和旧本“榧实”条正文大字同，掌禹锡即省掉不录了。唐慎微所引，都是掌禹锡援引后剩下的文字。

又如，残卷本《食疗》“芜荑”条原文为：

芜荑，平，右主治五内邪气，散皮肤肢节间风气，能化食，去三虫，逐寸白，散腹中冷气。又，患热疮，为末，和猪脂涂，差。又方，和白沙蜜治湿癣。又方，和马酪治干癣，和沙牛酪疗一切疮（疮）。案经：作酱食之甚香美，其功尤胜于榆人，唯陈久者更良，可少吃，多食发热心痛，为其味辛之故。秋天食之宜人，长吃治五种痔病。又杀肠恶虫。

校以《证类》卷13页322“芜荑”条，可知《嘉祐本草》掌禹锡所引，标为“孟诜云”（见文中画的曲线文字）。《证类》唐慎微所引，标为“《食疗》云”（见文中画的直线文字）。残卷本《食疗》中同一个条文，掌禹锡、唐慎微从中节录不同的部分，标注不同的书名。可见掌禹锡、唐慎微援引本书时，标示的名称虽不同，但所引的内容都是《食疗》的文字。

《医心方》的情况也是如此。

例如，《医心方》卷4页105有“治白发方，胡桃烧令烟尽，研为泥，和胡粉，拔白毛傅之，即生毛”，并标注出典为“孟诜《食经》”。以残卷本《食疗》胡桃的附方校之，发现二者全同。由此可见，《医心方》中标注“孟诜《食经》云”的资料，亦是《食疗》的内容。

（四）内容

《嘉祐本草·补注所引书传》云：“《食疗本草》，唐同州刺史孟诜撰，张鼎又补其不足者八十九种，并归为二百二十七条，凡三卷。”今从《证类》《医心方》所引，除去重复，共得291条，这比227条要多出64条。为何多出呢？可能因各书对药物的分合不同所致。例如，“莲子”条和“藕”条，敦煌残卷作2条，而《证类》合并为1条。由于合并或分条不同，诸书所引《食疗》资料，按药物计算有291种。由于原书目录不存，这些药物如何归并不详。

《证类》和《医心方》援引本书药物品种虽多，但其所引每个药物条文都不完全。欲了解该书药物的全貌，只有从敦煌出土的残卷本《食疗》研究。该残卷本《食疗》在1907年为英国人斯坦因（Aurel Stein）所劫，今存于英国国家博物馆，馆藏编号为斯氏76号（Stein Rolls No. 76）。

该残卷本《食疗》为卷子本，每行20余字，朱、墨分书。其留存药物26种，始于“石榴”条后半，终于“芋”条前半，其间存录之药有石榴、木瓜、胡桃、软枣、粜子、芜荑、榆荚、吴茱萸、蒲桃、甜瓜、越瓜、胡瓜、冬瓜、瓠子、莲子、燕覆子、楂子、苊李、杨梅、覆盆子、藕、鸡头子、麦、石蜜、沙糖、芋。

该残卷本《食疗》为卷子本，卷子背面有陈鲁佾、谭、刘廷坚、潘宗绪、刘筹诸牒状。其中陈鲁佾牒上有“长兴五年正月一日行首陈鲁佾牒”之文。

按，“长兴”是五代十国时后唐明宗李嗣源年号。李嗣源死于长兴四年（933）。其死后，李从厚继位，并于次年正月改为应顺元年（934）。

后唐之都洛阳，距离敦煌较远，信息难通。长兴四年虽终止，而敦煌处仍袭旧历，故书“长兴五年”。长兴五年即934年，距离孟诜书成书时间颇近。

残卷本《食疗》中每个药名均朱书；条文中附方前的“又”“又方”亦朱书；分隔句、段的点，亦用朱点表示之。王国维认为：“其药名皆朱书，余所见唐写本《周易》释文之卦名，《唐韵》之部首皆然。但用以与余文识别，更无他义。”

残卷本《食疗》每个药条的内容包括药名、药性、主治功用、禁忌、附方。其中有些药条间或夹有药物形态、修治、产地的内容。部分药物条文被“案经”分割为前后两段，“案经”的“案”字前标有朱点。“案经”标记和《证类》引文中“谨案”标记义同。“案经”后的文字是张鼎增补之文。

残卷本《食疗》中所存药条文字，与《证类》所引“《食疗》”文字互有出入。例如，“木瓜”条，《证类》引文有“脚膝筋急痛，煮木瓜令烘，研作浆粥样，用裹痛处，冷即易，一宿三五度，热裹便差。煮木瓜时入一半酒同煮之”。而残卷本《食疗》脱此文。类似此例，还有“甜瓜”条。此药条内容，残卷本《食疗》也脱落。

残卷本《食疗》中每个药物的药性，用小字注在药名之下，计有寒、冷、温、平四性。其中无有关五味的记载。

但《证类》所引“《食疗》”资料中，有关药物性味的内容比残卷本《食疗》多。例如，寒有微寒、寒、大寒3种，温有微温、温、热3种。兹将《证类》所引“《食疗》”药物性味，不见于残卷本《食疗》者，及其对应的药物列举如下。

注明微寒的药物：干地黄、苦芙、鼠李、熊脂、豚卵、狐肠肚、麻蕡、大豆、藕实、醋、鹜肪、青粱米、白粱米。

注明大寒的药物：甘蔗根、甘蔗子、淡竹沥、蚌、田中螺。

注明微温的药物：吴茱萸、犀牛肉、石蜜、嘉鱼、鼋、鳣、荔枝。

注明热的药物：羊骨、樱桃、杏核仁、瓜蒂的子。

注明味苦的药物：堇汁、龙葵、酒、猪肉。

注明味酸的药物：兔肉、江猪肉、貒膏、诸鸡、龟甲、覆盆子。

注明甘滑的药物：熊脂。

注明苦涩的药物：林檎。

本书除对主治功用进行论述外，还对药物产地、采集、炮制、禁忌进行了论述。

产地：鳖甲，“岳州、昌江者为上”；大枣，“第一青州，次蒲州者好”；石蜜，“蜀中、波斯者良，东吴亦有，并不如两处者”；橄榄，“生岭南山谷”。

采收：菊花，“其叶正月采，可作羹”“茎五月五日采”“花九月九日采”；艾叶，“春初采为干饼子”，“三月三日可采作煎”。

炮制：蛇蜕，“熬用之”；羊肝，“熁令脂汁尽”；天门冬，“可去皮心，入蜜煮之，食后服之。若曝干入蜜丸，尤佳”。

禁忌：雉肉，“忌胡桃、菌子、木耳”；大豆黄屑，“忌猪肉”；葱，“切不得与蜜相和”；石榴，“多食损齿令黑”；沙糖，多食“损齿，发疳䘌”。鯸鮧鱼，“有毒，不可食之，其肝毒杀人”；鳖甲，“赤足不可食，杀人”。栗，“蒸炒食之，令气壅，患风水气不宜食”。

（五）流传

《食疗》编成于739年。南方的陈藏器作《本草拾遗》时，即引用之，如《本草拾遗》的“桃竹笋”“假苏”等条引有张鼎《食疗》文。后其亦流传到祖国的西北，如敦煌出土的残卷本《食疗》背面记有“长兴五年（934）”。

该书到宋代时亦广为流传，宋代政府几次编修大型本草书（如《开宝本草》《嘉祐本草》《证类》等）时，都是参考过本书的。

唐、宋图书目录，对本书都有记载。如《新唐书·艺文志》载：“孟诜《食疗本草》三卷。”《证类》转引的“嘉祐补注所引书传”记载：“《食疗本草》……三卷。”郑樵《通志·艺文略》记载：“《食疗本草》三卷，唐·孟诜撰。”《宋史·艺文志》亦记有本书的书名。

《食疗》不仅在国内流行，而且还流传到日本。如日本延喜十八年（918）深江辅仁《本草和名》及日本永观二年（984）丹波康赖《医心方》均引有本书的资料。《日本国见在书目录·医方类》及朝鲜的《东医宝鉴》亦记有孟诜《食疗》3卷。

这些资料都说明本书流传地域广，流传时间长。

（六）特点

1. 本书附方很多

从残卷本《食疗》所存26种药来看，几乎每种药下都有附方，少则一方，多则数方。

例如，残卷本《食疗》中“榆荚”条，在“案经”前、后各有3个附方。

本书所附的方子中，记有药味、主治功效、用法、用量等。唐以前本草，讲食治，多以讲宜忌为主，很少附方子。

经考查得知，本草附方最早始于《名医别录》（以下简称《别录》）。

例如，《证类》卷21页424“露蜂房”条，“唐本注”引《别录》云：“蜂房、乱发、蛇皮三味合烧灰，酒服方寸匕，日二，主诸恶疽，附骨痈。”

《证类》卷22页451“蜣螂”条，有“唐本注”引《别录》云：“捣为丸，塞下部，引痔虫出尽，永差。”

《证类》卷15页364“人乳汁”条，“唐本注”引《别录》云：“首生男乳，疗目赤痛多泪，解独肝牛肉毒，合豉浓汁服之，神效。”

《证类》卷19页401“雀卵”条，“唐本注”引《别录》云：“雀屎和男首子乳，如薄泥，点目中胬肉赤脉贯瞳子者，即消，神效。”

类似此例很多，所以本草附方，最早始于《别录》。

2. 本书收罗药物品类较多

玉石、草、木、虫、鱼、鸟兽、果、菜、米各类药物，该书中都有。孙思邈《千金方·食治》收罗的药仅限于果实、菜蔬、米谷、鸟兽类药物，只有154种，没有玉石、草、木及虫类药。

该书收载草类药物，其中木耳、菌子、海藻、昆布、干苔、船底苔、紫菜、鹿角菜等都是一些低等植物。这些药物在今天已引起人们的重视。

3. 本书所记内容亦较广泛

本书虽以收录药物主治和功用为主，但也兼记其他与食治有关的内容，兹举例如下。

（1）记载不同地区的人，对同一药物的不同反应。

《证类》卷 9 页 221“海藻”条引“孟诜”说：“海藻常食之，消男子㿗疾，南方人多食之。传于北人，北人食之倍生诸病，更不宜矣。”同书页 222“昆布”条引“《食疗》”云：“海岛之人，食此物，服久，病亦不生。遂传说其功于北人，北人食之，病皆生。”

《证类》卷 23 页 477“杨梅”条引“《食疗》”云：“南方人北居，杏亦不食；北地人南住，梅乃噉（吃）多。”

（2）记载食物变质和不纯的情况。

《证类》卷 25 页 491“小麦”条引“孟诜”云：“小麦作面有热毒，多是陈裛之色。”同条又引“《食疗》”云：“面有热毒者，为多是陈黦之色，又为磨中石末在内，所以有毒，但杵食之，即良。”

（3）记载一些动物脏器疗法。

《证类》卷 17 页 377“牛角鰓”条引“《食疗》”云：“牛肾，主补肾髓。”同书页 379“羖羊角”条引“孟诜”云：“羊肚，主补胃。”又引“《食疗》”云：“羊肝，治肝风虚热，目赤暗痛。生羊子肝吞，主目失明。”

同书页 381“牡狗阴茎”条引“《食疗》”云：“上伏日采胆，以酒调服之明目。”

同书页 385“兔头骨”条引“孟诜”云：“兔肝，主明目，和决明子作丸服之。”

此外从今存《食疗》佚文中，见到《食疗》所引录的书有《食禁》《本草》《淮南术方》《洞神经》《灵宝五符经》《神通目法》《北帝摄鬼录》《龙鱼河图》等。其中道家书较多，此与孟诜、张鼎受道家影响有关。

又，张鼎在增订时，亦引用孟诜的话。例如《证类》卷 27 页 503“白冬瓜”条，唐氏引“《食疗》”云：“欲得瘦轻健者，则可长食之，若要肥则勿食。孟诜说：肺热消渴，取濮瓜去皮，每食后嚼吃三二两，五七度良。”

（七）价值

1. 实用价值高

该书是唐代比较齐全的一部营养学和食疗的专著，收罗药物多，附方多，内容丰富，在当时同类著作中首屈一指。其中很多食品，如牛、马、羊肉及乳等，至今仍是常用食品。

2. 学术价值很高

唐、宋很多本草著作的编著都参考过该书。

例如，《开宝本草》新增药物，虽未注明出于该书，但其新增药物条文内容与《食疗》内容几乎相同。现以“越瓜”条举例说明。

《开宝本草》云：“越瓜，味甘，寒。利肠胃，止烦渴，不可多食，动气发诸疮，令人虚弱，不能行，不益小儿，天行病后不可食。”残卷本《食疗》云：“越瓜，小儿夏月不可与食，又发诸疮，令人虚弱，冷中，常令人脐下为癥，痛不可止，又天行病后不可食。”

两书文字极相似，这说明《开宝本草》新增药中部分文字，是取材于《食疗》的。

《嘉祐本草》新增药物中，标注“新补见孟诜”的药物有船底苔、干苔、乳腐、蚩、蚶、蛏、淡菜、石胡荽、邪蒿、同蒿、罗勒、白苣、雍菜、菠菜、鹿角菜、苦荬、莙达（甜菜）、曲、荞麦、白豆、白油麻、甜瓜、胡瓜等20余种。这说明《嘉祐本草》中的某些新增药物，也是直接取材于《食疗》的。

又，掌禹锡作《嘉祐本草》时和唐慎微作《证类》时，都大量援引《食疗》资料作注文。

此外，日本深江辅仁作《本草和名》及丹波康赖作《医心方》时，亦参考过《食疗》。

3. 文献价值高

该书是唐代食疗一类书的名著，对于研究饮食疗法发展史有重要参考价值，对研究个别药物发展史亦有参考价值。例如，该书中收罗的鲈鱼、鳜鱼（桂鱼）、石首鱼（黄花鱼）、菠薐、雍菜（空心菜）等，是首次被载于本草文献。

由于历史条件的限制，该书亦存在一些缺点。该书对治丹石发作的药物记载得很多。例如，《医心方》卷30页703引“脴玄子张”云：“冬瓜食之压丹石。”同书页689“荞麦”条引“脴玄子张”云：“荞麦虽动诸病，犹压丹石，能练五脏滓。”此因张鼎受道家影响所致。“脴玄子”，盖为张鼎的道号。该书对畸形异体之物，常怀疑惧。例如，《证类》卷17页375“白马茎”条引“《食疗》”云：“白马黑头，食令人癫。”《证类》卷19页397“丹雄鸡”条引“《食疗》”云：“鸡具五色者，食之致狂。”该书对某些药物的作用以主观取象比类进行推测。例如，《证类》卷19页406“鸳鸯”条引“《食疗》”云：“其肉主夫妇不和，作羹脍私与食之，即立相怜爱也。”此条以鸳鸯成双最亲密，推想到夫妇不和食之当亦会相爱。

虽然该书有些许缺点，但这些小小的缺点并不能掩盖其巨大的成就。

三、《食疗》有关孟本、张本的讨论

在《证类》中，掌禹锡引《食疗》作注释文，全标注“孟诜曰”。唐慎微引《食疗》作注，全标注“《食疗》云”。由于掌氏、唐氏引文标注出处不同，一般认为掌氏所引出于孟诜《食疗》（简称孟本），唐慎微所引出于张鼎《食疗》（简称张本）。

《敦煌石室碎金》所载残卷本《食疗》后所附的唐兰跋云：“此残卷，起石榴，止芋，凡得药二十六味，前后皆缺，本无书题，以《证类》校之，始知为《食疗本草》，其为孟本，抑为张本，亦不可辨也。”

按唐兰跋所云，《食疗》分为孟本、张本。

所谓孟本、张本，是因诸书引文时所标注书名不统一造成的。

《新唐书·艺文志》载孟诜《食疗》3卷。

《嘉祐本草·补注所引书传》记有《食疗》，并云：“唐同州刺史孟诜撰。”

但《新唐书·孟诜传》《旧唐书·孟诜传》及《旧唐书·经籍志》俱无孟诜《食疗》书名。

范行准和中尾万三，都认为孟诜撰《补养方》，张鼎增补之，并易其名为“《食疗本草》”。有些人认为引文标注“孟诜曰”者，当出孟诜原书。引文标注“《食疗》”者，当出张鼎增补的《食疗》。

但从掌氏、唐氏引文内容来看，掌氏、唐氏所引之文，皆源于张鼎《食疗本草》。

掌禹锡在“燕屎”条（《证类》页401）引“石燕”，注出处为“孟诜”。唐慎微在玉石部引“石燕”（《证类》页129），注出处为“《食疗》”。同一条“石燕”，两家引文内容相同，所注出处不同。这说明掌氏引文所注“孟诜”，与唐氏引文所注“《食疗》”是一回事，二者同指《食疗》。

又如，掌氏在“桑根白皮”条下（《证类》页315）引有“菌子”，注出处为“孟诜”。唐氏在“雚菌”条下（《证类》页255）亦引“菌子”，但注出处为“《食疗》”。两家所引“菌子”内容文句全同，仅标注出处不同。这就提示，掌氏引文所注“孟诜”与唐氏引文所注“《食疗》”，指同一本书。

按，张鼎增补孟诜书时，多用“案”“案经”标记隔开。掌氏、唐氏援此等文时，多将“案经”改为“谨案”。

例如，《证类》页442“虾”条、页473“杏仁”条，掌氏所引“孟诜”文中就有“谨案”标记。

在《证类》中，掌氏引文注出处为“孟诜”，唐氏引文注出处为“《食疗》”。两家引文所注出处虽不同，但用残卷本《食疗》校之可知两家引文出于同一条中，兹以芜荑为例介绍。残卷本《食疗》“芜荑”全文为：

芜荑平，右主治五内邪气，散皮肤肢节间风气，能化食，去三虫，逐寸白，散腹中冷气。又，患热疮，为末，和猪脂涂差。又方，和白沙蜜治湿癣。又方，和马酪治干癣，和沙牛酪疗一切疮（疮）。案经：作酱食之甚香美，其功尤胜于榆人，唯陈久者更良，可少吃，多食发热心痛，为其味辛之故。秋天食之宜人，长吃治五种痔病。又杀肠恶虫。

文中画曲线者与《证类》322页“芜荑”条掌氏所引“孟诜”文同。文中画直线者与《证类》322页“芜荑”条唐氏所引“《食疗》”文同。这就说明掌氏所引“孟诜”文和唐氏所引“《食疗》”文，既含有残卷本《食疗》“案经”前的文字，也含有“案经”后的文字。换句话说，掌氏所引“孟诜曰”、唐氏所引“《食疗》云”，同出于张鼎《食疗》。

《证类》掌氏所引“孟诜”文、唐氏所引“《食疗》”文，同《医心方》所引“孟诜”文及“膳玄子张”文，亦大体相同。

例如，《证类》页460掌氏引“孟诜”云：“莲子性寒，主五脏不足，伤中气绝，利益十二经脉血气，生食微动气，蒸食之良。”

文中画直线者与《医心方》698页所引“孟诜云”同。

文中画曲线者与残卷本《食疗》同。

这个例子说明《证类》掌氏所引“孟诜曰”及《医心方》所引“孟诜云”，同出于张鼎《食疗》。

在《证类》各药物条文下，掌氏引文注出处为“孟诜”。但掌氏在《嘉祐本草·补注所引书传》中，仍列有《食疗》书名。

按，《嘉祐本草·补注所引书传》，是掌氏作《嘉祐本草》时所参考的书目。书目中列《食疗》，说明掌氏参考过《食疗》。其还说《食疗》为孟诜所撰。又，在各药物条文下引本草资料注出处时，可注本草书名，也可注本草作者名。故掌氏引《食疗》时，以作者名“孟诜”注出处。这就提示，掌氏引文所注“孟诜”实即《食疗》。

从上述各例来看，《证类》所引“孟诜曰”“《食疗》云”内容相同，都出于

《食疗》，并无孟本、张本之分。

《证类》页490“白粱米”条引“孟诜”云：“白粱米，患胃虚并呕吐食及水者，用米汁二合，生姜汁一合服之。性微寒，除胸膈中客热，移五脏气，续筋骨。”

文中画直线者与《医心方》页689“白粱米”条所引“孟诜云”同。

文中画曲线者与《医心方》页689“白粱米”条所引“瘖玄子张云”同。

《证类》页318“吴茱萸”条引“孟诜”云：“谨案：杀鬼疰气，又开目者不堪食。又，鱼骨在人腹中刺痛，煮一盏汁服之止。又骨在肉中不出者，嚼封之，骨当烂出。”

文中画曲线者与《医心方》页682“白粱米”条所引“瘖玄子张《食经》云”同。

以上两例说明《证类》所引“孟诜曰”和《医心方》所引“孟诜云”“瘖玄子张云”，均出于张鼎《食疗》。

四、《证类》中掌氏、唐氏引《食疗》文考异

（一）掌氏、唐氏对《食疗》中前代本草已有内容不予著录

在《证类》各药物条文下，掌氏所引“孟诜”文、唐氏所引“《食疗》”文的内容以前代本草未见者为主。如内容见录于前代本草，均不予摘录。

（1）凡《食疗》夹有的《本经》文、《别录》文，掌氏、唐氏都不予援引作注。兹举例如下。

1）“冬瓜”条：残卷本《食疗》有“主治小腹水鼓胀，又利小便，止消渴”。

《证类》页503“白冬瓜”条墨字《别录》文有此句，掌氏在“白冬瓜”条下引“孟诜”时，即不录此文。

2）“覆盆子”条：残卷本《食疗》有“主益气轻身，令人发不白”。

《证类》页465“覆盆子”条墨字《别录》文有此句，掌氏在“覆盆子”条下引“孟诜”时，即不录此文。

3）“榧实”条：残卷本《食疗》有“右主治五种痔，去三虫，杀鬼毒恶疰”。

《证类》页356“榧实”条墨字《别录》文有此句，掌氏在“榧实”条下引“孟诜”时，即不录此文。

4）“鸡头实”条：残卷本《食疗》有“治风痹，腰脊强直，膝痛，补中焦，

益精，强志意，耳目聪明”。

《证类》页466“鸡头实”条白字《本经》文有此句，掌氏在“鸡头实”条下引“孟诜”时，即不录此文。

5）《医心方》页97引“孟诜《食经》”云：“茺蔚，治中风隐疹疮，可作浴汤。”

此文与《证类》页153“茺蔚”条《本经》文“茺蔚茎主瘾疹痒可作浴汤”同。掌氏对前代本草已见者，不录作注文。所以，《证类》“茺蔚”条未见掌氏所引“孟诜”文。

（2）凡《食疗》含有的前代本草内容，掌氏、唐氏亦不予援引，兹举例如下。

1）《医心方》页557，引“孟诜《食经》”云：“小儿食蕺菜，便觉脚痛。”《证类》页521“蕺菜”条陶弘景注有此文。掌氏引“孟诜”时，即不再录此文。

2）《医心方》页358，引“孟诜《食经》”云：“治毒肿，末赤小豆和鸡子白傅之，立差。”《证类》487页“赤小豆”条所载《药性论》文中有此句。由于前代本草已著录，所以“赤小豆”条下，不见掌氏再引“孟诜”作注。

（二）掌氏作《嘉祐本草》时引《食疗》内容作新增药

掌氏作《嘉祐本草》时，采取孟诜书中药，编成《嘉祐本草》新增药，且在新增药的条文末，多注“新补见孟诜”。

（1）掌氏在新增药物时，参考的本草，除《食疗》外，还有其他多种本草，如陈藏器《本草拾遗》、萧炳《四声本草》、陈士良《食性本草》、《日华子本草》《千金方·食治》等，兹举例如下。

1）《证类》页442“虾”条末注“新见孟诜”，仅引有一家本草。

2）《证类》页442“淡菜”条，页436“鲈鱼”条、“鲎”条，页494“白豆”条末注“新见孟诜、《日华子》”，引有两家本草。

3）《证类》页521“白苣”条末注“新补见孟诜、陈藏器、萧炳”，引有三家本草。

4）《证类》页504“甜瓜”条、“胡瓜”条末注“新补见《千金》，及孟诜、陈藏器、《日华子》”，引有四家本草。

5）《证类》页501“胡荽”条、“石胡荽”条、“邪蒿”条、“同蒿”条、“罗勒”条末注“新补见孟诜、陈藏器、萧炳、陈士良、《日华子》”，引有五家本草。

（2）在《嘉祐本草》新增药物中，条末仅注“新见孟诜”一家者，该条文即全属孟诜文；如果条末注“新见”两家以上，则该条文字夹有其他家的文字。由于各家本草多已亡佚，无法甄别出各家文字起止，所以《嘉祐本草》新增药条末注“新见”两家以上者，其文都不是单纯孟诜文，多夹有其他家的内容。

（3）掌氏在《嘉祐本草》少数新增药物条末仅注“新补”，漏注“见孟诜”。如《证类》页403“鸂鶒”条、“斑鷦”条、“白鹤”条，页404“乌鸦”条，页405“白鸽”条、“百劳”条、“鹑”条、“啄木鸟”条、“鹘嘲”条、“慈鸦”条，页406“鹈鸪（鹕）”条、“鸳鸯”条。

以上各条末均标“新补”，但未注明见某某书。由于以上各条属鸟类，为可属之物，所以这些药物资料的来源，应为孟诜《食疗》。例如，“慈鸦”“鸳鸯”等条，掌氏虽未注出“孟诜”，但该条下有唐氏所引“《食疗》”，这说明《食疗》有此药；掌氏参考此等药编成《嘉祐本草》新增药，仅在条末注“新补”2字，脱漏“见孟诜”等语。

类似之例亦见于《证类》页442“蚌”条、“车螯”条及页501“胡荽”条。

《证类》页405“鹑”条末仅注“新补”，未注明见某某书。但《医心方》页664“鹑”条所引“孟诜《食经》云”与此同。这说明“鹑”条文字亦出于《食疗》，否则《医心方》不会注出处为“孟诜《食经》”。

又如，《证类》页405“白鸽”条、页406“鸳鸯”条，《纲目》从中摘录部分内容，注出处为“孟诜《食疗》”。但《证类》“白鸽”条、“乌鸦”条仅注“新补”2字，脱漏“见孟诜”等语。

（三）掌氏所引“孟诜”文与残卷本《食疗》的勘比

将掌氏所引“孟诜”文，用残卷本《食疗》校勘，发现二者的条文内容及词句很少完全相同。盖掌氏引文多节录文义，很少转录原文，在词句结构和文句排列上，都做了更动。盖掌氏引“孟诜”文多加节略、删改、化裁。

掌氏所引“孟诜”文与残卷本《食疗》内容不同的另一个原因，即掌氏所参考的《食疗》与残卷本《食疗》可能不是同一种抄本。

（四）掌氏、唐氏对《食疗》中药物未全部摘录

（1）《医心方》页696引“孟诜”云：“桑椹，性微寒，食之补五脏，耳目聪明，利关节，和经脉，通血气，益精神。”

《证类》页315“桑”条，未见掌氏、唐氏引此文。

（2）《医心方》页263引“孟诜《食经》”云：“消渴方。麻子一升，捣，水三升，煮三四沸，去滓，冷服半升，三五日即愈。”

《证类》页482“麻蕡”条，掌氏所引“孟诜”无此文。

（3）《医心方》页154、页155治心腹胀满方，引“孟诜《食经》”云：“薤可作宿菹，空腹食之。”

《证类》页512“薤”条，未见掌氏、唐氏引此文。

（4）《医心方》页97引“孟诜《食经》”云：“治风搔隐疹方，煮赤小豆取汁，停冷洗。”

《证类》页487“赤小豆”条，未见掌氏、唐氏引此文。

（5）《医心方》页97引“孟诜《食经》”云：“治中风隐疹疮，煮赤小豆，取汁停冷洗之，不过三四。”

《证类》页487“赤小豆”条，未引此文。

（6）《医心方》页97引“孟诜《食经》”云：“柠茎，治中风隐疹疮，单煮洗浴之。”

本条，未见《证类》掌氏、唐氏引。

（7）《医心方》页682引“孟诜《食经》”云：“治鱼骨鲠，取萩去皮着鼻中，少时，差。”

本条，未见《证类》收载，亦不见掌氏、唐氏引。

（8）《医心方》页210引“孟诜《食经》”云：“治恶心，取蘹香花叶煮服之。”

《证类》页225“蘹香”条，未见掌氏引此文；唐氏所引“《食疗》”文，亦无此文。

（9）《医心方》页97引“孟诜《食经》”云：“治隐疹疮方，捣蘩蒌封上。”

《证类》页520“蘩蒌”条，未见掌氏、唐氏引此文。

（10）《医心方》页105引“孟诜《食经》”云：“治白发方：胡桃烧令烟尽，研为泥，和胡粉，拔白毛，傅之即生毛。”

《证类》页478“胡桃”条，掌氏所引“孟诜曰”无此文。

（11）《医心方》页153引“孟诜《食经》”云：“治心痛，酢研青木香服之。”

《证类》页160“木香”条，未见掌氏、唐氏引此文。

从以上各例来看，《医心方》所引“孟诜云”及“孟诜《食经》云”，均不见于《证类》。这说明《证类》掌氏所引“孟诜曰”及唐氏所引“《食疗》云”，仍是《食疗》中的部分内容，《证类》未能将《食疗》资料全部援引书中。

（五）掌氏、唐氏所引《食疗》资料的比较

1. 掌氏、唐氏所引《食疗》条数的比较

（1）在《证类》中，掌氏引“孟诜云”170条，其文多被置于墨盖之前。掌氏采取《食疗》中药物编成的《嘉祐本草》新增药条中标注“新补见孟诜”者有26条，现列举如下：《证类》页436“鲈鱼”条、“鲎”条，页442“蚶”条、“蛏”条、“淡菜”条、“虾”条，页484“白油麻”条，页493“荞麦”条，页494“白豆”条，页501“胡荽”条、“石胡荽”条、“邪蒿”条、“同蒿”条、“罗勒”条，页504“胡瓜”条、“甜瓜”条，页521“白苣”条，页522“蕹菜”条、“菠薐”条、“苦荬”条、“鹿角菜”条、“莙荙”条，页239“干苔”条，页373“乳腐”条，页492“曲”条，页236“船底苔”条。

（2）在《证类》中，唐氏引“《食疗》云”183条，其文多被置于墨盖之后。另有“《食疗》余”8条，被置于卷20。

2. 掌氏、唐氏所引《食疗》资料在药物名下所置位置不同

例如，“菌子”条，唐氏将之列入草部“雚菌”条下，掌氏将之置于木部“桑根白皮”条下。

“石燕”条，唐氏将之列在玉石部“石燕”条下，掌氏将之列在禽部“燕屎”条下。

古人对药物，往往以名近似而归类，如“软枣（君迁子）”条，唐氏将引文置于“大枣”条之下。其实大枣、软枣非一物也。

掌氏引《食疗》注出处为“孟诜”。其中大部分引文作旧本药物注释，小部分用作《嘉祐本草》新增药物内容。

唐氏引《食疗》注出处为“《食疗》”，其中大部分引文作旧本药物注释，小部分作“《食疗》余”内容。

3. 唐氏引《食疗》文不像掌氏引文那样不录前代本草已有

《证类》页268“萹蓄”条，有唐氏所引《食疗》文，其文与《药性论》文全同。但掌氏在“萹蓄”条下，未引“孟诜”文。盖掌氏引文以前代本草所无为主，而《食疗》“萹蓄”条文字与《药性论》文同，故掌氏不录。唐氏引文，似乎不受此限制。

4. 掌氏、唐氏所引《食疗》药条文字为该条的不同部分

对掌氏、唐氏在《证类》同一条中所引《食疗》文，用残卷本《食疗》校之，发现掌氏节引的为《食疗》该条的一部分，而唐氏节引的是另一部分。兹以残卷本《食疗》"棐子"条为例说明如下。

棐子平，右主治五种痔，去三虫，杀鬼毒恶疰。又患寸白虫，人日食七颗，经七日满，其虫尽消作水，即差。按经多食三升二升佳，不发病，令人消食助筋骨，安荣卫，补中益气，明目轻身。

用《证类》页356"榧实"条校之，可见文中画曲线者与掌氏所引"孟诜曰"同，文中画直线者与唐氏所引"《食疗》"文同。

从此例可以看出以下两个问题。

其一，《食疗》文与旧本相同者，掌氏、唐氏均不录。(见例中未画线的文字)

其二，唐氏所引"《食疗》"文（见例中画直线者），是"棐子"条的一部分，而掌氏节引者（见例中画曲线者），是"棐子"条中另一部分。

又如，《证类》页322"芜荑"条，掌氏所引"孟诜"文是残卷本《食疗》"芜荑"条前半部分，而唐氏所引"《食疗》"文是残卷本《食疗》"芜荑"条后半部分。

《证类》页386"獐骨"条，掌氏所引"孟诜"文与唐氏所引"《食疗》"文不同。这说明两家对同一药条分别引不同部分。

以上各例说明，唐氏引文，是掌氏援引后剩下的部分。

5. 掌氏、唐氏在《证类》同一条下，引文详略不同

（1）对《证类》页477"杨梅"条，用残卷本《食疗》"杨梅"条校之，发现掌氏引文简略，仅节录几句，而唐氏引文很详细。

（2）《证类》页387"豹肉"条，掌氏、唐氏各有引文，其中掌氏引文简略，唐氏引文详细。

（3）《证类》页434"白鱼"条，掌氏、唐氏均有引文，其中掌氏所引"孟诜"文简，而唐氏所引"《食疗》"文详。

（4）《证类》页423"猬皮"条，掌氏、唐氏皆有引文，其中掌氏所引"孟诜"文简，唐氏所引"《食疗》"文详。

（5）《证类》页392"貒肉"条，掌氏所引"孟诜"文简，唐氏所引"《食疗》"文详。

(6)《证类》页393“野猪”条，掌氏所引“野猪胆”条文简略，唐氏所引“野猪胆”条文详；在掌氏引文中多“猪膏”条、“猪齿”条，在唐氏引文中多“猪蹄”条。

五、诸书引《食疗》所注名称考异

本书在历代书志中，皆题为“《食疗本草》”。但古医药书引《食疗》文时，所注文献的名称各异，兹分述如下。

陈藏器《本草拾遗》引文注“张鼎”（“鮀鱼甲”条、“鼋”条）及“张鼎《食疗》”（“假苏”条、“桃竹笋”条）。

《本草和名》引文注“孟诜”（“柑子”条）、“孟诜《食经》”（“李核仁”条、“越瓜”条）。

《医心方》引文注“孟诜”“孟诜方”“孟诜《食经》”“腤玄子张”“腤玄子张《食经》”。

《证类》掌氏在各药条文后引文下，注“孟诜”。在“补注所引书传”中引作“《食疗本草》”。

《证类》唐氏引文注“《食疗》”“《食疗》余”。

《本草衍义》引文注“孟诜本草”（“樱桃”条）。

《纲目》引文注“诜”“孟诜”“孟诜本草”“孟诜《食疗》”“孟诜《食疗本草》”“鼎”“张鼎”“《食疗》”“张鼎《食疗》”“张鼎《食疗本草》”。

在上述各书引文所注文献名称中，以《证类》掌氏所注“孟诜”、唐氏所注“《食疗》”为最多。其他各书所注文献名称较少。

如“孟诜方”（《医心方》页518）、“腤玄子张《食经》”（《医心方》页682“吴茱萸”条），仅见1次。

在上述各书中，所注引文文献名称最庞杂者为《纲目》。在药物正文中，《纲目》引文多注“孟诜”“张鼎”；在附方中，其引文多注“孟诜《食疗本草》”或“张鼎《食疗本草》”。对某些同一药物条文，如“凫”条、“比目鱼”条、“鲥鱼”条、“黄颡鱼”条等，《纲目》在正名下引文后注出处为“《食疗》”，在条文内引文后注出处为“孟诜”。还有一些药物，《纲目》引文注2个以上名称。例如，同一“生姜”条，《纲目》引文，注有“孟诜”“张鼎”“《食疗》”“《食疗本草》”4个文献名称。又如，同一“吴茱萸”条，《纲目》在主治下引文后注出处为“孟诜”，在附方下引文后分别注出处为“孟诜本草”“孟诜《食疗》”。

在上述各书引文所注文献名称中，日本《本草和名》《医心方》所标注名称异于一般书所注的文献名称。日本《本草和名》（918）、《医心方》（982）引《食疗》资料时，或注“孟诜《食经》”，或注“孟诜”，或注“賘玄子张”，或注“賘玄子张《食经》”。从未见其中有注“《食疗》”或“张鼎《食疗》”者。

但《证类》及其他古本草引《食疗》资料时，多注“孟诜”，或“《食疗》”，或“张鼎”，或“张鼎《食疗》”。从未见其中有注“孟诜《食经》”“賘玄子张”“賘玄子张《食经》”者。

尽管各书引文标注文献名称不同，但它们所引文字内容均来源于《食疗》。

兹将各书引《食疗》文相同，标注文献名称不同的例子，列举如下。

（1）《证类》所引“孟诜”“《食疗》”同出于《食疗》。

在《证类》所存《食疗》佚文中，掌氏所引注出处为“孟诜”，唐氏所引注出处为“《食疗》”“《食疗》余”。

例如，同一“石燕”条，《证类》页 401 掌氏引此条注出处为“孟诜”。《证类》页 129 唐氏引此条注出处为“《食疗》”。

同一“菌子”条，《证类》页 315 掌氏引此条注出处为“孟诜”，《证类》页 255 唐氏引此条注出处为“《食疗》”。

从上述例子看，在《证类》中，掌氏所引“孟诜”文与唐氏所引“《食疗》”文来源于同出一书。

所以，《证类》中掌氏所引“孟诜”文，实出于《食疗》。

又如，《证类》页 442“虾”条末注有“新补见孟诜”。所谓“新补”是《嘉祐本草》新增药的称呼；所谓“见孟诜”，义为《嘉祐本草》新增“虾”条是掌氏参考孟诜书编写的。

那么这个孟诜书是什么书呢？是孟诜《补养方》还是《食疗》呢？

查《证类》页 442“虾”条文中有“谨案”标记。“谨案”原是《食疗》中分隔标记（见残卷本《食疗》）。此标记为张鼎修订孟诜《补养方》所加。张鼎在将《补养方》修订完成后，将之易名为“《食疗本草》”。由此可见，掌氏所云“见孟诜”，实即见《食疗》。

（2）《医心方》所引“孟诜《食经》”与残卷本《食疗》文同。

1）残卷本《食疗》“胡桃”条有“案经：又烧至烟尽，研为泥和胡粉为膏，拔去白发，傅之即黑毛发生”。《医心方》页 105 治白发方所引文同此，但注出处为“孟诜《食经》”。

残卷本《食疗》所存文字，既与《医心方》所引“孟诜《食经》”同，则“孟诜《食经》”的资料亦出于《食疗》。

2）《医心方》页698“鸡头实”条引“孟诜”云：“鸡头实作粉食之，甚好，此是长生之药，与莲实合饵，令小儿不能长大。故知长服，当驻其年耳。生食动小儿冷气。”

查残卷本《食疗》117行“鸡头实”条有此文。这说明《医心方》所引“孟诜云”，实出于《食疗》。

3）《医心方》页697“菱实”条引“孟诜”云：“菱实，食之神仙，此物尤发冷，不能治众病。”

查残卷本《食疗》122行“菱实”条有此文。这说明《医心方》所引“孟诜云”，实出于《食疗》。

4）《医心方》页697“芋”条引“孟诜”云：“芋，主宽缓肠胃，去死肌，令脂肉悦泽。”

查残卷本《食疗》133行“芋”条有此文。由此可见，《医心方》所引“孟诜云”，实出于《食疗》。

（3）《医心方》所引“孟诜云”，与残卷本《食疗》中“案经”前后之文同。

1）《医心方》页696“葡萄”条引“孟诜”云：“葡萄，食之治肠间水，调中。其子不堪多食，令人卒烦闷。”

残卷本《食疗》45行“葡萄”条含有此文。文中画直线者，可见于残卷本《食疗》“葡萄”条“案经”前半截；文中画曲线者，可见于残卷本《食疗》“葡萄”条“案经”后半截。由此可见，《医心方》所引“孟诜云”，亦出于《食疗》。

2）《医心方》页705“越瓜”条引“孟诜”云：“越瓜，寒。利阳，益肠胃，止渴，不可久食，动气。虽止渴，仍发诸疮。令虚，脚不能行立。”

残卷本《食疗》58行“越瓜”条含有此文。文中画直线者，可见于残卷本《食疗》“越瓜”条“案经”前半截；文中画曲线者，可见于残卷本《食疗》“越瓜”条“案经”后半截。

以上两例说明，虽然《医心方》引《食疗》资料时注文献出处名“孟诜”，但其所节引资料仍出于《食疗》。

（4）《医心方》在同一条中所引“孟诜云”“膳玄子张云”，与残卷本《食疗》文同。

1）残卷本《食疗》62行“胡瓜”条云：“胡瓜，寒。不可多食，动风及寒热。又发痁疟，兼积瘀血。案：多食令人虚热上气，生百病，消人阴，发疮及发痃气及脚气，损血脉，天行后不可食。”

文中画直线者，与《医心方》页705“胡瓜”条所引“孟诜云”同。

文中画曲线者，与《医心方》页705“胡瓜”条所引“膳玄子张云”同。

2）残卷本《食疗》“冬瓜”条云：“冬瓜，寒。右主治小腹水鼓胀……案经：压丹石，去头面热风。”

文中画曲线者，与《医心方》页705“冬瓜”条所引“膳玄子张云”同。由此可见，“膳玄子张”即《食疗》作者张鼎。

（5）《医心方》所引“膳玄子张云”，与残卷本《食疗》文同。

1）《医心方》页705“胡瓜”条引“膳玄子张”云：“胡瓜，发痃气，生百病，消人阴，发诸疮疥，发脚气，天行后卒不可食，必再发。”查残卷本《食疗》62行“胡瓜”条中有此文。由此可见，虽然《医心方》在引《食疗》资料时注出处为“膳玄子张”，但其资料仍来源于《食疗》。

2）《医心方》页705“冬瓜”条引“膳玄子张”云：“冬瓜食之压丹石，去头面热。”

查残卷本《食疗》67行“冬瓜”条有此文。这亦说明《医心方》所引“膳玄子张云”出于《食疗》。

（6）《医心方》所引“膳玄子张《食经》云”与残卷本《食疗》文同。《医心方》页682引“膳玄子张《食经》”云：“治鱼骨在腹中痛方，煮吴茱萸服一盏汁。又方，刺在肉中不出方，捣吴茱萸封上即烂出。”

查残卷本《食疗》35行“吴茱萸”条有此二方。由此可见，《医心方》所引“膳玄子张《食经》云”亦出于《食疗》。

（7）《医心方》所引“孟诜《食经》云”，与《证类》所引“《食疗》”文同。

同一“小蓟根治金疮血不止，挼叶封之”：《证类》页221唐氏引此文注出处为“《食疗》”，而《医心方》页400引此文注出处为“孟诜《食经》”。

同一“大蒜除风杀虫”：《证类》页517引此文注出处为“《食疗》”，而《医心方》页711引此文注出处为“孟诜《食经》”。

从上述例子看，《证类》所引“《食疗》”，与《医心方》所引“孟诜《食经》”，同出于《食疗》。

（8）《医心方》所引“孟诜《食经》”与《证类》所引“孟诜”同。

1）同一“桃叶”条“治妇人阴中生疮痒，生捣叶，绵裹纳阴中，日三四易”：《证类》页471掌氏引此文，注出处为“孟诜”，而《医心方》页474引此文，注出处为“孟诜《食经》”。

2）同一“黍”条“黍不可与小儿食之，令不能行”：《证类》页490“黍”条引此文注出处为“孟诜”，而《医心方》页557引此文注出处为“孟诜《食经》”。

3）同一“杏仁”条“治失音：杏仁三分，去皮，熬，捣作脂，桂心末一分，和如泥，取李核少许，绵裹少咽之。日五夜一”：《证类》页473“杏仁”条引此文注出处为“孟诜”，而《医心方》页93引此文注出处为“孟诜《食经》”。

4）同一“梨”条“治失音：捣梨汁一合服之”：《医心方》页93引此文注出处为“孟诜《食经》”，而《证类》页476掌氏引此文注出处为“孟诜”。

5）又同一“梨”条，《医心方》页199引“孟诜《食经》”云：“疗卒咳嗽方：梨一颗，刻作五十孔，每孔中纳一颗椒，以面裹，于热灰中烧令极熟，出，停冷，割食之。又方，梨去核，纳苏蜜面裹烧，令熟食之，大良。又方，割梨纳于苏中煎之，停冷，食之。”《证类》页476“梨”条引此文，注出处为“孟诜”。

在上述例子中，《医心方》所引“孟诜《食经》云”与《证类》所引“孟诜曰”皆相同，这说明两书引文同出于《食疗》。

（9）《医心方》所引“膳玄子张云”与《证类》所引“孟诜曰”同。

1）同一条“白粱米，除胸膈中客热，移易五脏气，续筋骨”：《医心方》页689引此文注出处为“膳玄子张”，而《证类》页490引此文注出处为“孟诜”。

2）同一条“柰，补中，焦诸不足”：《医心方》页694引此文注出处为“膳玄子张”，而《证类》页478引此文注出处为“孟诜”。

3）同一条“荞麦，虽动诸病，犹压丹石。能练五脏滓，续精神。其叶可煮作菜食，甚利耳目，下气。其茎为灰，洗六畜疮疥及马蹄躁”：《医心方》页689引此文注出处为“膳玄子张”，而《证类》页493引此文注出处为“孟诜”。

以上几例说明《医心方》所引“膳玄子张”亦即《食疗》。

（10）《医心方》所引某些“孟诜《食经》云”“孟诜云”全相同。《医心方》引“孟诜《食经》云”18次，引“孟诜云”62次，其间有些引文全同，但标注名称不同，兹举例如下。

1）《医心方》页670引“孟诜《食经》云：“鹑肉不可合猪肉食之。”同书页700引此文注出处为“孟诜”。

2）同一条“治失音不语，捣梨汁一合顿服之”：《医心方》页93引此文注出处为“孟诜《食经》”，同书页694引此文注出处为“孟诜”。

此二例说明《医心方》所引“孟诜《食经》”“孟诜”为同一书，仅标注名称不同而已。

（11）“孟诜《食经》”不仅见引于《医心方》，而且见引于日本古籍《本草和名》。

1）红叶本《本草和名》第17果“李核仁”条，有异名“牛李”，其下注出处为“孟诜《食经》”。

《证类》页477“李核仁”条引“孟诜”，有“牛李”之名。

2）红叶本《本草和名》第18菜“越瓜”条下注：“陶弘景注曰：作菹食之。出孟诜《食经》。”

又，该书“胡瓜”条下注云：“胡域多之，故以名之。”《本草和名》注其出处为“孟诜《食经》”。

3）红叶本《本草和名》第17果“柑子”条下注云：“孟诜曰得霜后即美，故名。”

同书“柑子”条曰：“一名李德木奴。”其下注：“出孟诜也。李衡人名。”

以上数例说明《本草和名》所引“孟诜《食经》”亦即《食疗》。

（12）《医心方》在同一条中所引“孟诜云”“膳玄子张云”，与《证类》所存《食疗》佚文同。

1）《证类》页490“白粱米”条引“孟诜”云：“白粱米，患胃虚并呕吐食及水者，用米汁二合，生姜汁一合服之。性微寒，除胸膈中客热，移五脏气，续筋骨。”

文中画直线者，与《医心方》页689“白粱米”条所引“孟诜云”同，文中画曲线者，与《医心方》页689“白粱米”条所引“膳玄子张云”同。

2）《证类》页521云：“白苣，味苦寒，主补筋骨，利五脏，开胸膈拥气，通经脉止脾气，令人齿白聪明少睡。可常食之。冷气人食即腹冷，不至若损人。产后不可食，令人寒中小腹痛。”（条末注引“孟诜”）

《医心方》页708“苣”条所引“孟诜云”与《证类》“白苣”条中画直线文同。

《医心方》所引“膳玄子张云”与《证类》“白苣”条中画曲线文同。

3）《证类》页521“鸡肠草”条引“《食疗》”云：“作羹食之益人。”

《医心方》页708“蘩蒌”条下注：“蘩蒌，苏敬云：即是鸡肠。膳玄子张云：煮作羹食之，甚益人。”

从以上几例来看，《医心方》所引“孟诜云”“膳玄子张云”，均与《证类》

所存《食疗》佚文同。这说明《医心方》所引“孟诜云”“脜玄子张云”皆出于《食疗》，仅所注文献名称不同而已。

（13）还有些书在引《食疗》时，未注文献出处。例如，《开宝本草》新增“胡桃”条，在编写时参考过《食疗》，但《开宝本草》未注明所引之文的文献出处。

《证类》页478“胡桃”条是《开宝本草》所新增。其条文内有“胡桃，烧令黑末，断烟，和胡粉为泥，拔白须发，以纳孔中，其毛皆黑。”

《医心方》页105引“孟诜《食经》”云：“治白发方：胡桃烧令烟尽，研为泥，和胡粉，拔白毛，傅之即生毛。”

两书所载内容，几乎全同。由此可见，《开宝本草》“胡桃”条的编写，是参考过《食疗》资料的。

又如，《嘉祐本草》新增“鹑”条有“补五脏，益中，续气，实筋骨，耐寒温，消结热，和生姜煮食之，止泄痢”。（见《证类》页405）

查《医心方》页700“鹑”条所引“孟诜云”与之全同。

由此可见，《嘉祐本草》新增“鹑”条是参考《食疗》编写的，但《嘉祐本草》未注明“鹑”条出于“孟诜”。

六、《纲目》引《食疗》文目次

《纲目》引此书多注出处为“孟诜《食疗》”“张鼎《食疗》”“张鼎《食疗本草》”“孟诜《食疗本草》”“《食疗本草》”“诜曰”“孟诜”“张鼎”“鼎曰”。兹将《纲目》引有本书资料的药名摘录如下，药名前号码为1957年人民卫生出版社影印版《纲目》页码。

686　食盐　①一切脚气　②齿䘌齿动　③蠼螋尿疮

722　人参　①肺虚久咳

730　荠苨　①主治

733　黄精　①修治

815　蒟酱　①释名　②主治

834　香薷　①释名　②主治

836　假苏　①正误　②主治

838　薄荷　①主治

840　苏　①释名　②主治

842　水苏　①主治　②耳聋闭

848　艾　①发明　②产后泻血

851　艾实　①发明

852　青蒿　①主治

854　青蒿子　①主治

854　白蒿　①释名　②集解

治　③酸石榴主治　④赤白下痢

1281　橘　①黄橘皮释名　②下焦冷气　③脚气冲心

1284　柑　①皮气味

1285　橙　①主治　②皮主治

1287　枇杷　①气味　②叶主治

1288　杨梅　①气味　②主治

1289　樱桃　①正名　②气味　③主治

1290　山樱桃　①正名　②主治

1291　胡桃　①主治　②服胡桃法

1299　荔枝　①主治

1301　橄榄　①集解

1303　榧实　①主治　②寸白虫

1305　槟榔　①正名　②气味

1313　枳椇　①集解　②气味

1316　秦椒　①主治　②损疮中风　③久患口疮　④牙齿风痛

1316　蜀椒　①气味　②主治

1319　蔓椒　①主治

1320　胡椒　①心腹冷痛

1322　吴茱萸　①主治　②风瘙痒痹　③贼风口偏　④脚气冲心　⑤牙齿疼痛　⑥骨在肉中　⑦鱼骨入腹

1325　食茱萸　①主治

1327　茗　①热毒下痢　②腰痛难转

1331　甜瓜　①气味　②仁主治

1332　瓜蒂　①黄疸阴黄　②身面浮肿　③叶主治

1334　葡萄　①气味　②根主治

1335　猕猴桃　①主治　②主治

1336　甘蔗　①集解　②气味　③发明

1336　沙糖　①气味

1337　石蜜　①集解　②主治

1339　莲实　①气味　②主治　③发明　④服食不饥

1340　藕　①主治　②发明

1341　莲房　①主治

1343　芰实　①气味

1344　芡实　①修治　②气味

1345　乌芋　①气味　②主治

1346　慈姑　①主治

1388　椿樗　①气味　②发明

1399　槐　①叶主治

1416　榆　①主治　②发明　③齁喘不止　④荚仁主治

1418　芜荑　①气味　②主治

1429　桑　①主治

1430　桑叶　①主治

1432　桑柴灰　①气味

1439　栀子　①主治　②下利鲜血

1445　郁李　①主治

1446　鼠李　①皮主治

1453　地骨皮　①主治

1453　枸杞子　①主治

1477　淡竹叶　①主治　②发明

1477　苦竹根　①主治

1478　淡竹茹　①主治

1478　苦竹茹　①主治

附篇Ⅰ 《食性本草》（考异本）

概　　述

一、作者

本书作者是南唐（937—957）陈士良（亦作陈仕良）。《嘉祐本草·补注所引书传》云："《食性本草》伪唐陪戍副尉、剑州（今福建南平）医学助教陈士良撰。"陈士良又名陈巽。《证类本草》卷28页513"假苏"条谓陈巽处江左人。同书卷26页497"罂子粟"条载有《南唐食医方》。同书卷5页125"硇砂"条引有《陈巽方》。范行准《医方简录》（《中华文史论丛》下辑页295）载南唐·陈士良《食性本草》10卷、《南唐食医方》《经验方》。《通志·艺文略》《宋史·艺文志》著录："陈士良《食性本草》十卷。"

《古今图书集成·医部全录》卷510"医术名流列传四"引《钱唐县志》云："唐乾宁（894—897）时，有陈士良者，以医名于时，诏修《圣惠方》官药局奉御。"不知此《圣惠方》是否即宋初《太平圣惠方》。从时间推算应该不是。唐乾宁元年（894），陈士良已有医名，此时陈士良当20～30岁。《太平圣惠方》始修于太平兴国七年（982），离乾宁元年（894）已88年，再加上陈士良幼年学医及初行医时间20～30年，则此时陈士良应有100多岁了。疑《钱唐县志》所云"诏修《圣惠方》"，当是修另一种方书。

二、成书时间

《嘉祐本草·补注所引书传》谓本书为"伪唐陪戍副尉、剑州（今福建南平）

医学助教陈士良撰”。按，伪唐即南唐。南唐，建都金陵（今江苏南京），始于 937 年，终于 957 年，共历 20 年，在五代十国时，是文化最繁荣的地区。其鼎盛时期在 937—957 年，故陈士良著述本书的时间，当在 937—957 年。

三、本书的纂集

《嘉祐本草·补注所引书传》云：“（陈士良）以古有食医之官，因食养以治百病，故取《神农本经》，洎陶隐居、苏恭（即苏敬，因避宋讳，改为苏恭）、孟诜、陈藏器诸药，关于饮食者类之，附以己说。又载食医诸方及五时调养脏腑之术，集贤殿学士徐锴为之序。”

四、内容

原书已佚，它的内容散存于《证类本草》中。《嘉祐本草》新补药物中有 13 种是参考本书厘订的，另有 36 种是引本书资料作注的。《宋以前医籍考》页 1402，谓《嘉祐本草》所引资料中有陈士良资料 34 条，这个数字可能有误。

《嘉祐本草》引陈士良资料的药物，计草类 2 种，兽类 3 种，禽类 2 种，虫鱼类 7 种，果类 13 种，菜类 23 种，米类 15 种。其中果、菜、米类的药物最多。

本书汇集了《神农本草经》《名医别录》《本草经集注》《唐本草》《食疗本草》《本草拾遗》等书中有关食用药物，并增加了陈士良本人见解，又附食医诸方及脏腑调养等术，是一部本草、医方合编的食疗专书。

本书对药物的性味、主治功用、禁忌，以及药物的性状、鉴别、制剂等都有论述。

（一）药性方面

在药性方面，凡前代本草未言明药性的，本书予以补记。

例如，庵罗果、赤小豆，性微寒；燕覆子、鼹鼠、秦龟、鳗鲡鱼，性寒；鹜肪、仲思枣，性大寒；大麦叶，性微暖；鳡鱼、橙子，性暖；瑇瑁肉、石首鱼、紫贝、樱桃、菘菜等，性平；林檎，味涩。

（二）主治功用方面

在主治功用上，本书以收集可食的药物为主。

例如，木通不能食，但木通种子能食。本书即将木通子收入书中。木通子名桴棪子，又名燕覆子，主胃口热闭，反胃，不下食，除三焦客热，宜煎汤并葱食之。

（三）禁忌方面

本书对食物宜忌论述较详。兹分四点简述如下。

（1）有些药，食之宜人。

例如，“萘菜”条云：“食之宜妇人。”

（2）有些药，不能多食。

“麻蕡”条云：“妇人多食发带疾。”

“榅桲”条云：“发热毒，秘大小肠，聚胸中痰壅，不宜多食。”

（3）有些药，不能久食。

“赤小豆”条云：“久食瘦人。”

“酒”条云：“诸石不可以长以酒下，遂引石药气入四肢，滞血化为痈疽。”

“大麦”条云：“蘖久食消肾。”

（4）有些药，不能与他药同食。

“橙子”条云：“不与獱肉同食，发头旋恶心。”

“糯米”条云：“不可合酒共食，醉难醒。”

（四）性状方面

本书对药物性状亦有记载。

例如，“瑇瑁”条云：“瑇瑁身似龟首，嘴如鹦鹉。”“栗”条云：“瑇栗有数种，其性一类，三颗一毬，其中者栗楔也。”“荆芥”条云：“本草呼为假苏，又别按假苏叶锐圆，多野生，以香气似苏，故呼为苏。”

（五）鉴别方面

本书对药物鉴别的论述。

例如，“林檎”条云：“此有三种，大长者为柰；圆者林檎，夏熟；小者味涩为梣，秋熟。”

“蓬蘽”条云：“诸家本草皆说是覆盆子根。今观采取之家，按草本类所说，自有蓬蘽似蚕莓子，红色。其叶似野蔷薇，有刺，食之酸甘。恐诸家不识，误说是覆盆也。”

（六）制剂方面

本书对药物制剂有所介绍。

“燕覆子”条云：“宜煎汤并食之。”

“仲思枣”条云：“取肉煮研为蜜丸药佳。”

“鼋龟”条云：“凡扑损，取肉生研厚涂。”

“藕实”条云：“莲子心，生取为末。”

“庵罗果”条云：“可以作汤。”

“陈廪米”条云：“宜作汤食。”

五、流传

本书流传不广，《新唐书·艺文志》《旧唐书·经籍志》未录本书。《嘉祐本草·补注所引书传》有本书。《通志·艺文略》和《宋史·艺文志》载有陈士良《食性本草》10卷。

六、价值

由于本书是从前代本草中摘录有关食物药品汇编而成，陈士良本人创见很少，所以本书影响不大。《本草纲目》批评道：“《食性本草》，书凡十卷，总结旧说，无甚新义。”李时珍的批评是正确的。

《食性本草》佚文考异说明

（1）《食性本草》原书久佚，今从《大观》《政和》辑得佚文61条，仿《千金方·食治》分为果实、菜蔬、谷米、鸟兽4类。每类药物按《唐本草》目次编排。

（2）每条佚文，以《大观》《政和》所载佚文为底本，用《纲目》校勘之，并将校勘出的不同点出注，列于当药之下。

（3）每条佚文末有括号，括号内注明《大观》《政和》《纲目》页次，以便读者查寻。《大观》即1904年柯逢时影刻本《大观》；《政和》，即1957年人民卫生出版社影印的金泰和晦明轩本《政和》；《纲目》即1957年人民卫生出版社影印的张绍棠刻本《纲目》。

（4）《大观》《政和》所存《食性本草》佚文，都转录自《嘉祐本草》的引文。《嘉祐本草》所引《食性本草》佚文有以下两种情况。

第一，《嘉祐本草》对旧药引用《食性本草》佚文作注释用。《大观》《政和》对这些佚文，都冠以“士良曰”。

第二，《嘉祐本草》新增药的内容是参考本书及糅合其他书而成的，则《大观》《政和》在此等新增药的药条末，均注明“新补见×××××××”。这种小字注，即表示该条新增药的内容是掌禹锡糅合几家本草而成的。经糅合后，各家原文无法区分。凡《嘉祐本草》新增药的条末注文中含有“陈士良”者，本书即将该《嘉祐本草》新增药的内容收入书中。由于该新增药的内容是糅合几家本草文字而成的，而现在又无法甄别出各家原文，本书即全文转录以附之。

（5）《纲目》引用的《食性本草》资料，多从《大观》《政和》转录。《纲目》在转录时，多加化裁，或增删或修改，或重行组合，很少原封不动转录。因此，本书在《纲目》所引佚文，与《大观》《政和》所引佚文中有不同点处出注注之，以供读者研究和参考。

（6）《嘉祐本草》新增之“雍菜”条、“菠薐”条、“苦荬”条、“鹿角菜”条、“莙荙”条、“白油麻”条之末均注云：“新补见孟诜、陈藏器、陈士良、《日华子》。”即此等药物文献出处，应为五家。但《纲目》对各条所注出处，互不一致，兹举例如下。

1）“雍菜”条，《纲目》1207 页注出处为“藏器”，这与《嘉祐本草》注出处为五家之事实不同。

2）“菠薐”条，《纲目》1207 页注出处为“孟诜”，这与《嘉祐本草》注出处为五家之事实不符。

3）“苦荬”条，《纲目》1216 页注出处为“藏器”“《嘉祐》”“大明”“士良”，而且对所引文字多加化裁。这与《嘉祐本草》所引之文和所注出处不同。

4）“鹿角菜”条，《纲目》1240 页注出处为“孟诜”“士良”，这与《嘉祐本草》注出处为五家之事实不符。

5）“白油麻”条，《纲目》1102 页注出处为“孟诜”，这与《嘉祐本草》注出处为五家之事实不符。

（7）《嘉祐本草》新增之“胡荽”条、“邪蒿”条、“同蒿”条、“罗勒”条、“石胡荽”条、“曲”条、“荞麦”条之末注云：“新补见孟诜、陈藏器、萧炳、陈士良、《日华子》。”即此等药物条文，由掌禹锡糅合五家本草文字而成。《纲目》引用此等药物文字所注出处，与《嘉祐本草》注出处为五家不同。兹举例如下。

1）“胡荽”条，《纲目》1199 页注出处为“藏器”，这与《嘉祐本草》注出处为五家之事实不符。

2）“邪蒿”条，《纲目》1148 页注出处为“孟诜”“藏器”，这与《嘉祐本草》注出处为五家之事实不符。

3）“同蒿”条，《纲目》1198 页注出处为“禹锡”，这与《嘉祐本草》注出处为五家之事实不符。

4）“罗勒”条，《纲目》1204 页注出处为“《嘉祐》”这与《嘉祐本草》注出处为五家之事实不符。

5）“石胡荽”条，《纲目》1080页注出处为“萧炳”“藏器”，这与《嘉祐本草》注出处为五家之事实不符。

6）“曲”条，《纲目》1155页注出处为“藏器”“孟诜”“吴瑞”“《日华》”。其中“吴瑞”为元代人，当属误注。又，“曲”条中所附“神曲”，《纲目》注出处为“《药性论》”，此亦属可疑。因《嘉祐本草》对“曲”条及“神曲”条所注的出处，是“孟诜、陈藏器、萧炳、陈士良、《日华子》”，并无“《药性论》”。

7）“荞麦”条，《纲目》1113页所注出处为“孟诜”“萧炳”。掌禹锡言本条糅合五家本草文字而成。本条中除有“孟诜”“萧炳”文字外，还有“陈藏器”“《日华子》”“陈士良”三家之文。由此可见，《纲目》所注出处，与掌禹锡糅合五家之事实不相符。

（8）《纲目》1175页“葱”条“葱茎白”的“主治”项引陈士良文有“杀一切鱼、肉毒”6字。《大观》卷28页3、《政和》页510“葱实”条，标注此6字是《日华子》文，非陈士良文。《纲目》误《日华子》文为陈士良文，故本书不予收录。

果实　第一

1　蓬蘽

诸家本草皆说是覆盆子根。今观采取之家，按草木类所说，自有蓬蘽，似蚕莓子，红色。其叶似野蔷薇，有刺。食之酸甘[1]。恐诸家不识，误说是覆盆也[2]。

（《大观》卷23页12，《政和》页464，《纲目》页1005）

【校注】

[1] **食之酸甘**　《纲目》将此文拔出，列在“蓬蘽”条“气味”下，化裁为“士良曰：甘、酸，微热。”

[2] **诸家本草……覆盆也**　《纲目》在“蓬蘽”条“集解”下，将之化裁为“士良曰：今观采取之家说，蓬蘽似蚕莓子，红色而大，其味酸甘，叶似野蔷薇，有刺。覆盆子小，其苗各别，诸家本草不识，故皆说蓬蘽是覆盆子根”。

2　覆盆子

蓬蘽似蚕莓大，覆盆小，其苗各别。

（《大观》卷23页13，《政和》页465，《纲目》页1006）

3　藕实

莲子心，生取为末，以米饮调下三钱，疗血渴疾，产后渴疾，服之立愈[1]。

（《大观》卷23页2，《政和》页460，《纲目》页1341）

【校注】

[1] **莲子心……服之立愈** 《纲目》“莲薏”条“主治”，引陈士良文，将之化裁为“主治血渴，产后渴，生研末，米饮服二钱，立愈”。

4 鸡头实

此种虽生于水，而有软根，名莪菜[1]。主小腹结气痛，宜食[2]。

(《大观》卷23页11，《政和》页466，《纲目》页1344)

【校注】

[1] **莪菜** 《纲目》“芡实”条云：“鸡头菜，即莪菜，芡茎也。”

[2] **宜食** 《纲目》“芡实”条，其根引陈士良文作“煮食之”。

5 栗实

栗有数种，其性一类，三类一毬，其中者栗楔也。理筋骨风痛[1]。

(《大观》卷23页9，《政和》页464，《纲目》页1262)

【校注】

[1] **栗楔也。理筋骨风痛** 《纲目》“栗”条引陈士良文作“栗楔，主治筋骨风痛”。

6 樱桃

平，无毒。

(《大观》卷23页14，《政和》页466，《纲目》页1289)

7 苦枣[1]

大寒，无毒。枣中苦者是也，人多不食[2]。主伤寒热伏在脏腑，狂荡烦满，大小便秘涩[3]。取肉煮研，为蜜丸药，佳[4]。今处处有。

(《大观》卷23页8，《政和》页463，《纲目》页1266)

【校注】

[1] **苦枣** 《大观》《政和》附在“仲思枣”条下；《纲目》将之拔出，单独立为一条。

[2] **枣中苦者是也，人多不食** 《纲目》“苦枣”条“集解”引陈士良文作“苦枣处处有之。色

青小，味苦不堪，人多不食”。

[3] **秘涩** 《纲目》作“闭涩”。

[4] **为蜜丸药，佳** 《纲目》作“和蜜丸服”。

8 橙子

暖，无毒。行风气，发虚热[1]，疗瘿气，发瘰疬，杀鱼虫毒[2]。不[3]与猨肉同食，发头旋恶心。

（《大观》卷23页15，《政和》页465，《纲目》页1285）

【校注】

[1] **发虚热** 《纲目》作“多食伤肝气，发虚热”。

[2] **虫毒** 《纲目》作“蟹毒”。

[3] **不** 《纲目》无。

9 柚

臭橙[1]。

（《纲目》页1286）

【校注】

[1] **臭橙** 《纲目》“柚”条“释名”下引《食性》作“臭橙”。

10 林檎

此有三种，大长者为柰；圆者林檎，夏熟[1]；小者味涩，为梣，秋熟[2]。

（《大观》卷23页38，《政和》页477，《纲目》页1276）

【校注】

[1] **圆者林檎，夏熟** 《纲目》作“圆者为林檎，皆夏熟”。

[2] **熟** 其下，《纲目》有“一名楸子”4字。

11 柰

此有三种，大而长者为柰；圆者为林檎，皆夏熟；小者味涩，为梣，秋熟，一名楸子[1]。

（《纲目》页1276）

【校注】

[1] **此有三种……一名楸子**　《大观》《政和》将之列在“林檎”条注文中，《纲目》将之列在“柰”条“集解”中。《纲目》释曰：“柰与林檎，一类二种也。树、实皆似林檎而大。”

12　榅桲

发毒热，秘大小肠，聚胸中痰壅。不宜多食，涩血脉[1]。

（《大观》卷23页41，《政和》页479，《纲目》页1274）

【校注】

[1] **聚胸中痰壅。不宜多食，涩血脉**　《纲目》“榅桲”条“气味”下，引陈士良文作“聚胸中痰，壅涩血脉，不宜多食”。

13　庵罗果

微寒[1]，无毒。主妇人经脉不通，丈夫营卫中血脉不行。久食令人不饥。叶似茶叶，可以作汤，疗渴疾。

（《大观》卷23页40，《政和》页478，《纲目》页1275）

【校注】

[1] **微寒**　《纲目》“庵罗果”条“气味”下，引陈士良文作“酸，微寒”。

菜蔬　第二

14　荠实

亦名[1]菥蓂子。主壅，去风毒邪气，明目，去障[2]翳，解热毒。久食[3]视物鲜明。四月、八月收实，良。

（《大观》卷21页20，《政和》页508，《纲目》页1208）

【校注】

[1] **名** 《纲目》作“呼”。

[2] **障** 《纲目》无。

[3] **食** 《纲目》作“服”。

15 荠花

将去[1]席下辟虫[2]。

(《大观》卷27页20,《政和》页508,《纲目》页1208)

【校注】

[1] **将去** 《纲目》作“布”。

[2] **虫** 其下,《纲目》有“又辟蚊、蛾”4字。按,此4字,原出《物类相感志》,非陈士良《食性本草》文。《物类相感志》云:“三月三日,收荠菜花置灯药上,则飞蛾、蚊虫不投。”

16 紫花菘[1]

平,无毒。行风气,去邪热气。

(《大观》卷27页13,《政和》页506,《纲目》页1186)

【校注】

[1] **紫花菘** 《纲目》“菘”条“正误”云:“白菘即白菜也。紫菘即芦菔也,开紫花,故曰紫菘。”孙炎注《尔雅》云:“突,芦肥葹。紫花菘也。”

17 紫花菘花[1]

可以槽酒藏,甚美[2]。

(《大观》卷27页13,《政和》页506,《纲目》页1193)

【校注】

[1] **紫花菘花** 《纲目》“莱菔”条“释名”云:“紫花菘即莱菔。”《蜀本草》云:“莱菔俗名萝卜。”紫花菘花即萝卜花。

[2] **可以槽酒藏,甚美** 《纲目》“莱菔”条,其花的主治引陈士良文作“用槽下酒藏,食之甚美,明目”。

18　荆芥

主血劳，风气壅满，背脊疼痛，虚汗，理丈夫脚气，筋骨烦疼，及阴阳毒，伤寒头痛，头旋，目眩，手足筋急。本草呼为假苏，假苏又别[1]。按，假苏叶锐圆，多野生，以香气似苏，故呼为苏。

（《大观》卷28页8，《政和》页513，《纲目》页836）

【校注】

［1］**假苏又别**　《纲目》“假苏”条“释名”引陈士良文作“假苏又别是一物”。

19　吴菝蕳[1]

能引诸药入荣卫[2]，疗阴阳毒，伤寒头痛。四季宜食。

（《大观》卷28页15，《政和》页515，《纲目》页838）

【校注】

［1］**吴菝蕳**　《大观》《政和》《纲目》俱列在“薄荷”条下。

［2］**卫**　其下，《纲目》“薄荷”条“发明”下所引“士良曰”有“故能发散风寒”。

20　胡菝蕳[1]

主风气壅并胸膈，作茶服之[2]，立效。俗呼为新罗菝蕳。

（《大观》卷28页15，《政和》页515，《纲目》页839）

【校注】

［1］**胡菝蕳**　《大观》《政和》列在“薄荷”条下，《纲目》列在“积雪草”条下。今日认为积雪草是伞形科植物积雪草，而薄荷是唇形科植物薄荷。苏颂《本草图经》“薄荷”条云：“胡薄荷与薄荷相关，但味少甘为别，生江、浙间，彼人多以作菜饮之，俗名新罗薄荷。”据此可知，胡菝蕳应是唇形科薄荷一类植物。

［2］**作茶服之**　《纲目》作“作汤饮之”。

21　菾菜[1]

叶似紫菊而大，花白。食之宜妇人[2]。

（《大观》卷28页16，《政和》页513，《纲目》页1207）

【校注】

[1] **菾菜** 《纲目》“菾菜”条注云：“菾音甜。”又云：“菾菜，即莙荙也。”

[2] **宜妇人** 《纲目》“菾菜”条“主治”下，误注此3字出典为“大明”。

22 莙荙[1]

平，微毒。补中下气，理脾气，去头风，利五脏。冷气不可多食，动气。先患腹冷，食必破腹。茎灰淋汁，洗衣白如玉[2]。

（《大观》卷29页13，《政和》页522，《纲目》页1207）

【校注】

[1] **莙荙** 《纲目》“菾菜”条“校正”云：“并入《嘉祐》莙菜。”按，《大观》《政和》将“莙荙”条与“菾菜”条分立为两条，则陈士良《食性本草》亦当是将之分为两条。

[2] 本条末，《大观》《政和》俱有小字注云：“新补见孟诜、陈藏器、陈士良、《日华子》。”这说明此文由掌禹锡糅合四家文字而成。各家原文无法甄别。姑录全文以附之。

23 蕹菜[1]

味甘，平，无毒。主解野葛毒[2]，煮食之。亦生捣服之。岭南种之蔓生，花白，堪为菜[3]。云南人[4]先食蕹菜，后食野葛，二物相伏，自然无苦。又，取汁滴野葛苗，当时菸死[5]，其相杀如此。张司空云：魏武帝啖野葛至一尺，应是先食此菜也。

（《大观》卷29页13，《政和》页522，《纲目》页1207）

【校注】

[1] **蕹菜** 本药是《嘉祐本草》新增药，其药条末注云：“新补见孟诜、陈藏器、陈士良、《日华子》。”即本条由掌禹锡糅合四家文字而成。各家原文无法甄别。《纲目》引此条，所注出处，俱作“藏器”，且其所引文字与掌禹锡所糅合四家本草之文不尽相同。

[2] **野葛毒** 《纲目》作“胡蔓草毒”。

[3] **花白，堪为菜** 《纲目》作“开白花，堪茹”。

[4] **云南人** 《纲目》作“南人”。

[5] **菸死** 《纲目》作“萎死”。

24 菠薐[1]

冷，微毒。利五脏，通肠胃热，解酒毒。服丹石人食之，佳。北人食肉面即平，南人食鱼鳖水米即冷。不可多食，冷大小肠[2]。久食令人脚弱不能行。发腰痛[3]，不与鳝鱼同食，发霍乱吐泻[4]。

（《大观》卷29页13，《政和》页522，《纲目》页1207）

【校注】

[1] **菠薐** 本药是《嘉祐本草》新增药，其药条末注文指明该条文由掌禹锡糅合孟诜、陈藏器、陈士良、《日华子》四家本草文而成。各家本草原文无法甄别。《纲目》引本条文主要注出处为"孟诜"。这与掌禹锡注出处为四家，不相同。

[2] **不可多食，冷大小肠** 《纲目》作"故多食冷大小肠也"，并注出处为"孟诜"。

[3] **久食令人脚弱不能行。发腰痛** 《纲目》将之化裁作"多食令人脚弱，发腰痛，动冷气。先患腹冷者，必破腹"。

[4] **吐泻** 《纲目》作"取汁炼霜，制砒、汞、伏雌黄、硫黄"12字。《大观》《政和》俱无此12字。疑此12字另出别本。因脱漏文献出处，后人遂误此12字为陈士良文。

25 苦荬[1]

冷，无毒。治面目黄[2]，强力，止困[3]，傅蛇、虫咬[4]。又，汁傅丁肿，即根出[5]。蚕蛾出时，切不可取拗[6]，令蛾子青烂。蚕妇亦忌食。

（《大观》卷29页13，《政和》页522，《纲目》页1216）

【校注】

[1] **苦荬** 本药是《嘉祐本草》新增药，其药条末所注指明此文由掌禹锡糅合孟诜、陈藏器、陈士良、《日华子》四家本草文字而成。各家原文无法区分。《纲目》引用时将本条列在"苦菜"条中，并对所引的文，多加化裁。

[2] **治面目黄** 《纲目》作"除面目及舌下黄"，并注出处为"藏器"。

[3] **强力，止困** 《纲目》作"久服强力"，并注出处为"《嘉祐》"。

[4] **傅蛇、虫咬** 《纲目》作"傅蛇咬"，并注出处为"大明"。

[5] **汁傅丁肿，即根出** 《纲目》作"其白汁，涂丁肿，拔根"，并注出处为"藏器"。

[6] **切不可取拗** 《纲目》作"不可折取"，注出处为"士良曰"。

26 野苦荬

五六回拗后，味甘，滑于家苦荬，甚佳[1]。

（《大观》卷 29 页 13，《政和》页 522，《纲目》页 1216）

【校注】

[1] **五六回拗后……甚佳**　《纲目》将之化裁为"野苣（即野苦荬），若五六回拗后，味反甘滑，胜于家苦荬也"。

27　鹿角菜[1]

大寒，无毒、微毒。下热风气，疗小儿骨蒸热劳。丈夫不可久食，发痼疾，损经络血气，令人脚冷痹，损腰肾，少颜色。服丹石人食之，下石力也。出海州[2]，登[3]、莱[4]、沂[5]、密州[6]并育，生海中。又能解面热。

（《大观》卷 29 页 13，《政和》页 522，《纲目》页 1240）

【校注】

[1] **鹿角菜**　本药是《嘉祐本草》新增药，其药条末言明此文由掌禹锡糅合孟诜、陈藏器、陈士良、《日华子》四家本草文字而成。各家原文无法区分。《纲目》将本条中"微毒""丈夫不可久食，发痼疾，损经络血气，令人脚冷痹，损腰肾，少颜色"26 字注为孟诜文，将余下文字注为陈士良文。

[2] **海州**　江苏海州（靠近连云港）。

[3] **登**　即登州，今山东蓬莱。

[4] **莱**　即莱州，今山东莱州。

[5] **沂**　即沂州，今山东临沂。

[6] **密州**　山东诸城。

28　胡荽[1]

味辛，温，一云微寒，微毒。消谷，治五脏，补不足，利大小肠，通小腹气，拔四肢热，止头痛，疗痧疹、豌豆疮不出，作酒喷之，立出。通心窍。久食令人多忘，发腋臭，脚气。

（《大观》卷 27 页 11，《政和》页 501，《纲目》页 1199）

【校注】

[1] **胡荽**　本药原是《嘉祐本草》新增药，其药条末注云："新补见孟诜、陈藏器、萧炳、陈士良、《日华子》。"这说明本条文字由掌禹锡糅合五家本草文字而成。各家原文无法区分。《纲目》引用本条时，所注出处为"《嘉祐》"。

29 胡荽根

发瘑疾[1]。

（《大观》卷27页11，《政和》页501，《纲目》页1199）

【校注】

[1] **发瘑疾** 此文与陈藏器“胡荽”条文同。《大观》《政和》将之列在“胡荽”条中，并在“胡荽”条末注云：“见孟诜、陈藏器、萧炳、陈士良、《日华子》。”这说明此条文字由掌禹锡糅合五家本草文字而成。

30 胡荽子[1]

主小儿秃疮，油煎傅之[2]。亦主蛊[3]，五痔及食肉中毒下血[4]。煮，冷取汁服[5]。并州[6]人呼为香荽，入药妙用。

（《大观》卷27页11，《政和》页501，《纲目》页1199）

【校注】

[1] **胡荽子** 本药是《嘉祐本草》新增药，其药条末注云：“新补见孟诜陈藏器、萧炳、陈士良、《日华子》。”这说明本条文字由掌禹锡糅合五家本草文字而成。各家原文无法区分。《纲目》引本条注出处时，仅注“藏器曰”，这与掌禹锡糅合五家之语的事实，不相符。

[2] **主小儿秃疮，油煎傅之** 《纲目》将之化裁为“又以油煎，涂小儿秃疮”。

[3] **蛊** 《纲目》作“蛊毒”。

[4] **下血** 《纲目》作“吐下血”。

[5] **煮，冷取汁服** 《纲目》将之化裁为“煮汁冷服”。

[6] **并州** 山西太原地区。

31 石胡荽[1]

寒，无毒。通鼻气，利九窍，吐风痰[2]。不任食。亦去翳，熟挼纳鼻中，翳自落[3]。俗名鹅不食草[4]。

（《大观》卷27页12，《政和》页501，《纲目》页1080）

【校注】

[1] **石胡荽** 本药是《嘉祐本草》新增药，其药条末注文言明本条文字由掌禹锡糅合孟诜、陈

藏器、萧炳、陈士良、《日华子》五家文字而成。目前无法甄别出各家之语。

[2] **通鼻气，利九窍，吐风痰** 《纲目》注出处为“萧炳”。

[3] **亦去翳，熟挼纳鼻中，翳自落** 《纲目》将之化裁为“去目翳，挼塞鼻中，翳膜自落”，并注出处为“藏器”。

[4] **寒，无毒……俗名鹅不食草** 《纲目》引用时，所注出处仅为“萧炳”“藏器”两家。掌禹锡所注出处，除此两家外，尚有“孟诜”“陈士良”“《日华子》”三家。二者所注出处不相同。

32 邪蒿[1]

味辛，温、平，无毒。似青蒿细软[2]。主胸膈中臭烂恶邪气，利肠胃，通血脉，续不足气。生食微动风气，作羹食，良。不与胡荽同食，令人汗臭气[3]。

（《大观》卷 27 页 11，《政和》页 501，《纲目》页 1198）

【校注】

[1] **邪蒿** 本药是《嘉祐本草》新增药，其药条末注明本条文字由掌禹锡糅合孟诜、陈藏器、萧炳、陈士良、《日华子》五家本草文字而成。各家原文无法甄别。《纲目》引此条主治文所注出处仅为“孟诜”一家，与掌禹氏所云出处为五家，不相同。

[2] **似青蒿细软** 《纲目》作“邪蒿根、茎似青蒿而细软”，并注出处为“藏器”。

[3] **味辛……令人汗臭气** 《纲目》引用时，仅注“孟诜”“藏器”两家出处。掌禹锡所注本条出处为五家，除“孟诜”“藏器”外，还有“萧炳”“陈士良”“《日华子》”三家。二者所注出处不相同。

33 同蒿[1]

平。主安心气，养脾胃，消水饮[2]。又，动风气，熏人心，令人气满，不可多食[3]。

（《大观》卷 17 页 12，《政和》页 501，《纲目》页 1198）

【校注】

[1] **同蒿** 本药是《嘉祐本草》新增药，其药条末注云：“新补见孟诜、陈藏器、萧炳、陈士良、《日华子》。”意即本条由五家本草文字糅合而成。各家原文无法区分，故录《嘉祐本草》全文以附之。

[2] **主安心气，养脾胃，消水饮** 此与《千金方·食治》“同蒿”条文同。

[3] **不可多食** 《纲目》作“多食”，并移之于“动风气”之前。其所注出处为“禹锡”。

34 罗勒[1]

味辛，温，微毒。调中消食，去恶气，消水气，宜生食。又，疗齿根烂疮，为灰用[2]，甚良。不可过多食，壅关节，涩营卫，令血脉不行。又，动风，发脚气。患啘，取汁服半合，定。冬月用干者煮之[1]。

（《大观》卷 27 页 12，《政和》页 501，《纲目》页 1204）

【校注】

[1] **罗勒** 本药原是《嘉祐本草》新增药，其药条末言明本条文字由掌禹锡糅合孟诜、陈藏器、萧炳、陈士良、《日华子》五家文字而成。各家原文无法甄别，姑录《嘉祐本草》全文以附之。

[2] **为灰用** 《纲目》作“为使用之”。

[3] **之** 《纲目》无。

35 罗勒根

主小儿黄烂疮，烧灰傅之，佳[1]。北人呼为兰香，为石勒讳也[2]。

（《大观》卷 27 页 12，《政和》页 501，《纲目》页 1204）

【校注】

[1] **主小儿黄烂疮，烧灰傅之，佳** 《纲目》将之化裁为“根烧灰，傅小儿黄烂疮”。

[2] **北人呼为兰香，为石勒讳也** 《纲目》将之化裁为“北人避石勒讳，呼罗勒为兰香”。

36 罗勒子[1]

主目翳及物[2]入目，三五颗致[3]目中，少顷当湿胀，与物俱出。又，疗[4]风赤眵泪。

（《大观》卷 27 页 I2，《政和》页 501，《纲目》页 1204）

【校注】

[1] **罗勒子** 本药是《嘉祐本草》新增药，其药条末注云：“新补见孟诜、陈藏器、萧炳、陈士良、《日华子》。”这说明本条文字由掌禹锡糅合五家本草文字而成。各家原文无法区分。《纲目》引用本条，注出处为“《嘉祐》”。

[2] **物** 其上，《纲目》有“尘”字。

[3] **致** 《纲目》作“安”。

[4] **疗** 《纲目》作“主”。

37 燕覆子[1]

寒，无毒。主胃口热闭，反胃，不下食。除三焦客热。此是木通，实名桴椧子。

（《大观》卷8页21，《政和》页200，《纲目》页1043）

【校注】

[1] **燕覆子** 《大观》《政和》《纲目》俱将之列在“通草”条下。古书所言通草，实为今日的木通，即马兜铃科植物木通马兜铃的木质茎。今日所讲的木通即五加科植物通脱木的茎髓。

38 燕覆茎

名木通[1]，主理风热淋疾[2]，小便数急疼，小腹虚满。宜煎汤并葱食之，有效。野生。

（《大观》卷8页21，《政和》页200，《纲目》页1043）

【校注】

[1] **木通** 称通草为木通，最早始于陈士良《食性本草》。

[2] **淋疾** 《纲目》卷18“通草”条“主治”，引陈士良文时，删此2字。

谷米 第三

39 胡麻人

生嚼，涂小儿头疮，亦疗妇人阴疮。初食利大小肠，久食即痞。去陈留新。

（《大观》卷24页1，《政和》页481，《纲目》页1101）

40 大麻人[1]

主肺脏，润五脏，利大小便，疏风气[2]。不宜[3]多食，损血脉，滑精气。妇人多食，发带疾[4]。

（《大观》卷24页3，《政和》页482，《纲目》页1106）

【校注】

[1] **大麻人** 《纲目》“大麻”条作“麻仁”。

[2] **主肺脏，润五脏，利大小便，疏风气** 《纲目》“大麻”条，“麻仁”的“主治”下引陈士良文作“润五脏，利大小肠风热结燥及热淋”。

[3] **不宜** 《纲目》“大麻”条，“麻仁”的“气味”下引陈士良文无此2字。

[4] **疾** 其下，《纲目》“大麻”条，“麻仁”的“气味”下引陈士良文有“畏牡蛎、白薇、恶茯苓”8字。按，此8字原出“麻蕡”条“畏恶”（见尚志钧辑本《本草经集注》卷一序例），属《名医别录》文。《纲目》在此8字前脱漏“《别录》曰”3字。后人遂误此8字为陈士良文。

41 赤小豆

微寒。缩气行风，抽肌肉。久食瘦人。坚筋骨，疗水气，解小麦热毒。

（《大观》卷25页3，《政和》页487，《纲目》页1138）

42 大麦

补虚劣，壮血脉，益颜色，实五脏，化谷食[1]。久食。令人肥白，滑肌肤。为面，胜小麦，无躁热。

（《大观》卷25页13，《政和》页4112，《纲目》页1112）

【校注】

[1] **食** 其下，《纲目》“大麦”条“主治”引陈士良文有“止泄，不动风气”。此文原出“藏器”，《纲目》将之并入此条中。

43 大麦糵

微暖。久食消肾。不可多食。

（《大观》卷25页13，《政和》页492）

44 粳粟米

五谷中最硬，得浆水即易化。解小麦虚热[1]。

（《大观》卷25页6，《政和》页488，《纲目》页1125）

【校注】

[1] **解小麦虚热** 《纲目》“粟”条，“粟米”的“主治”下引陈士良文作“解小麦毒，发热”。

45 陈仓米

平胃口，止泄泻，暖脾，去惫气。宜作汤食。

（《大观》卷26页7，《政和》页497，《纲目》页1149）

46 酒[1]

凡服食丹砂、北庭、石亭脂、钟乳石、诸礜石、生姜，并不可长久以酒下，遂引石药气入四肢，滞血化为痈疽。

（《大观》卷25页5，《政和》页487，《纲目》页1161）

【校注】

[1] **酒** 《纲目》作“米酒”。

47 糯米

能行荣卫中血积，久食发心悸，及痈疽疮疖中痛，不可合酒共食[1]，醉难醒，解芫菁毒。

（《大观》卷26页2，《政和》页495，《纲目》页1115）

【校注】

[1] **不可合酒共食** 《纲目》“稻”条，“稻米”的“气味”下引“士良曰”作“合酒食之”。

48 白油麻[1]

大寒，无毒。治虚劳，滑肠胃，行风气，通血脉，去头[2]浮风，润肌[3]。食后生啖一合，终身不辍[4]。与乳母食，孩子永不病生。若客热，可作饮汁服之。停久者[5]，发霍乱。又，生嚼，傅小儿头上诸疮，良。久食抽人肌肉。生则寒，炒则热。

（《大观》卷24页6，《政和》页484，《纲目》页1102）

【校注】

[1] **白油麻** 本药是《嘉祐本草》新增药，其药条末注云：“新补见孟诜及陈藏器、陈士良、《日华子》。”这说明本条文字由掌禹锡糅合四家本草文字而成。各家原文无法区分，暂录《嘉祐本草》全文以附之。《纲目》引用此条，均注出处为“孟诜”，这与掌禹锡糅合五家文字而成此文的事实不相同。

[2] **头** 《纲目》作“头上”。

[3] **润肌** 《纲目》作“润肌肉”。

[4] **不辍** 《纲目》作“勿辍”。

[5] **停久者** 《纲目》作"其汁停久者"。

49 白油麻叶

捣和浆水，绞去滓，沐发，去风润发。

(《大观》卷24页6，《政和》页484)

50 白油麻油[1]

冷，常食所用也。无毒，发冷疾，滑骨髓，发脏腑渴，困脾脏，杀五黄，下三焦热毒气，通大小肠，治蛔心痛，傅一切疮疥癣，杀一切虫。取油一合，鸡子两颗，芒硝一两，搅服之，少时即泻，治热毒甚良。治饮食物，须逐日熬熟用，经宿即动气。有牙齿并脾胃疾人，切不可吃。陈者煎膏，生肌长肉，止痛，消痈肿，补皮裂。

(《大观》卷24页6，《政和》页484，《纲目》页1103)

【校注】

[1] **白油麻油** 本药是《嘉祐本草》新增药，其药条末注云："新补见孟诜及陈藏器、陈士良、《日华子》"。这说明本条文字由掌禹锡糅合四家本草文字而成。各家原文无法区分。

但《纲目》将本条划分为各段，分属诸家，列举如下。

"发冷疾，滑骨(《纲目》作精)髓，发脏腑渴，困脾脏"：《纲目》注出处为"藏器"。

"杀五黄……治热毒甚良"：以上51字，《纲目》注出处为"孟诜"。

"治饮食物……切不可吃"：以上27字，《纲目》注出处为"士良"。

"陈者煎膏……补皮裂"：以上16字，《纲目》注出处为"《日华》"。

《纲目》对本条划分四段归属四家，掌禹锡并无明确规定，不知《纲目》何所据。

51 曲[1]

味甘，大暖。疗脏腑中风气，调中下气，开胃消宿食。主霍乱，心膈气，痰逆，除烦，破癥结及补虚，去冷气，除肠胃中塞，不下食，令人有颜色，六月作者良。陈久者入药，用之当炒令香。六畜食米胀欲死者，煮曲汁灌之，立消。落胎并下鬼胎。

(《大观》卷25页14，《政和》页492，《纲目》页1155)

【校注】

[1] **曲** 本药是《嘉祐本草》新增药，其药条末注云："新补见陈藏器、孟诜、萧炳、陈士良、《日华子》。"这说明本条文字由掌禹锡糅合五家本草文字而成。各家本草原文无法区分，暂录《嘉祐本草》全文以附之。

但《纲目》将本条划分为各段，分属诸家，列举如下。

"疗脏腑中风气（《纲目》作寒），调中下气，开胃"：《纲目》注出处为"藏器"。

"主霍乱，心膈气，痰逆破，癥结"：《纲目》注出处为"孟诜"。

"补虚，去冷气，除肠胃中塞不下食，令人有颜色"：《纲目》注出处为"吴瑞"。按，"吴瑞"为元代人，《嘉祐本草》糅合宋以前诸家本草，岂能引用元人吴瑞之文，可能有误。

"落胎并下鬼胎"：《纲目》注出处为"《日华》"。

以上四段分属四家，不知《纲目》何所据。

52 神曲[1]

使，无毒。能化水谷宿食癥气[2]，健脾暖胃[3]。

（《大观》卷25页14，《政和》页492，《纲目》页1156）

【校注】

[1] **神曲** 本药是《嘉祐本草》新增药，其药条末注云："新补见陈藏器、孟诜、萧炳、陈士良、《日华子》。"这说明本条文字由掌禹锡糅合五家本草文字而成。各家本草原文无法区分。姑录《嘉祐本草》全文以附之。

[2] **癥气** 《纲目》作"癥结积滞"。

[3] **使，无毒……健脾暖胃** 《纲目》注出处为"《药性论》"。《大观》《政和》注出处为"《嘉祐》"。疑《纲目》所注出处有误。

53 荞麦[1]

味甘，平，寒，无毒。实肠胃，益气力，久食动风，令人头眩。和猪肉食之，患热风，脱人眉须，虽动诸病，犹挫丹石，能炼五脏滓秽，续精神。作饭与丹石人食之良。其饭法：可蒸，使气馏，于烈日中暴令口开，使舂取仁作饭。叶作茹，食之下气，利耳目，多食即微泄。烧其穰作灰，沐洗六畜疮，并驴，马躁蹄。

（《大观》卷25页14，《政和》页493，《纲目》页1113）

【校注】

[1] **荞麦** 本药是《嘉祐本草》新增药，其药条末注云："孟诜、陈藏器、萧炳、陈士良、《日华子》。"即本条文字由掌禹锡糅合五家本草文字而成。各家原文无法区分，故录《嘉祐本草》全文

以附之。

《纲目》引用本条前半段文字，注出处为“孟诜”；引用本条后半段文字，注出处为“萧炳”。此与掌禹锡糅合五家本草文字不同。兹将本条各文句，《纲目》所注出处，列举如下。

“实肠胃，益气力”：《纲目》注出处为“孟诜”。

“和猪肉食之，患热风，脱人眉须”：《纲目》作“作面和猪肉、羊肉热食，不过八九顿，即患热风，须眉脱落，还生亦稀”，并注出处为“思邈”。按《千金方·食治》“荞麦”条引此文，注出处为“黄帝”。

“能炼五脏滓秽，续精神”：《纲目》注出处为“孟诜”。

“作饭与丹石人食之良”：《纲目》作“作饭食，压丹石毒，甚良”，并注出处为“萧炳”。

“其饭法……舂取仁作饭”：《纲目》注出处为“萧炳”。按，“孟诜”“萧炳”原书久佚，《纲目》所注出处，未知何所据。掌禹锡言明本条文字糅合五家本草文字而成。本条文字除“孟诜”“萧炳”内容外，还有“陈藏器”“陈士良”“《日华子》”三家文字。《纲目》注出处为两家，与掌禹锡糅合五家之文之事实不相符。

鸟兽　第四　虫鱼附

54　马肉

有大毒。

（《大观》）卷 17 页 1，《政和》页 314，《纲目》页 1742）

55　麋[1]

大热。

（《大观》卷 18 页 5，《政和》页 390，《纲目》页 1781）

【校注】

[1] **麋**　麋作药用，分麋脂、麋肉、麋茸、麋角。此文原是掌禹锡注“麋角”条时所引“陈士良云”。其“麋”下当补“角”字。《纲目》卷 51“麋”条下，其麋脂、麋肉、麋茸俱言“性温”，惟独麋角作“性热”。故本条“麋”，当指“麋角”而言。

56　鼹鼠

寒。

（《大观》卷 18 页 11，《政和》页 393，《纲目》页 1802）

57 鹜肪[1]

大寒。

(《大观》卷 19 页 6,《政和》页 400,《纲目》页 1658)

【校注】

[1] 鹜肪 《纲目》卷 47“雁”条云:“雁肪一名鹜肪。”又“鹜”条下,亦载有鹜肪药名。

58 鹜卵

生毒疮者食之,令恶肉突出。

(《纲目》页 1660)

59 鲤鱼

无毒。

(《大观》卷 20 页 20,《政和》页 419,《纲目》页 1596)

60 鮧鱼

暖。

(《大观》卷 20 页 16,《政和》页 417,《纲目》页 1612)

61 鳗鲡鱼

寒。

(《大观》卷 21 页 13,《政和》页 431,《纲目》页 1608)

62 石首鱼

平。

(《大观》卷 21 页 25,《政和》页 435,《纲目》页 1600)

63 紫贝

平,无毒。

（《大观》卷21页25，《政和》页435，《纲目》页1648）

64 瑇瑁

身似龟，首、嘴如鹦鹉。肉平。主诸风毒，行气血，去胸膈中风痰[1]，镇心脾[2]，逐邪热，利大小肠，通妇人经脉。甲壳亦似肉，同疗心风邪[3]，解烦热[4]。

（《大观》卷20页10，《政和》页415，《纲目》页1628）

【校注】

[1] **风痰** 《纲目》作“风热”。

[2] **镇心脾** 《纲目》作“镇心神”。

[3] **疗心风邪** 《纲目》作“疗心风”，无“邪”字。

[4] **热** 其下，《纲目》有“行气血，利大小肠，功与肉同”。

65 鼄龟[1]

腹下横折，秦人呼为蟕蠵山龟[2]，是也。肉寒，有毒。主筋脉。凡扑损，便取血作酒食。肉生研[3]厚涂，立效。

（《大观》卷20页8，《政和》页413，《纲目》页1630）

【校注】

[1] **鼄龟** 《纲目》引《蜀本草》作“摄龟”。

[2] **秦人呼为蟕蠵山龟** 《政和》作“秦人呼蟕蠵山龟”，无“为”字。《大观》有“为”字。《纲目》“秦龟”条“集解”作“秦人呼蟕蠵为山龟”。

[3] **研** 《大观》作“斫”，《政和》《纲目》俱作“研”。

[附]　《本草纲目》引《食性本草》文目次

《本草纲目》引本书资料，注以“《食性》”“陈士良《食性本草》”“陈氏”“士良”“陈氏本草”“陈士良本草”“士良”。兹将《纲目》引有本书资料的药名摘录如下。药名前号码为1957年人民卫生出版社影印版《本草纲目》页次。

609　生铁　①小儿丹毒

612　铁䔧　①项边疬子

827　郁金香　①校正

836　假苏　①释名　②主治

838　薄荷　①释名　②主治　③发明

839　积雪草　①主治

1005　蓬蘽　①集解　②气味

1043　通草　①释名　②集解　③子主治

1080　石胡荽　①释名

1101　胡麻　①气味

1104　胡麻油　①发明

1107　麻仁　①气味　②主治

1112　大麦　①主治

1114　荞麦　①叶主治

1115　稻米　①气味　②主治

1125　粟米　①主治

1138　赤小豆　①主治

1150　陈廪米　①主治

1162　米酒　①气味

1175　葱　①主治

1194　莱菔花　①主治

1207　菠薐　①气味

1207　蕬菜　①集解

1208　荠　①蒫实主治　②花主治

1213　苦菜　①集解

1240　鹿角菜　①正名　②集解　③主治

1262　栗　①栗楔主治

1266　苦枣　①正名　②集解　③主治

1271　木瓜　①脚筋挛痛　②脐下绞痛

1274　榅桲　①气味

1275　庵罗果　①气味　②主治　③叶主治

1276　柰　①集解

1285　橙　①气味

1286　柚　①释名

1341　莲薏　①主治

1344　芡实　①根主治

1608　鳗鲡鱼　①气味

1627　秦龟　①集解

1628　瑇瑁　①集解　②主治　③肉主治

1630　摄龟　①主治

1660　鹜　①卵主治

1742　马肉　①气味

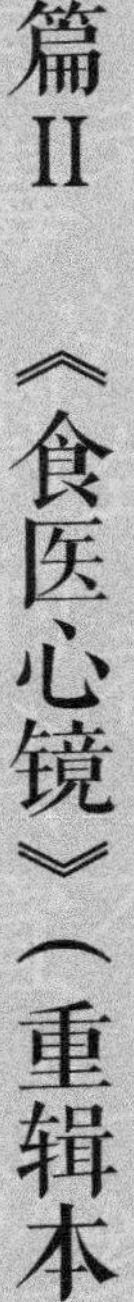

附篇Ⅱ 《食医心镜》（重辑本）

前　　言

《食医心镜》由唐代昝殷撰，此书至宋代因避宋太祖赵匡胤祖父名“敬”之讳，改书名末字“镜”为“鉴”。又，昝殷的“殷”，因避宋太祖父名讳，改为“商”，宋代郑樵《通志·艺文略》题此书为“《食医心鉴》，唐代昝商撰”。其后书志，皆沿用《食医心鉴》书名。

昝殷是唐代四川成都人，为成都医学博士。唐代大中年间（847—860）相国白敏中询访名医，昝殷得到举荐。（见《经效产宝》周颋序）

该书成于唐代大中十三年（859），原书在明代尚存，明代正统年间（1436—1449）朝鲜金礼蒙等《医方类聚》引用过此书，以后亡佚。

今存辑本为日本人从《医方类聚》辑成。清代光绪三十四年（1908），罗振玉游历日本东京，购得此书，1924 年交由北京东方学会铅印出版。书后附有罗振玉跋。罗在跋文中提到，此辑本卷端有青山求精堂书藏书画之记及森氏二印。卷后有丹波元坚及森约之手识二则。丹波元坚手识为“辛丑（1841）六月朔校读于掖庭医局，是书伪字殊多，不敢臆改，一依其旧云，元坚识”。森约之手识为“嘉永甲寅（1854）仲秋晦夜灯下校正一过，约之识。”

按森约之手识所云，森氏于 1854 年校正过一次，但现存辑本内容基本上与《医方类聚》所存佚文相同。这就说明，森约之校正，是据《医方类聚》校的，未参考其他文献。因此该辑本遗漏佚方很多，书中存在讹误也不少。1924 年东方学会铅印本是用繁体字排的，无断句，无标点，对青年人阅读与应用来说，有一定的困难。

由于现存辑本存在上述缺点，笔者又依《大观本草》《政和本草》《本草纲目》重新补辑，得佚方177条，连同《医方类聚》所存190方，共得367方，按病证分32类。有些类的开头附有简短的叙论，全书有叙论的共13类。每类收录主治功用相近的方子，每个方子标以自然序码，但其中有些方子下，又附有主治功用完全相同的方，这些附方不另标号，仅注“又方”字样。全书所附的“又方”有23方，“又人参茯苓汤方”1个，连同标号的342方，方子总数计为366，比现存本多166方。

至于该书原来有多少方子，由于书志失载，目前已无法得知。

本书以食物药品为主，并将之组成药方，制成便于服用的食品，或煮粥，或制成菜羹、鱼脍、浸酒饮食品。所以本书是一部方书，不是本草书，但习惯上都将此书归入本草类。

由于本书以饮食疗法为主，所以本书对饮食疗法的发展，有一定的贡献。

全书加了标点，对每一个方子均注明文献出处，并用诸书勘比，凡有歧异处，均出校注说明。

由于本人水平所限，错误和缺点难免，请读者指正。

1992年3月　尚志钧

于芜湖皖南医学院弋矶山医院

辑校说明

（1）书名：本书原名《食医心镜》，宋代书目因避宋讳，改名为《食医心鉴》。1924年北京东方学会铅印本沿用此名，今为恢复原貌，仍用原名。

（2）卷次：本书卷次，各书志记载不一。《崇文总目辑释·医书类》《通志·艺文略》均记为3卷，《宋史·艺文志》记为2卷，《古今医统大全》、《本草纲目》引据书目、《医方类聚》引用书，仅记书名，未记卷次。

（3）分类：本书散佚很久，因无任何目录可据，原书如何分类，不详。今依《外台秘要》，将之按病证分为32类。其中有些类的开头，附有简短的叙论。全书叙论共有13首。

每类罗列一些主治功用相似的方子，每方标一序码。其中有些号下，兼附一些功用完全相同的方子，这些方子，不另标号，但注明"又方"二字。全书附的"又方"共23个，"又人参茯苓汤方"1个，连同标号的342方，共有366方，比现存东方学会本《食医心鉴》多出176方。

（4）方子组成：每个方子由三部分组成，一是方名，二是方子成分，三是制法及使用说明。在方名中，包含有主治症的病名；在方子成分中，含有药名及用量；在制法及使用说明中，介绍一些操作和使用方法。

（5）本书所辑的方，以《医方类聚》为主；《医方类聚》所缺，以《证类本草》补之；《证类本草》所缺，以《本草纲目》补之。《本草纲目》引方基本与《证类本草》同，凡《医方类聚》有的方子，《证类本草》未见引，则《本草纲目》亦无。又，《本草纲目》引文多有删改。例如《本草纲目》卷 47 鹜肪条附方引《食医心镜》两个方子，即用一个方名“治十种水病垂死”。按，《政和本草》卷 19 鹜肪条附方是用两个方名，第一方名同《本草纲目》，第二方名为“主水气胀满浮肿小便涩少”。因此，《本草纲目》引文，不能作为底本用。

（6）校勘：本书辑文，以《医方类聚》《证类本草》为底本，以《本草纲目》及其方书为校本。凡底本与校本有不同处，以底本为主，将校本歧异处出注说明，例如底本用的药名有“土苏”“蒌苛”，校本作“酥”“薄荷”，本书即出注说明。

（7）本书所用简称书名介绍如下。

《类聚》，即《医方类聚》，朝鲜·金礼蒙等集纂，1981 年人民卫生出版社出版。

《大观》，即《经史证类大观本草》，宋·唐慎微撰，1904 年柯逢时影宋并重刊。

《政和》，即《重修政和经史证类备用本草》，宋·唐慎微撰，1957 年人民卫生出版社影印。

《纲目》，即《本草纲目》，明·李时珍撰，1977—1981 年人民卫生出版社出版。

《千金翼》，即《千金翼方》，唐·孙思邈撰，1955 年人民卫生出版社影印。

《食医心鉴》，即《食医心镜》，唐·昝殷撰，1924 年北京东方学会铅印。

《本草拾遗》，唐·陈藏器撰，尚志钧辑校，2002 年，安徽科学技术出版社出版。

《易简方》，宋·王硕著，1889 年孙诒让据元代杨氏纯德堂本重刻。

《卫生易简方》，明·胡濙著，1562 年江西刻本。

《圣惠方》，即《太平圣惠方》，宋·王怀隐等撰，1958 年人民卫生出版社出版。

《寿亲养老书》，即《寿亲养老新书》，宋·陈直原著，1919 年邹铉续增上海朝记书庄出版。

《得效方》，即《世医得效方》，元·危亦林撰，1957 年上海卫生出版社出版。

《太素》，即《黄帝内经太素》，隋·杨上善编注，1965 年人民卫生出版社出版。

一、治伤寒、烦热食治诸方

1 治贼风伤寒发汗方

薄荷

右煎豉汤，暖酒和饮，煎茶生食之，并得[1]。

（《大观》卷28页10，《政和》页513，《纲目》页917）

【校注】

[1] **得** 《纲目》作“宜”。

2 治伤寒头痛风热瘴疠[1]利小便方

茵陈蒿

右切[2]，煮羹食之。生食之亦宜人。

（《大观》卷7页45，《政和》页188，《纲目》页941）

【校注】

[1] **疠** 《纲目》作“疟”。

[2] **切** 《纲目》作“细切”。

3 治伤寒寒热骨节碎痛出汗方

葱叶

右作羹粥，煤作齑食之，良。

（《大观》卷28页3，《政和》页510）

4　除邪气，利大小肠，去寒热方

马齿苋实一大升

右捣为末，每一匙[1]煮葱豉粥，和搅食之[2]。煮粥及着米糁、五味作羹亦得。

（《大观》卷29页2，《政和》页519，《纲目》页1655）

【校注】

[1] **每一匙**　《纲目》作“每以一匙”。

[2] **煮葱豉粥，和搅食之**　《纲目》作“用葱豉煮粥食”。

5　治心烦去热方

香薷

右煎汤作羹。煮粥及生食并得。

（《大观》卷28页14，《政和》页515）

6　治热攻心烦躁恍惚方

牛蒡根

右捣汁一升，食后分为三服[1]，良。

（《大观》卷9页3，《政和》页218，《纲目》页985）

【校注】

[1] **三服**　《纲目》作“二服”。

二、治寒热疟、蛊毒食治诸方

1　治寒热利大肠方

秫米

右以炊饭食之，良。

（《大观》卷25页7，《政和》页489）

2 治喑疟[1]寒热邪气方

小豆花

右以小豆花于豉中[2]煮，五味调和，作羹食之。

（《大观》卷26页6，《政和》页497，《纲目》页1513）

【校注】

[1] **喑疟** 《纲目》作“痎疟”。

[2] **于豉中** 《纲目》作“同豉汁”。

3 治五脏积冷蛊毒寒热狐肉羹方

狐肉一片

右以狐肉一片[1]及五脏，治如食法[2]，豉汁中煮，五味和作羹或作粥，炙[3]食，并得。京中以羊骨汁、鲫鱼替豉汁。

（《大观》卷18页7，《政和》页301，《纲目》页878）

【校注】

[1] **片** 《纲目》作“斤”。

[2] **治如食法** 《纲目》作“治净”。

[3] **炙** 《纲目》无。

三、治黄疸食治诸方

1 治大热黄疸方

茵陈蒿

右以茵陈蒿切[1]，煮羹食之。生食之，亦宜人。

（《大观》卷7页45，《政和》页188，《纲目》页941）

【校注】

[1] **切** 《纲目》作“细切”。

2 去伏热，治五种黄病方

芹菜

右以芹菜作齑菹及煮食，并得。

（《大观》卷29页7，《政和》页519）

3 治黄毒方

甘蓝菜[1]

右作齑菹煮食，并得。

（《大观》卷27页21，《政和》页509）

【校注】

[1] **甘蓝菜** 此药原出陈藏器《本草拾遗》，本名“甘蓝”。《食医心镜》作“甘蓝菜”。唐慎微引用《食医心镜》时，仅录其服用法，未录其主治功用。盖《食医心镜》所记甘蓝菜功用同《本草拾遗》之甘蓝，故唐慎微省去功用未录。

四、治卒中恶食治方

治卒[1]中恶方

韭

右捣汁，灌鼻中[2]。

（《大观》卷28页5，《政和》页511，《纲目》页1577）

【校注】

[1] **卒** 《纲目》作“卒然”。

[2] **中** 其后，《纲目》有“便苏”二字。

五、治惊痫、风狂食治诸方

1 治补虚乏去惊痫方

豆芽 猪头一枚

右治如食法，煮令极熟，停冷，作脍，以五辣、醋食之。

（《大观》卷18页1，《政和》页388）

2　治惊痫，神情[1]恍惚，语言错谬，歌笑无度，狐肉羹方

狐肉一片

右以狐肉一片[2]及五脏，治如食法[3]，豉汁中煮，五味和作羹，或作粥，炙[4]食，并得。

（《大观》卷18页7，《政和》页301，《纲目》页2878）

【校注】

[1] **惊痫，神情**　《纲目》作“惊痫”。

[2] **片**　《纲目》作“斤”。

[3] **治如食法**　《纲目》作“治净”。

[4] **炙**　《纲目》无。

3　治马痫，动发无时，筋脉不收，周痹，肌肉不仁方

野马肉一斤

右细切，于豉汁中煮，着五味、葱白调和作腌腊食之。作羹粥及白煮吃，妙。

（《大观》卷17页1，《政和》页374）

4　治风狂忧愁不乐，能安心气方

驴肉一斤

右切，于豉汁内煮，五味和腌腊食之。作粥及煮并得。

（《大观》卷18页6，《政和》页390）

5　治理狂病，经久不差，或歌或笑，行走不休，发动无时方

猳猪肉一斤

右煮令熟，细切，作脍，和酱、醋食之。或作羹粥，炒，任性服之。

（《大观》卷18页1，《政和》页390，《纲目》页2687）

6　治理狂邪癫痫，不欲眠卧，自贤自智，骄倨妄行不休，安五脏，下气方

白雄鸡一只

右煮令熟，五味调和，作羹粥食之。

（《大观》卷19页1，《政和》页399，《纲目》页2585）

六、治中风食治诸方

论中风疾状食治诸方

黄帝曰：岁之所以多风疾之病者，何气使然？师旷对曰：此八正之候，常以冬至之日，风从南方来者，名为虚风，贼伤人者也。以夜至，万民皆卧，而不犯之也，故其岁，万民少病。以其昼至，万民懈堕（疑为“惰”），而皆中于风，故万民多病。虚邪入客于骨，而不发于外。至于立春，气[1]大发腠理[2]。立春之日，风从西来者，万民皆中于虚风，邪[3]相搏，经气绝伐[4]，故诸逢其风，而民之遇其雨者，名遇风岁露焉，因岁之和，少贼风，无病死者，岁多贼风邪之气，寒温不适，则多病矣。风从南来者，名曰大弱，其伤人也，内舍于心，外舍于脉，其气上主为热。风从西南方来者，名曰谋风，其伤也，内舍于脾，外舍于肥肉，其气主为弱风。从西方来者，名曰刚风，其伤也，内舍于肺，外在皮肤，其气为躁。风从西北方来者，名曰折风，其伤人也，内舍于小肠，外在[5]手太阳之脉，脉绝则泄，闭则结，不通则喜暴死。风从北方来者，名曰大刚之风，其伤也，内舍于肾，外在骨肉，及膂筋脉，其气主为寒痹。风从东北方来者，名为匈风，其伤人也，内舍于肠，外在两胁腋骨下，及四肢节。风从东方来者，名曰婴儿之风，其伤人，内舍于脾，外在筋络[6]，其气为湿脾。风从东南方来者，名曰弱风，其伤人也，内舍于胸，外在于肉，其气主为体重。凡八风者，皆从其虚之乡来，乃能病人，三虚相搏，则为暴病卒死。两实一虚，则为淋；露寒犯其雨湿之地，则为痿。故圣人避邪风如避矢石，其三虚而偏中于邪风，则为系仆偏枯矣。

（《类聚》1册页657）

【校注】

[1] **气**　其前，《太素》有“阳”字。

[2] **理**　其后，《太素》有“开”字。

[3] **邪**　其前，《太素》有“此两”二字。

[4] **伐**　《太素》作“代”。

[5] **在**　《类聚》无。

[6] **筋络**　《类聚》作“筋细”。

1　治中[1]风脾热，言语謇涩，精神昏愦，手足不随，宜吃葛粉索饼方

葛粉四两　荆芥一握[2]

右以水四升，煮荆芥六七沸，去滓，澄清，软和葛粉作索饼，于荆芥汁中食之[3]。

（《类聚》1册页657）

【校注】

[1] **中**　《类聚》无。

[2] **握**　其后，《圣惠方》有“香豉二合”。

[3] **右以水四升……食之**　《圣惠方》作“右件药以水三大盏，煮豉及荆芥，取两盏半，去滓，和葛粉作汁，中煮令熟，空腹食之”。

2　治中风，心脾热，言语謇涩，精神昏愦，手足不随，口㖞面戾，宜服粟米粥方

白粱米三合　荆芥　蔢诃叶[1]各一握

右以水三升，煎荆芥、蔢诃，取汁一升半[2]，澄滤，投米煮粥，空心食之。

（《类聚》1册页658）

【校注】

[1] **蔢诃叶**　《圣惠方》作“薄荷叶”。

[2] **右以水三升……取汁一升半**　《圣惠方》作“以水三大盏，煮荆芥、薄荷、豉三合，取汁一盏”。

3　治中风，五脏壅热，言语謇涩，手足不随，神情冒昧，大肠涩滞，宜吃冬麻子粥方

冬麻子半升　白米二合

右以水二升，研滤麻子，取汁煮粥，空心食之[1]。

（《类聚》1册页658）

【校注】

[1] **右以水二升……食之** 《寿亲养老书》作“右以麻子煮作饮，空心渐食之，频作，极补益”。

本条，《必用全书》作“治老人中风汗出，四肢顽痹，言语不利，麻子五合，熬，细研，水淹取汁，粳米四合，净淘研之，煮饮食之”。

4　治中风，言语謇涩，手足不随，大肠壅滞[1]，宜食薏苡仁粥方

薏苡仁三合　冬麻子半升

右以水三升[2]，研滤麻子取汁，用煮薏苡仁，煮粥，空心食之。

（《类聚》1册页658）

【校注】

[1] **滞** 其后，《圣惠方》有“筋脉拘急”四字。

[2] **升** 《圣惠方》作“盏”。

5　治中风，手足不随，言语謇涩，呕吐烦躁，昏愦不下食[1]方

白粱米饭半升，以浆水浸　葛粉四两

右漉出粟饭，以葛粉拌令匀，于豉汁中煮，调和食之。

（《类聚》1册页658）

【校注】

[1] **食** 原脱，据《圣惠方》文“昏愦不下食，宜吃葛粉粥方”补。

6　治中风，头痛心烦，若不下食，手足无力，筋骨疼痛，口面㖞，言语不正，宜吃薏苡仁粥方

葱白　蒌诃[1]各一握　牛蒡根切五合[2]　豉三[3]合　薏苡仁捣三合

右以水四升，煮葱白、牛蒡根、蒌诃等[4]，取汁二升半，去滓，投薏苡仁煮粥，空心食之。

（《类聚》1册页658）

【校注】

[1] **蒌诃** 《圣惠方》《神巧万全方》作“薄荷”。

[2] **五合** 《神巧万全方》作“半斤，切洗，去粗皮”。

[3] **三** 《圣惠方》作“二”。

[4] **水四升……蒌诃等** 《圣惠方》《神巧万全方》作“水五大盏，煮葱白、牛蒡根、薄荷、豉等”。

7 治风，头目眩，心肺浮热，手足无力，筋骨烦疼，言语似涩，一身动摇[1]，宜食蒸驴头方

乌驴头一枚

右焊洗[2]如法，蒸令极[3]熟，细切，更于豉汁内煮[4]，着盐、醋、椒、葱，五味调，点少酥[5]食之[6]。

（《大观》卷18页6，《政和》页390，《纲目》页2780，《类聚》1册页658）

【校注】

[1] **手足无力，筋骨烦疼，言语似涩，一身动摇** 《纲目》作“肢软骨疼，语謇身颤”。“言语似涩”，《圣惠方》作“言语謇涩”。“一身动摇”，《类聚》无。

[2] **洗** 《类聚》作“治”。

[3] **极** 《类聚》无。

[4] **细切，更于豉汁内煮** 《纲目》作“豉汁煮”，《类聚》作“重蒸，任性”。

[5] **着盐、醋、椒、葱，五味调，点少酥** 《类聚》作“著盐、醋、椒、葱”，《大观》《政和》作“著五味调点少酥”，《纲目》无此文。

[6] **右焊洗……食之** 《圣惠方》作“右蒸令极熟，细切，更于豉汁中煮，著椒、葱、盐，重煮点少许酥，任性食之。”

本条，《寿亲养老书·食治方》作“老人中风，头旋目眩，身体厥强，筋骨疼痛，手足烦热，心神不安，乌驴头方：乌驴头一枚，炮，去毛，净治之。右以煮令烂熟，细切，空心以姜、醋五味食之。渐进为佳，极除风热，其汁如酽酒，亦医前患尤效”。

8 治脚膝顽麻无力，头目眩，五脏虚，乌粘子浸酒方

乌粘子二升　甘菊花四两　天蓼木二斤，剉

右以酒一斗，浸经四五宿，随性饮之。

（《类聚》1册页659）

9 治头风目眩，胸中汹汹，目泪出方

甘菊

右切，作羹煮粥食。生食并得。

（《大观》卷 6 页 11，《政和》页 145）

10 治风眩瘦疾方

羊头一枚

右治如食法，煮令熟作脍，以五辣、酱、醋食之。

（《大观》卷 17 页 9，《政和》页 379）

11 治中风，手足不随，筋骨烦[1]痛，心烦[2]躁，口面㖞斜[3]，宜吃蒸乌驴皮方

乌驴皮一领

右焊洗[4]，如法蒸令熟，切，于豉汁中，五味和，再煮[5]，空心食之。

（《大观》卷 18 页 6，《政和》页 390，《纲目》页 2782，《类聚》1 册页 658）

【校注】

［1］**烦** 《类聚》作“疼”。

［2］**烦** 《大观》《政和》无。

［3］**㖞斜** 《纲目》作“㖞僻”。

［4］**焊洗** 《纲目》作“焊毛”。

［5］**再煮** 《类聚》作“更煮”。

12 治中风[1]，心肺热，手足不随，及风痹不仁[2]，筋急五缓[3]，恍惚烦躁，宜吃熊肉腌腊方

熊肉一斤

右如常法切，腌腊，调和[4]，空腹[5]食之[6]。

（《大观》卷 16 页 7，《政和》页 370，《纲目》页 2839，《类聚》1 册页 658）

【校注】

［1］**中风** 《纲目》作“中风痹疾”。

［2］**不仁** 《大观》《政和》作“不任”。

［3］**筋急五缓** 《圣惠方》作“五缓六急”。

［4］**如常法切，腌腊，调和** 《大观》《政和》作“切如常法，调和作腌腊”。《纲目》作“切，入豉汁中，和葱、姜、椒、盐作腌腊”。

[5] **腹**　《类聚》作“心”。

[6] **之**　其后，《卫生易简方》有“若腹中有积聚痼疾者，食熊肉终身不愈”。

13　治脑中风，汗自出方

白羊肉一斤

右切，如常法，调和腌腊[1]食之。

(《大观》卷17页9，《政和》页379，《纲目》页2725)

【校注】

[1] **腌腊**　《纲目》无。

14　治大风，手足瘫缓，一身动摇，驴头酒方

乌驴头一枚

右焊洗，如法煮熟，和汁浸曲，如常家酿酒法，候熟，任性饮之。

(《类聚》1册页659)

15　治风挛[1]拘急偏枯，血气不通利，雁脂酒方[2]

雁肪四[3]两

右炼，滤过[4]。每旦[5]空心，暖酒一杯[6]，雁肪一匙头[7]，饮之。

(《大观》卷19页8，《政和》页401，《纲目》页2566，《类聚》1册页659)

【校注】

[1] **挛**　《类聚》作“击”。

[2] **治风挛……雁脂酒方**　《圣惠方》作“治中风挛急疼痛方”。

[3] **四**　《圣惠方》《必用全书》俱作“五”。

[4] **炼，滤过**　《圣惠方》作“炼熟滤过，收于合中”。《必用全书》作“消之令散”。《纲目》作“炼净”。

[5] **旦**　《大观》《政和》《纲目》作“曰”。

[6] **杯**　《类聚》作“盏”。

[7] **一匙头**　《圣惠方》作“半匙”。《必用全书》作“半合许”。

七、治风湿痹食治诸方

1　治脚气风痹，五缓筋急，宜吃熊肉腌腊方

熊肉半斤

右入豉汁中，和葱、姜、椒、盐作腌腊，空腹食之。

（《纲目》页2839）

2　治诸风湿痹，筋挛膝痛，积热口疮，烦闷，大肠秘涩，宜服大豆妙方

大豆黄一两，作末[1]　土苏半斤[2]

右相和令匀，不约时，煮烂后，食[3]一两匙。

（《类聚》1册页658）

【校注】

[1] **大豆黄一两，作末**　《圣惠方》作"黑豆半升，煮令熟"。

[2] **半斤**　《圣惠方》作"五两"。

[3] **食**　其前，《圣惠方》有"不问食前后"五字。

3　治风寒湿痹，五缓六急，骨中疼痛[1]，宜食乌雌鸡羹方

乌雌鸡一只

右治如法，煮令极熟，细擘，以豉汁、葱、姜、椒、酱作羹食之[2]。

（《大观》卷19页1，《政和》页397，《类聚》1册页659）

【校注】

[1] **骨中疼痛**　《大观》《政和》无。其后，《圣惠方》有"不能踏地"四字。

[2] **右治如法……食之**　《大观》《政和》作"治如食法，煮令极熟，调作羹食之"。

4　治诸风，脚膝疼痛，不能践地，宜吃蒸鹿蹄方

鹿蹄四只

右治如食法，煮令极熟，擘取肉，于五味中重蒸[1]，空心服之。

（《类聚》1册页659）

【校注】

[1] **于五味中重蒸** 《圣惠方》作“于五味汁中煮作羹”。

5 治一切风湿痹，四肢拘挛[1]方

苍耳子三两

右捣末[2]，以水一升半，煎取七合，去滓，呷[3]。

（《大观》卷8页5，《政和》页195，《纲目》页990，《食医心镜》页4）

【校注】

[1] **一切风湿痹，四肢拘挛** 《食医心镜》作“风寒湿痹，四肢拘挛”。《纲目》作“风湿挛痹，一切风气”。

[2] **右捣末** 《食医心镜》作“右为末”。《纲目》作“炒为末”。

[3] **呷** 《食医心镜》作“服”。《纲目》作“呷之”。

6 治风痹骨肉痛方

甘菊

右切作羹煮粥，并生食并得。

（《大观》卷6页11，《政和》页145）

7 治头风，寒湿痹，四肢拘挛，宜吃蒸苍耳菜方

苍耳嫩叶一斤　土苏一两

右煮苍耳叶三五沸，漉出，五味调和食之[1]。

（《类聚》1册页659）

【校注】

[1] **右煮苍耳叶……食之** 《圣惠方》作“右件药，先煮苍耳三五沸，漉出，用豉一合，水二大盏半，煎豉汁一盏半，入苍耳及五味调作羹，入酥食之”。

8 治头风，口动眼瞤，脚膝顽痹无力，小便数，薯蓣酒方

生薯蓣半斤，去皮　酒三升

右以酒一升，煎一沸，旋下薯蓣，旋旋添酒，薯蓣熟，入酥、蜜、葱、椒、

盐，空心服之。

(《类聚》1 册页 659)

9　治手足痹弱，不可持物，行动无力，石英磁石浸酒方

白石英十两，剉　磁石十两，研，以水浮去浊汁

右以生绢袋盛，以酒一斗五升，浸三五宿，任性暖饮之，酒尽旋入。

(《类聚》1 册页 659)

10　治风虚湿痹，脚膝无力，筋挛急痛，巨胜酒方

巨胜三[1]升，炒[2]　薏苡仁一升　生干地黄半斤，切

右以生绢袋盛，用酒二升浸，经三五宿，任性暖服之[3]。

(《类聚》1 册页 659)

【校注】

[1] **三**　《寿亲养老书》作“二”。

[2] **炒**　《备预百要方》作“炒去皮”。

[3] **任性暖服之**　《必用全书》《寿亲养老书》作“温服一二盏，尤益”。

本条，《必用全书》作“治老人风虚痹弱，四肢无力，腰膝疼痛。巨胜二斤，熬薏苡仁二升干地黄半升，切右以绢袋贮，无灰酒一斗渍之，勿令泄气，满五六日，任性空心温服”。

11　治风湿痹顽，五缓六急，野驼脂酒方

野驼脂一升[1]

右炼滤[2]，每日空心暖酒一盏[3]，入野驼脂半两许[4]，和服之[5]。

(《类聚》1 册页 659)

【校注】

[1] **一升**　《圣惠方》作“一斤，炼熟，滤去滓”。

[2] **滤**　其后，《圣惠方》有“收于瓷盒中”。

[3] **一盏**　《圣惠方》作“一中盏”。

[4] **半两许**　《圣惠方》作“调下半匙”。

[5] 本条，《寿亲养老书·食治》作“老人风热烦毒，顽痹不仁，五缓六急，野驼脂酒方：野驼脂五两，炼之为上，右空心温服五合，下半匙以上，脂调令消，顿服之，日二服，极效”。《圣济总录》作“治周痹，野驼脂炼净一斤，入好酥四两，同炼和匀，每服半匙，以热酒半盏和化服之，加至

一匙，日三服”。

12 主补虚，去风湿痹方

醍醐二大两

右以暖酒一杯，和醍醐一匙，服之[1]。

（《大观》卷16页13，《政和》页373，《纲目》页2791）

【校注】

[1] 本条，《纲目》作“风虚湿痹，醍醐二两，温酒服一匙，效”。

13 治久风湿痹，筋挛膝痛，牛膝浸酒方

牛膝根二斤，洗切　豆一斤　生地黄切，二升

右以酒一斗五升浸，先炒豆令熟，投诸药酒中，经三宿，随性饮之。忌牛肉。

（《类聚》1册页659）

14 治久风湿痹，筋挛膝痛方

大豆黄卷一升

右熬令香为末，空心暖酒下一匙。

（《大观》卷25页4，《政和》页487）

15 治筋脉拘挛，久风湿痹，除骨[1]中邪气，宜薏苡仁粥方

薏苡仁一升

右捣为散，每服，以水二升煮两匙末作粥[2]，空腹[3]食之。

（《大观》卷6页63，《政和》页161，《纲目》页1491）

【校注】

[1] **骨**　《纲目》作“胸”。

[2] **煮两匙末作粥**　《纲目》作“同粳米煮粥”。

[3] **空腹**　《纲目》作“日日”。

16 治中风毒，口烦口干，手足不随及皮肤热疮，宜吃蒸牛蒡叶方

牛蒡肥嫩叶一斤　土苏半两[1]

右细切牛蒡叶，煮三五沸，漉出，于五味汁中，重蒸，点苏食之。

（《类聚》1册页659）

【校注】

[1] **土苏半两** 《圣惠方》《神巧万全方》作“酥一两”。

17 治风毒攻心，烦躁恍惚方

大豆半升

右净淘，以水三升，煮取七合，去滓[1]，食后服。

（《大观》卷25页1，《政和》页486，《纲目》页1503）

【校注】

[1] **去滓** 《纲目》无。

18 治风毒，脚膝挛急[1]， 骨节痛方

豉心五升[2]

右九蒸九曝，以酒一斗，取浸经宿。空心随性缓[3]饮之。

（《大观》卷25页16，《政和》页493，《纲目》页1530）

【校注】

[1] **风毒，脚膝挛急** 《纲目》作“风毒膝挛”。

[2] **豉心五升** 《纲目》作“豉三五升”。

[3] **缓** 《纲目》作“温”。

19 治风劳毒肿疼[1]挛痛或牵引小腹及腰痛方

桃仁一升，去尖皮者

右熬令黑烟出，热研，捣[2]如脂膏，以酒三升，搅令相和，一服取汗[3]，不过三，差。

（《大观》卷23页25，《政和》页477，《纲目》页1743）

【校注】

[1] **疼** 《纲目》无。

[2] **捣** 《纲目》无。

[3] **搅令相和，一服取汗** 《纲目》作“搅和服，暖卧取汗”。

20 治风毒在骨节，疼痛不可忍，虎胫骨浸酒方

虎胫骨二斤，炙令黄，剉 牛膝二两 芍药三两 防风四两 桂一两[1]

右并剉，以生绢袋盛，浸酒二斗，经三两宿，随性饮之，忌牛肉、生葱。

（《类聚》1 册页 659）

【校注】

[1] **桂一两** 《备预百要方》作“桂心二两”。

八、补肝明目食治诸方

1 治理目热赤痛，如隔纱縠看物，不分明，宜补肝气益睛方

青羊肝一具

右细起薄切，以水洗漉出，沥干，以五味、酱、醋食之。

（《大观》卷 17 页 11，《政和》页 380，《纲目》页 2735）

2 治理肝脏壅热，目赤碜痛，兼明目补肝气方

猪肝一具

右细起薄切，以水淘漉出，沥干，即以五味、酱、醋食之。

（《大观》卷 18 页 1，《政和》页 390，《纲目》页 2696）

3 治理眼暗补不足[1]方

葱实大半升[2]

右为末，每度取一匙头，水二升，煮[3]取一升半，滤取滓。葺米[4]煮粥食，良。久食之。又捣葱实丸，蜜和，如梧子大，食后饮汁，服一二十丸，日二三服。亦甚明目。

（《大观》卷 28 页 3，《政和》页 510，《纲目》页 1588）

【校注】

[1] **补不足** 《纲目》作“补中”。

[2] **升** 《纲目》作“斤”。

[3] **水二升，煮** 《纲目》作“煎汤”。

[4] **葺米** 《纲目》作“入米”。

4 除肝脏邪气，安中，利五脏，益目睛方

葱叶

右作羹粥，煠作齑食之，良。

(《大观》卷28页3，《政和》页511)

5 治肝气不足方

韭

右以韭充肝气。

(《大观》卷28页5，《政和》页512)

6 治青盲白翳方

马齿苋实[1]一大升

右捣为末，每取一匙，煮葱豉粥，和搅食之[2]。煮粥及着米糁、五味作羹亦得。

(《大观》卷29页2，《政和》页519，《纲目》页1658)

【校注】

[1] **实** 《纲目》作“子”。

[2] **煮葱豉粥，和搅食之** 《纲目》作“用葱豉煮粥食”。

7 治明目枳壳方

枳壳一两

右杵末，如茶法，煎，呷之。

(《大观》卷23页20，《政和》页323)

8 治明目止痛方

荠苨

右蒸，切，作羹粥食之。齑菹亦得[1]。

（《大观》卷9页44，《政和》页234，《纲目》页713）

【校注】

[1] **齑菹亦得** 《纲目》作“或作齑菹食”。

9 治明耳目，健人少睡方

甘蓝菜[1]

右作齑菹，煮食并得。

（《大观》卷27页21，《政和》页509）

【校注】

[1] **甘蓝菜** 此药原出《本草拾遗》，作“甘蓝”。《食医心镜》作“甘蓝菜”。唐慎微在此药下引《食医心镜》时，仅录其用法，未录主治功用。盖《食医心镜》所记甘蓝菜主治功用与《本草拾遗》甘蓝同，故唐慎微省去主治功用不录。

九、补肾兴阳食治诸方

1 治益肾气，强阳道[1]方

白羊肉半斤，去脂膜[2]

右切生，以蒜齑[3]食之，三日一度，甚妙。

（《大观》卷17页9，《政和》页380，《纲目》页2726）

【校注】

[1] **益肾气，强阳道** 《纲目》作“壮阳益肾”。

[2] **去脂膜** 《纲目》无。

[3] **齑** 《纲目》作“薤”。

2　治益丈夫，兴阳，理脚膝冷方[1]

淫羊藿一斤

右以酒一斗浸，经二日[2]，饮之，佳[3]。

（《大观》卷 8 页 39，《政和》页 206，《纲目》页 751）

【校注】

[1] **方**　《纲目》作“仙灵脾酒”。

[2] **经二日**　《纲目》作“三日”。

[3] **饮之，佳**　《纲目》作“逐时饮之”。

3　治下焦虚冷，脚膝无力，阳事不行方

羊肾一个　米粉半大两[1]

右以羊肾熟煮，和米粉，炼成乳粉，空腹食之，甚有效[2]。

（《大观》卷 17 页 9，《政和》页 380，《纲目》页 2734）

【校注】

[1] **半大两**　《纲目》作“六两”。

[2] **甚有效**　《纲目》作“妙”。

4　治肾劳损精竭方

羊肾一双，炮，去脂

右细切，于豉汁中，以五味、米糅合如常法，作羹食。作粥亦得。

（《大观》卷 17 页 9，《政和》页 380，《纲目》页 2734）

5　治肾脏虚冷，腰脊转动不得方

羊骨[1]一具，嫩者

右捶碎烂，煮，和蒜齑，空腹食之，兼饮酒少许，妙。

（《大观》卷 17 页 9，《政和》页 379，《纲目》页 2742）

【校注】

[1] **羊骨** 《纲目》作“羊脊骨”。

6 治气壅，肾腰痛，转动不得方

茶

右煎五合，投醋二合，顿服。

（《大观》卷17页9，《政和》页325）

7 治阳事不兴方

栗当[1]（一名列当）二斤

右捣筛毕，以酒[2]一斗浸，经宿，遂性饮之[3]。

（《大观》卷11页58，《政和》页285，《纲目》页729）

【校注】

[1] **当** 其后，《纲目》有“好者”二字。

[2] **酒** 《纲目》作“好酒”。

[3] **遂性饮之** 《纲目》作“随性日饮之”。

8 治耳聋，肾脏虚损，益精保神守中，石英磁石浸酒方

白石英十两，剉　磁石十两，研，以水浮去浊汁

右以生绢袋盛，以酒一斗五升，浸三五宿，任性暖饮之，酒尽旋入[1]。

（《类聚》1册页659）

【校注】

[1] **白石英……酒尽旋入** 《千金翼》作“磁石火煅醋淬五次，白石英各五两，绢袋盛，浸一升酒中五六日，温服。将尽，更添酒，治肾虚耳聋，益精保神”。两方主治、组成、用法皆相同，疑本方是从《千金翼》方转变而来。

9 治补骨髓，利五脏六腑，利关节，通经络中结气方

甘蓝菜[1]

右作齑菹，煮食并得。

（《大观》卷27页21，《政和》页509）

【校注】

[1] **甘蓝菜** 此药名原出《本草拾遗》，作“甘蓝”。《食医心镜》引作“甘蓝菜”。唐慎微引用《食医心镜》时，仅录其用法，未录主治功用。盖《食医心镜》所记甘蓝菜主治功用与《本草拾遗》甘蓝同，故唐慎微省去功用未录。

十、治虚劳、骨蒸食治诸方

1 治丈夫五劳，手足无力，宜吃蒸羊头肉方

白羊头[1]一具

右煿洗[2]如法，蒸令极熟，切，以五味调和[3]食之[4]。

（《大观》卷17页9，《政和》页379，《纲目》页2728，《类聚》1册页658）

【校注】

[1] **白羊头** 《类聚》《食医心镜》作“白羊头”，其他各本俱作“羊头”。《纲目》亦云：“白羊者良。”

[2] **洗** 《类聚》作“治”。

[3] **五味调和** 《类聚》作“五味汁和调”。

[4] **之** 其后，《圣惠方》作“或作脍，入五辛、酱、醋食之亦得”，《易简方》作“羊肾作羹，食治肾劳，损精竭”。

本条，《大观》《政和》作“理风眩瘦疾及小儿惊痫，兼丈夫五劳七伤，羊头一枚，治如食法，煮令熟作脍，以五辣、酱、醋食之”。《必用全书》作“治老人中风，心神昏昧，行即欲倒，呕吐，白羊头一具，治如常法，右以空心用姜、醋渐食之为佳”。

2 治丈夫五劳七伤方

羊头一枚

右治如食法，煮令熟，作脍，以五辣、酱、醋食之。

（《大观》卷17页9，《政和》页379）

3 治劳瘦骨蒸，日晚寒热咳嗽唾血方

生地黄汁二[1]合　米

右以米煮白粥，临熟，入地黄汁，搅令匀，空心食之。

（《大观》卷6页26，《政和》页149，《纲目》页1023）

【校注】

[1] 二 《纲目》作“三”。

4 治传尸、鬼气、咳嗽、痃癖、注气、血气不通，日渐消瘦方

桃仁一两

右去皮尖，杵碎，以水一升半，煮汁，着米煮粥，空心食之。

（《大观》卷23页25，《政和》页471，《纲目》页1743）

5 治益气安中，补不足宜脉方

白黍米

右煮饭食之，不可久食，多热，令人烦闷。

（《大观》卷25页9，《政和》页490）

6 治益气力，安中，补不足，利胃宜脾方

稷米

右炊饭食之，良[1]。

（《大观》卷26页4，《政和》页496，《纲目》页1474）

【校注】

[1] 本条，《纲目》作“稷作饭食，安中利胃宜脾”。

7 治虚热，益气和中，止烦满方

白粱米

右炊饭食之。

（《大观》卷25页1，《政和》页490）

8 治气力虚，补中，轻身长年方

粱米

右炊饭食之。

(《大观》卷25页1,《政和》页490)

9　治益心力，壮筋骨方

甘蓝菜

右作齑菹，煮食并得。

(《大观》卷27页21,《政和》页509)

10　治益筋力，养精，保血脉，嗜食方

芹菜

右作齑菹及煮食并得。

(《大观》卷29页7,《政和》页519)

11　治解劳少睡[1]方

龙葵菜[2]

右煮作羹粥食之并得。

(《大观》卷27页9,《政和》页508,《纲目》页1047)

【校注】

[1] **解劳少睡**　《纲目》作“去热少睡”。

[2] **龙葵菜**　《纲目》作“龙葵菜同米”。

12　补中养神，益气力，除百病方

藕实

右以藕实食之。久服令人欢心，止渴，去热，轻身耐老，不饥延年。

(《大观》卷23页4,《政和》页461)

十一、治咳嗽食治诸方

1　治肺咳嗽气喘促方

鲤鱼一头，重四两，去鳞

右纸裹，火炮，去刺，研，煮粥[1]，空腹吃之[2]。

（《大观》卷20页20，《政和》页419，《纲目》页2425）

【校注】

[1] **煮粥** 《纲目》作“同糯米煮粥”。

[2] **空腹吃之** 《纲目》作“空心食”。

2 治积年上气咳嗽多痰[1]喘促唾脓血方

莱菔子[1]一合

右研[3]，煎汤，食上服之。

（《大观》卷27页15，《政和》页506，《纲目》页1619）

【校注】

[1] **积年上气咳嗽多痰** 《纲目》作“上气痰嗽”。

[2] **莱菔子** 即萝卜子。

[3] **研** 《纲目》作“研细”。

3 治喉咽不通方

葱叶

右作羹粥，煠作齑食之，良。

（《大观》卷28页3，《政和》页510）

4 治利肺气和中方

荠苨

右蒸，切，作羹粥食之。齑菹亦得。

（《大观》卷9页44，《政和》页233）

5 治一切肺病，咳嗽脓血不止方

猪胰一具

右削薄，竹筒盛，于煻火中炮，令极熟，食上吃之。

（《大观》卷18页1，《政和》页390，《纲目》页2700）

6　治肺痿上气气急方

貒[1]膏

右煎成貒猪膏一合，暖酒和服之。

（《大观》卷18页9，《政和》页392）

【校注】

[1] **貒**　为鼬科动物猪獾。

7　治一切肺病咳嗽脓血不止方

好酥五[1]斤

右熔三遍，停，取凝，当[2]出醍醐。服一合，差。

（《大观》卷16页3，《政和》页373，《纲目》页2791）

【校注】

[1] **五**　《纲目》作“五十”。

[2] **当**　《大观》作“常”。

8　治上气咳嗽，胸膈妨满气喘[1]方

鲤鱼一头

右切，作脍，以姜、醋食之。蒜齑亦得。

（《大观》卷20页20，《政和》页419）

【校注】

[1] **胸膈妨满气喘**　《纲目》作“喘促”。

9　治上气咳嗽，胸满气喘方

桃仁三两，去皮尖　粳米二合

右以水一大升，研汁，和粳米煮粥食之。

（《大观》卷23页25，《政和》页471，《纲目》页1743）

10　治上气咳嗽除风方

杏仁一两

右去皮尖、双仁，捶碎，水三升，研滤取汁，于铛中煎，以勺搅，勿住手，候三分减二，冷呷之。不熟及热呷，即令人吐。

（《大观》卷 23 页 30，《政和》页 473）

11　治上气咳嗽，胸膈妨满气喘方

猪肉

右细切，作鎚子，于猪脂中煎食之。

（《大观》卷 18 页 1，《政和》页 390，《纲目》页 2687）

又方：

猪肪脂四两

右煮百沸以来，切，和酱、醋食之。

（《大观》卷 18 页 1，《政和》页 390，《纲目》页 2690）

十二、消食诸方

1　治下气温中消谷方

葫

右作蒜齑，着盐、酱捣食之。蒜苗作羹煮食，并得。

（《大观》卷 29 页 6，《政和》页 518）

2　治脾胃气弱，食不消化方

粟米半升

右杵如[1]粉，水和，丸如梧子，煮令熟[2]，点[3]少盐，空心和汁吞下。

（《大观》卷 25 页 6，《政和》页 488，《纲目》页 1482）

【校注】

[1] **如**　《纲目》无。

[2] **煮令熟**　《纲目》作“七枚煮熟”。

[3] **点** 《纲目》作“入”。

3 治宿食不消下气方

薄荷

右煎豉汤，暖酒和饮，煎茶生食之，并宜。

（《大观》卷28页15，《政和》页515）

4 治下气消食并茶青色[1]，诃梨勒方

诃梨勒一枚，打碎为末[2]

右于银器[3]中，以水一升，煎三两沸，后下诃梨勒[4]，更煎三五沸，候如曲尘色[5]，着少盐服。

（《大观》卷14页8，《政和》页342，《纲目》页2028）

【校注】

[1] **并茶青色** 《类聚》无。

[2] **一枚，打碎为末** 《类聚》作“一两，去核”。《纲目》作“一枚为末”。

[3] **银器** 《类聚》无。《纲目》作“瓦器”。

[4] **诃梨勒** 《类聚》作“诃子”。

[5] **曲尘色** 《类聚》作“茶色”。

5 治心腹冷胀，下气消食方

秦荻梨

右和酱、醋食之，或空腹食之，最佳[1]。

（《大观》卷28页16，《政和》页516）

【校注】

[1] **空腹食之，最佳** 《大观》无。

6 治脾胃气冷，不能下食，虚弱无力，鹘突羹方

鲫鱼半斤

右细切起[1]作脍，沸豉汁[2]热投之，着胡椒、干姜、莳萝、橘皮等末，空心

食之。

（《大观》卷20页I8，《政和》页418，《纲目》页2440）

【校注】

[1] **起** 《纲目》作“碎”。

[2] **沸豉汁** 《纲目》作“用满豉汁”。

7 治噫不下食方

崖蜜

右含，微微咽下[1]。

（《大观》卷20页1，《政和》页410）

【校注】

[1] 本条，《纲目》注出处为《广利方》。

8 治胸中伏热[1]，下气消痰化食[2]，橘皮汤方

橘皮半两[3]

右微熬作末[4]，如茶法[5]，煎呷之[6]。

（《大观》卷23页5，《政和》页462，《纲目》页1789）

【校注】

[1] **伏热** 《政和》作“大热”。《纲目》作“热气”。

[2] **食** 其后，《类聚》有“去醋咽”。

[3] **半两** 《类聚》作“一两”。

[4] **微熬作末** 《纲目》作“微熬为末”。《类聚》作“去瓤微炒为末”。

[5] **如茶法** 《纲目》作“水煎代茶”。

[6] **煎呷之** 《纲目》作“细呷”，《类聚》作“薄煎啜之”。

9 治下气消谷，去痰癖肥健方

萝卜

右作羹食之。

（《大观》卷27页15，《政和》页506）

10　治五脏邪气厌谷[1]方

邪蒿

右煮令熟，和酱、醋食之。

（《大观》卷 27 页 11，《政和》页 501，《纲目》页 1629）

【校注】

[1] **治五脏邪气厌谷**　《纲目》收录在“主治”条中，以下文无。

11　治气[1]不调方

马齿苋

右作[2]粥食之。

（《大观》卷 29 页 2，《政和》页 519，《纲目》页 1656）

【校注】

[1] **气**　《纲目》作“诸气”。

[2] **作**　《纲目》作“煮”。

12　治平胃气温中长肌方

粳米

右炊饭及煮粥食之。

（《大观》卷 25 页 7，《政和》页 489）

13　治久食益肠胃越瓜鲊方

越瓜

右和饭作鲊，并斋葅之，并得。

（《大观》卷 28 页 18，《政和》页 505，《纲目》页 1701）

14　治五脏胃气结聚，益气方

大豆黄卷一升

右熬令香为末，空心暖酒下一匙。

（《大观》卷 25 页 4，《政和》页 487）

15　治胃气结积，益气牛膝浸酒方

牛膝根二斤，洗切　豆一斤　生地黄切，二升

右以酒一斗五升浸，先炒豆令熟，投诸药酒中，经三两宿，随性饮之，忌牛肉。

（《类聚》1 册页 659）

16　治下气，利肠胃，久服轻身，益气力，宜薏苡仁粥方

薏苡仁一升

右捣为散，每服，以水二升，煮两匙末作粥[1]，空腹[2]食之。

（《大观》卷 6 页 63，《政和》页 161，《纲目》页 1491）

【校注】

[1] **煮两匙末作粥**　《纲目》作“同粳米煮粥”。

[2] **空腹**　《纲目》作“日日”。

17　治脾胃气虚，食即汗出方

猪肝一斤

右薄起于瓦上曝令熟干，捣筛为末；煮白粥，布绞取汁，和，众手丸如梧桐子大，空心饮下五十丸，日五服。

（《大观》卷 18 页 1，《政和》页 388，《纲目》页 2696）

十三、治霍乱食治诸方

1　治恶气心腹满霍乱方

薄荷

右煎豉汤，暖酒和饮，煎茶生食之，并宜。

（《大观》卷 28 页 13，《政和》页 515）

2　治霍乱[1]，辟热除口气臭方

茴香

右煮作羹及生食，并得。

（《大观》卷9页19，《政和》页225，《纲目》页1638）

【校注】

[1] **霍乱** 《纲目》无。

3 治霍乱，吐痢不止方

萹蓄

右于萹竹豉汁中，以五味调和[1]，煮羹食之，佳。

（《大观》卷11页15，《政和》页268，《纲目》页1101）

【校注】

[1] **五味调和** 《纲目》作“下五味”。

4 治霍乱，腹中不安，消谷，理胃气，温中，除邪痹毒气，归脾肾方

蒜

右煎汤服之。

（《大观》卷29页4，《政和》页518）

十四、治呕吐食治诸方

论脾胃气弱不多下食

脾胃者中宫，中宫，土脏也。土生万物，四脏皆含其气，故云人之虚者，补之以味。左传曰：味以行气，气以实志，滋形润神，必归于食。庄子云：口纳滋味，百节肥焉，脾养肥[1]肉，脾胃气弱，即不能消化五谷，谷气若虚，则肠鸣泄痢，溏[2]痢既多，即诸脏竭，肥[3]肉消瘦，百病辐凑，且宜以饮食，和邪[4]益脾胃[5]气，滋[6]脏腑，养于经脉，疾[7]之甚，可谓上医。故《千金方》云：凡欲治病，且以食疗，不愈，然后用药。

（《类聚》5册页564）

【校注】

[1] 肥　《圣惠方》作“肌”。

[2] 溏　《圣惠方》作“泄”。

[3] 肥　《圣惠方》作“肌”。

[4] 邪　《圣惠方》无。

[5] 胃　其后，《圣惠方》有“之”字。

[6] 滋　其后，《圣惠方》有“润”字。

[7] 疾　其前，《圣惠方》有“祛”字。

1　治脾胃气弱，不多下食，四肢无力，日渐消瘦方

面四大两　白羊肉四大两

右溲面作索饼，以羊肉作臛，熟煮，空心食之，以生姜汁溲面更佳。

（《类聚》5 册页 564）

2　治脾胃气弱，食饮不下，黄瘦无力方

蓴菜　鲫鱼各四两

右鱼以纸裹，炮令熟，去骨，研，以橘皮、盐、椒、姜，依如蓴菜羹法，临熟下鱼，和，空心食之[1]。

（《类聚》5 册页 564）

【校注】

[1] 本条，《卫生易简方》作“治胃气弱，不下食者，用蓴菜合鲋鱼为羹，食之至效”。

3　治脾胃气冷，不能下食，虚弱无力[1]方

鲫鱼半大斤，作脍

右熟煎豉汁投之，着椒、姜[2]、橘皮末作鹘脍，空心食之[3]。

（《类聚》5 册页 564）

【校注】

[1] 力　其后，《肘后方》《寿域神方》有“鹘突羹”三字。

[2] 姜　其后，《卫生易简方》《肘后方》《寿域神方》有“莳萝”。

[3] 本条，《寿亲养老书·食治》作“老人脾胃气弱，食饮不下，虚劣羸瘦，及气力衰微，行履

不得，鲫鱼熟脍方：鲫鱼肉半斤，细作脍，右投豉汁中，煮令熟，下胡椒、莳萝，并姜、橘皮等末及五味，空腹食，常服尤佳”。《圣惠方》同，但在“橘皮”后有“荜茇”二字。

4 治脾胃气弱，见食呕吐，瘦薄无力方

面四大两　鸡子清四枚

右以鸡子清，溲面作索饼，熟煮，于豉汁中调，空心食之。

（《类聚》5册页565）

5 治脾胃气弱，食不消化[1]，瘦薄羸劣方

面　曲各二大两[2]，微炒　生姜汁三大合[3]

右以姜汁溲面，并曲等作索饼，熟煮，着橘皮、椒、盐[4]，以羊肉臛豉汁食之。

（《类聚》5册页565）

【校注】

[1] **食不消化**　《圣惠方》作“见食即欲呕吐”。

[2] **面　曲各二大两**　《圣惠方》作“面四两，曲末二两”。

[3] **三大合**　《圣惠方》作“五合”。

[4] **盐**　《圣惠方》作“姜”。

6 治脾胃冷，虚劳羸瘦，苦不下食方

羊脊骨一具捶碎[1]　白米半升[2]

右先煮骨取汁[3]，下米及葱白、椒、姜、盐作粥，空心食之，作羹亦得。

（《类聚》5册页565）

【校注】

[1] **碎**　其后，《圣惠方》有“以水一斗，煮取五升”。

[2] **半升**　《圣惠方》作“二合”。

[3] **汁**　其后，《圣惠方》有“二大盏半”。

7 治脾胃餐入即吐出[1]方

羊肉半斤

右以去脂[2]，切作生，以蒜齑食之[3]。

（《类聚》5册页565）

【校注】

[1] **脾胃餐入即吐出** 《大观》《政和》作“脾胃气冷，食入口即吐出”。《纲目》作“脾虚吐食”。

[2] **去脂** 《纲目》无。

[3] **以蒜齑食之** 《大观》《政和》作“以蒜齑、五辣、酱、醋空腹食之”。《纲目》作“以蒜、薤、酱、豉、五味和拌，空腹食之”。

8 治呕吐汤饮不下[1]方

粟米半升，捣粉

右以沸汤和丸如桐子大，煮熟，点少盐食之[2]。

（《类聚》5册页565）

【校注】

[1] **治呕吐汤饮不下** 《卫生易简方》作“治脾胃气弱，食不消化，呕逆反胃”。

[2] **食之** 《卫生易简方》作“空心和汁吞下”。

9 治干呕方

羊乳一杯

右暖，空心饮之。

（《类聚》5册页565）

10 治呕吐百治不差方

生姜一两，切如绿豆大

右以酸浆水七合，于银器中，煎取三合，空心和汁吃。

（《类聚》5册页565）

11 治脾胃气弱，恶心溃溃，常欲吐方

虎肉四两[1]

右切作炙，若葱、椒脂炙[2]令熟，停冷食之。经云：热食虎肉坏人齿。

（《类聚》5册页565）

【校注】

[1] **四两** 《寿亲养老书》作“半斤，切作脔”。

[2] **椒脂炙** 《寿亲养老书》作“椒、酱、五味调炙之”。

12 治脾胃气弱，不能食，黄瘦无力[1]方

生姜汁四合[2] 生地黄汁一升 蜜二合

右微火煎令如稀饧，空心服一匙，暖酒下之[3]。

（《类聚》5册页565）

【校注】

[1] **力** 其后，《圣惠方》有“生姜煎”。

[2] **四合** 《圣惠方》作“一合”。

[3] **空心服一匙，暖酒下之** 《圣惠方》作“每服一匙，和粥一盏，入暖酒二合”。

13 治脾胃气冷，吃食呕逆方

猪肾一对

右研，着胡椒、橘皮、盐、酱、椒末等溲面，似常法作馄饨，熟煮，空腹吃两碗，立差。

（《大观》卷18页1，《政和》页388）

十五、治噎鲠食治诸方

论五种噎病

五噎者，一曰气噎，二曰忧噎，三曰食噎，四曰劳噎，五曰思噎，此皆阴阳不和，三焦隔绝，津液不利，故令气隔不调，是以成噎也。

（《类聚》5册页689）

1 治五噎，胸膈妨塞，饮食不下，瘦弱无力，宜食羊肉索饼方

羊肉四两，炒，作臛 面半斤 橘皮一分，作末

右和面，以生姜汁溲作索饼，空心食之[1]。

（《类聚》5 册页 690）

【校注】

[1] **右和面……空心食之** 《圣惠方》作“右以橘皮末及生姜汁，和面作索饼，于豉汁中煮熟，入臛食之”。

本条，《寿亲养老书·食治》作“老人胸膈妨塞，食饮不下，渐黄瘦，行履无气软弱，羊肉索饼方：羊肉白者四两，切，作臛头，白面六两，橘皮末一分，右捣姜汁，溲面作之，如常肉下五味、葱、椒、橘皮末等，炒熟煮，空心食之，日一服，极肥健，温脏腑”。

2 治五噎，饮食不下，喉中妨塞，瘦弱无力，宜吃黄雌鸡索饼方

黄雌鸡随多少，炒，作臛　面半斤　桂末一分　茯苓末一两

右以桂末、茯苓末，和面溲作索饼，熟煮，兼臛食之[1]。

（《类聚》5 册页 690）

【校注】

[1] 本条，《圣惠方》作“黄雌鸡一只去毛肠，炒，作臛，面半斤，桂心一分，末，赤茯苓一分，末，右以桂心等末，和面溲作索饼，于豉汁中煮，入臛食之”。《寿亲养老书·食治》作“老人噎病，食不通，胸胁满闷，黄雌鸡馎饦方：黄雌鸡四两，切，作臛头，白面六两，茯苓末二两，右和茯苓末，溲面作豉汁中煮，空心食之，常作三五服，极除冷气噎”。

3 治五噎，饮食不下，胸中结塞，瘦弱无力方

乌雌鸡肉[1]　半夏治如常[2]　面四两　桑白皮[3]　茯苓各八分[4]　桂心四分，并剉[5]

右以水一升，煎桑白皮等三味汁三合，溲面和肉，煮熟食之[6]。

（《类聚》5 册页 690）

【校注】

[1] **肉** 其后，《食医心镜》为“半只治如常”。

[2] **半夏治如常** 《食医心镜》无。

[3] **皮** 其后，《圣惠方》有“三分剉”。

[4] **茯苓各八分** 《圣惠方》作“赤茯苓三分末”。

[5] **四分，并剉** 《圣惠方》作“一分末”。

[6] **右以水一升……食之** 《圣惠方》作“右件二味末，入面中，先以水煮桑根白皮汤，溲面切入豉汁中煮，候熟，与鸡肉调和，一如常法食之”。

4 治五噎，不下食方

右取崖蜜含，微微咽之，即差。

（《类聚》5册页690）

5 治气噎方

蜜一[1]升 酥三两 姜汁三[2]合

右相和，微火煎如稀饧，入酒中饮之[3]。

（《类聚》5册页690）

【校注】

[1] **一** 《圣惠方》作“半”。

[2] **三** 《圣惠方》作“一”。

[3] **入酒中饮之** 《圣惠方》作“每于酒中调一匙服之，空腹食之亦佳”。

6 治噎病，胸膈积冷，饮食不下，黄瘦无力方

蜀椒一百粒，开口者

右以醋淹浸令湿，漉出，面拌令匀，熟煮，和汁吞之，差。

（《类聚》5册页690）

7 治胸膈气壅结，饮食不下，桂心粥方

桂心四分 茯苓六分 桑白皮十二分

右细剉，以水二升，煎取一升半，去滓，量事着米煮粥食之[1]。

（《类聚》5册页690）

【校注】

[1] 本条，《圣惠方》作“治胸膈疾气壅结，食饮不下，如似鲠噎方：桂心二分，赤茯苓一两，桑根白皮二两，右件药细剉，以水三大盏，煎至二盏半，去滓，下粳米二合，煮作粥食之”。

8　治噎病不下食方

春杵头糠半合　面四两

右相和，溲作馎饦，空心食之[1]。

（《类聚》5册页690）

【校注】

[1] **右相和……食之**　《圣惠方》作“右相和，溲作馄饨，于豉汁中煮食之”。

9　治卒食噎方

陈皮一两

右以陈皮汤浸，去瓤，焙为末，以水一大盖，煎取半盏，热服。

（《大观》卷23页5，《政和》页462，《纲目》页1788）

十六、治心腹冷痛食治诸方

论心腹冷痛

夫心病者，为风邪冷气乘于心也。凡心藏神，如伤正经，则旦发夕死，夕发旦死耳。心有包络脉也，心包络脉者，是心主之别脉也，为风冷所乘，则心痛气逆，其五脏气相干，名厥心痛。夫诸脏若虚受病，气乘于心，则心下急痛，是谓脾心痛也。又云：九种心痛者，其名各不同，一虫心痛；二疰心痛；三风心痛；四悸心痛；五食心痛；六饮心痛；七冷心痛；八热心痛；九久心痛，谓之九种心痛也。此皆诸邪之气，乘于手少阴之络，邪气搏于正气，邪正相干，交结相击，故令心痛也。

（《类聚》5册页308）

1　治冷气心痛，发动无时，不能下食，桃仁粥方

桃仁一两，去皮尖，研，以水投取汁　红米三合

右以桃仁汁和米煮粥，空心服之。

（《类聚》5册页308）

2　治心腹冷气，又心刺肋痛方

吴茱萸末，二分　米二合　葱白一握，切

右先煮粥熟，下葱及茱萸末，和匀，空心食之。

(《类聚》5 册页 308)

3　治心腹冷结痛，或遇寒风及吃生冷即发动，高良姜粥方

高良姜六分，剉　米三合

右以水二升，煎高良姜，取一升半，去滓，投米煮粥食之。

(《类聚》5 册页 308)

4　治久患冷气，心腹结痛，呕吐不下食方

蜀椒半两，口开者　面三两

右先以醋浸椒，经宿漉出，以面拌令匀，以少水煮和汁吞之。

(《类聚》5 册页 308)

5　治冷气心腹胀满，不能下食，紫苏子粥方

紫苏子半升，水掬研，以水二升，滤取汁　米三合

右以紫苏汁和米煮粥，着盐、豉，空心食之。

(《类聚》5 册页 308)

6　治心腹冷气刺痛，妨胀不能下食，荜茇粥方

荜茇　胡椒　桂心各一分，为末　米三合

右煮作粥，下荜茇等末，搅和，空心食之。

(《类聚》5 册页 308)

十七、治渴与消渴食治诸方

论消渴饮水过多小便无度

凡消渴有三，一曰消渴，二曰消中，三曰消肾。渴而饮水，小便多者[1]，名曰消渴。吃食多，不甚渴，小便数，渐消瘦者，名曰消中。渴而饮水不绝，腿膝瘦弱，小便浊有脂液者，名曰消肾。此盖由积久嗜食咸酸[2]，饮酒过度，无有不成消渴。然本草云：大寒凝海，唯酒则不冰，明其酒性酷热，物无以喻此之二味[3]，酒徒耽嗜不离其口，酣醉之后，制不由己，饮啖无度，加以醋酱不择咸酸，积[4]长夜，酣饮不懈，遂使三焦猛热，五脏干燥，木石犹且焦枯，在人何能不渴？治之愈不愈，属在病者，若能如方节慎，旬月[5]而瘳，不自爱惜，死不旋踵，方虽有效，其如不慎者何？其所慎者有三：一酒，二房室，三咸酸面食。能慎此者，虽不服[6]自可无他，不防此者，纵金丹不救，良可悲夫，宜深思之[7]。

（《类聚》6册页379）

【校注】

[1] **渴而饮水，小便多者**　《圣惠方》作“若饮水多者，小便又少”。

[2] **食咸酸**　《圣惠方》作“咸物炙肉”。

[3] **此之二味**　《圣惠方》作“如此之味”。

[4] **积**　其后，《圣惠方》有“年”字。

[5] **月**　《圣惠方》作“日”。

[6] **服**　其后，《圣惠方》有“药”字。

[7] **之**　其后，《圣惠方》有“今以饮食调治，以助药力也”。

1　治消渴口苦舌干，骨节烦热方

枸杞根　桑白皮切，一升　生麦门冬一升，去心　小麦一升

右以水一斗，煮取五升，去滓，渴即饮之。

（《类聚》6册页379）

2　治消渴伤中[1]，小便无度方[2]

黄雌鸡一只，治如吃法

右煮令极烂，漉去鸡，停冷，取汁饮之[3]。

(《类聚》6册页379)

【校注】

[1] **伤中** 《圣惠方》作"口干"。

[2] 本方,《圣惠方》名"黄雌鸡粥方"。

[3] **右煮令极烂……饮之** 《圣惠方》作"右以烂煮取肉随意食之,其汁和豉汁粥,食之亦妙"。"之"之后,《大观》《政和》有"肉亦可食,若和米及盐、豉作粥及以五味作羹,并得"。

3 治伤中消渴,口干,小便数方

野鸡一只,治如食

右煮令极熟，漉鸡出，渴即饮其汁[1][2]。

(《类聚》6册页379)

【校注】

[1] **漉鸡出,渴即饮其汁** 《大观》《政和》作"取二升半已来,去肉取汁,渴饮之,肉亦可食"。

[2] **右煮令极熟……饮其汁** 《圣惠方》作"右以水五大盏,煮取三大盏,渴即取汁饮之,肉亦任性食之"。

4 治消渴,日夜饮数斗水,小便数,瘦弱方[1]

猪肚[2]一枚,净洗

右以水煮令极熟[3]，着少豉汁和煮[4]，渴即饮汁，饥即食肚[5]。

(《类聚》6册页379)

【校注】

[1] **小便数,瘦弱方** 《纲目》作"者"。

[2] **猪肚** 《纲目》作"雄猪肚"。

[3] **右以水煮令极熟** 《纲目》简化为"煮取汁"。《大观》《政和》作"右以水五升,煮烂熟,取二升已来,去肚"。

[4] **着少豉汁和煮** 《大观》《政和》作"着少豉"。《纲目》作"入少豉"。

[5] **饥即食肚** 《大观》《政和》作"肉亦可吃,又和米着五味煮粥,食之佳"。

5　治消渴饮水不知足方

兔骨[1]一具

右以水煮汁饮之。

（《类聚》6册页379）

【校注】

[1] **兔骨**　《大观》《政和》《肘后方》作“兔头骨”。

6　治消渴口干方

鹿头一枚，治如食

右蒸令极熟，酱、醋食之。

（《类聚》6册页379）

7　治补虚羸，止渴牛乳方

牛乳

右不拣冷暖，任性饮之[1]。

（《类聚》6册页379）

【校注】

[1] 本条，《圣惠方》作“治消渴口干，小便数，右取牛乳微温饮之。生饮令人利，熟饮令人渴，故宜微温，与马乳功同”。《仁斋直指方论》作“治渴疾，生牛乳细呷”。《寿亲养老书》作“治老人消渴烦闷，常热，身体枯燥，黄瘦，牛乳方：牛乳一升真者微熬，右空心分为二服，极补益五脏，令人强健光悦”。（《类聚》6册页679）

8　治消渴发动无时，饮水无限方

萝卜

右捣绞取汁一升，顿服之，立定[1]。

（《类聚》6册页379）

【校注】

[1] **萝卜……立定** 《圣惠方》作“生萝卜五枚，右捣捩取汁一大盏，搅粥作饮，频吃甚效”。

9 治消渴口干方

菰蒋草根半斤 葱白一握，切 冬瓜一斤，切

右于豉汁中煮作羹食之。

（《类聚》6 册页 379）

又方：

煮豉停冷，渴即饮之。

（《类聚》6 册页 379）

又方：

大小麦米煮粥饮食之。

（《类聚》6 册页 379）

又方：

青小豆煮，和粥饮食之。

（《类聚》6 册页 380）

10 治虚冷小便数方

鸡肠一具，治如食

右切，作臛，和酒饮之。

（《类聚》6 册页 380）

11 治热去烦渴方

甜瓜

右去皮，食后吃之。煮皮作羹，亦佳。

（《大观》卷 27 页 12，《政和》页 504）

12 治烦热并渴方

丹黍米

右炊饭食之。

（《大观》卷 25 页 11，《政和》页 490）

13　治胃脾热中及渴方

粱米

右炊饭食之。

（《大观》卷25页11，《政和》页490）

14　治心烦闷，益气力，止渴方

苦笋

右熟煮，任性食之。

（《大观》卷13页8，《政和》页317）

15　治大渴热中暴疾方

邪蒿

右煮令熟，和酱、醋食之。

（《大观》卷27页11，《政和》页561，《纲目》页1629）

16　治通利肠胃，除胸中烦热，解酒渴方

菘菜二斤

右煮作羹啜之。止渴作齑菹食亦得。

（《大观》卷27页16，《政和》页506）

17　止渴方

小豆花

右调和作羹食之。

（《大观》卷26页6，《政和》页497）

又方：

以马乳饮之。

（《大观》卷16页13，《政和》页373）

18　治烦渴方

甘蔗

右削去皮，食后吃之。

（《大观》卷23页24，《政和》页471）

19　治热渴方

藕实

右以藕实或藕实根食之。

（《大观》卷23页4，《政和》页461）

十八、治小便数食治诸方

论小便数

小便数而多者，由下焦虚冷故也。肾主水，与膀胱为表里，肾气衰弱，不能制于津液，胞中虚冷，水下不禁，故小便数也。

（《类聚》6册页679）

1　治膀胱虚冷，小便数不禁，黄雌鸡粥方

黄雌鸡一只，治如食　粳米一升

右煮作粥，和盐、酱、醋，空心食之。

（《类聚》6册页679）

2　治下焦虚，小便数，炙黄雌鸡方

黄雌鸡一只，治如食

右炙令极熟，刷盐、醋、椒末，空心食之。

（《类聚》6册页679）

3　治下焦虚冷，小便多数无力，生薯药酒方

生薯药半斤，刮去皮，拍令碎用

右于铛中煮酒，酒沸，微微下薯药，不得搅，候熟，着盐、椒、葱白，更入酒少许，空心服之，妙。

（《类聚》6册页679）

4 治小便多数，瘦损无力，羊肺羹方

羊肺一具，细切　葱白一握

右于豉汁中煮食之。

(《类聚》6 册页 679)

又方：

羊肺一具

右细切，和少羊肉作羹，食之。

(《类聚》6 册页 679)

5 治小便数，小豆叶羹方

小豆叶一斤

右作羹食之[1]。

(《类聚》6 册页 679)

【校注】

[1] **作羹食之**　《大观》《政和》作“于豉汁中煮，调和作羹食之，煮粥亦佳”。《圣惠方》作“于豉汁中煮，调和作羹食”。

6 治小便数，鸡肠菜羹方

鸡肠一斤

右于豉汁中煮，调和作羹，食之。

(《类聚》6 册页 679)

7 治下焦虚冷，小便多数，瘦损无力，宜食生薯药羹方

生薯药半斤，切　薤白半斤，去须，切

右于豉汁中煮作羹，如常调和食之。

(《类聚》6 册页 680)

8 治小便多数，瘦损无力，宜食羊肺羹方

羊肺一具，细切

右入酱、醋、五味，作羹食之。

（《类聚》6册页680）

9　治小便数，虚冷方

鸡肠一具，治如常法

右炒作臛，暖酒和饮之。

（《大观》卷19页6，《政和》页399，《纲目》页2597）

十九、治淋、小便少食治诸方

论七种淋病

七淋者，石、气、膏、劳、热、血、冷等名为七淋也。石淋者，淋而出石，肾主水，水结而成石也；气淋者，肾虚，膀胱热气胀所为也；膏淋者，肥脂状如膏也；劳淋者，伤肾气而生热也；热淋者，二焦有热，气伤于肾，流入于胞而成也；血淋者，其状赤涩，热甚而生也；冷淋者，肾气虚弱，下焦受于寒气入胞，与正气交争，遂颤寒而成也。诸淋者，由肾虚而膀胱热也。膀胱津液之腑，热则津液内溢而流于胞，水道不通，故水不上不下，停积于胞。肾虚则小便数，膀胱热则水下涩数而淋沥不宜也，其状小便出少而小腹急痛，谓之淋也。

（《类聚》6册页589）

1　治七[1]淋小便涩[2]少，茎中疼痛，宜食冬麻子粥方

冬麻子一升，捣，水研滤，取汁二升　米二[3]合

右以冬麻子汁煮粥，着葱白[4]熟煮食之。

（《类聚》6册页589）

【校注】

[1] **七**　《大观》《政和》作“五”。

[2] **涩**　《大观》《政和》作“赤”。

[3] **二**　《大观》《政和》作“三”。

[4] **白**　《大观》《政和》作“椒”。

2　治七淋小便涩少，茎中痛，宜吃葵菜粥方

葵菜三斤　葱白一握　米三合

右煮葵，取浓汁，投米及葱煮熟，点少许浓豉汁调和，空心食之。

（《类聚》6册页589）

3　治七淋小便不通，闭妨，宜吃苏浆水粥方

土苏一两[1]　米三合　浆水三[2]升

右以浆水煮作粥，下苏，适寒温食之。

（《类聚》6册页589）

【校注】

[1] **两**　《圣惠方》作“合”。

[2] **三**　《圣惠方》作“二”。

4　治七淋，小腹结痛，小便不畅，宜吃榆白皮索饼方

榆白皮二两，切　面四两

右以水一升，煎榆白皮汁三大合，去滓，溲面作索饼，于豉汁中熟煮，空心食之，更啜二两盏葱茶，妙[1]。

（《类聚》6册页590）

【校注】

[1] **右以水……妙**　《圣惠方》作“右以水一大盏半，煎榆皮取汁一盏，去滓，溲面作索饼熟煮，空心食之”。

本条，《寿亲养老书·食治》作“老人淋病，小便不通利，秘涩少痛，榆皮二两，切，用水三升，煮取一升半汁，白面六两，右溲面作之，于榆汁拌煮，下五味、葱、椒、空心食之，常三五服，极利水道”。

5　治热淋小便出血，茎中疼痛，宜吃车前叶羹方

车前叶一斤，切　葱白一握，切　米二合

右以相和，豉汁中煮作羹，空心食之。

（《类聚》6册页590）

6　治尿血磣[1]痛方

车前叶生捣绞取汁，三合　生地黄汁三合　蜜二合

右相和微暖，空心，分为二服。

（《类聚》6册页590）

【校注】

[1] 磣　《食医心镜》作“渗”。

7　治热淋小便涩少，磣[1]痛滴血，宜吃蒲桃煎方

蒲桃绞取汁，五合　藕汁五合　生地黄汁五合[2]

右相和，煎如稀饧，食前服三两合，日再服。

（《类聚》6册页590）

【校注】

[1] 磣　《食医心镜》作“渗”。

[2] 合　《圣惠方》作“两”。

8　治热淋小便涩痛，壮热腹胀气方[1]

冬瓜一斤，治如食　葱白一握，切　冬麻仁一升，以水研滤取汁[2]

右以冬麻子汁煮作羹，空腹食之。

（《类聚》6册页590）

【校注】

[1] 此方，《圣惠方》名“冬瓜羹方”。

[2] 一升，以水研滤取汁　《圣惠方》作“半升，以水二大盏，绞取汁”。

9　治小便涩少疼痛，青头鸭羹方

青头鸭一只，治如食　萝卜根　冬瓜　葱白各四两[1]

右如常法羹煮，盐、醋[2]调和，空心食，白煮亦佳。

（《类聚》6册页590）

【校注】

[1] **两** 其后，《圣惠方》有“以上三味细切”。

[2] **盐、醋** 《圣惠方》《神巧万全方》作“着盐、醋、五味”。

10 治小便涩少，尿引茎中痛[1]，青粱子米粥方

青粱米[2] 葱白切，各一升[3]

右于豉汁中煮作粥食之。

（《类聚》6册页590）

【校注】

[1] **治小便涩少，尿引茎中痛** 《圣惠方》作“治小便淋涩少痛”。

[2] **米** 其后，《圣惠方》有“半升”二字。

[3] **切，各一升** 《圣惠方》作“半斤，去须，切”。

11 治小便涩少，尿闭闷，水牛肉羹方

水牛肉一斤 冬瓜四两 葱白一握，切

右以豉汁中煮作羹，任着盐、醋，空心食之。

（《类聚》6册页590）

12 治小便不通，淋沥闭痛，青小豆方

青小豆半升 冬麻子一升，微炒 生姜一分，切 白米半升

右以水二升，研滤麻子取汁，并投姜豆煮粥，空心食之。

（《类聚》6册页590）

13 治小便涩少，通淋沥痛，又青小豆粥方

青小豆一升 通草四两，剉 小麦一升

右以水四升，煎通草取汁二升，去滓，煮麦、豆等作粥食之。

（《类聚》6册页590）

14　治热淋，利小便，凫葵粥方

凫葵二斤[1]，水中杏菜是也　米半升

右于豉汁中煮作粥，空心食之。

（《类聚》6册页590）

【校注】

［1］二斤　《圣惠方》作“一斤，切”。

二十、治水肿食治诸方

1　治大肠水肿，乍虚乍实方

白羊肉半斤　白当陆切，五合

右以水五升，煮令熟，着葱白、盐、醋、椒等，作臛食之。

（《类聚》6册页475）

2　治气水浮肿[1]，肚胀满，小便涩少方

水牛蹄一只，治如食

右以隔夜煮令熟，取汁作羹，蹄切，空心食之。

（《类聚》6册页475）

【校注】

［1］气水浮肿　《大观》《政和》作“水浮，气肿”。《食医心镜》作“水气浮肿”。

3　治水气，大腹浮肿，小便涩少方

水牛尾一枚，治如食

右细切作腌腊熟煮，空腹食之。

（《类聚》6册页475）

又方：

牛肉一斤

蒸令熟，姜、醋食之。

（《类聚》6 册页 475）

又方：

水牛皮治如食

蒸令极烂，切，于豉汁中暖过食之。

（《类聚》6 册页 475）

又方：

乌犍牛小便

空腹服半升，亦甚利小便。

（《类聚》6 册页 475）

4 治十种水病不差垂死方

貒猪肉一斤切 米半升

右于豉汁中煮作粥，着姜、椒、葱白，空心食之[1]。

（《类聚》6 册页 475）

【校注】

[1] 本条，《圣惠方》《肘后方》作“貒猪肉半斤，细切，粳米三合，水三升，入肉、葱、豉、椒、姜作粥，每日空腹食之”。

又方：

青头鸭一只，治如食法

右细切，和米并五味煮令极熟，作粥，空腹食之。

（《大观》卷 19 页 8，《政和》页 400，《纲目》页 2569）

又方：

貒猪肉

单煮食，及作羹，蒸炒，任意食之。

（《类聚》6 册页 475）

又方：

鳢鱼一头，重一斤，治如食法 冬瓜子一升，水研取汁 赤小豆一升

右以冬瓜子汁煮鳢鱼、豆等令熟，空心食之。

（《类聚》6 册页 475）

又方：

鳢鱼一头，重一斤以上

右熟取汁和冬瓜、葱白，作羹食之。

（《大观》卷20页16，《政和》页417）

5　治脚肿满，转上入腹方

右以水五升，煮黑豆[1]令极熟，去豆，适寒温以浸脚[2]。

（《类聚》6册页475）

【校注】

[1] **黑豆**　《大观》《政和》作“赤小豆”。

[2] **脚**　其后，《大观》《政和》有“冷即重暖之”。

6　治水气，利小便，除浮肿方

大豆　桑　构枝剉，各一升

右以水五升，煮取二升，去滓，渴即饮之。

（《类聚》6册页475）

7　治消水肿，宜薏苡仁粥方

薏苡仁一升

右捣为散，每服，以水二升，煮两匙末作粥[1]，空腹食之[2]。

（《大观》卷6页63，《政和》页161，《纲目》页1491）

【校注】

[1] **煮两匙末作粥**　《纲目》作“同粳米煮粥”。

[2] **空腹食之**　《纲目》作“日日食之”。

8　治风水腹大脐腰重痛，不可转动方

冬麻子半升　米二合

右以水研，滤取汁，米二合，以麻子汁煮作稀粥，着葱、椒、姜、豉，空心食之。

（《大观》卷24页4，《政和》页483）

9　治浮肿，小便涩少方

精肥狗肉五斤

右熟蒸，空腹服之。

（《大观》卷17页15，《政和》页381）

10　治气水臌胀，浮肿方

狗肉一斤

右细切，和米煮粥，空腹吃。作羹臛吃亦佳。

（《大观》卷17页15，《政和》页382）

11　治水臌石水，腹胀身肿方

肥鼠一枚

右剥皮细切，煮粥，空吃之，顿食三两度，差。

（《大观》卷22页4，《政和》页441）

12　治水气胀满浮肿方

猪肝一具

右煮作羹，任意下饭。

（《大观》卷18页1，《政和》页390）

13　治身肿除痹，消谷止胀方

大豆一升

右熬令熟，杵末，饮服之。

（《大观》卷25页3，《政和》页486）

14　治水气胀满，浮肿，小便涩少方

白鸭一只，去毛肠汤洗　馈饭半升

右以饭、姜、椒、酿镶鸭腹中缝定，如法蒸，候熟，食之。

（《大观》卷19页8，《政和》页400，《纲目》页2569）

15　治气喘促，浮肿，小便涩方

杏仁一两，去尖皮

右熬研，和米煮粥极熟，空心吃二合。

（《大观》卷23页31，《政和》页474）

16　治水气皮肤痒，枳壳方

枳壳一两

右杵末，如茶法煎呷之。

（《大观》卷13页19，《政和》页323）

17　治中风面目浮肿方

葱叶

右作羹粥，煠作齑食之，良。

（《大观》卷28页4，《政和》页511）

二十一、治脚气食治诸方

论脚气

夫脚气者，皆风毒所生，其因多得于病后，初即饮食减少，渐而脚膝无力，或纵缓挛急，或行步艰难，或肿或冷，状若虫行，久则恶闻饮食，心胸冲悸，壮热头昏，言语忘误。若入于腹内，则令人生上气；邪气胜于正气，则为血涩痹弱；邪在肤腠，则搔之状如隔衣；毒搏于肾脏，则肿满而喘急。今江东岭南之地，其疾甚多，若缓而治之，必伤于人命。盖病之非常，在治疗而宜速耳。

（《类聚》5册页449）

1　治肿从足始转入腹方

猪肝一具，洗，细切，布绞，更以醋洗

右以蒜齑食之。一服不尽，分作两顿亦得。

（《类聚》5册页449）

2 治浮肿胀满，不下食心闷方

猪肝一具，切作脔

右着葱白、豉、姜、椒，熟蒸食之。

（《类聚》5册页449）

又方：

猪肝一具

以水煮令熟，切食之。

（《类聚》5册页449）

又方：

猪脊骨膂上肉一条

右切，作蒜齑食之。兼除风毒冲心闷。

（《类聚》5册页449）

又方：

紫苏子半升，捣令碎，以水滤之，取汁　粳米二合

右相和煮粥，空心食之。

（《类聚》5册页449）

3 治脚气浮肿，心腹胀满，大小便不通方

郁李仁六分，研滤取汁[1]　薏苡仁三合[2]，捣如粟米

右以郁李仁汁煮作稀粥，空心食之。

（《类聚》5册页449）

【校注】

[1] **六分，研滤取汁**　《卫生易简方》作“十二分，捣碎，水研取汁”。

[2] **合**　《备预百要方》作“分”。

又方：

冬麻子半升，炒，捣研，水滤取汁　米二合

右以麻汁煮作粥，空腹食之。

（《类聚》5册页449）

又方：

水牛[1]头蹄治如食

右蒸熟烂，停冷食之。

（《类聚》5册页449）

【校注】

[1] **牛**　其后，《圣惠方》有“犊子”。

4　治脚气冲心，烦躁不安，言语错谬方

鲤鱼一头，治如食　莼菜四两　葱白切，三合

右调和，豉汁中煮作羹食，及腌亦得。

（《类聚》5册页449）

5　治脚气头面浮肿，心腹胀满，小便涩少方

马齿菜

右取马齿菜和少米，酱汁煮熟食之[1]。

（《类聚》5册页450）

【校注】

[1] **之**　其后，《圣惠方》有“日三服”。

6　治脚气，肾虚风湿脚弱方

生栗子

右取生栗子[1]悬令干，每日平明吃三二十个[2]，以肾粥食之佳[3]。

（《类聚》5册页450）

【校注】

[1] **子**　其后，《圣惠方》有“不限多少，布袋盛”。

[2] **三二十个**　《圣惠方》作“十余颗”。

[3] **以肾粥食之佳**　《圣惠方》作“次吃猪肾粥佳”。

7 治脚气，肾虚腰脚无力方

猪肾一只，去脂膜　米二合　葱白切，二合

右于豉汁中煮作粥，着椒、姜，任性空心食之。

（《类聚》5 册页 450）

8 治脚气，风痹不仁，不[1]缓筋急方

熊肉半斤

右切，作腌腊，着椒、姜、葱、盐，任性空心食之[2]。

（《类聚》5 册页 450）

【校注】

[1] **不**　《大观》《政和》《卫生易简方》作“五”。

[2] **作腌腊……食之**　《大观》《政和》《卫生易简方》作“于豉汁中和姜、椒、葱白、盐、酱作腌腊，空腹食之”。

9 治风寒湿痹，五缓六急方

乌鸡一只，治如食

右煮令极熟，调和作羹食之。

（《类聚》5 册页 450）

10 治风毒，脚膝挛急，骨节疼方

豉心五升，九蒸九曝

右以酒一斗半，浸经宿，空心，暖服之[1]。

（《类聚》5 册页 450）

【校注】

[1] **暖服之**　《圣惠方》作“每取一小盏，搅粥食之”。

11 治脚气，心烦脚弱，头目眩冒，痹湿筋急方

黑豆二升，熟炒

右投酒一斗中，密覆，经宿饮之。

（《类聚》5册页450）

12 治风寒湿痹，四肢挛急，骨节疼方

鹿蹄一具，治如食　牛膝菜半斤

右煮令极熟，着葱、椒调和，任性食之。

（《类聚》5册页450）

13 治脚气，调中利筋骨，木瓜汤方

木瓜一个，去皮，切　蜜三合　生姜六分

右于银器中，以水二升，煎取一升，投蜜服之。

（《类聚》5册页450）

又人参茯苓汤方：

右以人参、茯苓等分，为末，沸汤如茶点之。

（《类聚》5册页450）

二十二、治大便难食治方

治大小肠不通方

盐

右和苦酒傅脐中，干即易。

（《大观》卷4页14，《政和》页107）

二十三、治赤白痢食治诸方

论五痢赤白肠滑

赤白痢者，皆由荣卫不足，肠胃虚弱，冷热之气乘虚入胃，客风于肠间，肠虚则泄。然其赤白者，是热乘于血，血渗肠内则赤；冷气入肠，津液凝滞则白；冷热交争，故赤白相杂。凡痢有胃痢、脾痢、大肠痢、小肠痢、大瘕，名曰后重。胃痢者，饮食不化色黄；脾痢者，腹肚胀满，泄注无度，食即呕吐；大肠痢者，食已窘

迫，大便色白，肠鸣切痛；小肠痢者，溲便脓赤血，小肠刺痛；大瘕痢者，里急后重，数至圊而不能便，茎中痛，是肾痢也。诸方痢，有三十余种，而此惟具五种者，盖是举其宗维者。

（《类聚》7 册页 137）

1　治脾气弱，大肠虚冷，痢白如浓涕，腰脐切痛方

鲫鱼作脍

右以橘皮、胡椒、莳萝等末，熟煎豉汁，投脍于中，空心食之。

（《类聚》7 册页 137）

2　治胃肠冷，洞[1]痢不止方

赤石脂二两，研　云母粉二两　面二两

右相和，溲作饦饨，熟煮食之，着盐、醋调和亦得。

（《类聚》7 册页 137）

【校注】

[1] **洞**　原作"桐"，据医理改。

3　治脾胃气虚，肠滑下痢方

黄雌鸡一只，治如食法

右炙椞，更以盐、醋刷炙之，令通透熟，空心食之[1]。

（《类聚》7 册页 137）

【校注】

[1] 本条，《必用全书》作"黄雌鸡方：治老人脾胃气冷，肠数痢，黄雌鸡一只，右五味，椒、酱刷炙之，令熟，空心渐食之，亦甚补益脏腑"。

4　治脾胃气下痢瘦方

猪肝一片[1]　芜荑末六分

右薄起肝，掺芜荑末，面裹，更以湿纸裹煨熟，去面，空心食之。

（《类聚》7 册页 138）

【校注】

[1] 片　《食医心镜》作“斤”。

5　治脾胃气虚，食则呕出，猪肝丸方

猪肝一斤，薄起，于瓦上曝令极干

右捣为末，煮白粥，绞取汁和之，众手丸，如梧桐子大，空心，饭饮下三十丸。

（《类聚》7册页138）

又方：

猪肝半斤，薄起，瓦上曝，令极干　野鸡臆凫前肉四两，曝令干

右捣为末，以粥饮和为丸，如梧桐子大，空心，以饮下三十丸。

（《类聚》7册页138）

6　治肠胃冷，下赤白痢，鲫鱼粥方

鲫鱼切如脍，四两　粳米二合

右淅米和脍煮粥，椒、盐、葱白，任意食之。

（《类聚》7册页138）

7　治久痢赤白，鲫鱼脍方

鲫鱼[1]

右作脍，蒜韭食之。

（《类聚》7册页138）

【校注】

[1] 鱼　其后，《圣惠方》有“一斤，鲜者，去鳞鬣肠”。

8　治脾胃气弱，食不消化，下赤白不止方

曲三片[1]，为末　红米[2]二合

右煮作粥，空心食之，亦治小儿无辜痢。

（《类聚》7册页138）

【校注】

[1] **三片** 《圣惠方》作“一两，微炒”。

[2] **红米** 《圣惠方》作“粳米”。

9 治肠滑赤白下痢，白树鸡粥方

白树鸡三两，洗泽细切，一名白木耳 米二合 薤白五合，切

右相和于豉汁中，煮作粥，空心食之。

(《类聚》7 册页 138)

10 治脾虚冷，下白脓痢及水谷痢，薤白粥方

薤白五合[1]，切 粳米三[2]合

右相合，煮作粥，任[3]着葱、椒，搅令熟，空心食之[4]。

(《类聚》7 册页 138)

【校注】

[1] **合** 其后，《圣惠方》有“去须”。

[2] **三** 《圣惠方》作“二”。

[3] **任** 其后，《食医心镜》有“性”字。

[4] **右相合……食之** 《圣惠方》作“右二味，作粥，入姜、椒，煮令熟，空腹食之”。

11 治血痢，日夜百余行方

葛粉三[1]两 蜜一两[2]

右以新汲水四合[3]搅调，空心顿服之[4]。

(《类聚》7 册页 138)

【校注】

[1] **三** 《圣惠方》作“二”。

[2] **两** 《圣惠方》作“合”。

[3] **四合** 《圣惠方》作“二中盏”。

[4] **顿服之** 《圣惠方》《神巧万全方》作“分两度服之”。

12 治诸痢不差，黍米粥方

黍米二大合 蜡 羊脂各一两

右煮黍米，临熟投蜡、羊脂，搅令消，空心食之。

（《类聚》7 册页 138）

13　治赤白痢及血痢，小便不通方

蜜一合　马齿菜擣取汁，三合

右相和，微暖，空心顿服之。

（《类聚》7 册页 138）

14　治水痢方

林檎十颗，切作片

右以水一升半，煮取六合，林檎并汁并食之[1]。

（《类聚》7 册页 138）

【校注】

[1] **右以水……食之**　《圣惠方》作“右以水一大盏，煮取六分，去滓，每服一合，搅粥食之”。

15　治赤白痢及热毒痢方

右好茶浓煎，服三碗[1]。

（《类聚》7 册页 138）

【校注】

[1] **服三碗**　《大观》《政和》作“一二盏吃，差。如久患痢亦宜服”。

16　主益气和中，止泄痢，去当风卧湿过冷所中等病方

黄粱米

右作饮食之。

（《大观》卷 25 页 11，《政和》页 491）

17　治脾胃气虚，肠滑下痢，以炙鸡散

黄雌鸡一只，治如食法

右以炭炙之，捶了，以盐、醋刷之，又炙令极熟，干燥，空腹[1]食之。

（《大观》卷19页6，《政和》页399，《纲目》页2589）

【校注】

[1] **腹** 《纲目》作“心”。

18 治下赤白痢如面糊，腰脐切痛方

猪肾一对

右研，着胡椒、橘皮、盐、酱、椒末等，溲面，似常法，作馄饨，熟煮，空腹吃两碗，立差。

（《大观》卷18页1，《政和》页388，《纲目》页1790）

19 治下痢，脐下切痛方

狗肝一具

右洗细切，米一升，稀调煮粥，空腹点三两合蒜吃，椒、葱、盐、酱，任性着之。

（《大观》卷17页15，《政和》页381，《纲目》页2718）

20 治水谷痢方

韭叶

右作羹粥、煠炒，任食之[1]。

（《大观》卷28页5，《政和》页512，《纲目》页1578）

【校注】

[1] **之** 其后，《纲目》有“良”字。

21 治泄痢阴气不足方

小豆花

右于豉中煮，五味调作羹食之。

（《大观》卷26页6，《政和》页497，《纲目》页1513）

22 除烦热，下气，调胃止泄痢方

陈廪米

右作饭食之。

（《大观》卷26页7，《政和》页497）

23 治下痢小便涩方

粱米

右炊饭食之。

（《大观》卷25页11，《政和》页490）

24 治泄痢方

丹黍米

右炊饭食之。

（《大观》卷25页11，《政和》页490）

25 治烦断下痢方

粳米

右炊饭及煮粥食之。

（《大观》卷25页8，《政和》页489）

26 治脾胃肠澼方

邪蒿

右煮令熟，和酱、醋食之。

（《大观》卷27页11，《政和》页501，《纲目》页1629）

27 治赤白痢方

葱[1]一握　米

右细切，和米煮粥，空心食之[2]。

（《大观》卷28页3，《政和》页510，《纲目》页1585）

【校注】

[1] 葱　《纲目》作“葱白”。

[2] 空心食之　《纲目》作“日日食之”。

28　治赤白痢下方

薤白一握

右切，煮作粥食之。

(《大观》卷28页7，《政和》页512，《纲目》页1592)

二十四、治痔疾食治诸方

论五种痔病下血

夫痔之所发，皆由伤于风湿，饮食过度，房室劳伤，致使气血流溢，渗入肠间，冲发下部，而成痔疾，其证有五：牡痔，则肛旁生鼠乳，在外时时脓血出也；牝痔，肛旁肿而出血也；脉痔，肛旁痒痛而血出；肠痔，肛旁肿核痛，发寒热而出血也；血痔，因便圊而血随出也，又有因酒因气得久，则大便难而久不已，变之作瘘也。

(《类聚》8册页581)

1　治痔气下血不止无力方

野鸡一只，治如食法

右细切，着少面并椒、盐、葱白调和，溲作饼，炙熟和醋食之。

(《类聚》8册页582)

2　治五痔下血不止，炙鹌鹑方

右以鹌鹑一只[1]，治洗炙令熟，食之作粥[2]亦得。

(《类聚》8册页582)

【校注】

[1] 只　其后，《圣惠方》有“去毛羽肠肚”。

[2] **粥** 《圣惠方》作“羹”。

3 治五痔下血不止，蒸木槿花方

木槿花一斤[1]

右以少豉汁，和椒、盐[2]、葱白，蒸令熟，空腹食之。

（《类聚》8册页582）

【校注】

[1] **一斤** 《圣惠方》作“半斤，新者”。

[2] **盐** 其后，《圣惠方》有“醋”字。

4 治痔疾下血，萹竹叶羹方

萹竹叶半斤

右切，于沸汤[1]中煮作羹，着盐[2]、椒、葱白调和，空心食之。

（《类聚》8册页582）

【校注】

[1] **于沸汤** 《圣惠方》作“入豉汁”。

[2] **盐** 其后，《圣惠方》有“醋”字。

5 治痔下血不止方

桑耳半斤[1]

右以水三升，煎取二升，去滓，着盐、椒、葱白、米糁煮作粥食之[2]。

（《类聚》8册页582）

【校注】

[1] **半斤** 《圣惠方》作“二两，捣碎”。

[2] **右以水三升……食之** 《圣惠方》作“右件药，每服一两，以水一大盏，煎取七分，去滓，着椒、盐、葱白、粳米煮作羹，空腹食之”。

6 治久患痔，下血不止，肛边及腹肚疼痛，野猪肉炙方

野猪肉二斤

右切作炙，着椒、盐、葱白腌熟，空心食之[1]。

（《类聚》8册页582）

【校注】

[1] 本条，《圣惠方》作“治久患野鸡痔，下血不止，肛边疼痛，食之十顿无不差方：野猪肉一斤，右切作片，着椒、姜、盐、葱白，煮令熟，空腹食之，作羹亦得”。

7　治痔下血不止，肛肠疼痛，鳢鱼脍方

鳢鱼不限多少

右切作脍，以蒜齑食之，腌亦得，鲫鱼脍及羹亦得[1]。

（《类聚》8册页582）

【校注】

[1] **及羹亦得**　《卫生易简方》作“作羹任意食之”。

8　治五痔下血，苍耳叶羹方

苍耳叶[1]一斤，嫩者　米二合[2]

右细切，于豉汁中和米煮作羹，着盐、椒[3]、葱白，空心食之[4]。

（《类聚》8册页582）

【校注】

[1] **叶**　《圣惠方》作“苗叶”。

[2] **米二合**　《圣惠方》作“粳米三合”。

[3] **椒**　《圣惠方》无。

[4] **空心食之**　《圣惠方》作“作粥亦得”。

9　治五痔下血不止，杏仁粥方

杏仁一两，汤浸，去皮尖及双仁，捣，以水三升[1]，研取汁

右煎汁沸，投米[2]煮粥食[3]之[4]。

（《类聚》8册页582）

【校注】

[1] **三升** 《圣惠方》作“一大盏”。

[2] **米** 《圣惠方》作“粳米二合”。

[3] **食** 其前,《圣惠方》有“空心”二字。

[4] **杏仁……煮粥食之** 《肘后方》作“以杏仁去尖皮及双仁,水三升,研滤取汁,煎减半,投米煮粥,停冷空心食之”。《卫生易简方》作“水一升,以杏仁去尖皮及双仁,水三升,研滤取汁,煎减半,投米煮粥,停冷空心食之”。

10 治五痢下血,黄芪粥方

黄芪六分,剉[1] 米三合[2]

右以水三升[3],煎黄芪,取一升[4],去滓澄清,着米煮粥,空心食之。

(《类聚》8册页582)

【校注】

[1] **六分,□** 《圣惠方》作“一两,细研”。《神巧万全方》作“细切”。

[2] **米三合** 《圣惠方》《神巧万全方》作“粳米二合”。

[3] **三升** 《圣惠方》《神巧万全方》作“二大盏”。

[4] **一升** 《圣惠方》《神巧万全方》作“一盏半”。

11 治五痔瘘疮,杀诸虫,鳗鲡鱼炙方

鳗鲡鱼[1]治如食

右切作炙,盐、椒、葱白[2]调和食之。

(《类聚》8册页582)

【校注】

[1] **鱼** 其后,《肘后方》有“头”字。

[2] **葱白** 《肘后方》作“酱”。

12 治五痔瘘疮方

鸳鸯一只,治如食

右炙[1]令极熟,细切,以五辣、醋食之[2]。

(《类聚》8册页582)

【校注】

[1] **炙**　《圣惠方》作"煮"。

[2] **五辣、醋食之**　《圣惠方》作"以五辛和食之，作羹亦妙"。

13　治野鸡痔下血，除目暗，槐叶茶方

嫩槐叶一斤，一如造茶法

右为末，如茶煎啜之[1]。

(《类聚》1册页659)

【校注】

[1] 本条，《必用全书》作"治老人热风下血，明目益气除邪，治齿疼，利脏腑气，宜食之：槐叶嫩者五斤，蒸令热，为片晒干，作茶捣罗为末，右每日煎如茶法，服之恒益，除风尤佳"。

14　治野鸡病方

杏仁一两，去皮尖、双仁，捶碎

右以水三升，研滤取汁，于铛中煎，以勺搅，勿住手，候三分减二，冷呷之。不熟及热呷，即令人吐。

(《大观》卷23页31，《政和》页474)

二十五、治外症食治诸方

1　治毒热，去黑痣面皯，皮肤光润，牛膝浸酒方

牛膝根二斤，洗切　豆一斤　生地黄切，二升

右以酒一斗五升浸，先炒豆令熟，投诸药酒中，经三两宿，随性饮之。总牛肉。

(《类聚》1册页659)

2　治毒，去黑痣面皯，润皮毛方

大豆黄卷一升

右熬令香，为末，空心暖酒下一匙。

(《大观》卷25页4，《政和》页487)

3　治恶疮方

邪蒿

右煮令熟，和酱、醋食之。

（《大观》卷27页11，《政和》页501，《纲目》页1629）

4　治漆疮方

韭叶

右研傅之。

（《食医心镜》页32，《大观》卷28页5，《政和》页511）

又方：

以秫米饭食之，良。

（《大观》卷25页7，《政和》页489）

5　治吹奶不痒不痛肿硬如石方

青橘皮二两

右以汤浸去瓤，焙为末，非时温酒下，神验。

（《大观》卷23页6，《政和》页462）

6　治鲠骨在咽方

薤

右煮食佳，作羹粥食之，煠作齑菹，炒食并得。黄帝云：薤不可共牛肉食之，成瘕疾，冬月勿食生薤，多涕唾。

（《大观》卷28页7，《政和》页512）

7　治热肿方

龙葵菜

右煮作羹粥食之，并得。

（《大观》卷27页19，《政和》页508）

8　治诸疮败及诸疮中风寒水肿方

薤

右生杵傅之。

按薤治诸疮败，又能生肌，轻身，不饥，耐老，宜心归骨，菜芝也，除寒热，去气，温中，散结气，利病人。诸疮中风寒水肿，生杵傅之。

（《大观》卷28页7，《政和》页512）

9　消痈肿方

醋

右醋，消痈肿，散水气，杀邪气。扁鹊云：多食醋，损人骨，能理诸药毒热。

（《大观》卷26页2，《政和》页495）

10　杀鬼蛊气，下部匶疮方

盐

右主杀鬼蛊气，下部匶疮，伤寒寒热，吐胸中痰癖，止心腹卒痛，坚肌骨。黄帝云：食甜瓜竟食盐成霍乱。

（《大观》卷4页14，《政和》页107）

11　治蝎螫人，痛不止方

狸屎

右以猫儿屎涂螫处，并三即差。

（《大观》卷17页24，《政和》页386）

又方：

以醋磨附子[1]傅之[2]。

（《大观》卷26页2，《政和》页495，《纲目》页1556）

【校注】

[1] **子**　其后，《纲目》有“汁”字。

[2] 本条，《纲目》注出处为《医学心镜》。

二十六、治妇人病食治方

治女子白沃漏下止血方

芹菜

右作畜葅及煮食并得。

（《大观》卷29页7,《政和》页519）

二十七、治妊娠病食治诸方

论妇人妊娠诸病及产后病

凡初有娠，四肢沉重，胸膈痰饮，不多欲食，脉理顺时，则是欲有娠，如此经三二月，便觉不通，则结胎也。其状心愦愦，头重目眩，四肢沉重，懈惰不欲执作，恶闻食气，啖酸咸果实，多卧少起，是谓恶食，其至三四月以上，皆大剧吐逆，不能自胜举者，便依此饮食将息，既得食力，体强色盛，力足养胎，母便健矣。

（《类聚》10册页524）

1　治初妊娠，心中愦闷，呕吐不下食，恶闻食气，头重目眩，四肢烦疼，多卧少起，憎[1]寒汗出，疲乏，宜食羊肉索饼[2]方

羊肉四两，作臛[3]　面半升[4]

右溲面作索饼，和臛调和，空心食之[5]。

（《类聚》10册页524）

【校注】

[1] **憎**　《圣惠方》作“恶”。

[2] **索饼**　《圣惠方》《神巧万全方》作“臛”。

[3] **作臛**　《圣惠方》《神巧万全方》作“切，炒”。

[4] **升**　《圣惠方》《神巧万全方》作“两”。

[5] **右溲面……食之**　《圣惠方》作“右作索饼，于生姜豉汁中煮，和臛食之”。

2 治妊娠胎动，脏腑拥热，呕吐不下食，心烦躁闷，宜服鲤鱼汤方

鲤鱼一头，治如食　葱白一握，切

右以水三升，煮鱼及葱令熟，空心食之。

（《类聚》10 册页 524）

3 治妊身胎动不安，宜吃糯米阿胶粥方

糯米三合　阿胶四分[1]，炙，捣末

右煮糯米粥[2]，投阿胶末调和，空心食之。

（《类聚》10 册页 524）

【校注】

[1] **四分**　《圣惠方》《寿亲养老书》作“一两”。

[2] **粥**　其后，《圣惠方》《寿亲养老书》有“临熟”二字。

4 治安胎及风寒湿痹，腰脚痛方

乌雌鸡一只，治如食　红[1]米三合

右煮鸡熟，切肉[2]和米煮粥，着盐、椒、姜、葱调和，空心食之，作羹，及馄饨、索饼食之。

（《类聚》10 册页 524）

【校注】

[1] **红**　《圣惠方》《神巧万全方》作“糯”。

[2] **肉**　其后，《圣惠方》《神巧万全方》有“于豉汁中”四字。

5 治养胎脏，及胎漏下血，心烦口干，丹鸡索饼方

丹雄鸡一只，治如食，作臛　面一斤

右溲面作索饼，熟煮和臛食之。

（《类聚》10 册页 524）

6 治妊娠下血不止，名曰漏胞，胞干胎死，宜食地黄粥方

地黄汁三合

右先糯米[1]作粥煮熟，投地黄汁搅令匀，空[2]腹食之，地黄汁、暖酒和服亦佳。

（《类聚》10册页524）

【校注】

[1] **先糯米** 《寿亲养老书》作“生地黄汁、糯米净淘各一合”。“米”字后，《圣惠方》《神巧万全方》有“三合”。

[2] **空** 其前，《寿亲养老书》有“每日”二字。

7 治妊娠恒苦烦闷，此名子烦，宜吃竹沥粥方

粟米三合　淡竹沥三合

右以粟米煮粥，临熟下淡竹沥，搅令匀[1]，空心食之[2]。

（《类聚》10册页524）

【校注】

[1] **匀** 其后，《圣惠方》有“停冷”二字。

[2] **之** 其后，《圣惠方》有“单饮竹沥三二合，亦佳”。

8 治妊娠腰痛方

黑豆一升　酒三升

右以黑豆一升，酒三升，煮取七合，去豆，空心服之[1]。

（《类聚》10册页524）

【校注】

[1] 本条，《圣惠方》《神巧万全方》作“黑豆二合，右以酒二大盏，煮取一盏，去滓，食前分温三服”。

9 治妊娠咳嗽，车釭酒方

车釭一枚

右烧令赤，投一升酒中，适寒温服之。

（《类聚》10册页524）

10　治妊娠伤寒头痛方

豉三合　葱白一握　生姜一两　石膏半两，煅

右以水一升，煎豉等四味三二沸，去滓，顿服之，得汗佳也。

（《类聚》10 册页 524）

11　治妊娠损动，下[1]血不止，烦闷方

冬麻子一升，炒[2]

右以水二升[3]，研滤取汁，煎两沸，分作三服[4]。

（《类聚》10 册页 524）

【校注】

[1] **下**　其前，《圣惠方》有“腹痛”二字。

[2] **一升，炒**　《圣惠方》作“二合捣碎”。

[3] **二升**　《圣惠方》作“一大盏”。

[4] **煎两沸，分作三服**　《圣惠方》作“煎至七分，去滓，分温二服”。

12　治妊娠胀满方

铁秤锤一枚

右烧令赤，投一升酒中，适寒温，顿服之。

（《食医心镜》页 27）

13　治风胎瘦病，五劳七伤虚惊悸方

白羊头一枚，燖如食法

右煮令及熟，切，于豉汁中五味调和食之。

（《大观》卷 17 页 9，《政和》页 380）

14　安胎方

葱，安胎，叶作羹粥，煠作齑食之，良。

（《大观》卷 28 页 4，《政和》页 511）

二十八、治产后病食治诸方

夫产生之理，吁！可大欤！十月既足，百骨坼，肥[1]肉开解，儿始能生，百日之内，犹尚虚羸，时人将为一月，便云平复，岂不谬乎？饮食失节，冷热乖衰[2]，血气虚损，因此成疾，药饵不知，更增诸疾，且以饮食调理，庶为良工尔。

（《类聚》10 册页 831）

【校注】

[1] **肥**　《寿亲养老书》作“肌”。

[2] **衰**　《食医心镜》作“衷”。

1　治初产腹中瘀血，及瘕血结痛，虚损无力，宜食地黄粥方

生地黄汁三[1]合　生姜一两，取汁[2]　粳米三合

右煮粥临[3]下地黄生姜汁，搅令匀，空心服之。

（《类聚》10 册页 831）

【校注】

[1] **三**　《圣惠方》作“二”。

[2] **一两，取汁**　《圣惠方》作“半两，取汁”。《寿亲养老书》作“捣绞取汁，二合”。

[3] **临**　其后，《圣惠方》有“熟”字。

2　治产后血瘕痛，恶露不多下，宜吃桃仁粥方

桃仁一两，去尖皮，研，以水滤取汁

右煮米作粥食之[1]。

（《类聚》10 册页 832）

【校注】

[1] 本条，《圣惠方》作“治产后血症疼痛，不多食，桃仁一两，汤浸去皮尖双仁，粳米二合，右以水二大盏，烂研桃仁，绞取汁，作粥，空心食之”。

3　治产后血气不调，不能下食，虚损无力方

白羊肉半斤　红米三合

右调和五味、椒、葱，作粥食之。

（《类聚》10 册页 832）

4　治产后积血风肿，补中益气，利小便，冬麻子粥方

冬麻子一升，捣研，以水二升取汁　红米三合

右以麻汁和米煮粥食之。

（《类聚》10 册页 832）

5　治产后中风，血气拥，惊邪忧恚[1]，猪心羹方

猪心一枚，煮熟，切

右以葱[2]、盐调和作羹食之，入少胡椒末，亦佳[3]。

（《类聚》10 册页 832）

【校注】

[1] **惊邪忧恚**　《圣惠方》作“忧恚悖逆”。

[2] **葱**　《圣惠方》作“葱白一握，去须，细切”。

[3] **右以葱……亦佳**　《圣惠方》作“右以豉汁、盐、椒、米同作羹食之”。

6　治产后血瘕儿枕痛，秤锤酒方

铁秤锤一枚，斧头铁杵亦得　酒一升

右烧秤锤令赤，投酒中良久，去锤，量力服。

（《类聚》10 册页 832）

7　治产后虚羸无力，腹肚冷[1]，血气不调，及伤风头疼[2]，羊肉腌腊方

羊[3]肉一斤，切如常法

右调和作腌腊食[4]之，煮羹亦得。

（《类聚》10 册页 832）

【校注】

[1] **冷**　其后，《圣惠方》有“痛”字。

[2] **伤风头疼** 《圣惠方》作“头中风冷，汗出不止”。

[3] **羊** 其前，《圣惠方》有“白”字。

[4] **食** 其前，《圣惠方》有“空心”二字。

8 治产后风虚，五缓八急，手足顽痹，头旋目眩，及血气不调方

黑豆一升，炒

右以酒三升浸之一宿，随性暖服[1]。

（《类聚》10册页832）

【校注】

[1] 本条，《卫生易简方》作“治产后百病，血热中风，背强热渴，身肿呕逆，瘿疭疼痛，用大豆五升，急水淘净，炒微温，置瓮中，以无灰酒一斗沃之，经一日服，酒一升，以差为度。如素不饮酒，量多少服。若口噤加独活半斤，捶破同沃，仍增酒一斗二升，逐月旋作，恐酸坏，又可为豆腐食之”。

9 治产后风眩瘦病，五劳七伤，心虚惊悸，羊头肉方

白羊头一枚，治如法

右煮熟，切，于五味中食之。

（《类聚》10册页832）

10 治产后虚劳百病，血气不调，腹肚结痛，血晕昏愦，心烦躁，不多下食，地黄煎方

生地黄汁　藕汁各一升　生姜汁二合　蜜四合

右相和，煎如稀饧，空心暖酒入一匙，服之。

（《类聚》10册页832）

11 治产后百病，血晕，心烦悸昏愦，口干，生地黄汁方

生地黄汁三合　藕汁三合　童子小便二合

右相和，煎一二沸，分为二服。

（《类聚》10册页832）

12 治产后赤白痢，腰脐肚绞痛不下食，炮猪肝方

猪肝四两[1] 芜荑一两[2]末

右薄起猪肝，掺芜荑末于肝叶中，溲面裹[3]，更以湿纸[4]重裹，于煻灰中炮令熟，去纸及面，空心食之。

（《类聚》10 册页 832）

【校注】

[1] **两** 其后，《圣惠方》有“去筋膜”三字。

[2] **两** 《寿亲养老书》作“钱”。

[3] **裹** 其后，《寿亲养老书》有“于肝叶中五味调和”。

[4] **纸** 其后，《圣惠方》有“三五”二字。

13 治产后赤白痢，脐肚痛不可忍，不可下食，鲫鱼粥方

鲫鱼一斤半[1] 红米三合[2]

右以纸各裹鱼于煻灰中炮令熟，去骨研，煮粥熟，下鲫鱼，搅令匀，空心食，盐、葱、酱如常[3]。

（《类聚》10 册页 832）

【校注】

[1] **半** 《圣惠方》无。

[2] **红米三合** 《圣惠方》作“粟米三合，别煮粥”。

[3] **右以纸……如常** 《圣惠方》作“右用湿纸裹鱼，煨熟去骨，细研，候粥熟，下鱼，入盐、醋调和，空心食之”。

14 治产后伤中消渴，小便数，肠澼下痢，补五脏益气，黄雌鸡粥方

黄雌鸡一只，治如常 红米三合

右切取肉，和米煮粥，着盐、姜、葱、酱食之。

（《类聚》10 册页 833）

15 治产后蓐劳，乍寒乍热，猪肾羹[1]方

猪肾一双，去脂膜 红米一合[2]

右着葱白、姜、盐、酱，煮作羹吃之[3]。

（《类聚》10 册页 833）

【校注】

[1] 羹　《圣惠方》作“粥”。

[2] 红米一合　《圣惠方》作“粟米三合”。

[3] 右着葱白……吃之　《圣惠方》作“右以豉汁、五味，入米作粥，空心食之”。

16　治产后虚损，乳汁不下，猪蹄粥[1]方

猪蹄一只[2]，治如常　白米半升[3]

右煮令烂，取肉切，投米煮粥，着盐、酱、葱白、椒、姜和食之。

（《类聚》10 册页 833）

【校注】

[1] 粥　《圣惠方》作“羹”。

[2] 猪蹄一只　《类聚》脱此文。“一只”，《圣惠方》作“一具”。

[3] 白米半升　《圣惠方》作“粟米三合”。

17　治产后乳汁不下，闭妨痛，猪肝羹方

猪肝一具，切　红米一合　葱白　盐　豉等

右以肝如常法作羹食，作粥亦得。

（《类聚》10 册页 833）

18　治产后血气不调，积聚结痛，兼血晕悸愦，及赤白痢，马齿粥方

马齿菜一斤　红米二合

右相和，煮作粥食之，盐、酱任情着食。

（《类聚》10 册页 833）

19　治产后赤白痢，脐肚痛，不下食，鲫鱼脍方

鲫鱼一[1]斤，作脍　莳萝　橘皮[2]　芜荑　干姜[3]　胡椒各一分，作末

右以脍投热豉汁中良久[4]，下诸末[5]，调和[6]食之。

（《类聚》10册页833）

【校注】

[1] **一**　《圣惠方》作“二”。

[2] **皮**　其后，《圣惠方》有“去瓤，焙”。

[3] **姜**　其后，《圣惠方》有“炮”字。

[4] **右以脍投热豉汁中良久**　《圣惠方》作“右煎豉汁中煮脍，临熟”。

[5] **下诸末**　《寿亲养老书》作“入盐药末”。

[6] **和**　其后，《圣惠方》有“空心”二字。

20　治产后赤白痢，脐腰痛，薤白粥方

薤白切，一升[1]　红米三合[2]

右煮粥空心食之。

（《类聚》10册页833）

【校注】

[1] **升**　《圣惠方》作“握”。

[2] **红米三合**　《圣惠方》作“粟米二合”。

21　治产后痢，腰腹肚痛，野鸡肉馄饨方

野鸡一只，治如常

右作馅，溲面皮作馄饨，熟煮，空心食之。

（《类聚》10册页833）

二十九、治小儿病食治诸方

1　治小儿发稀，乍寒乍热，黄瘦无力，宜吃生地黄粥方

生地黄汁一合　红米一合

右煮作粥，临熟下黄汁，搅调和食之。

（《类聚》11册页116）

2　治小儿舌上疮方

胡粉

右取胡粉末并猪筒骨中髓傅之。日三度。

（《大观》卷5页12，《政和》页127，《纲目》页476）

3　治小儿未行，母有孕，饮胶奶羸瘦方

伏翼

右熟炙啖之，日三四度。

（《类聚》11册页150）

4　治小儿心脏风热，昏愦[1]躁，不能下食，梨粥方

消梨三颗，捣滤取汁　白米三合[2]

右煮粥，临熟下梨汁，搅和食之[3]。

（《类聚》11册页827）

【校注】

[1] **愦**　其后，《食医心镜》有“烦”字。

[2] **白米三合**　《圣惠方》作“粳米一合”。

[3] **右煮粥……食之**　《圣惠方》作“右以水二升煮梨，取汁一盏，去滓，投米煮粥食之”。

5　治小儿心脏风热，昏愦恍惚，淡竹叶粥方

淡竹叶一握　米一合[1]

右以水一升[2]煮竹叶，滤取汁七合[3]，煮粥熟，下竹汁相和食之。

（《类聚》11册页827）

【校注】

[1] **合**　其后，《圣惠方》有“茵陈半两”。

[2] **一升**　《圣惠方》作“二大盏”。

[3] **合**　其后，《圣惠方》有“煎取一盏”。

6　治小儿心脏风热，烦躁恍惚，皮肤生疮，牛蒡粥方

右牛蒡根研滤取汁三[1]合，以白米一合，煮粥熟，投汁调和[2]食之。

（《类聚》11册页827）

【校注】

[1] **三** 《圣惠方》作“一”，《备预百要方》作“二”。

[2] **和** 其后，《圣惠方》有“空腹温温”四字。

7 治小儿风热呕吐，壮热头痛，惊悸夜啼，干葛粥方

干葛一两　米一合

右以水一升半，煎取汁，去滓，下米一合，煮粥食之。

（《类聚》11册页827）

8 治小儿壮热，呕吐不下食，葛粉汤方

葛粉二两

右以水三合相和，调粉于铜沙罗中令遍，沸汤中煮熟食之。

（《类聚》11册页827）

9 治小儿心下逆气，惊痫寒热，喘息咽痛，石膏粥方

石膏四两　细米一合

右以水三升，煮石膏取一升汁，去滓，下米煮粥食之。

（《类聚》11册页653）

10 治小儿惊痫，发动无时，母猪乳汁方

母猪乳汁三合

右以绵缠浸乳汁，令小儿吮之，唯多佳矣。

（《类聚》11册页653）

11 治小儿惊痫方

羊头一枚，治如食法

右煮令熟，作脍，以五辣、酱、醋食之。

（《大观》卷17页9，《政和》页379）

12 治小儿夜啼，小便不通，肚痛，浆水粥方

右以浆水煮白米二合作稀粥，临熟下葱白，和匀食之。

（《类聚》11册页672）

13 治小儿夜啼法[1]

右人定后，闭气书脐下作田字[2]。

（《类聚》11册页658）

【校注】

[1] **治小儿夜啼法** 《圣惠方》作“治小儿腹痛夜啼”。

[2] **右人定后……作田字** 《寿域神方》《卫生易简方》作“于脐下用朱笔书田字一个，即差”。《琐碎录》作“浓磨墨，就小儿脐孔上书田字”。

14 治小儿中客忤[1]方

书中白鱼十枚

右以傅乳头，饮之差[2]。

（《大观》卷22页35，《政和》页456，《纲目》页2320）

【校注】

[1] **忤** 其后，《纲目》有“项强欲死”。

[2] **饮之差** 《纲目》作“吮之入咽，立愈。或以二枚涂母手中，掩儿脐，得吐下愈。外仍以摩儿顶及项强处”。

15 治小儿寒热恶气中人方

右以湿豉为丸，如鸡子大，以摩腮上及手足心六七遍，又摩心、脐上，旋旋祝之了，破豉心看有细毛，弃道中，即差。

（《大观》卷25页18，《政和》页494，《纲目》页1530）

16 治小儿呕吐，心烦热，生芦根粥方

生芦根一两，净洗　红米一合

右以水一升，煎取汁七合，去滓，红米一合，于汁中煮粥食之[1]。

（《类聚》11册页185）

【校注】

[1] **生芦根一两……煮粥食之** 《圣惠方》作“生芦根二两，剉，粟米一合，右以水二大盏，煎至一盏，去滓，下米作粥，入生姜、蜜汁少许食之”。

17 治小儿肠胃虚冷，呕吐及痢，惊啼[1]，人参粥方

人参 茯苓各三分 麦门冬四分，去心 红米一合

右以水一升半，煎三味，取汁七合，去滓，下米煮粥食之[2]。

（《类聚》11 册页 185）

【校注】

[1] **啼** 《圣惠方》作“痫”。

[2] 本方，《圣惠方》作“人参半两，去芦头，白茯苓三分，粟米半合，麦门冬一两，去心，右件药，都细剉，每服半两，以水一大盏，煎诸药至七分，去滓，下米作粥食之”。

18 治小儿壮热呕吐不住惊痫方

葛粉二大钱

右以水二合，调令匀，泻向锑锣中，倾侧令遍重汤中，煮令熟，以糜饮相和食之。

（《大观》卷 8 页 8，《政和》页 197）

19 治小儿喉痹肿痛方

右取蛇蜕皮，烧作灰，乳汁和一匕服之[1]。

（《类聚》11 册页 144）

【校注】

[1] **右取蛇蜕皮……和一匕服之** 《得效方》《仁斋小儿直指方论》作“蛇退烧存性，为末，右每服用半钱，乳汁调下，或用蜂房，烧存性，为末，每用半钱，乳汁调服”。

本条，《圣惠方》作“治小儿卒毒肿着咽喉，壮热妨乳方：右以蛇蜕皮烧灰，细研为散，不计时候，用乳汁调下一字”。

又方：

取露蜂房烧作灰，乳汁和一匕服之[1]。

（《类聚》11 册页 144）

【校注】

[1] **乳汁和一匕服之** 《备预百要方》作“涂乳哺”。

本条，《圣惠方》作“治小儿卒毒肿著咽喉，壮热妨乳方：右以露蜂房烧灰，细研为散，不计时候，用乳汁调下半钱，看儿大小，以意加减”。

20 治小儿咳嗽气急，小便涩少，面目浮肿，冬麻子粥方

冬麻子三合　白米三合

右研取汁，白米三合煮粥，空心食之。

（《类聚》11 册页 229）

又方：

嫩桑枝切，三合　楮枝三合　米三合

右以水二升，煎桑、楮枝，取汁一升，去滓，煮米作粥食之。

（《类聚》11 册页 229）

21 治小儿水气，腹肚妨痛胀满，面目肿，小便不利，郁李仁粥方

郁李仁四分　白米一合

右以水八合，研滤取汁，以白米一合，煮粥空心食之[1]。

（《类聚》11 册页 285）

【校注】

[1] **郁李仁四分……空心食之** 《圣惠方》作“郁李仁一两，汤浸，去皮尖，微炒，桑根白皮一两，剉，粟米一合，右件药捣碎，每服半两，以水一大盏，煎至七分，去滓，下米作粥入少生姜汁，任意食之”。

22 治小儿冷气，腹肚胀满，不多下食，紫苏子粥方

紫苏子三合

右以水研滤取汁，以白米二合投汁中，煮粥食之。

（《类聚》11 册页 285）

23 治小儿下痢不止，瘦奶鸡子粥方

右以鸡子一枚，米[1]一合，煮米作粥，临熟，破鸡子相和，熟食之[2]。

（《类聚》11 册页 420）

【校注】

[1] **米**　《圣惠方》作“糯米”。

[2] **熟食之**　《圣惠方》作“空腹，入少醋食之”。

24 治小儿下痢，日夜数十度，渐困无力，黍米粥方

黍米一合　鸡子一枚　蜡一分，细切

右煮黍米粥，临熟下鸡子及蜡搅匀，令熟[1]食之。

（《类聚》11 册页 420）

【校注】

[1] **熟**　其后，《圣惠方》有“空腹”二字。

25 治小儿疳痢垂死[1]方

右取益母叶煮与食即差[2]。

（《类聚》11 册页 371）

【校注】

[1] **垂死**　《卫生易简方》作“久不差”。《大观》《政和》作“痔疾”。

[2] **煮与食即差**　《大观》《政和》作“煮粥食之，取汁饮之亦妙”。

本条，《圣惠方》作“治小儿疳痢，困笃垂死，宜服此方：益母草，右以水煮熟，令儿食之即差”。《寿域神方》作“治疳痢痔疾，用益母草叶煮粥食之，取汁饮之亦可”。

26 治小儿[1]血痢方

右取马齿叶[2]生捣绞汁一合，和蜜一匙搅调，空心食之。

（《类聚》11 册页 371）

【校注】

[1] **儿** 其后，《备预百要方》有“腹痛”二字。

[2] **叶** 《食医心镜》作“菜”。

27 治小儿泻痢，腹肚绞痛方

右取益母草叶煮食之。

（《类聚》11 册页 371）

28 治小儿赤白痢及水痢方

云母粉半大两

右研作粉，煮白粥调，空腹食之。

（《大观》卷 3 页 7，《政和》页 81，《纲目》页 510）

29 治小儿蛲虫，下部痒方

右取萹竹叶一握，以水一升，煎取五合，去滓，空心食之[1]。

（《类聚》11 册页 434）

【校注】

[1] **之** 其后，《大观》《政和》有“虫即下，用其汁煮粥亦佳”。

三十、辟厉气食治方

食五辛以辟厉气

正月之节，食五辛以辟厉气，蒜、葱、韭、薤、姜[1]。

（《大观》卷 28 页 5，《政和》页 512，《纲目》页 1576）

【校注】

[1] 本条，《纲目》注出处为“颂曰”。

三十一、服食禁忌

1　柰多食益胀

柰子，味苦、寒、涩，无毒。主忍饥，益心气，多食虚胀。

（《大观》卷23页39，《政和》页478）

2　李不可和蜜食

李，味酸，无毒。主除固热，调中。黄帝云：李不可和蜜食，食之损五脏。

（《大观》卷2页37，《政和》页477）

3　牛卒死不可食脑

牛，盛热时卒死[1]，其脑食之生肠痈。

（《大观》卷17页9，《政和》页378，《纲目》页2755）

【校注】

[1] **盛热时卒死**　《纲目》作“热病死者”。

4　暴鸡肉有毒

勿食暴鸡肉，杀人，发疽。

（《大观》卷19页6，《政和》页399）

5　葫蒜食忌

黄帝云：（葫）合青鱼鲊食之，令人腹内生疮，肠中肿，又成疝瘕。多食生蒜伤肝气，令人面无颜色。四、八月勿食生蒜，伤人神，损胆气[1]。

（《大观》卷29页4，《政和》页518，《纲目》页1598）

【校注】

[1] 本条，《纲目》注出处为“思邈曰”。

三十二、解毒食治方

葱杀百药毒方

葱，杀百药毒，叶作羹粥，煤作齑食之，良。

(《大观》卷28页4,《政和》页511)

［附］《本草纲目》引《食医心镜》文目次

《本草纲目》引此书资料注以“食医心镜”“心镜”“医镜”。兹将其引有本书资料的药名摘录如下，药名前号码为1957年人民卫生出版社影印《本草纲目》的页次。

1199 **邪蒿** ①主治

1202 **藾香** ①辟除口臭

1210 **鸡肠草** ①止小便利

1212 **马齿苋** ①诸气不调 ②脚气浮肿 ③小儿血痢（心镜） ④子主治

1227 **竹笋** ①主治（心镜）

1236 **越瓜** ①主治

1250 **杏** ①喘促浮肿 ②五痔下血

1256 **桃** ①仁，风劳青肿 ②仁，上气咳嗽

1276 **林檎** ①水痢不止

1281 **橘** ①卒然食噎 ②化食消痰

1399 **槐花** ①叶，肠风痔疾

1596 **鲤鱼** ①主治 ②咳嗽气喘

1602 **鲫鱼** ①鹘突羹

1607 **鳢鱼** ①十二种水气垂死

1658 **雁** ①主治

1660 **鹜** ①大腹水病

1662 **鸳鸯** ①五瘘漏疮

1667 **白雄鸡** ①颠邪狂妄 ②赤白下痢

1669 **黄雌鸡** ①消渴饮水 ②下痢噤口 ③脾虚滑痢

1673 **鸡肠** ①小便频遗

1678 **雉** ①脾虚下痢 ②产后下痢 ③清渴饮水

1683 **鸽** ①消渴饮水

1709 **豕** ①上气咳嗽 ②浮肿胀满 ③风狂歌笑

1710 **猪脂膏** ①上气咳嗽

1712 **猪心** ①产后风邪

1712 **猪肝** ①浮肿胀满 ②食即汗出 ③肝热目赤

1713 **猪肾** ①赤白下痢

1714 **猪胰** ①主治

1715 **猪肚** ①消渴饮水

1720 **狗** ①脾胃虚冷 ②气水臌胀 ③浮肿尿涩

1722 **狗肝** ①下痢腹痛

1724 **羊** ①产后虚羸 ②壮阳益肾 ③脾虚吐食

1726 **羊头、蹄** ①主治

1728 **羊肾** ①下焦虚冷 ②肾虚精竭

1729 **羊肝** ①目赤热痛 ②翳膜羞明

1731 **羊脊骨** ①肾虚腰痛

1735 **水牛肉** ①水肿尿涩
1735 **牛头、蹄** ①水肿
1736 **牛皮** ①主治
1737 **牛脑** ①气味
1746 **驴头肉** ①中风头眩
1747 **驴皮** ①中风㖞僻
1751 **醍醐** ①风虚湿痹
1770 **野马** ①主治
1772 **熊肉** ①脚气风痹
1788 **猫屎** ①蝎螫作痛
1790 **狐肉** ①狐肉羹
1800 **牡鼠肉** ①水臌石水
1812 **乱发** ①下疳湿疮

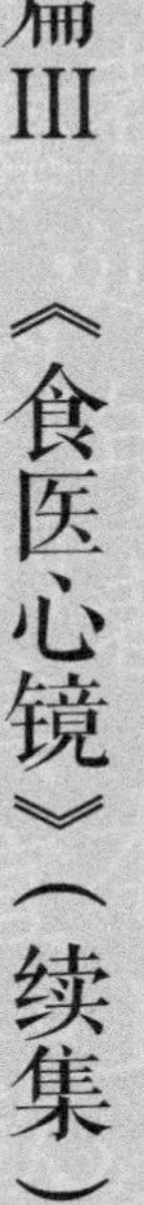

附篇III 《食医心镜》（续集）

《食医心镜》（续集）说明

《食医心镜》由唐代昝殷所著，原书久佚，其内容散存《证类本草》《医方类聚》中。《医方类聚》所收载食医方，不止《食医心镜》一家，还有唐以后各种方书中所存食医方。笔者在重辑昝殷书之后，又将《医方类聚》中收载其他各家的“食医方”全部录出，并参阅其他方书中有关的食医方，汇集附于昝殷书之后，题为“《食医心镜》（续集）”。

《医方类聚》所引食医方比较齐全，其他方书所载食医方，绝大部分和《医方类聚》相同。例如《饮膳正要》所著录食医方，其中有很多方子和《医方类聚》所引《圣惠方》的食医方完全相同。这就提示《饮膳正要》和《聚方类聚》都参考过《圣惠方》。

笔者除摘录《医方类聚》食医方外，亦摘录其他方书中食医方，多年来，共集食医方1500余条，但其中很多方子是重复的，通过删除整理，食医方仍有850余方。需要说明的是，有的验方已非纯粹的食疗方，但考虑到临床价值，仍收编在内。各方按疾病归类，根据临床常见，并结合食医优势，共列49个疾病，仿照昝殷《食医心镜》体例编排，对每一疾病“诸方”前加“简论”（其中，“四十七、令人肥白食医诸方”及“四十九、酒醉食医诸方”无）。

“简论”是简述有关该疾病的中医理、法的内容。

“诸方”是列举该疾病有关食医的方子。

各方书所载食医方，多无方名，仅有主治疾病的说明，有些方列制剂名称，在制剂名之后，叙述其主治功用和用法。本书集录时，均按原方转录，未做统一处理。

对每方叙述方式，先列该方主治说明，次列方药组成的各个药名称及用量和炮制，再次记述该方制备和用法。每方末，注明该方出处，并用括号括之。

整理来看，在食医方组成上，愈是早出的方书，其组成药味数量愈少，用量愈大；越是后出的方书，其组成药味数量越多，用量越小。在剂型上，食医方以煮成粥食者为最多，其次是制羹、臛，少数制汤、散或蜜丸。

中药味苦，气味难闻，不仅入口难，即便吃下后对胃也有不同程度的刺激，可引起胃不适，甚或恶心吐出。食医方将药物制成食品，加上调味剂，使口感好，易于服用。药物煮成粥、羹、臛后，药物浓度稀释，食下后对胃刺激小，即可免除胃中不适的感觉，这是食医方一大优点。

由于本人学术水平所限，错误难免，请读者批评指正。

2003年3月　尚志钧

于芜湖皖南医学院弋矶山医院

一、五脏病食医诸方

简论：仲景曰：人体平和，惟须好将养，勿妄服药，药势偏有所助，令人脏气不平，易受外患。夫含气之类，未有不资食以存生，而不知食之有成败，百姓日用而不知，水火至近而难识。余慨其如此，聊因笔墨之暇，撰五味损益食治篇，以启童稚，庶勤而行之，有如影响耳。

（《千金方·食治》）

1 酸枣仁粥方

酸枣仁粥，治肝胆病，或多不睡。

酸枣仁半两，炒令黄色，末以酒三合浸汁　粳米三合

右件药，先以粳米煮作粥，临熟下酸枣仁汁了，更煮三五沸，空心食之。

（《神巧万全方》）

2 煎饼方

煎饼方治不得睡，酸枣仁治之。

酸枣仁三分，炒熟，杵末　人参一分，末　茯神一分，末　粳米四两，水煎细研　白面四两

右件药末，入米面中，以水调作煎饼食之，要着肉臛五味食之并可。

又，羊肝性冷，疗肝风虚热，目赤暗无所见，生食子肝七枚，效。

又，羊肝主明目，薄切，日干为末，和决明子、蓼子并炒香，捣筛为圆，每日服之，去盲暗。

（《神巧万全方》）

3 薯蓣拨粥方

治心虚风眩头痛，宜服薯蓣拨粥。

生薯蓣不限多少，去皮，磨如稀面

右和白面作拨粥，于豉汁中煮，入五味，调和食之。

（《神巧万全方》）

4 煮梨汤方

治风热攻心，烦闷恍惚，神思不安，煮梨汤。

梨子三枚，切　沙糖半两

右以水一大盏，煎至六分，去滓，食后分温二服。

（《神巧万全方》）

5 鸡子羹方

治心下烦热，止渴，宜服鸡子羹。

鸡子三枚　蓴菜一斤，切　淡竹笋四两，去皮，切

右以豉汁中煮作羹，临熟，破鸡子投入羹汁中，食之。

（《神巧万全方》）

6 葛粉粥方

治胸中烦热，或渴心躁，宜服葛粉粥。

葛粉四两　粟米半升

右以水浸。粟米经宿，来日漉出，与葛粉同拌令匀，煮粥食之。

（《神巧万全方》）

7 炒狼汤方

炒狼汤，古本草不载狼肉，今云性热，治虚弱。然食之，未闻有毒。今制造用

料物以助其味，暖五脏，温中。

狼肉一脚子[1]，卸成事件[2]　草果三个　胡椒五钱　哈昔泥[3]一钱　荜茇二钱　缩砂二钱　姜黄二钱　咱夫兰[4]一钱

右件，熬成汤，用葱、酱、盐、醋一同调和食之。

（《饮膳正要》）

【校注】

[1] **狼肉一脚子**　指狼身体的四分之一。

[2] **事件**　指畜、禽的内脏，或切碎的肉。

[3] **哈昔泥**　阿魏的别名。

[4] **咱夫兰**　即番红花。

8　围像方

围像，补益五脏。

羊肉一脚子，煮熟，切细　羊尾子两个，熟，切细　藕二枚　蒲笋二斤　黄瓜五个　生姜半斤　乳饼两个　糟姜四两　瓜齑半斤　鸡子一十个，煎作饼　蘑菇一斤　蔓菁菜　韭菜各切条道

右件，用好肉汤，调麻泥二斤、姜末半斤，同炒。葱、盐、醋调和，对胡饼食之。

（《饮膳正要》）

9　春盘面方

春盘面，补益五脏。

白面六斤，切细面　羊肉二脚子，煮熟，切条道、乞马[1]　羊肚肺各一个，煮熟切　鸡子五个，煎作饼　生姜四两，切　韭黄半斤　蘑菇四两　薹子菜四两　蓼芽三两　胭脂半两

右件，用清汁下胡椒一两，盐、醋调和食之。

（《饮膳正要》）

【校注】

[1] **乞马**　肉丝。

10　皂羹面方

皂羹面，补益五脏。

白面六斤，切细面　羊胸子两个，退洗净，煮熟，切如色数块

右件，用红曲三钱，腌拌，熬令软，同入清汁内，下胡椒一两，盐、醋调和食之。

（《饮膳正要》）

11　挂面方

挂面，补益五脏气。

羊肉一脚子，切细乞马　挂面六斤　蘑菇半斤，洗净，切　鸡子五个，煎作饼　糟姜一两，切　瓜齑一两，切

右件，用清汁，下胡椒一两，盐、醋调和食之。

（《饮膳正要》）

12　经带面方

经带面，补益五脏气。

羊肉一脚子，炒焦肉乞马　蘑菇半斤，洗净，切

右件，用清汁，下胡椒一两，盐、醋调和食之。

（《饮膳正要》）

13　羊皮面方

羊皮面，补益五脏气。

羊皮两个，挦洗净，煮软　羊舌二两，煮熟　羊腰子四个，煮熟，各切如甲叶　蘑菇一斤，洗净　糟姜四两，各切如甲叶

右件，用好肉酽汤或清汁，下胡椒一两，盐、醋调和食之。

（《饮膳正要》）

14　秃秃麻食方

秃秃麻食[1]，补益五脏气。

白面六斤，作秃秃麻食　羊肉一脚子，炒焦肉乞马

右件，用好肉汤下炒葱，调和匀，下蒜、酪、香菜末食之。

（《饮膳正要》）

【校注】

[1] **秃秃麻食**　即手撇面，又叫猫耳朵。

15　细水滑方

细水滑，补益五脏气。

白面六斤，作水滑　羊肉二脚子，炒焦肉乞马　鸡儿一个，煮熟，切丝　蘑菇半斤，洗净，切

右件，用清汁，下胡椒一两，盐、醋调和食之。

（《饮膳正要》）

16　水龙馔[1]子

水龙馔子，补益五脏气。

羊肉二脚子，煮熟，切作乞马　白面六斤，切作钱眼馔子　鸡子十个　山药一斤　糟姜四两　胡萝卜五个　瓜齑二两，各切细　三色弹儿内一色肉弹儿，外二色粉及鸡子弹儿

右件，用清汁，下胡椒二两，盐、醋调和食之。

（《饮膳正要》）

【校注】

[1] **馔**　疑为棋，为尊重原文不做改动。下同。

17　乞马面方

乞马面，补益五脏气。

白面（或糯米粉，或鸡头粉亦可）六斤，作乞马　羊肉二脚子，熟，切乞马

右件，用好肉汤炒，葱、醋、盐一同调和食之。

（《饮膳正要》）

18　乞马粥方

乞马粥，补五脏，益气力。

羊肉一脚子，卸成事件，熬成汤，滤净　粱米二升，淘洗净

右件，用精肉切碎乞马，先将米下汤内，次下乞马、米、葱、盐，熬成粥，或下圆米，或折米，或滑米皆可食之。

（《饮膳正要》）

又，搠罗脱因[1]，补益五脏气。

白面六斤，和，按作钱样　羊肉二脚子，熟切　羊舌两个，熟切　山药一斤　蘑菇半斤　胡萝卜五个　糟姜四两，切

右件，用好酽肉汤同下，炒，葱、醋调和食之。

（《饮膳正要》）

【校注】

[1] **搠罗脱因**　自注云："系畏兀儿茶饭"，疑为维吾尔族特色食谱。

19　汤粥方

汤粥，补脾胃，益肾气。

羊肉一脚子，卸成事件

右件，熬成汤，滤净，次下粱米三升，作粥熟，下米、葱、盐，或下圆米、渴米、折米皆可食之。

（《饮膳正要》）

20　粱米淡粥方

粱米淡粥，补益五脏气。

粱米二升

右先将水滚过，澄清，滤净，次将米淘洗三五遍，熬成粥，或下圆米、渴米、折米皆可食之。

（《饮膳正要》）

21　河西米汤粥方

河西米汤粥，补益五脏气。

羊肉一脚子，卸成事件　河西米二升

右熬成汤，滤净，下河西米，淘洗净，次下细乞马、米、葱、盐，同熬成粥，

或不用细乞马亦可食之。

(《饮膳正要》)

22 又方

黄精二两，切　粳米三合

右先以水煎黄精，连煎两次，将两次煎汁合并，下米煮弱食之。每日一剂。

(《饮食辨录》)

23 狐肉汤方

狐肉汤，治虚弱，五脏邪气。

狐肉五斤，汤洗净　草果五个　缩砂二钱　葱一握　陈皮一钱，去白　良姜二钱　哈昔泥一钱

右件，水一斗，煮熟，去草果等，次下胡椒二钱，姜黄一钱，醋、五味，调和匀，空心食之。

(《饮膳正要》)

24 盏蒸方

盏蒸，补益五脏。

挦羊背皮或羊肉三脚子，卸成事件　草果五个　良姜二钱　陈皮二钱，去白　小椒二钱

右件，用杏泥一斤，松黄二合，生姜汁二合，同炒，葱、盐五味调匀，入盏内蒸令软熟，对经卷儿食之。

(《饮膳正要》)

25 薹菜苗羹方

薹菜苗羹，补中益五脏气。

羊肉一脚子，卸成事件　草果五个　良姜二钱

右件，熬成汤，滤净，用羊肝下酱，取清汁，豆粉五斤，作粉，乳饼一个，山药一斤，胡萝卜十个，羊尾子一个，羊肉等，各切细，入薹子菜、韭菜、胡椒一两，盐、醋调和食之。

(《饮膳正要》)

二、虚损羸瘦食医诸方

简论：夫气血者，所以荣养其身也。虚损之人，精液萎竭，气血虚弱，不能充盛肌肤，故令羸瘦，宜以饮食补益也。

（《圣惠方》）

1　雀儿粥方

治脏腑虚损，羸瘦，阳气乏弱，雀儿粥主之。

雀儿五只，治如食法，细切　粟米一合　葱白三茎，切

右先炒雀儿肉，次入酒一合，煮少时，入水二大盏半，下米煮作粥，欲熟，下葱白、五味等，候熟，空心食之。

（《圣惠方》）

2　灌肠馅子方

治虚损羸瘦，阴痿，不能饮食，宜吃灌肠馅子。

大羊肠一条　雀儿胸前肉三两，细切　附子末一钱　肉苁蓉半两，细切，酒浸　干姜末一钱　菟丝子末二钱　胡椒末一钱　汉椒末一钱　糯米二合　鸡子白三枚

右将肉米并药末，和拌令匀，入羊肠内，令实，系肠头，煮令熟，稍冷，切作馅子，空心食之。

（《圣惠方》）

3　雀儿粥方

治下元虚损，阳气衰弱，筋骨不健，雀儿药粥食之。

雀儿十枚，剥去皮毛，剉碎　菟丝子一两，酒浸三宿，曝干，别捣末　覆盆子一两　五味子一两　枸杞子一两　粳米二合　酒二合

右件药，捣罗为末，将雀肉先以酒炒，入水三大盏，次下米煮粥，欲熟，下药末五钱，搅转，入五味调和令匀，更煮熟，空心食之。

（《圣惠方》）

4 羊肾羹方

治羸瘦久积，虚损，阳气衰弱，腰脚无力，令人肥健，羊肾羹主之。

白羊肾一对，去脂膜，切　肉苁蓉一两，酒浸一宿，刮去皱皮，切　葱白三茎，去须切　羊肺三两，切

右以上并于豉汁中煮，入五味作羹，空腹食之。

（《圣惠方》）

5 又方

羊肾一对，去脂膜，切　肉苁蓉一两，酒浸一宿，刮去皱皮，切　薤白七茎，去须，切　葱白二茎，去须，切　粳米一合

右先将羊肾及苁蓉，入少酒炒后，入水二大盏半，入米煮之，欲熟，次下葱白、薤白煮作粥，入五味调和，空腹食之。

（《圣惠方》）

6 羊肉粥方

治虚损羸瘦，助阳壮筋骨，羊肉粥食之。

羊肉二斤　黄芪一两，剉　人参一两，去芦头　白茯苓一两　枣五枚　粳米三合

右件药，先将肉去脂皮，取精者[1]，内留四两，细切，余一斤十二两，以水五大盏，并黄芪等，煎取汁三盏，去滓，入米煮粥，临熟，下切了生肉，更煮，入五味调和，空心食之。

（《圣惠方》）

【校注】

[1] **取精者**　《寿亲养老书》作“取精膂肉”。

7 肉苁臛方

治脏腑虚损，四肢乏弱，不欲饮食，肉苁蓉臛主之。

肉苁蓉一两，酒浸一宿，刮去皱皮　葱白三茎，去须，切　糯米糁一两　羊肉三两

右将苁蓉、羊肉细末，和米糁及葱，都依寻常法，煮羹，着盐、醋、椒、酱、

五味调和，空腹食之。

（《圣惠方》）

8　羊肾饽饠方

治下焦虚损，羸瘦，腰胯疼重，或多小便，羊肾饽饠主之。

羊肾两对，去脂膜，细切　附子半两，炮裂去皮脐，捣罗为末　桂心一分，捣罗为末　干姜一分，炮裂捣末　胡椒一钱，捣末　肉苁蓉一两，酒浸一宿，刮去皱皮，捣末　大枣七枚，煮熟去皮核，研为膏　面三两

右将药末，并枣及肾等，拌和为饽饠馅，溲面作饽饠，以数重湿纸裹，于煻灰火中，煨令纸焦，药熟，空腹食之，良久，宜吃三两匙，温水饭压之。

（《圣惠方》）

9　索饼方

治虚损羸瘦，下焦久冷，眼昏耳聋，骨汁煮索饼食之。

大羊尾骨一条，以水五大盏，煮取汁二盏五分　葱白七茎，去须，切　陈橘皮一两，汤浸去白瓤　荆芥一握　面三两　羊肉四两，细切

右件药，都用骨汁煮五七沸，去滓，用汁少许，溲面作索饼，却于汁中，与羊肉煮入五味，空腹食之。

（《圣惠方》）

10　羊肉山药粥方

治虚羸怕冷，手足不温，宜羊肉山药粥。

羊肉二两，去脂膜，煮烂，捣为泥　山药二两，研细末

右二味和粳米四两，煮粥，早晚分二次食之。

（《饮膳正要》）

11　椒肾羹方

治下焦久冷虚损，椒肾羹主之。

汉椒三十枚，去目及闭口者，酒浸一宿　白面三两　羊肾一对，去脂膜，细切

右取椒，入面内，拌令匀，熟水中下，并羊肾煮熟，入五味调和作羹，空腹

食之。

（《圣惠方》）

12 三石猪肾羹方

治肾气不足，阳道衰弱，三石猪肾羹主之。

紫石英 白石英 磁石捶碎，淘去赤汁。以上三石各三两，捶碎，布裹 猪肾二对，去脂膜，切 肉苁蓉一两，酒浸一宿，刮去皱皮，切 枸杞叶半斤，切

右件药，先以水五大盏，煮石，取二盏半，去石，着猪肾、苁蓉、枸杞、盐、酱、五味末等作羹，空腹食之。

（《圣惠方》）

13 石英粥方

治肾气虚损，阴痿，周痹风湿，肢节中痛，不可持物，石英水煮粥主之。

白石英二十两 磁石二十两，并捶碎

右件药，以水二升[1]，器中浸，于露地安置，夜即揭盖令得星月气，每日取水作羹粥，及煎茶汤吃，皆用之，用却一升，即添一升，服经一年，诸风并差，气力强盛，颜如童子。

（《圣惠方》）

【校注】

[1] **二升** 《寿亲养老书》作“一斗”。

14 煨羊肾方

治虚损，脚膝无力，阳气不盛，补益煨羊肾食之。

羊肾一对 钟乳粉一分

右件药，取羊肾，切去脂膜，分为四片，掺粉令匀，却合，用湿纸裹，慢火煨令熟，空腹食之效。

（《圣惠方》）

15 马思荅吉汤方

马思荅吉[1]汤，治虚羸。

羊肉一脚子[2]，卸成事件[3]　草果五个　官桂二钱　回回豆子[4]半升，捣碎，去皮

右件，一同熬成汤，滤净，下熟回回豆子二合，香粳米一升，马思荅吉一钱，盐少许，调和匀，下事件肉、芫荽叶，食之。

（《饮膳正要》）

【校注】

[1] **马思荅吉**　《本草纲目·菜部》莳萝条附马思荅吉注："元时饮膳用之，云极香料也。不知何状，故附之。"

[2] **一脚子**　此指羊肉身体的四分之一。

[3] **事件**　指畜、禽的内脏或切碎的肉块。

[4] **回回豆子**　即豌豆。

16　雀舌馍子方

鸡头粉雀舌馍子，补中，益精气。

羊肉一脚子，卸成事件　草果五个　回回豆子半升，捣碎，去皮

右件，同熬成汤，滤净，用鸡头粉二斤，豆粉一斤，同和，切作馍子，羊肉切细乞马，生姜汁一合，炒葱调和食之。

（《饮膳正要》）

17　鸡头粉血粉方

鸡头粉[1]血粉，补中，益精气。

羊肉一脚子，卸成事件　草果五个　回回豆子半升，捣碎，去皮

右件，同熬成汤，滤净，用鸡头粉二斤，豆粉一斤，羊血和作挡粉，羊肥肉切细乞马[2]炒，葱、醋一同调和食之。

（《饮膳正要》）

【校注】

[1] **鸡头粉**　即芡实粉。

[2] **细乞马**　即细肉丝。

18　鸡头粉撧面方

鸡头粉撧[1]面，补中，益精气。

羊肉一脚子，卸成事件　草果五个　回回豆子半升，捣碎，去皮

右件，同熬成汤，滤净，用鸡头粉二斤，豆粉一斤，白面一斤，同作面。羊肉切片儿乞马入炒，葱、醋一同调和食之。

（《饮膳正要》）

【校注】

[1] 㧾　《正字通》："绝俗字，断物也。"此处为保留古文原貌，不改。

19　鸡头粉掐粉方

鸡头粉掐粉，补中，益精气。

羊肉一脚子，卸成事件　草果五个　良姜二钱

右件，同熬成汤，滤净，用羊肝酱同取清汁，入胡椒一两，次用鸡头粉二斤，豆粉一斤，同作掐粉，羊肉吃细乞马，下盐、醋调和食之。

（《饮膳正要》）

20　鸡头粉馄饨方

鸡头粉馄饨，补中益气，添精髓。

羊肉一脚子，卸成事件　草果五个　回回豆子半升，捣碎，去皮

右件，同熬成汤，滤净，用羊肉切作馅，下陈皮一钱，去白，生姜一钱，细切，五味和匀，次用鸡头粉二斤，豆粉一斤，作枕头馄饨。汤内下香粳米一升、回回豆子二合、生姜汁二合、木瓜汁一合，同炒，葱、盐调和匀食之。

（《饮膳正要》）

21　三下锅方

三下锅，补虚损。

羊肉一脚子，卸成事件　草果五个　良姜二钱

右件，同熬成汤，滤净，用羊后脚肉丸肉弹儿，丁头餜子，羊肉指甲匾食，胡椒一两，同盐、醋调和食之。

（《饮膳正要》）

22　山药面方

山药面，补虚羸，益元气。

白面六斤　鸡子十个，取蛋白　生姜汁二合　豆粉四两

右件，用山药三斤，煮熟，研泥，同和羊肉二脚子，切丁头乞马，用好肉汤下炒，葱、盐调和食之。

（《饮膳正要》）

23　黑牛髓煎方

黑牛髓煎，治肾虚弱，骨伤败，瘦弱无力。

黑牛髓半斤　生地黄汁半斤　白沙蜜半斤，炼去蜡

右三味和匀，煎成膏，空心酒调服之。

（《饮膳正要》）

24　鹿角粥方

鹿角粥，治元阳不固，精血衰败。

鹿角粉五钱，捣末　粳米五合

右以水煮粥，粥熟，入盐花少许，分三度食之。

（《臞仙神隐书》）

25　羊脊骨粥方

治虚损羸瘦乏力，益精气，羊脊骨粥食之。

羊连尾脊骨一握　肉苁蓉一两，酒浸一宿，去皱皮　菟丝子一分，酒浸三日，曝干，别捣末　葱白三茎，去须　粳米三合

右剉碎脊骨，水九大盏，煎取三盏，去滓，将骨汁入米，并苁蓉等煮粥，欲熟，入葱、五味调和，候熟，即入菟丝子末及酒二合，搅转，空腹食之。

（《圣惠方》）

26　鸡头粥方

鸡头粥，治精气不足，强志，明耳目。

鸡头实（芡实）三合

右件煮熟，研如泥，与粳米一合，煮粥食之。

（《饮膳正要》）

27 鸡头粉羹方

鸡头粉羹，益精气，强心志，耳目聪明。

鸡头磨成粉　羊脊骨一副，带肉，熬取汁

右件，用生姜汁一合，入五味调和，空心食之。

（《饮膳正要》）

28 羊肾苁蓉羹方

治虚羸，肾虚精竭，阳虚无力，怕冷，手足不温，宜食羊肾苁蓉羹。

羊肾一对，去脂，切碎　肉苁蓉一两，酒浸一夕，去皮，细切

右二味作羹，着葱、盐、五味食之，每日一次。取效。

（《经验方》）

29 鹿茸粉方

治虚羸，怕冷，手足不温，头眩晕，眼发黑，宜食鹿茸粉。

鹿茸[1]一两，酥炙，细剉为末　山药八两，切，炒，研末　肉桂末一两

右三味和匀，日二服，空心每服二钱。待手足温，不怕冷，剂量减半，或停药。此药善壮阳，兴阳事，患者切忌房事。

（《经验方》）

【校注】

[1] **鹿茸**　价格太贵，可用鹿角代之，但剂量须加倍。

30 猪肚煮石英方

治虚损，凡人年四十以下，服二大两，四十、五十，乃至六十以上加二两，常用四月以后服之，候接秋气，石力下湿其脏，补益腰肾，得力终无发动，猪肚煮石英法。

白石英二两，以生绢袋盛，都缝合　人参一两，去芦头　生地黄二两，切　生姜一两，切　葱白七茎，切　豉半两　川椒十九两，去目及闭口者　羊肉半两，切　猪肚一枚，洗净　粳米一合

右件药及石英袋，并内着猪肚中，急系口，勿使泄气，以水一斗，煮至二升，即停出药，肚着盘内，使冷，然后破之，去石英袋讫，取肚及汁，将作羹服之，每年三五度服，每服石英，依旧余药换之，分数一依初法。

（《圣惠方》）

31 羊肉蒸石英方

治虚损不足，羊肉中蒸石英服饵法。

精羊肉一斤 白石英三两

取肉，切作两段，钻作孔，内石英着肉中，还相合，即用荷叶裹，又将蜡布裹，于三斗米饭中蒸之，候饭熟，即出肉，去却石英，后取肉，细切，和葱、椒、姜等作腌肉，空心食之。

（《圣惠方》）

32 诸虚百损粥方[1]

治劳伤羸瘦，宜食诸虚百损粥。

黄芪 黄精 当归 白芍 熟地 党参各一两 白术 茯苓 甘草 杜仲 牛膝 狗脊各八钱 枸杞子 菟丝子 女贞子各五钱 远志 枣仁 龙眼肉各三钱 山药一两五钱

右十九件，捣罗为末。每取一两末，入生姜三片，大枣三枚，以一升半水，分三次煮，将三次煮汁合并，入米二合，煮为稀粥，分二次食之，早晚各食一次。

（《圣惠方》）

【校注】

[1] 此方，有病日日常服，无病三日一服，能延年益寿。后世十全大补丸，即由此方前九味去黄精，加川芎、肉桂而成。

33 治心气虚方

治心气虚，怔忡，动则气促出汗，面苍白或灰暗。

炙甘草四钱 火麻仁三钱 麦冬三钱，去心 熟地一两 阿胶二钱 党参五钱 桂枝三钱 大枣三十枚 生姜三钱

右除阿胶外，余药以水一升半，煮至一升，去滓，入米三合煮粥，待熟，入阿

胶烊化，分三次食之，每日一剂。

(《伤寒论》)

34　又方

当归一钱　赤芍一钱　川芎一钱　熟地一钱五分　人参一钱　炙甘草三钱　朱茯神三钱　枣仁三钱，打碎　柏子仁三钱　远志一钱　龙齿三钱，打碎　桂枝一钱

右以水一升，煮至七合，去滓，入米二合，煮粥，分二次食之。

(《经验方》)

35　治心悸方[1]

治心悸，脉数，胸中憋闷，遇寒加重，舌淡，苔薄而滑。

龙骨四钱，打碎　牡蛎五钱，打碎　桂枝三钱　炙甘草二钱　生姜三钱　大枣十二枚，擘　常山三钱

右先将常山以水六合，煮至五合，入其他药煮至三合，去滓，温服。移时恶心欲吐，待吐出痰涎后，心悸则平。

(《伤寒论》)

【校注】

[1] 此方对痰饮心悸而言，甚宜；若为血虚心悸，去常山，加当归五钱。

36　治心气虚方[1]

治心气虚，心动过速，胸中满闷，忽寒忽热。

柴胡三钱，切　桂枝三钱，切　干姜二钱　天花粉四钱　黄芩三钱　龙骨五钱，打碎　牡蛎三钱，打碎　五味子二钱　炙甘草二钱

右以水二升，煮至一升，去滓，入米三合煮粥，分早中晚三次食之。

(《伤寒论》)

【校注】

[1] 此方应用时，如心率太过于快，可将龙骨加至一两，五味子加至三钱。

37　治惊悸方

炙羊心，治心气惊悸，郁结不乐。

羊心一个，带系桶　咱夫兰三钱

右件，用玫瑰水一盏，浸取汁，入盐少许；签子签羊心，于火上炙，将咱夫兰汁徐徐涂之，汁尽为度，食之。安宁心气，令人多喜。

（《饮膳正要》）

38　治心虚方

治人心气虚，不能听巨声，不能见异物。听或见甚至能昏倒。

人参一两细切，焙，研末　龙齿一两，捣碎研末　朱茯苓一两

右三味为末，每晚临卧时服三钱，连服十晚。

（《经验方》）

39　治虚汗方

治虚汗津津不已。

浮小麦一两　防风二钱

右二味，以水一碗，煎至半碗，顿服。每日一剂，以汗止为度。

（《经验方》）

40　治盗汗方

治虚汗盗汗。

浮小麦二两

右以文武火烧为末，每服三钱半，米饮下，日三服，或煎汤代茶饮。

（《食物本草》）

41　治自汗方[1]

治心气虚，自汗，盗汗，心悸，心慌。

龙眼肉五钱　枣仁三钱，捣碎　红枣五枚，擘

先将枣仁用水一升，煮至七合，滓滤掉，下米二合，入龙眼肉，红枣煮为粥食之。

（《老老恒言》）

【校注】

[1] 此方能养心安神，亦可治不寐。

42 治中气虚方[1]

治中气虚，自觉中气不足。

黄芪六钱　升麻一钱　柴胡一钱五分　桔梗一钱五分　知母三钱　人参五钱　麦冬五钱　五味子三钱

右为末，每取六钱和粳米三合煮粥，入胡桃肉碎屑一两，搅匀。分二次食之。

（《经验方》）

【校注】

[1] 此方亦治胃下垂、子宫脱垂、脱肛。中气不足的人，卧时起床，应先在床上坐一两分钟，然后下床直立。如果起床即下地直立，有昏倒的危险。

43 中气暴脱方

治中气暴脱，突然昏倒，面苍白，冷汗出，大小便失禁。脉微欲绝。

急用红参一两，细切煎汤灌服。

（《经验方》）

44 又方

红参三钱　制附子三钱　炮姜三钱　炙甘草一钱　桂枝二钱　黄芪一两，细切

右以水一升，煎至四合，频频灌之。

（《经验方》）

45 治心血虚方

治心血虚，面苍白，动则心悸气促，盗汗。

黄芪五钱　党参三钱　人参一钱　当归三钱　鸡血藤三钱　淫羊藿四钱　红枣十枚　阿胶三钱

右除阿胶外，余药以水一升半，煮至一升，去滓，入粳米三合，煮粥，待熟入阿胶烊化，分二次食之。每日一剂。

（《经验方》）

46 又方[1]

黄芪五钱 当归三钱 白芍三钱 熟地五钱 何首乌五钱 桂圆肉一钱 枣仁三钱 柏子仁三钱 神曲三钱 谷芽三钱 麦芽三钱

右除桂圆肉外，余药以水一升半，煮至一升，去滓，入粳米三合，煮粥，待熟，入桂圆肉搅匀，分二次食之。每日一剂。

（《经验方》）

【校注】

[1] 此方对血虚心悸食少而言，甚宜。

三、五劳七伤食医诸方

简论：夫人有五劳者，一曰志劳，二曰思劳，三曰心劳，四曰忧劳，五曰疲劳，盖五劳则伤于五脏也。凡人愁忧思虑则伤心，发燥而面无精光也；形寒饮食冷则伤肺，气促咳逆也；恚怒气逆，上而不下则伤肝，目暗筋骨挛痛也；饮食劳倦则伤脾，吐逆食少，不成肌肤也；久坐湿地，强力入水则伤肾，腰脚重痛，行李不任也，此则五劳证候也。七伤者，是伤五脏七神，故肝藏魂，肺藏魄，心藏神，脾藏意与智，肾藏精与志，此为七神也。且五脏以七神而为主，主若无藏，如人无室，藏若无神，如室无人，以此比之，只可知也。今言七伤者，一曰阴衰，二曰精清里急，三曰精少，四曰精消，阳事不兴，五曰小便苦数，囊下湿痒，六曰胸胁苦痛，七曰阴寒，两胫厥冷，此皆脏腑虚损，表里受敌，肌虚筋骨不荣，故曰五劳七伤之病也，宜以饮食调适之。

（《圣惠方》）

1 药饼方

治五劳七伤，下焦虚冷，小便遗精宜食。暖腰肾，壮阳道，药饼主之。

附子一两，炮裂，去皮脐 神曲三两[1]，微炒 干姜一两，炮裂，剉 肉苁蓉一两半，酒浸一宿，刮去皱皮，炙干 桂心一两 五味子一两 菟丝子一两，酒浸三日，曝干，捣末 羊髓三两 大枣二十枚，煮，去皮核 汉椒半两，去目及闭口者，微炒去汗 酥二两 蜜四两

白面一升　黄牛乳一升半

【校注】

[1] 三两　《寿亲养老书》作“三合”。

2　牛肾粥方

治五劳七伤，阴痿气乏，牛肾粥主之。

牛肾一枚，去筋膜，细切　阳起石四两，布裹　粳米二合

右以水五大盏，煮阳起石，取二盏，去石下米及肾，着五味、葱白等，煮作粥，空腹食之。

（《圣惠方》）

3　药髓饼子方

治五劳七伤，肾气虚冷，腰膝疼痛，小便遗沥，药髓饼子主之。

干姜一分，炮裂，剉　汉椒半两，去目及闭口者，微炒，去汗　桂心一分　附子一两，炮裂，去皮脐　诃梨勒一分，煨，用皮　缩砂半两，去皮。以上作末　蜜一合　枣一百枚，去核，细切　羊筒骨髓五两　白面二斤　黄牛酥二两

右件药，捣细罗为末，入诸药物，同和作馅，分为八分，以溲面包裹，如常作髓饼，入炉上下着火煿，则须彻里过熟，每日空腹食一所，觉腰肾及膀胱暖则止。

（《圣惠方》）

4　酿猪肚方

治五劳七伤，羸瘦虚乏，酿猪肚食之。

豮猪肚一枚，净洗，去脂　杏仁一两，去皮尖，研　人参一两，去芦头　白茯苓一两　陈橘皮半两，汤浸去白瓤，焙　干姜一分，炮裂　芜荑一钱　汉椒一分，去目及闭口者，微炒去汗　莳萝一分　胡椒一分　黄牛酥一两　大枣[3]十一枚，去核，切　糯米五合，淘，折看用大小，临时加减

右件药，捣罗为末，每用药一两，入酥、枣、杏仁、米等，相和令匀，入猪肚内，以麻线缝合，即于甑内蒸令熟，切作片，空心渐渐食之。

（《圣惠方》）

5　雌鸡粥方

治五劳七伤，益下元，壮气海，服经月余，肌肉充盛，老成少年，宜食雌鸡粥。

黄雌鸡一只，去毛羽肠脏　肉苁蓉一两，酒浸一宿，刮去皴皮，切　生薯蓣一两，切　阿魏少许　炼过米二合，淘入

右以上先将鸡烂煮，擘去骨，取汁，下米及鸡肉、苁蓉等，都煮粥，入五味空心食之。

（《圣惠方》）

6　羊肾苁蓉羹方

治五劳七伤，阳气衰弱，腰脚无力，宜食羊肾苁蓉羹。

羊肾两对，去脂膜，细切　肉苁蓉一两，酒浸一宿，刮去皴皮，细切

右件药，相和作羹，着葱白、盐、五味末等，一如常法，空腹食之。

（《圣惠方》）

7　肉苁蓉粥方

治五劳七伤，久积虚冷，阳事都绝，肉苁蓉粥主之。

肉苁蓉二两，酒浸一宿，刮去皴皮，细切　粳米三合　鹿角胶半两，捣碎，炒令黄燥，为末　羊肉四两，细切

右件药，煮羊肉、苁蓉、粳米作粥，临熟，下鹿角胶末，以盐、酱、五味末调和，作两顿食之。

（《圣惠方》）

8　羊肾羹方

治五劳七伤，肾气不足，羊肾羹主之。

羊肾一具，去膜脂，细切　羊肉三两，切　嫩枸杞叶细切，一升　葱白三茎，去须，切　粳米半两　生姜三分，切

右件药，先炒肾及肉、葱白、生姜，欲熟下水二大盏半，入枸杞叶，次入米、五味等，煎作羹食之。

（《圣惠方》）

9 羊髓粥方

治五劳七伤，补虚强志益气，羊髓粥主之。

羊髓三合 羊肾一对，去脂膜 葱白三茎，去须，切 生姜半两，切 粳米一合 肉苁蓉二两，酒浸一宿，刮去皱皮，切

右以髓炒肾及葱、姜，欲熟，入水二大盏半，次入米、五味等，煮作粥食之。

（《圣惠方》）

10 茴香角子方

治五劳七伤，阴痿气乏，茴香角子治之。

茴香子 木香 巴戟 附子炮裂，去皮脐 汉椒去目，及闭口者，微炒出汗 山茱萸各一两 猪肾一对，去脂膜，细切

右件药，捣罗为末，每对猪肾，用药末二钱，入盐溲面，像肝角子样，修制，灰火内煨令熟，薄茶下，空腹服之。

（《圣惠方》）

11 葱豉粥方

治五劳七伤，体热喘急，四肢烦疼，葱豉粥主之。

香豉三合 葱白切，半升 羊髓一两 盐花半两 薄荷二十茎

右以水三大盏，先煎煮葱等四物十余沸，下豉，更煎五七沸，去滓，入米二合，煮为粥，空心温服之。

（《圣惠方》）

12 猪肾羹方

治五劳七伤，乍寒乍热，背膊烦疼，羸瘦无力，猪肾羹食之。

猪肾一对，去脂膜，切 生地黄四两，切 葱白一握，去须，切 生姜半两，切 粳米一合

右炒猪肾及葱白，欲熟，着豉汁五大盏，入生姜，下地黄及米，煎作羹食之。

（《圣惠方》）

13 羊肾羹方

治五劳七伤，髓气竭绝，羊肾羹主之。

羊肾一对，去脂膜，切　肉苁蓉一两，酒浸一宿，刮去皱皮　生薯蓣一两　羊髓一两　薤白一握，去须，切　葱半两，去须，切　粳米一合

右炒羊肾并髓等，欲熟，下米并豉汁五大盏，次下苁蓉，更入生姜、盐等各少许，煮成羹食之。

(《圣惠方》)

14 枸杞粥方

治五劳七伤，庶事衰弱，枸杞粥主之。

枸杞叶半斤，切　粳米二合

右件，以豉汁相和，煮作粥，以五味末、葱白等调和食之。

(《圣惠方》)

15 萝藦菜粥方

治五劳七伤，阴囊下湿痒，萝藦菜粥主之。

萝藦菜半斤　羊肾一对，去脂膜　粳米二合

右细切，煮粥，调和如常法，空腹食之。

(《圣惠方》)

16 猪肾羹方

治五劳七伤，阴痿羸瘦，精髓虚竭，四肢少力，猪肾羹主之。

猪肾一对，去脂膜，切　枸杞叶半斤，切

右用豉汁，二大盏半，相和，煮作羹，入盐、醋、椒、葱，空腹食之。

(《圣惠方》)

17 羊肾粥方

治五劳七伤，羸瘦，阳气不足，心神虚烦，羊肾粥主之。

白羊肾一对，去脂膜，切　羊髓二两　白粳米二合

右相和，煮作粥，入盐椒，空腹食之。

(《圣惠方》)

18　药髓饼子方

治五劳七伤，肾气虚冷，腰膝疼痛，小便遗沥，药髓饼子主之。

干姜炮裂，剉　桂心　诃黎勒皮各一分　附子一两，炮，去皮脐　椒半两，去目闭口者，炒去汗　缩砂半两，去皮。以上六味，碾为末　蜜一合　枣一百个，去核，细切　羊筒骨髓五两　白面二斤　黄牛酥二两

右件，捣罗为末，入诸药物等相和作馅，分为八分，以溲面包裹，如常作髓饼子，入炉上下着火煿，则须令彻裹过熟，每日空腹食一所，觉腰肾及膀胱暖则止。

(《神巧万全方》)

19　糯米粉搊粉方

糯米粉搊粉补虚冷劳损。

羊肉一脚子，卸成事件　草果五个　良姜二钱

右件，同熬成汤，滤净，用羊肝酱熬取清汁，下胡椒五钱，糯米粉二斤，与豆粉一斤，同作搊粉，羊肉切细乞马，入盐、醋调和，浑汁亦可食之。

(《饮膳正要》)

20　阿菜汤方

阿菜汤，补劳伤。

羊肉一脚子，卸成事件　草果五个　良姜二钱

右件，同熬成汤，滤净，下羊肝酱，同取清汁，入胡椒五钱。另羊肉切片，羊尾子一个、羊舌一个、羊腰子一副，各切甲叶。蘑菇二两，白菜，一同下，清汁、盐、醋调和食之。

(《饮膳正要》)

21　荤素汤方

荤素汤，补劳损。

羊肉一脚子，卸成事件　草果五个　回回豆子半升，捣碎，去皮

右件同熬成汤，滤净，豆粉三斤，作片粉，精羊肉切条道乞马，山药一斤，糟姜两块，瓜齑一块，乳饼一个，胡萝卜十个，蘑菇半斤，生姜四两，各切，鸡子十个，打煎饼，切，用麻泥一斤，杏泥半斤，同炒，葱、盐、醋调和食之。

(《饮膳正要》)

22　黄汤方

黄汤[1]，治劳伤身痛。

羊肉一脚子，卸成事件　草果五个　回回豆子半升，捣碎，去皮

右件，同熬成汤，滤净，下熟回回豆子二合，香粳米一升，胡萝卜五个，切，用羊后脚肉丸肉弹儿，肋枝一个，切，寸金姜黄三钱，姜末五钱，咱夫兰[2]一钱，芫荽叶同盐、醋调和食之。

(《饮膳正要》)

【校注】

[1] **黄汤**　用姜黄为汤。

[2] **咱夫兰**　即番红花。

23　团鱼汤方

团鱼汤，主伤中，益气，补不足。

羊肉一脚子，卸成事件　草果五个

右件，熬成汤，滤净，团鱼五六个，煮熟，去皮、骨，切作块，用面二两，作面丝，生姜汁一合，胡椒一两，同炒，葱、盐、醋调和食之。

(《饮膳正要》)

24　羊蜜膏方

羊蜜膏，治虚劳，腰痛，咳嗽，肺痿，骨蒸。

熟羊脂五两　熟羊髓五两　白沙蜜五两，炼净　生姜汁一合　生地黄五合

右五味，先以羊脂煎令沸，次下羊髓又令沸，次下蜜、地黄、生姜汁，不住手搅，微微火熬数沸成膏。每日空心温酒调一匙头。或作羹汤，或作粥食之亦可。

(《饮膳正要》)

25 羊脏羹方

羊脏羹，治肾虚劳损，骨髓伤败。

羊肝 肚 肾 心 肺各一具，汤洗净 牛酥一两 胡椒一两 荜茇一两 豉一合 陈皮二钱，去白 良姜二钱 草果两个 葱五茎

右件，先将羊肝等慢火煮令熟，将汁滤净。和羊肝等并药，一同入羊肚内，缝合口，令绢袋盛之，再煮熟，入五味，旋旋任意食之。

（《饮膳正要》）

26 羊脊骨粥方

羊脊骨粥，治下元久虚，腰肾伤败。

羊脊骨一具，全者，捶碎 肉苁蓉一两，切作片 草果三个 荜茇二钱

右件，水熬成汁，滤去滓，入葱白、五味，作面糕食之。

（《饮膳正要》）

27 乌鸡汤方

乌鸡汤，治虚弱，劳伤，心腹邪气。

乌雄鸡一只，挦洗净，切作块子 陈皮一钱，去白 良姜一钱 胡椒二钱 草果两个

右件，以葱、醋、酱相和，入瓶内，封口，令煮熟，空腹食。

（《饮膳正要》）

28 山药馎饦方

山药馎饦[1]，治五劳七伤，心腹冷痛，骨髓伤败。

羊骨七五块，带肉 萝卜一枚，切作大片 葱白一茎 草果五个 陈皮一钱，去白 良姜一钱 胡椒二钱 缩砂二钱 山药二斤

右件同煮，取汁澄清，滤去滓，面二斤，山药二斤，煮熟，研泥，溲面作饦，入五味，空腹食之。

（《饮膳正要》）

【校注】

[1] 馎饦 汤饼。

29　治虚劳咳血方

治虚劳咳血。

鲜茅根三两　鲜藕三两

右二味共煮，藕熟，去茅，食藕，啜汁。分二服，以血止为度。

30　又方[1]

梨汁半升　生地汁三合　茅根捣取汁，三合　藕汁三合

右煎浓，入蜂蜜十两，熬如稀饧，即成膏，每日早晚各服一匙。

(《医学从众录》)

【校注】

[1] 此方凉血止血，对阴虚火旺出血而言，甚宜。

31　又方[1]

生地三钱　熟地三钱　当归三钱　白芍一钱　甘草一钱　玄参一钱　贝母一钱　白及二钱　百合二钱

右以水一升，煮至七合，去滓，入米一合煮粥食，分二服，每日一剂以血止为度。

(《慎斋遗书》)

【校注】

[1] 此方对阴血亏虚之咳血而言，甚宜。

32　又方[1]

人参　麦冬　五味子　黄芪　当归　白芍　川贝母　马兜铃　甘草各一两

右捣罗为末，每取五钱，以米二合煮粥食，分二服，每日煮一次。

(《医宗金鉴》)

【校注】

[1] 此方以补气血镇咳为主，当咳嗽止，伤口愈合，出血自然停止。

33 治五劳七伤咯血方

治五劳七伤，咳嗽咯血。

乌鸦一只，治净　瓜蒌一枚　白矾一分

右先将后二者塞乌鸦肚中，线缝扎紧，用瓦锅内煮熟，入五味，分四次食之。

(《经验方》)

34 治劳瘵咳血方[1]

治劳瘵咳血，消瘦。

熟地十六两　茯苓三两　天冬　麦冬　人参　枸杞子各一两

右六味水煮汁熬成膏。每日早晚各服半匙。

(《经验方》)

【校注】

[1] 此方亦治气血两虚之证，服药期间忌房事。

35 治虚劳骨蒸方

治虚劳骨蒸久不退。

人参一两，细切，研末　柴胡一两，细切，捣末

右二味和匀，每取三钱，姜三片，枣三枚，煮稀粥食之。

(《经验方》)

36 又方

鳗鲡鱼半斤

右一味治净，酒一盏，煮熟，入陈醋食之。每日一次。

(《经验方》)

四、头痛食医诸方

简论：头为诸阳之会，精明之府，凡外感六淫之邪，内伤气、血、

痰、郁之变，皆致头痛。如风痰，血热上冲，则头痛如劈，甚或谵语狂乱，甚或中风。内伤头痛多伴有眩晕，或视物昏花，此皆因长期肝阳上亢所致。治宜平肝潜阳。本节食医诸方，一治外邪头痛，一治内伤头痛。

（尚志钧）

1 治头痛[1]方

川芎四钱 荆芥三钱 薄荷三钱 防风三钱 甘草二钱 白芷三钱 羌活三钱

右研细末，每取二钱，食后以茶水送服。中病即止。不宜久服。

（《得效方》）

【校注】

[1] **头痛** 此头痛，每当吹风受凉时即发，呈强烈跳痛，或钻痛，甚或涨裂痛。

2 治风湿头痛方

治风湿头痛，头重而昏痛，全身有沉重感，舌苔滑腻。

羌活三钱 独活二钱 白芷二钱 防风一钱 蔓荆子一钱 甘草一钱

右以水两盏，煮为一盏，去滓，食后温服。

（《内外伤辨惑论》）

3 治暑热头痛方

治夏天暑热头痛心烦。

银花二钱 藊豆花二钱 鲜荷叶边三钱 西瓜翠衣三钱 丝瓜皮三钱 绿豆三合

右先将绿豆以水一升半煮至豆烂，将余以布袋装，扎口，下锅，同煮一二沸，吃豆啜汁。

（《经验效方》）

4 治偏头痛方

治偏头痛，头一侧或两侧痛。

柴胡五钱 川芎五钱 菊花二钱 细辛一钱 防风三钱 前胡三钱 薄荷三钱 蝉蜕一钱 蔓荆子一钱

右捣罗为末，每取六钱，以水一升，煮取七合，去滓，入米二合，煮粥食之。

（《普济本事方》）

5　治偏头痛方

治偏头痛，忧恚而怒，善叹息，两胁胀痛。

胀痛，肢体有时麻木。

丹皮二钱　制香附二钱　柴胡二钱　薄荷一钱　白术二钱　茯苓二钱　当归二钱　白芍二钱

右为末，每取六钱煎汤服，分二次服。

（《经验方》）

6　又方[1]

柴胡一钱五分　当归一钱五分　白芍一钱五分　枳壳一钱　青皮一钱五分　陈皮一钱五分　沉香一钱　广木香一钱五分　桂心五分

右以水二盏，煮沸，移时，顷出汁，分二服。滓留第二天再入水二盏煮，热服。第三日再换一剂，如上法，作两天煮汁服。

（《丹台玉案》）

【校注】

[1] 此方亦可制丸服，每日早晚各服一钱五分，以胁痛止、肢体麻木消失为度。

7　治头昏痛方

治头昏痛，眩晕，手足微麻，头胀、胸膈胀闷。

天麻三钱　僵蚕三钱　半夏三钱　白附子二钱，炮　胆南星二钱　陈皮二钱　苍术三钱　茯苓五钱　防风三钱

右为末，日二服，每取一钱五分米饮送下。

（《经验方》）

8　治气血虚头痛方

治气血虚头痛，喜用布将头扎住。若久视或闻噪声，其痛加重。

党参　黄芪　当归　川芎　白芷　枸杞　黄精　龙眼肉各一两

右捣罗为末，每取六钱，以水一升，煮取半升，滤去滓，入米二合，煮粥食之。

（《经验方》）

9　治肝阳亢头痛方

治肝阳上亢头痛，宜饮菊花酒。

菊花十五两，捣末　糯米一斗

先将糯米蒸熟，入菊花末十五两，溲拌如常酿酒法，多用细面曲为佳，候熟，每服一杯，能治头风头旋。

（《运化玄枢》）

10　又方

治肝阳亢头痛，头晕目眩，腰膝痛，脚软无力。

当归五钱　白芍三钱　熟地一两　山药一两　怀牛膝五钱　杜仲五钱　桑寄生五钱　丹皮三钱　山萸肉三钱　茯苓三钱　泽泻三钱

右为末，每日二次，每次取三钱末，米汤调饮下。

（《经验方》）

五、中风食医诸方

简论：夫风者，四时五行之气，分布八方，顺十二月，终三百六十日，各以时从其乡来，为正气之风。风在天地为五行，在人为五脏之气，生长万物，非毒疠之气，人当触之，遇不胜之气乃病。人之在身，惟血与气。故身内血气为真，身外风气为邪。邪者风也，是以圣人言避风如避矢，故今人中风多病死者，是不避风邪毒气也，宜以食治之。

（《圣惠方》）

1　豉粥方

治中风，手足不遂，口面㖞偏，言语謇涩，精神昏闷，宜食豉粥。

豉半升　荆芥一握　薄荷一握　葱白一握，切　生姜半两，切　盐花半两　羊髓一两右件药，先以水三大盏，煎豉、荆芥等十余沸，去滓，下薄荷等，入米煎作粥食之。

（《圣惠方》）

2 冬麻子粥方

治中风，五脏壅热，言语謇涩，手足不遂，神情冒昧，大肠涩滞，宜吃冬麻子粥。

冬麻子半升　白粱米三合　薄荷一握　荆芥一握

右件药，以水三大盏，煮薄荷等取汁二盏，去滓，用研麻子滤取汁，并米煮作粥，空腹食之。

（《神巧万全方》）

3 治中风偏瘫方

治中风偏瘫重证。

野狐一只，剥去皮，剐肉成片

右以糯米三斗，依照羊羔法，骨打折熬浆，用面曲酿酒，一般酒熟，瓷器内盛放，朝暮随意温服。

（《经验秘方》）

4 治中风偏瘫方

治中风偏瘫，多于夜间发生，晨起半身偏瘫，舌强，言语不清，或口眼㖞斜。

川芎　当归　赤芍　桃仁　红花　丹参各五钱　黄芪二两　广地龙五钱

右以水一升半，煮至一升，分二服。每日一剂。

（《医林改错》）

5 治中风[1]方

治中风突然昏倒，手脚撒开，或大小便失禁。

大活络丹一枚

右一味，用开水化开，灌服。

【校注】

[1] **中风** 此病事先多无明显自觉症状，多因过度劳累或暴怒，或冲撞跌仆，或用力过猛，如解大便用力努挣而诱发。高血压患者应在饮食上少吃大荤油腻厚味及过饱，多吃素菜和水果，每餐吃到七八成饱最好；并尽可能多做柔和的运动，疏通经脉，以减少中风发作。

6 又方

治中风突然昏倒，呼吸气粗，面潮红，牙关紧闭，两手握拳，喉中痰鸣。舌强不能言。

至宝丹一粒

右一味以温开水化灌之。

7 又方[1]

远志五分 石菖蒲一钱 琥珀一钱五分，研碎 牛黄五分 胆南星五分 丹参三钱 陈皮一钱 麦冬一钱五分 黄连五分 淡竹叶三钱

右以水一升，煎至半升，频频灌之。

（《医醇賸义》）

【校注】

[1] 此方亦治高血压、头痛头晕。

8 葛粉拨刀方

治中风，手足不遂，言语謇涩，精神昏愦，宜吃葛粉拨刀。

葛粉四两 荆芥半两[1] 葱白一握，切 生姜半两[2]，切 川椒五十枚，去目及闭口者 香豉一合 盐花半两 羊筒骨髓一两

右件药，以水五大盏，先煎荆芥等取汁三盏，和葛粉切作拨刀，入汁中煮熟，顿食之。

（《圣惠方》）

【校注】

[1] **半两** 《神巧万全方》作“半斤”。

[2] **半两** 《神巧万全方》作“半斤”。

9　薏苡仁粥方

治中风，筋脉挛急，不可屈伸及风湿等，宜吃薏苡仁粥。

薏苡仁二合[1]　薄荷一握　荆芥一握　葱白一握　豉一合

右件药，先以水三大盏，煎薄荷等取汁二盏，入薏苡仁，煮作粥，空腹食之。

（《圣惠方》）

【校注】

[1] **二合**　《神巧万全方》作“一合”。

10　治中风方

食治老人中风，言语謇涩，精神昏愦，手足不仁，缓弱不遂。

葛粉五两　荆芥一握　豉五合

右以溲葛粉如常作之，煎二味取汁，煮之下葱、椒、五味、臛头，空心食之一二服，将息为效，忌猪肉、荞面。

（《寿亲养老书》）

11　荆芥粥方

食治老人中风，口面㖞偏，大小便秘涩，烦热，荆芥粥。

荆芥一把，切　青粱米四合，淘　薄荷叶半握，切　豉五合，绵裹

右以水煮，取荆芥汁，下米及诸味，煮作粥，入少盐、醋，空心食之，常服佳。

（《寿亲养老书》）

12　乌鸡臛方

治老人中风烦热，言语涩闷，手足热。乌鸡臛主之。

乌鸡半斤，细切　麻子汁五合　葱白一把

右煮作臛，次下麻汁、五味、姜、椒令熟，空心食之，补益。

（《必用之书》）

13　大豆酒方

治老人卒中风，口噤，身体反张不语。大豆酒主之。

大黑豆一升

右一味熬熟，即下无灰好清酒一升[1]，右熬豆令声绝，即下酒，投之。煮一二沸，去滓，顿服之，覆卧取汗差，口噤拗灌之。阴证急伤寒，服此神效。

（《必用之书》）

【校注】

[1] **一升**　《寿亲养老书》作“二升”。

14　甘草豆方

食治老人中风，热毒心闷，气壅昏倒，甘草豆主之。

甘草一两　乌豆三合　生姜半两，切

右以水二升，煎取一升，去滓，冷，渐食服之，极治热毒。

（《寿亲养老书》）

15　苍耳叶羹方

食治老人中风，四肢不仁，筋骨顽强，苍耳叶羹主之。

苍耳叶五两，切，好嫩者　豉心二合，别煎

右和煮作羹，下五味、椒、姜调和，空心食之尤佳。

（《寿亲养老书》）

16　驴头羹方

驴头羹，治中风头眩，手足无力，筋骨烦痛，言语謇涩。

乌驴头一枚，挦洗净　胡椒二钱　草果二钱

右件，煮令烂熟，入豆豉汁中，五味调和，空腹食之。

（《饮膳正要》）

17　乌鸡酒方

乌鸡酒，治中风，背强，舌直不得语，目睛不转，烦热。

乌雌鸡一只，挦洗净，去肠肚

右件，以酒五升，煮取酒二升，去滓。分作三服，相继服之。汁尽，无时熬葱白、生姜粥投之，盖覆取汗。

（《饮膳正要》）

18　羊肚羹方

羊肚羹，治诸中风。

羊肚一枚，洗净　粳米二合　葱白数茎　豉半合　蜀椒去目、闭口者，炒出汗，三十粒　生姜二钱半，细切

右六味拌匀，入羊肚内烂煮熟，五味调和，空心食之。

（《饮膳正要》）

19　葛粉羹方

葛粉羹，治中风，心脾风热，言语謇涩，精神昏愦，手足不遂。

葛根半斤，捣，取粉四两　荆芥穗一两　豉三合

右三味，先以水煮荆芥、豉六七沸，去滓，取汁，次将葛粉作索面，于汁中煮熟，空腹食之。

（《饮膳正要》）

20　荆芥粥方

荆芥粥治中风，言语謇涩，精神昏愦，口眼㖞斜。

荆芥穗一两　薄荷叶一两　豉三合　粟米三合

右件，以水四升，煮取三升，去滓，下米煮粥，空腹食之。

（《饮膳正要》）

21　麻子粥方

麻子粥治中风，五脏风热，语言謇涩，手足不遂，大肠滞涩。

冬麻子二两，炒，去皮，研　白粟米三合　薄荷叶一两　荆芥穗一两

右件，水三升，煮薄荷、荆芥，去滓，取汁，入麻子仁同煮粥，空腹食之。

（《饮膳正要》）

22 恶实菜方

恶实菜治中风，燥热，口干，手足不遂及皮肤热疮。

恶实菜叶肥嫩者　酥油

右件，以汤煮恶实叶三五升，取出，以新水淘过，布绞取汁，入五味，酥点食之。

（《饮膳正要》）

23 乌驴皮汤方

乌驴皮汤，治中风，手足不遂，骨节烦疼，心燥，口眼面目㖞斜。

乌驴皮一张，挦洗净

右件，蒸熟，细切如条，于豉汁中，入五味，调和匀，煮过，空心食之。

（《饮膳正要》）

24 羊头脍方

羊头脍，治风头，头眩，羸瘦，手足无力。

白羊头一枚，挦洗净

右件，蒸令烂熟，细切，以五味汁调和脍，空腹食之。

（《饮膳正要》）

25 治口眼㖞斜方

治口眼㖞斜，一侧口角下垂流涎，面部一侧偏瘫，及半身不遂。

白附子一两　白僵蚕一两　全蝎一两

右研细末，入胡桃肉三两，捣为细末。每日三次，每次取二钱药末，以米汤送服。

（《杨氏家藏方》）

26 又方[1]

天麻五钱　制川乌五钱　白附子五钱　全蝎五钱，炒　白僵蚕五钱

右为细末备用。

另用：

荆芥穗三钱　防风三钱　羌活三钱　川芎二钱　细辛一钱　薄荷二钱　甘草一钱　桔梗二钱

以水一升，煮取半升，去滓，分为两份。每份送服上述药粉三钱。

（《寿世保元》）

【校注】

[1] 此方以散风为主，对风中经络之始，即刚得病时，用之有一定疗效，过时则无效。

27　又方

桃仁三钱　红花三钱　当归四钱　赤芍四钱　熟地五钱　川芎三钱　胆南星四钱　姜半夏四钱　僵蚕三钱　全蝎二钱　蜈蚣一条　地龙五钱　黄芪二两

右研细末，每日三次，每次二钱，米汤饮下。

（《经验方》）

28　治中风口眼㖞斜方[1]

治中风口眼㖞斜。

乌驴皮四两，去毛，治净，切碎

右一味蒸熟，入豉汁中，和五味煮食之，日日食之，取效。

（《经验方》）

【校注】

[1] 此方与驴皮胶（阿胶）功效略同。

29　炙熊肉方

食治老人风邪，缓弱不仁，四肢摇动，无气力，炙熊肉食之。

熊肉一斤，切　葱白半握，切　酱　椒等

右以五味腌之，炙熟，空心冷食之，恒服为佳。亦可作羹粥，任性食之尤佳。

（《寿亲养老书》）

30　牛蒡馎饦方

食治老人风邪，口目瞤动，烦闷不安，牛蒡馎饦主之。

牛蒡根切，一升，去皮，曝干，杵为面　白米四合，净淘研之

右以牛蒡粉和面作之，向豉汁中煮，加葱、椒、五味、臛头，空心食之，恒服极效。

（《寿亲养老书》）

31　治老人风邪抖动方[1]

治老人风邪，肢体抖动。

当归二钱　白芍一钱　生地六钱　龙齿三钱，捣碎　珍珠母一两，捣碎　沉香五分　续断二钱　天麻三钱　独活一钱　钩藤四钱，后下

右先将珍珠母、龙齿以水一升半，煎至一升，去滓，入其他药，再煎至半，再去滓，分二次服。每次送服羚羊角细末八分。

（《医醇賸义》）

【校注】

[1] 此方亦治高血压、头痛头晕。

32　又方[1]

柴胡四钱　黄芩一钱五分　生姜一钱五分　姜半夏二钱　党参五钱　大枣四枚，擘　龙骨二钱　牡蛎二钱　桂枝一钱五分　茯苓二钱　大黄二钱，后下

右以水一升，煮取半升，分二次服，滓再煮再服。

（《伤寒论》）

【校注】

[1] 此方对于由过度抑郁所致诸症，均适用。

33　治老人颤动方

治元气虚及血虚，头摇动，手颤动。

人参二钱　黄芪二钱　白术二钱　山药二钱　甘草二钱　当归三钱　熟地三钱　枸杞三钱　山萸肉一钱　五味子一钱　杜仲二钱

右以水一升半，煮取一升，去滓，分三次温服。滓再煎再服。

（《罗氏会约医镜》）

34　治老人颤抖又方[1]

治老人气血虚，两手颤抖。

黄芪五钱　当归二钱　川芎一钱　熟地五钱　白芍三钱　白术三钱　防风二钱　天麻三钱　全蝎一钱　细辛一钱　秦艽三钱　威灵仙三钱

右研细末，每取六钱，水一升，煮取半升，分二次服，滓再煮再服

（《赤水玄珠》）

【校注】

[1] 此方亦治风寒湿痹痛，手足拘急，步履不稳，不能持握。

35　治老人痴呆方

治老年人痴呆，心神恍惚，举止失常。

党参三钱　半夏三钱　茯神三钱　柴胡三钱　当归三钱　白芍三钱　郁金三钱　远志三钱　枣仁五钱　胆南星三钱　附子一钱，炮　石菖蒲二钱　神曲三钱

右以水一升，煮取半升，分二次服。滓，再煎再服。

（《石室秘录》）

36　治老人痴呆又方[1]

治老人痴呆，精神恍惚，神志错乱，洁秽不分。

枣仁三钱　远志一钱　龙齿三钱　柏子仁三钱　党参三钱　麦冬三钱　五味子一钱　山药五钱　熟地五钱　茯苓五钱　肉桂五分　巴戟三钱　肉苁蓉三钱

当归五钱　白芍五钱

右研细末，每取六钱，水一升，煮取半升，去滓，入米二合，煮粥，分二次食之。

（《和剂局方》）

【校注】

[1] 此方亦治心悸、健忘。

37　又方

治老人痴呆，心神恍惚，语无伦次，甚或嬉笑不休。

党参一两　人参一钱　茯苓五钱　远志五钱　石菖蒲五钱　姜半夏三钱　柴胡二钱　当归三钱　白芍三钱　枳壳二钱

右为细末，每取六钱，以水一升，煮取半升，去滓，入米二合，煮粥，分二次食，滓再煮，当茶吃。

(《外台秘要》)

38　又方[1]

党参一两　茯神五钱　陈皮三钱　半夏三钱　白芥子三钱　附子一钱，炮　枣仁五钱　远志三钱　石菖蒲三钱

右研细末，每取六钱，水一升，煮取半，入米一合，煮粥，分两次食之。滓再煮，当茶饮。

(《辨证录》)

【校注】

[1] 此方治老人痴呆，终日不语，洁秽不分。

39　又方[1]

治老年痴呆发狂，或歌或笑。

白矾三钱　郁金七钱

右研细末，米糊为丸，如梧子，每服五十丸。

(《得效方》)

【校注】

[1] 此方亦治癫狂，神志不清，言语错乱。

六、脏躁食医诸方

简论：夫脏躁者，其始心地狭隘，所欲不遂，加之情志久郁，乃致心神不能自主。当神明乱，则情志失常。治宜宽心胸，少物欲，养心安神，则情志自宁。

(尚志钧)

1 酸枣粥方

酸枣粥，治失志，心烦，不得睡卧。

酸枣仁一碗

右用水，绞取汁，下米三合煮粥，空腹食之。

(《饮膳正要》)

2 生地黄粥方

生地黄粥，治失志，所欲不遂，心血暗耗，渐渐羸瘦，心烦不得睡卧。

生地黄汁一合　酸枣仁二两，捣烂水绞，取汁二盏

右件，水煮同熬数沸，次下米三合煮粥，空腹食之。

(《饮膳正要》)

3 莲子粥方

莲子粥，治心志不宁。补中强志，聪明耳目。

莲子一升，去心

右件煮熟，研如泥，与粳米三合，作粥，空腹食之。

(《饮膳正要》)

4 猪肉羹方

治精神恍惚，语无伦次，哭笑无度。猪肉羹主之。

猪肉及五脏一斤　豉汁二升

右于豉汁中煮作羹，入五味食之，或炙食之。

(《寿域神方》)

5 治脏躁方

治脏躁症，心烦，易怒，易激动，或冲动，不能自控。

柴胡三钱　当归三钱　白芍三钱　枳壳二钱　郁金三钱　川芎一钱　制香附三钱　木香一钱　合欢花二钱

右研细末，一日三次，每次以米汤送服一钱五分。

(《经验方》)

6　甘麦大枣粥方

治脏躁症，精神恍惚，心悸，不寐，或悲伤欲哭，宜食甘麦大枣粥。

甘草五钱　小麦五钱　大枣十二枚，擘

右以水一升，煮取半升，去滓，入米二合，煮粥，分二次食之。滓再煮当茶饮。每日一剂。

(《金匮要略》)

7　治神志失常方

治神志失常，其人似若鬼魅邪祟之状。

獭肝一具，细切，焙干，研末

右一味，每用二钱和粥食之，日三服。

(《经验方》)

8　治善恐方

治善恐，如人之将捕，夜卧不安，或梦中惊跳怵惕。

党参一两　朱茯神一两　龙齿五钱　远志五钱　石菖蒲五钱　枣仁五钱　桂枝三钱　麦冬五钱　生甘草三钱

右为细末，每用三钱和粥食之。日三服。

(《医学心悟》)

9　百合粥方

治精神恍惚，心烦，坐卧不安，宜食百合粥。

百合一两，捣碎　粳米三合

右二件，以水一升，煮粥食之。

(《本草纲目》)

七、风邪癫痫食医诸方

简论：夫风邪癫痫者，由血气虚，风邪入于阴经故也。人有气血，荣养脏腑，若气血少，则心虚而精神离散，恍惚不安。因为风邪所伤，则发癫也。又痫病者，亦由积蓄风热，发则仆地，吐涎沫，无所觉者是也。宜以食治之。

（尚志钧）

1 苦竹叶粥方

治风邪癫痫，心烦惊悸，宜吃苦竹叶粥主之。

苦竹叶二握　粟米二合

右先以水二大盏半，煮苦竹叶，取汁一盏五分，去滓，用米煮作粥，空腹食之。

（《圣惠方》）

2 石膏粥方

治风邪癫痫，口干舌焦，心烦头痛，暴热闷乱，宜吃石膏粥。

石膏半斤　粳米三合

右以水五大盏，煮石膏，取二大盏，去石膏，用米煮粥，欲熟，入葱白二茎，豉汁一合，更同煮候熟，空心食之，石膏可三度用之。

（《圣惠方》）

3 猪心羹方

治风邪癫痫，忧恚虚悸，及产后中风痫恍惚，猪心羹主之。

猪心一枚，细切　枸杞叶半斤，切　葱白五茎，切

右以豉二合，用水二大盏半，煎取汁二盏，去豉，入猪心等，并五味料物作羹食。

（《神巧万全方》）

4 雄鸡羹方

治风邪癫痫，不欲睡卧，自能骄倨，妄行不休，言语无度，安五脏，下气，宜吃白雄鸡羹。

白雄鸡一只，治如食法

右以水煮令烂熟，漉出，擘肉，于汁中入葱、姜、五味作羹，空心食之。

(《神巧万全方》)

5　猳猪肉脍方

治风邪癫狂病，经久不差，或歌或笑，行走无时，宜吃猳猪肉脍。

猳猪肉五斤

右以水煮熟，切作脍，入五味，取性食之。

(《神巧万全方》)

6　猪头脍方

治风邪癫痫，发歇不定，宜吃猪头脍。

猪头一枚

右以水煮熟，停冷，切作脍，以五味食之。

(《圣惠方》)

7　野狐肉羹方

治风邪癫痫，或言语恍惚，脏腑虚冷，宜吃野狐肉及五脏作羹。

野狐肉一斤，及肠肚，净洗

右以豉三合，以水五大盏煎，取汁三盏，去豉，入狐肉及五脏，相合作羹，入五味调和食之，或蒸或煮食之并效。

(《圣惠方》)

8　驴肉腌脍方

治风邪癫痫，及愁忧不乐，安心气，宜吃驴肉。

驴肉五斤

右先以水煮熟，细切，用豉汁中着葱、酱食之，或作羹亦得。

(《圣惠方》)

八、风寒风热食医诸方

简论：夫风寒风热者，由肤腠虚，风寒热之气，先伤皮毛，而入于肺，风在胸膈，心肺壅滞，则令人头面浮热，心神昏闷，故谓之风寒热也。宜以食治之。

（尚志钧）

1　糯米葱姜粥方

治风寒头痛鼻垂，身痛如鬼击，宜食糯米葱姜粥。

糯米半合　生姜五片　大葱带须七茎，细切

先将前二件以水两大碗煮三沸，入葱，煮至半熟，再加米醋半匙，入内和匀，乘热饮汤，于避风处睡，以出汗为度。

（《经验效方》）

2　葱姜粥方

治风寒感冒，恶寒发热，头痛鼻塞，浑身酸痛，宜食葱姜粥。

生姜七片　粳米半合　葱三条，连根、叶，洗净，细切

右前二味以水一碗煮稀粥，待熟，入葱，煮沸，乘烫热时饮之，盖被静卧，待全身汗出而解。如汗出不彻，则感冒将迁延几天。

（《经验方》）

3　葱豉汤方

葱白二十条　豆豉四钱

右以水一大碗，煮取半小碗，乘汤热顿服。

（《肘后方》）

4　桑杏甘桔汤方

治风热感冒咳嗽，宜服桑杏甘桔汤。

生甘草一钱，切　桔梗二钱，切　杏仁二钱，打碎　桑叶一钱五分　菊花一钱　薄荷一钱　连翘一钱五分

右以水一碗，煮至半碗，去滓温服，日二服。

（《温病条辨》）

5 木通粥方

治风热多睡，头痛烦闷，宜服木通粥治之。

木通二两，剉 粳米二合

右以水二大盏，煮木通取汁一大盏半，去滓，下米煮粥，温温食之。

（《圣惠方》）

6 豆豉粥方

治风热攻心，烦闷不已，豆豉粥主之。

豆豉二合 青竹茹一两 米二合

右以水三大盖，煎豉、竹茹，取汁一盏半，去滓，下米煮粥，温温食之。

（《圣惠方》）

7 蒸牛蒡方

治风热，解丹石诸毒，蒸牛蒡食之。

牛蒡嫩叶一斤，洗如法 好酥随多少

右煠牛蒡叶熟，更洗去苦味，重以酥及五味蒸炒食之，兼堪下饭。秋冬用根佳，春夏用叶。

（《圣惠方》）

8 又方

牛蒡根一两

右牛蒡根捣绞取汁，每服二合，日三服。

（《圣惠方》）

9 又方

茅根一握

右茅根，捣绞取汁一大盏，食后分为四服。

（《圣惠方》）

10 天门冬膏方

治风热烦闷，口干多渴，宜服煮天门冬膏。

天门冬二斤，去心　蜜二合

右以水五升，煮天门冬十余沸，漉出，以新汲水淘三五遍，沥干，又以水三升，和蜜，又煮三五沸，和汁，收于不津器中，逐日吃三两，及饮汁一合，立效。

（《圣惠方》）

11 大枣粥方

治风热烦闷，心悬肠癖，腹中邪气，养脾胃气，助十二络脉，通九窍，安神除恍惚，大枣粥方。

大枣二七枚　茯神半两　粟米二合

右件药细剉，先以水二大盏，煮至一盏半，去滓，下米煮粥，温温食之。

（《圣惠方》）

12 黄梨汤方

治风热攻心，烦闷恍惚，神思不安，煮黄梨汤服之。

黄梨三枚，切　沙糖半两

右以水一大盏，煎至六分，去滓，食后分温二服。

（《神巧万全方》）

13 蒸百合方

治肺脏壅热烦闷，含呷蒸百合。

新百合四两

右用蜜半盏，和蒸令软，时时含一枣大，咽津服之。

（《寿亲养老书》）

14 醍醐酒方

治风热壅于肌表，皮肤瘙痒，醍醐酒主之。

醍醐四两

右件药，每服以暖酒一中盏，调下半匙。

（《圣惠方》）

15 天蓼粥方

治风不论冷热，宜吃天蓼粥。

木天蓼半斤，捣为末

右以水一大盏半，入末半匙，煎至一盏，去滓，澄清，入米一合煮粥，空心食之。

（《圣惠方》）

16 发汗豉粥方

治中风伤寒，壮热头痛，初得三二日，宜服发汗豉粥。

豉一合　荆芥一握　麻黄三分，去根节　葛根一两，剉　栀子仁三分　石膏三两，捣碎绵裹　葱白七茎，切　生姜半两，切　粳米二合

右以水三大盏，都煎至二盏，去滓，内米煮作稀粥服之，汗出为效，如未有大汗，宜再合服之。

（《圣惠方》）

17 枣仁煎饼方

治风热，心胸烦闷，不得睡卧，宜食酸枣仁煎饼。

酸枣仁三分，炒熟，捣末　人参一分[1]，末　茯神一分，末　糯米四两，水浸，细研　白面四两

右件药末，入米面中，以水调作煎饼，食之，要着肉臛、五味食之并可。

（《圣惠方》）

【校注】

[1] **一分**　《神巧万全方》作“一两”。

18 淡竹沥粥方

治热毒风，心膈烦闷，或小便赤涩，淡竹沥粥主之。

淡竹沥一合　石膏一两，捣碎　黄芩一分，捣碎　粟米二合　蜜半合

右先以水二大盏半，煎石膏、黄芩至一盏半，去滓，下米煮粥，欲熟入竹沥及蜜，搅匀，候熟，任意食之。

（《神巧万全方》）

19　茯苓粥方

治心胸结气，烦闷恐悸，风热惊邪，口干，茯苓粥主之。

赤茯苓一两　麦门冬一两，去心　粟米一合

右件药，细剉，先以水二大盏半，煎至一盏半，去滓，下米煮作粥，温温食之。

（《圣惠方》）

20　苍术葛根粥方

治风湿感冒，头重痛如裹，身痛沉重，宜食苍术葛根粥。

苍术一两，切，研末　葛根五钱，切　甘草三钱　葱连根一条

右以水一碗半，煮至一碗，去滓，入粳米一合，煮粥食之。

（《洪氏集验方》）

21　当归柴胡粥方

治血虚感冒低烧，宜食当归柴胡粥。

当归五钱，细切　柴胡三钱，切　炙甘草一钱五分

右三味，以水一大碗，煮至半碗，去滓，入粳米一合，煮粥食之。每日一剂，至热退为度。

（《经验方》）

九、咳喘食医诸方

简论：夫五脏六腑皆有嗽，而肺最多，然肺居四脏之上，外合皮毛，易受风冷，故肺独易为嗽也。寒气客于肺，则寒热上气，喘急汗出，胸满喉鸣，多痰唾，面目浮肿，故谓肺嗽也；肝嗽者，其状左胁下痛，甚则不能转侧；心嗽者，其状嗽而心痛，喉中介介如鲠状，甚即咽肿；脾嗽者，其状右胁痛，痞痞引于背，甚者则不可转动，动则嗽剧；肾嗽者，其状腰背相

引，痛甚则咳逆，此皆由风寒冷热所伤，或饮食不节所致，宜以食治之也。

（《圣惠方》）

1　粳米桃仁粥方

治上气咳嗽，胸膈妨痛，气喘，粳米桃仁粥主之。

粳米二合　桃仁一两，汤浸，去皮尖双仁，研

右以桃仁和米煮粥，空腹食之。

（《圣惠方》）

2　又方

猪胰一具，去脂，细切　生地黄六两，取汁　稀饧四合

右炒猪胰，即下地黄汁，及姜、葱、盐、豉各少许，候熟，去滓取汁，即下饧搅匀，以瓷器中盛，每食后，吃三两匙。

（《圣惠方》）

3　猪胰酒方

治上气喘急，咳嗽，宜服猪胰酒。

猪胰三具，去脂，细切

右以枣三十枚，去皮核，以好酒三升同浸，秋冬七日，春夏三日，布捩去滓，随性缓服之。

（《神巧万全方》）

4　灌藕蒸方

益心润肺，治胸膈烦躁，除咳嗽，灌藕蒸食之。

生藕三挺大者　生芋药三两　白茯苓末，三两　面四两　天门冬二两，去心，细切　枣三七枚，去皮核　牛乳二合　蜜六合　生百合二两

右将百合、芋药、天门冬，烂研入蜜，更研取细，次入枣瓤，次入茯苓，次入面，溲和干，即更入黄牛乳调看稀稠得所，灌入藕中，逐窍令满，即于甑中蒸熟，每饭后或临时少少食之。

（《神巧万全方》）

5 鹿髓煎方

治伤中筋脉，急上气，咳嗽，鹿髓煎主之。

鹿髓半斤 蜜三合 生地黄汁四合 酥三合 桃仁三两，同杏仁各汤浸，去皮尖双仁，研碎，以酒浸，绞取汁一升 杏仁三两

右煎地黄、杏仁、桃仁等汁减半，内鹿髓酥蜜，煎如稀饧，收瓷盒中，每取一匙，搅粥半盏，不计时候食之。

（《圣惠方》）

6 又方

枣二十枚，去核 酥四两

右以酥微火煎，令入枣肉中，煎尽酥，常含一枚，微微嚼咽下，极效。

（《圣惠方》）

7 又方

稀饧三合 杏仁二两，汤浸，去皮尖双仁，熬研成膏

右相和得所，每取一匙，搅粥半盏，不计时候食之。

（《圣惠方》）

8 又方

生姜汁五合 沙糖五两

右煎令相和，每服一匙，搅粥半盏，不计时候食之。

（《圣惠方》）

9 半夏枯矾散方

治咳嗽痰冷清稀，宜服半夏枯矾散。

姜半夏五钱 枯矾一钱

右二味捣罗为散。每服一钱，饭后服，日三次。

（《普济方》）

10　贝母蛇胆粉方[1]

治痰热，咯痰黄稠，宜服贝母蛇胆粉。

川贝母一两，研粉

右以蛇胆汁和为糊，焙干为粉，每次服二分，日三服。

（《经验方》）

【校注】

[1] 此方，若无蛇胆，用鱼胆亦可。

11　又方

煅蛤粉二两　青黛二两

右二味研细末，每服三钱，米汤饮下，日三。

（《经验方》）

12　天麦二母粥方

治干咳少痰，宜食天麦二母粥。

天冬二钱，细切　麦冬二钱，去心　知母二钱，细切　贝母二钱，研末

右以水一碗，粳米一合煮粥食之。日二服。

（《症因脉治》）

13　粟壳杏仁煎方

治久咳不已[1]，诸药无效，粟壳杏仁煎主之。

罂粟壳一两，细切，研末　杏仁五钱，打碎　乌梅肉一两，烧存性　麻黄一两，去节，细切，捣为末　阿胶珠一两

右五味共为末，每取二钱，水一盏半，煎至一盏，顿服，日二服。

（《传信适用方》）

【校注】

[1] **久咳不已**　此病用罂粟壳、甘草等分为末，每服一钱亦可。

14 又方

党参五钱，细切　麦冬三钱，去心　五味子三钱　杏仁二钱，打碎　陈皮二钱，细切

右以水二升，煎至一升，去滓，入粳米一合、生姜三片、大枣三枚煮粥食之。日二服。

（《类证活人书》）

15 苏子陈皮煎方

治咳逆上气，喘息不得卧，苏子陈皮煎主之。

苏子一两　五味子一两　陈皮去白，一两，切　人参一两，细切

右捣为末，每取三钱，水一升，煎至半升，去滓，温服。

（《御药院方》）

16 生地黄粥方

生地黄粥治虚劳，瘦弱，骨蒸，寒热往来，咳嗽唾血。

生地黄汁二合

右件，煮白粥，临熟时入地黄汁，搅匀，空腹食之。

（《饮膳正要》）

17 甘蔗粥方

甘蔗粥治肺燥咳嗽，虚热，涕浓，口舌干。

甘蔗榨浆一碗　粳米四合

右二件，和水一升煮粥，空心食之。

（《遵生八笺》）

18 山药苡仁粥方

治劳嗽久咳，大便溏，食少，宜食山药苡仁粥。

山药二两　苡仁五钱　柿饼三枚，切碎　米二合

右以水一升半，同煮四件为粥，分二度食之。

（《经验方》）

19　川贝银耳粥方

治干咳少痰，咽干，口干，少津液，川贝银耳粥主之。

银耳三钱，温水泡开，去蒂头、杂质　川贝三钱，研末　粳米三合　白糖一钱

右以水一升，煮成稀粥，分三度食之。

（《经验方》）

20　淡竹沥粥方

治肺热咳吐浓痰而黄稠，宜食淡竹沥粥。

淡竹沥三合　粟米三合

右先以水煮粟米为粥，临熟，下竹沥更煎，温食之。

（《寿亲养老书》）

21　又方

枇杷叶一两，刷去毛，切

右以水一升，煮取半升，去滓，入米二合，煮粥，分二次食之。

（《老老恒言》）

22　川贝杏仁粥方

治上气咳嗽，喘促气急。宜食川贝杏仁粥。

杏仁二两，去皮尖，捣成泥　米三合　川贝母二钱，研末

右三件同煮为粥食之。

（《食鉴本草》）

23　杏仁蒌仁粥方

治咳嗽痰多而喘，胸脘满闷，杏仁蒌仁粥。

陈皮一钱　半夏一钱五分　茯苓三钱　海浮石三钱　杏仁三钱　苡仁米八钱　莱菔子二钱　瓜蒌仁四钱

右八件，以水二升，煮取一升，去滓，下米三合，煮粥，分二次食之。

（《医醇賸义》）

24 又方

陈皮三钱，细切　老丝瓜五钱，细切　杏仁三钱，打碎

右三件，以水一升半，煮取一升，去滓，入米二合，煮粥，临熟，下川贝母细粉一钱，搅匀，分二次食之。

（《粥谱》）

25 百合阿胶粥方

治咳嗽痰中带血丝，宜食百合阿胶粥。

山药三钱　百合三钱　麦冬三钱　藕汁一两　阿胶三钱　甘蔗汁一匙

右六件，先以水一升二合煮前三件至一升，去滓，入米二合，煮为稀粥，临熟，下后三件，搅至阿胶烊化，煮一沸，分二次食之。每日一剂，以咳止无血丝为度。

（《粥谱》）

26 麻杏石甘汤方[1]

治咳喘呼吸困难，发烧，宜服麻杏石甘汤。

石膏三钱，打碎　知母二钱，切　麻黄二钱，切　杏仁二钱，打碎　甘草一钱　桔梗一钱　黄芩二钱，切　贝母一钱，捣碎

右以水一升半，煮至一升，去滓，入粳米一合，煮粥食。

（《寿世保元》）

【校注】

[1] 此方亦治轻型肺炎及支气管炎。

27 党参胡桃粥方

治年老咳喘，胸闷气逆，怕冷，党参胡桃粥。

陈皮一钱　姜半夏三钱　款冬二钱　苏子一钱　党参五钱　肉桂五分　五味子一钱　山药五钱

右以水一升，煮至七合，去滓，入米二合，胡桃肉五钱，煮粥食之。

（《经验方》）

28 又方

党参一两　百部三钱　紫菀三钱　五味子一钱　贝母二钱　胡桃五钱　蛤蚧五分，研末　粳米二合

右七件，先将前五件，以水一升二合，煎至六合，去滓，入米二合。煮粥，临熟，下后二件，搅匀，煮一沸，分二次服。

（《经验方》）

29 杏仁粥方

治肺气上逆，喘息促急，咳嗽等，宜服杏仁粥。

杏仁二十一枚，汤浸，去皮尖双仁，研，以三合黄牛乳投，绞取汁　枣七枚，去核　粳米二合　桑根白皮二两，剉　生姜一分，切

右以水三大盏，先煎桑根白皮、枣、姜等，取汁二盏，将米煮粥，候临熟，入杏仁汁，更煮五七沸，粥成，不计时候食之。

（《圣惠方》）

30 小青龙汤方[1]

小青龙汤，治感风寒则咳喘加重，痰多而稀，喉鸣有水鸡声。

细辛八分　干姜三钱　五味子三钱　半夏三钱　茯苓五钱　甘草二钱　桂枝二钱　白芍三钱　炙麻黄一钱　枇杷叶五钱，刷去毛

右十件，以水煎二次，将两次煎汁合并，入米三合，煮粥，分二次食之。

（《伤寒论》）

【校注】

[1] 此方对肺中有寒痰冷饮者有效。

31 又方

炙麻黄一钱，细切　苦杏仁三钱，打碎　白果三钱　百部三钱　款冬花三钱　茯苓五钱　生甘草一钱五分

右以水一升，煮至七合，去滓，入粳米一合，煮粥食之，每日一剂，哮喘症

重，每日一剂半。

(《经验方》)

32 僵蚕粥方

治顽固性哮喘，僵蚕粥主之。

僵蚕七枚，炒去丝，研末　粳米二合

右以水煮粥食之。

(《经验方》)

33 又方

灵芝一两，细剉为粗末

右以水一升，煮取半升，去滓，入米二合，煮粥食，每日一次。

(《经验方》)

十、脾胃虚弱食医诸方

简论： 脾胃者中宫。中宫，土脏也。土生万物，四脏皆含其气，故云人之虚者，补之以味。《左传》曰：味以行气，气以实志，滋形润神，必归于食。《庄子》云：口纳滋味，百节肥焉。脾养肌肉（一本作“肥肉”），脾胃虚弱，即不能消化五谷。谷气若虚，则肠鸣泄痢，泄痢既多（一本作“溏痢既多”）。即诸脏竭，肌肉（一本作“肥肉”）消瘦，百病辐凑，且宜以饮食，和邪，益脾胃之气。

滋脏腑，养于经脉，袪疾之甚，可谓上医。故《千金方》云：“凡欲治病，且以食疗，不愈，然后用药。”

(《圣惠方》)

1 羊血面方

食治老人脾胃虚弱，干呕不能下食，羊血面主之。

羊血一斤，鲜者，面酱作片　葱白一握　白面四两，擀切

右煮血令熟，渐食之，三五服，极有验，能补益脏腑。

(《寿亲养老书》)

2 生姜汤方

食治老人，饮食不下，或呕逆虚弱，生姜汤主之。

生姜二两，去皮，细切　浆水一升

右和少盐，煎取七合，空心，常作开胃进食。

（《寿亲养老书》）

3 硫黄粥方

治脾胃气弱久冷，不思食饮，硫黄粥主之。

硫黄一分，细研　白粱米二合

右以水煮作粥，入硫黄末及酒二合，搅令匀，空心食之。

（《圣惠方》）

4 诃梨勒粥方

治脾胃气不和，消去宿食，诃梨勒粥主之。

诃梨勒二枚，煨，用皮，捣罗为末　粟米二合

右以水二大盏，煎取一大盏，下米煮粥，入少盐，空心食之。

（《圣惠方》）

5 羊肉索饼方

羊肉索饼，治老人脾胃虚弱，不多食，四肢困乏，黄瘦。

白羊肉四两　白面六两　生姜汁二合

右以姜汁溲面，肉切作臛头，下五味、椒、葱煮熟，空心食之，日一服，如常作益佳。

（《寿亲养老书》）

6 藿菜羹方

藿菜羹，治老人脾胃虚弱，饮食不多羸乏。

藿菜四两，切之　鲫鱼肉五两

右煮作羹，下五味、椒、姜，并调少面，常以三五日空心食。

（《寿亲养老书》）

7　鸡子馎饦方

鸡子馎饦，治老人脾胃虚弱，不多进食，行步无力，黄瘦气微，见食即欲吐。

鸡子三枚　白面五两　白羊肉五两，作臛头

右件，以鸡子白溲面，如常法作之，以五味煮熟，空心食之，日一服，常作极补虚。

（《寿亲养老书》）

8　曲末索饼子方

曲末索饼子，治老人脾胃虚弱，食不消化，羸瘦，举动无力，多卧。

曲末二两，捣如面　白面五两　生姜汁三两　白羊肉二两，作臛头

右以姜汁溲面末[1]，和面作之，加羊肉臛头，及下酱、椒、五味，煮熟，空心食之，日一服，常服尤益。

（《必用之书》）

【校注】

[1] **面末**　《寿亲养老书》作“曲末”。

9　羊脊骨粥方

羊脊骨粥，治老人脾胃气弱，劳损不下食。

大羊脊骨一具，肥者捶碎　青粱米四合，淘净[1]

右以水五升，煎取二升汁，下米煮作粥，空心食之，可下五味，常服其功难及，甚效。

（《必用之书》）

【校注】

[1] **淘净**　《寿亲养老书》作“净淘”。

10　粟米粥方

粟米粥方，治老人脾胃虚弱，呕吐不下食，渐加羸瘦。

粟米四合，净淘　白面四两

右以粟米拌面令匀，煮作粥，空心食之，一日一服，极养肾气和胃。

（《寿亲养老书》）

11　黄雌鸡馄饨方

黄雌鸡馄饨，治老人脾胃虚弱，不多食，痿瘦。

黄雌鸡肉五两　白面七两　葱白二合，切细

右以切肉作馄饨，下椒、酱、五味调和，煮熟，空心食之，日一服，皆益脏腑，悦泽颜色。

（《寿亲养老书》）

12　酿羊肚方

治脾气弱，不能下食，宜服酿羊肚。

羊肚一枚，治如常法　羊肉一斤，细切　人参一两，捣为末　陈橘皮一两，去瓤　肉豆蔻一个，为末　食茱萸半两，末　干姜半两，末　胡椒一分，末　生姜一两，切　葱白二七茎，切　粳米五合，淘　盐半两

右取诸药末，拌和肉、米、葱、盐，内羊肚中，以粗线系合，勿令泄气，蒸令极烂，分作三四服，空腹食之，和少酱酸无妨。

（《神巧万全方》）

13　羊肝饽饠方

治脾胃虚弱，不能饮食，四肢羸瘦，羊肝饽饠主之。

白羊肝一具，去筋膜，细切　肉豆蔻一枚，去壳，末　干姜一分，炮裂，末　食茱萸一分，末　芜荑仁一分，末　荜茇一钱，末　薤白切，一合

右先炒肝薤欲熟，入豆蔻等末，盐汤溲面作饽饠，炉里熯熟，每日空腹食一两枚，极效。

（《圣惠方》）

14　高良姜粥方

治脾胃冷气，虚劳羸瘦，不能下食，高良姜粥主之。

高良姜三两，剉　羊脊骨一具，捶碎

右以水一斗，煮二味，取五升，去骨等，每取汁二大盏半，用米二合，入葱、椒、盐，作粥食之，或以面煮馎饦，作羹并得。

（《圣惠方》）

15　醋猪肚方

治脾胃虚弱，不多下食，四肢无力，羸瘦，宜吃醋猪肚。

猪肚一枚大者，生用　人参一两　陈橘皮去瓤，用一两　饙饭半两　猪脾一枚，细切

右以饙饭拌和诸药，并脾等内于猪肚中缝合，熟蒸取肚，以五味调和，任意食之。

（《神巧万全方》）

16　大麦汤方

大麦汤，温中下气，壮脾胃，止烦渴，破冷气，去腹胀。

羊肉一脚子，卸成事件　草果五个　大麦仁二升，滚水淘洗净，微煮熟

右件，熬成汤，滤净，下大麦仁，熬熟，盐少许，调和令匀，下事件肉，食之。

（《饮膳正要》）

17　八儿不汤方

八儿不汤[1]调和脾胃，下气，宽胸膈。

羊肉一脚子，卸成事件　草果五个　回回豆子半升，捣碎，去皮　萝卜二个

右件，一同熬成汤，滤净，汤内下羊肉，切如色数大[2]，熟萝卜切如色数大，咱夫兰一钱，姜黄二钱，胡椒二钱，哈昔泥[3]半钱，芫荽叶、盐少许，调和匀，对香粳米干饭食之，入醋少许，食之。

（《饮膳正要》）

【校注】

[1] **八儿不汤**　古天竺国茶饭名。

[2] **色数大**　指骰子（赌具）般大小。

[3] **哈昔泥**　即阿魏。

18　沙乞某儿汤方

沙乞某儿[1]汤，补中，和脾胃。

羊肉一脚子，卸成事件　草果五个　回回豆子半升，捣碎、去皮　沙乞某儿五个

右件，一同熬成汤，滤净，下熟回回豆子二合，香粳米一升。熟沙乞某儿切如色数大，下事件肉，盐少许，调和令匀食之。

（《饮膳正要》）

【校注】

[1] 沙乞某儿　即蔓菁根。

19　沙糖汤方

沙糖汤，补中益气，治脾胃虚弱。

羊肉一脚子，卸成事件　草果五个　回回豆子半升，去皮

右件，同熬成汤，滤净，熟干羊胸子一个，切片，沙糖半升，白菜或荨麻菜，一同下锅，入盐调和匀食之。

（《饮膳正要》）

20　大麦筭方

大麦筭[1]子粉，补中益气，健脾胃。

羊肉一脚子，卸成事件　草果五个　回回豆子半升，去皮

右件，同熬成汤，滤净，大麦粉三斤，豆粉一斤，同作粉。羊肉炒细乞马，生姜汁一合，芫荽叶、盐、醋调和。

（《饮膳正要》）

【校注】

[1] 筭　“通算”，计数筹码。此处指蒸食用的竹器。

21　大麦片粉方

大麦片粉，补中益气，健脾胃。

羊肉一脚子，卸成事件　草果五个　良姜二钱

右件，同熬成汤，滤净，下羊肝酱，取清汁，胡椒五钱，熟羊肉切作甲叶，糟姜二两，瓜齑[1]一两，切作甲叶，盐、醋调和，或浑汁亦可。

（《饮膳正要》）

【校注】

[1] **瓜齑**　腌的瓜。

22　杂羹方

杂羹补中，益脾胃之气。

羊肉一脚子，卸成事件　草果五个　回回豆子半升，捣碎，去皮

右件，同熬成汤，滤净，羊头洗净二个，羊肚、肺各二具，羊白血双肠儿一副，并煮熟切，次用豆粉三斤，作粉，蘑菇半斤，杏泥半斤，胡椒一两，入青菜、芫荽炒，葱、盐、醋调和食之。

（《饮膳正要》）

23　牛肉脯方

牛肉脯治脾胃久冷，不思饮食。

牛肉五斤，去脂膜，切作大片　胡椒五钱　荜茇五钱　陈皮二钱，去白　草果二钱　缩砂二钱　良姜二钱

右件为细末，生姜汁五合，葱汁一合，盐四两，同肉拌匀，腌二日，取出焙干，作脯，任意食之。

（《饮膳正要》）

24　芋粥方

治脾胃气弱，不下食，虚肿，宜食芋粥。

生芋细切如芡实大，一两　粳米三合

右以水煮粥，频食之，胀满者忌用。

（《食物本草》）

25　橘皮粥方

治脾胃气虚，食后作胀。橘皮粥主之。

陈橘皮三钱，细切　粳米三合

右以水一升二合，煮陈橘皮至一升，去滓，入米煮粥，频食之。

（《饮食辨录》）

十一、心痛食医诸方

简论：此心痛多指胃痛。凡忧恚、寒热皆可致痛。忧郁痛多叹息，寒痛喜温喜按，热痛喜凉拒按。治宜调情志，慎寒热。凡生冷硬食皆当忌之。

（尚志钧）

1　荜茇粥方

治老人冷气心痛发动，时遇冷风即痛，宜食荜茇粥。

荜茇末，二合　胡椒末，一分　青粱米四合，淘

右以煮作粥熟，下二味调之，空心令常服，尤效。

（《寿亲养老书》）

2　干姜酒方

治老人冷气，逆心痛结，举动不得，干姜酒主之。

干姜末半两　清酒六合

右温酒热，即下姜末投酒中，顿服之立愈。

（《寿亲养老书》）

3　桃仁粥方

治老人冷气，心痛无时，往往发动，不能食，桃仁粥主之。

桃仁二两，去皮尖，研，水淘取　青粱米四合，淘，研

右以桃仁汁煮作粥，空心食之，常服除冷温中。

（《必用之书》）

4　茱萸饮方

治老人冷气，心痛不止，腹胁胀满，坐卧不得，茱萸饮主之。

吴茱萸末，二分　青粱米二合，研细

右以水二升，煎茱萸末取一升，便下米煮作饮，空心食之，一二服尤佳。

（《必用之书》）

5　桂心酒方

治老人冷气，心痛，缴结气闷，桂心酒主之。

桂心末，一两　清酒六合

右温酒令热，即下桂心末调之，频服一二服效。

（《寿亲养老书》）

6　紫苏粥方

治老人冷气，心痛牵引背脊，不能下食，紫苏粥主之。

紫苏子三合，熬，细研　青粱米四合，淘

右煮作粥，临熟下苏子末调之，空心服为佳。

（《寿亲养老书》）

7　盐汤方

治老人冷气，卒心痛，闷涩气不来，手足冷，盐汤吐之。

盐末一分　沸汤一升

右以盐末内汤中调，频令服尽，须臾当吐，吐即差。

（《寿亲养老书》）

8　椒面馎饦方

治老人冷气，心痛，呕，不多下食，频闷，椒面馎饦主之。

蜀椒一两，去目及闭口者，焙干，为末，筛　白面五两　葱白三茎，切

右以椒末和面溲作之，水煮，下五味调和食之，常三五服极效，尤佳。

（《寿亲养老书》）

9　生姜橘皮汤方

治老人冷气，心痛，生姜橘皮汤主之。

生姜一两，切　陈橘皮一两，炙，为末

右以水一升，煎取七合，去滓，空心食之，日三两服，尤益。

（《寿亲养老书》）

10　高良姜粥方

治老人冷气，心痛郁结，两胁胀满，高良姜粥主之。

高良姜二两，切，以水二升，煎取一升半汁　青粱米四合，研淘

右以姜汁煮粥，空心食之，日一服极效。

（《寿亲养老书》）

11　治胃痛嗳腐方

治胃痛，每当生气时或忧郁时，痛加重，胀满，嗳腐气。

陈皮三钱　半夏三钱　苍术三钱　茯苓三钱　厚朴三钱　柴胡二钱　黄芩一钱五分　党参三钱

右以水一升二合，煮至七合，去滓，入米二合，煮粥，分二次食之。

（《经验方》）

12　治食积不化方

治食积不化，嗳腐吞酸，嘈杂，恶心，甚至呕吐，下泻。

陈皮三钱　半夏三钱　茯苓三钱　神曲四钱　莱菔子三钱　连翘三钱　炒二芽四钱　槟榔二钱　炒藿香三钱

右以水一升二合，煮至八合，去滓，入粳米二合，分二温热食之。

（《经验方》）

13　治胃痛吞酸方

治胃痛，吞酸嘈杂，恶心，呕吐，口苦，咽干，舌苔黄。

黄连一两二钱　吴茱萸二钱　神曲五钱　谷芽五钱

右研细末，一日三次，每次米饮下二钱。

（《经验方》）

14 治胃痛嗳气方

治胃痛，胸脘痞闷，恶心，不断嗳气。

黄连一钱 黄芩三钱 生姜四钱 干姜一钱 半夏三钱 党参五钱 炙甘草三钱 大枣四枚

右以水一升半，煮至一升，去滓，入粳二合，煮粥，分二次食之。每日一剂，以舌苔不黄，嗳气止为度。

（《伤寒论》）

15 治宿食不消方

治宿食不消，心下痞闷作痛，嗳腐气。

木香二钱 香附二钱 枳壳三钱 白术六钱 神曲五钱

右研细末，每次二钱，米汤调饮下，一日三次。

（《经验方》）

16 治脾胃不和方[1]

治脾胃不和，胸脘痞闷，呕吐清水痰涎。

陈皮三钱 制半夏三钱 茯苓三钱 甘草一钱

右以水一升半，煮至一升，去滓，入粳米二合，煮粥，分二次食之。

（《和剂局方》）

【校注】

[1] 此方通治各种痰饮所致疾患，如咳痰清稀，呕吐痰涎，饮水吐水眩晕。对年老喘咳痰稀者，加当归二钱，熟地三钱。

17 治胃痛食少方

治精神抑郁，胃痛，食少，喜叹息。

陈皮二钱 制半夏三钱 茯苓三钱 制香附三钱 木香二钱 乌药二钱 砂仁一钱，后下 槟榔一钱 神曲三钱 鸡内金三钱 谷麦芽各三钱

右以水一升半，煮至一升，去滓，入粳米三合，煮粥，分二次食之。

（《经验方》）

18 又方

白术三钱 茯苓三钱 柴胡二钱 白芍二钱 枳壳二钱 甘草一钱 神曲三钱 制香附三钱 乌药三钱

右以水一升半，煮取一升，去滓，入粳米三合，煮粥。分二次食之。

(《经验方》)

19 胃寒痛方

治胃寒痛，喜热饮，心中嘈杂呕吐酸水。

香橼皮三钱 姜半夏三钱 炮姜三钱 茯苓五钱 高良姜三钱 神曲三钱 炒二芽三钱

右以水一升半，煮取一升，去滓，入粳米三合，煮粥，分二次食之。

(《经验方》)

20 治胃痛发作有时方

治胃痛久不愈，其痛多按时发作，喜按，喜热饮，吐酸水，有时大便带血。

黄芪一钱五分 桂枝三钱 白芍五钱 甘草二钱 生姜三钱 大枣十二枚，擘 党参五钱

右以水一升，煮至七合，入米二合，煮粥，分二次食之。每日一剂。

(《金匮要略》)

21 又方[1]

黄芪 党参 山药 当归 神曲各二两

右研末，每日取六钱和米煮粥食之。至胃痛痊愈为度。但愈后，保养不好，又会复发。复发后仍用此方治之。

(《经验方》)

【校注】

[1] 此方疗效可靠，用之多验，但不宜为丸服，丸服效果不好。如舌苔白，怕冷，加炮姜三钱；待舌苔转黄，则去炮姜。如大便有隐血，或如柏油样，加血馀炭三钱。

22 又方[1]

人参一钱 党参五钱 吴茱萸二钱 生姜二钱五分 大枣十二枚，擘

右以水一升二合，煮至七合，去滓，入粳米二合，煮粥频频食之。

（《伤寒论》）

【校注】

[1] 本方对胃寒痛，食后即吐，怕冷，手足不温者，较宜。

十二、心腹痛食医诸方

简论：夫心腹痛者，由寒气客于脏腑之间，与气血相搏，随气上下，攻击心腹而痛。脏气虚，邪气胜，停积成疾，故令心腹痛也。宜以食治之。

（《圣惠方》）

1 桃仁粥方

治邪气攻心腹痛，桃仁粥主之。

桃仁二十一枚，去皮尖 生地黄一两 桂心半两，末 粳米三合，细研 生姜一分，并地黄、桃仁，以酒三合，研绞取汁

右先用水煮米作粥，次下桃仁等汁，更煮令熟，调入桂心末，空腹食之。

（《圣惠方》）

2 荜茇粥方

治心中冷气，往往刺痛，腹胀气满，荜茇粥主之。

荜茇一分 胡椒一分 干姜一分，炮裂，剉 槟榔一分 粟米三合 桂心一分

右以上五味，捣罗为末，以水二大盏，下米煮粥，候米熟，入药末三钱，搅令匀，每日空腹食之。

（《神巧万全方》）

3 吴茱萸粥方

治心腹冷气入心，撮痛胀满，吴茱萸粥主之。

吴茱萸半两，汤浸七遍，焙干，微炒，捣末　粳米二合

右以葱豉煮粥，候熟，下茱萸末二钱，搅令匀，空腹食之。

（《圣惠方》）

4　高良姜粥方

治心腹冷气，往往结痛，或遇风寒，及吃生冷，即痛发动，高良姜粥主之。

高良姜半两，剉　粳米二合　陈橘皮半分，汤浸，去白瓤，末

右以水三大盏，煎高良姜、陈橘皮，取汁一盏半，去滓，投米煮粥，空腹食之。

（《圣惠方》）

5　紫苏粥方

治冷气心腹痛，满胀，不能下食，紫苏粥主之。

紫苏子一合，微炒　桂心末，二钱

右捣碎紫苏子，以水二大盏，绞滤取汁，入米二合煮粥，候熟，入桂末食之。

（《圣惠方》）

6　桃仁粥方

治邪气攻心腹痛，桃仁粥主之。

桃仁二十二枚，去皮尖　生地黄一两　桂心末，半两　粳米三合，细研　生姜一分，并地黄、桃仁二味，以酒三合，研绞取汁

右先用水煮米作粥，次下桃仁等汁，更煮令熟，调入桂心末，空腹食之。

（《神巧万全方》）

7　椒面羹方

椒面羹，治久患冷气，心腹结痛，呕吐不能下食。

川椒三钱，炒，为末　白面四两

右件同和匀，入盐少许，与豆豉作面条，煮羹食之。

（《饮膳正要》）

8　又方 [1]

党参三钱　白术三钱　肉桂一钱　炮姜一钱　吴茱萸一钱　丁香五分　木香二钱　陈皮二钱　诃子三钱，煨　肉豆蔻三钱，煨

右以水一升，煮取半升，去滓，入米一合，煮粥，分二次食之。

（《和剂局方》）

【校注】

[1] 此方治肠鸣腹痛，泄泻，手足冷，喜热饮，甚宜。

9　治癥瘕腹痛方

治癥瘕腹痛，腹胀食少，久不愈，大便不成形，或便秘，或稀，或粪便带血，舌暗，或舌边发紫，或瘀斑。

当归二钱　赤芍二钱　川芎二钱　苏木二钱　桃仁二钱　丹皮二钱　瓜蒌仁二钱　大黄二钱　枳壳二钱　槟榔二钱，炒

右以水两盏，煎取一盏，顿服。药滓再煎再服。腹绵绵痛加制香附、乌药各三钱。

（《外科正宗》）

10　又方

治癥瘕腹痛日久，大便带血，臭秽难闻，口渴，舌苔黄。

大黄三钱　槐花三钱　槐角三钱　猪牙皂角一钱五分　木香一钱　制香附一钱　枳壳一钱　厚朴五分　黄连三钱　黄柏一钱　黄芩一钱　土茯苓三钱　防风一钱　甘草一钱

右研细末，每次取三钱，水一升，煮取半升，入米一合煮粥，入白糖少许，分二次食之。

11　又方 [1]

槐花五钱　地榆五钱，炒　侧柏炭四钱　荆芥穗炭三钱　黄柏三钱　枳壳四钱　蒲公英五钱　黄芩三钱　鸦胆子仁二十一粒，以溶化虫蜡液蘸一下（石蜡不能用）

右除鸦胆子外，余药以水一升，煮取半升，去滓，入米一合，煮粥，入糖少许，分三次服。每次以粥液送服鸦胆子仁七粒。

（《经验方》）

【校注】

[1] 此方亦可治久痢，对痔疮出血、肿痛亦有良效。其中鸦胆子仁，未蘸蜡液的不可服，服时不要嚼破，要整粒吞。

12 泄泻腹痛方

治噫气吞酸，饮食不化，泄泻，腹痛。

狗骨四两，烧存性，捶碎，研末　枳壳炒，一两　肉豆蔻炒，一两　干姜五钱，炒黑　甘草一两，炒　诃子肉二两，炒

右共研末。每服三钱，水一盏半，煎至八分，和滓热服。

（《经验方》）

13 肠痈腹痛方

治肠痈有脓，腹痛拒按。

苡仁一两　冬瓜仁一两　败酱五钱　附子制，二钱

右捣为末，每以五钱，水煎服，日三服。

（《经验方》）

14 腹痛拒按方[1]

治腹痛拒按，腹胀满，恶心，呕吐或便闭，不欲食，恶寒发热。

柴胡三钱　黄芩五钱　生姜五钱　制半夏四钱　白芍五钱　枳实三钱　大黄二钱　金钱草五钱　败酱草五钱　蒲公英五钱

右以水二升，煮至一升，去滓，入米三合，煮粥，分三次食之，啜汁。

（《经验方》）

【校注】

[1] 此方适用于急性胰腺炎、胆囊炎。热重加山栀五钱，便闭加玄明粉三钱冲服，呕吐加竹茹三钱、代赭石五钱。

15　胁下癥癖痛方[1]

治右胁下癥癖久不散，状如覆杯，胀满痛不休。

鳖甲二钱，炙　三棱一钱　莪术一钱　当归一钱　赤芍五分　柴胡一钱五分　枳壳一钱，炒　木香一钱　大腹皮一钱　肉桂一钱　大黄一钱　青皮一钱　郁金一钱　厚朴一钱　炮姜一钱　槟榔一钱，炒　䗪虫五钱

右研细末，每次五钱，以水一升，煮取半升，去滓，入米一合，煮粥，分二次食之。

（《圣惠方》）

【校注】

[1] 此方亦治肝硬化。

16　胁下血癖痛方

治胁肋下血癖气痛。

白术一两，切　槟榔五钱，切　生姜三钱，切

右三件，共入猪肚内，缝口，加清水适量，慢火炖熟。捞出猪肚，去肚内药滓，切成片，入五味调之，当菜吃。另将猪肚汤，撇去浮油，下米三合，煮粥食之。

（《寿亲养老书》）

十三、噎膈食医诸方

简论：夫五噎者，即气噎、忧噎、劳噎、思噎、食噎。虽五种不同，皆由喜怒不常，忧思过度，恐虑无时，抑郁而生。

（《三因方》）

此皆忧恚嗔怒，气结在于心胸，不得宣通，是以成噎，宜以食治之也。

（《圣惠方》）

人之胸膈，升降出入，无所滞碍，命曰平人。若思虑不已，忧恚不时，胸脘痞塞，故名隔气。

（《圣济总录》）

1 川椒面拌粥方

治噎病，胸间积冷，饮食不下，黄瘦无力，川椒面拌粥主之。

川椒一百粒，去目　白面二两

右以醋腌椒令湿，漉出，于面中拌令匀，便于豉汁中煮，空心和汁吞之。

(《圣惠方》)

2 椒面粥方[1]

治老人噎，脏腑虚弱，胸胁逆满，饮食不下，椒面粥主之。

蜀椒一两，杵令碎　白面五两

右以苦酒浸椒一宿，明旦取出，以拌面中，令匀，煮熟，空心食之，日二服，常验。

(《寿亲养老书》)

【校注】

[1] 此方与上方同，只是用量不同。

3 老牛噍沫方

治噎病不下食。

老牛噍沫如枣许大

右置稀粥中饮之，终身不噎矣。勿令患人知。

(《圣惠方》)

4 姜橘汤方

治老人噎病，胸满塞闷，饮食不下，姜橘汤主之。

生姜二两，切　陈橘皮一两

右以水二升，煎取一升，去滓，空心，渐服之，常益。

(《寿亲养老书》)

5 苏煎饼方

食治老人噎，冷气拥塞，虚弱，食不下，苏煎饼主之。

土苏（莱菔）二两　白面六两，以生姜汁五合调之

右如常法作之，空心常食，润脏腑和中。

（《寿亲养老方》）

6　白米饮方

食治老人咽食，入口即塞涩不下，气壅，宜食白米饮。

白米四合，研　舂头糠末一两

右煮饮熟，下糠米调之，空心服食尤益。

（《寿亲养老书》）

7　馄饨方

食治老人噎塞，水食不通，黄瘦羸弱，宜吃馄饨。

雌鸡肉五两，细切　白面六两　葱白半握

右如常法，下五味、椒、姜向鸡汁中，煮熟，空心食之，日一服，极补益。

（《寿亲养老书》）

8　酒饧方

酒饧食，治膈气噎食，胃翻吐逆，羸瘦焦枯，饮食不下。

局方膈气宽中辈汤散

右日品三服，每以服药之后，人行五里，令吃白饧三块，再行五里，令饮正酒一杯。如此日以三时，味于饧酒代食，助药和气理虚，由此痊安者十余人。

（《施圆端效方》）

9　治食道梗阻方

治食道梗阻，浆水不下，胸背痛，消瘦。

鼠妇五钱，焙，研末　青礞石五钱

右二味研细末，每次取一至二厘，置舌根处含咽之，每四小时用药一次。待能吞咽时，用：

黄芪二钱　党参二钱　当归二钱　代赭石五钱，捣碎　青礞石二钱　半夏二钱　全瓜蒌二钱　千金子二钱　淫羊藿三钱　枳实一钱

煮粥，频频细嚼食之。

（《经验方》）

10 韭菜汁方

治噎膈，胸中刺痛。

生韭菜三两　盐梅三个　卤汁二合

右，先将韭菜捣烂，绞取汁二合，盐梅捣烂，加水搅，滤取汁二合，二者合并，入卤汁二合，细呷，得入渐加，取吐。

（《圣惠方》）

11 又方[1]

青礞石五钱　硼砂五钱　西瓜霜五钱　五灵脂五钱　阿魏二钱五分　硇砂二钱　朱砂二钱　轻粉五分　桂心二钱　木香二钱　延胡五钱

右研细末，入枣肉一两五钱，捣极烂，丸如酸枣大。每日二次，每次含化一丸，徐徐咽下。

（《圣惠方》）

【校注】

[1] 此方，反胃、脘腹积块亦可用。

12 又方[1]

五灵脂五钱　莪术五钱　阿魏二钱五分　延胡五钱　雄黄三钱　朱砂二钱　海浮石五钱　瓦楞子五钱　苏木五钱，剉为细末　制香附五钱　三棱一钱　莪术一钱

右研细末，枣肉五两，捣极烂，丸如弹子大。每日二次，每次半丸含化[2]徐徐咽下。

（《杂病源流犀烛》）

【校注】

[1] 此方亦适用于反胃，脘腹有积块。

[2] 在含化前先用下方煮粥食之。

党参五钱　白术三钱　山药三钱　茯苓三钱　神曲三钱　半夏三钱　谷麦芽各三钱

右以半边莲一斤煎取汁一升二合，以此汁煎药，煎至一升，去滓，入米三合，煮粥，徐徐细嚼食之。食毕，再以上方枣肉丸含化。

(《经验方》)

13　治吞咽不顺方

治吞咽不顺，胸骨后不适或痛，嘈杂吞酸痞闷嗳气。

陈皮三钱　姜半夏七分　茯苓七分　白术八分　枳实五分　香附一钱　砂仁三分　黄连五分　神曲五分　甘草三分

右以水一升煎至半升，去滓，入米二合，频频细嚼少量慢慢咽，忌大口食物未嚼细猛然吞咽。

(《万病回春》)

14　又方[1]

青皮一钱　陈皮一钱　木香一钱　沉香一钱　制香附二钱　枳壳一钱　三棱五分　莪术五分　苏子二钱　白芥子一钱　莱菔子二钱　槟榔五分　郁金一钱　白丑头末一钱

右研细末，每取三钱，以水一升，煮至半升，去滓，入米二合，煮粥，频频慢慢细嚼食之。

(《经验方》)

【校注】

[1] 此方治吞咽困难，胸膈痞满，胸胁痛，噫气不休。

15　又方

半边莲一斤　白花蛇舌草四两

右二味，以水三升，煮取一升半。去滓，用此药水当茶饮，并用此药水煮粥食之。每日一剂。

(《经验方》)

16　旋覆代赭粥方

治吞咽困难，食入即吐出，宜食旋覆代赭粥。

旋覆花三钱　代赭石五钱，打碎　生姜一钱　姜半夏三钱　丁香一钱　柿蒂三钱

党参五钱　大枣五枚，擘

右以水一升半，煮取一升，去滓，入米三合，煮粥，入姜汁、韭汁、藕汁少许，搅匀，徐徐细嚼食之。滓，再煮再服，当茶饮。

（《伤寒论》）

17　硇砂丸方

治噎膈梗塞，饮食不下，大便不通，含化硇砂丸。

乌梅十三个，去核　硇砂二钱　雄黄二钱　乳香一钱　百草霜五钱　绿豆五十颗，研细末

右先将乌梅肉捣为泥，入余药捣极烂，制丸如弹子大，空腹时取一丸含化。丸尽后，徐徐进食。每隔三五日取一丸含化一次。

（《经验效方》）

18　蜜浆饮方

食治老人噎病，食饮不下，气塞不通，宜食蜜浆饮。

白蜜一两　熟汤一升

右汤令热，即下蜜调之，分二服，皆愈。

（《寿亲养老书》）

19　苏蜜煎方

食治老人噎病，气塞食不通，吐逆，苏蜜煎主之。

土苏（莱菔）二两　白蜜五合　生姜汁五合

右相和，微火煎之令沸，空心服半匙，细细咽汁，尤效。

（《必用之书》）

20　礞石代赭粥方[1]

治噎膈，食物吞咽困难，宜嚼礞石代赭粥。

黄芪三钱　当归三钱　党参三钱　代赭石五钱，打碎　青礞石二钱　半夏三钱　全瓜蒌三钱　千金子三钱　淫羊藿三钱　枳实二钱　郁金三钱　茯苓三钱　延胡三钱

右以水一升半，煮取一升，以粳米三合煮粥，频频少量细嚼食之。

（《经验方》）

【校注】

[1] 此方亦治反胃。

21 又方

山药 粟米 蜀黍 红粳 白糯 大麦仁各五钱 葱白 生姜汁 菜齑少许微轻

右九件，先将前六件熬成稀粥，临熟，下后三件，搅匀，徐徐细嚼食之，日三服。

（《施圆端效方》）

22 桂心粥方

治老人噎病，心痛闷，膈气结，饮食不下，桂心粥主之。

桂心末，一两 粳米四合，淘研

右以煮作粥半熟，次下桂末调和，空心，日一服。亦破冷气，殊效。

（《寿亲养老书》）

十四、翻胃食医诸方

简论：翻胃即噎膈。大法有四，血虚、气虚、兼热、兼痰。药中必用童便、竹沥、韭汁，并牛羊乳以润之。粪如羊屎者，则不可治，大肠无血故也。寸关脉沉或伏而大者，有痰，二陈汤为主；寸关脉沉，而涩者，有气结滞，通气之药皆可用；气虚，四君子汤为主（右手脉无力）。血虚，四物汤为主（左手脉无力）。大不可用香燥之药，服之必死，宜薄滋味。

（《金匮钩玄》）

1 马齿苋灰方

治翻胃[1]，宜食马齿苋灰。

马齿苋烧存性，二钱 枣肉二钱 平胃散二钱

右三件，以温酒调服，食即可下，然后随其受病之源调之，无不效。

（《金匮钩玄》）

【校注】

[1] **翻胃** 即反胃。

2 酿猪肚方

食治法，治脾胃气弱，不多下食，四肢无力，羸瘦，宜吃酿猪肚。

猪肚一枚大者，治如常法 生人参一两 陈橘皮去白，一两 饙饭半两 猪脾一枚

右以饙饭拌和诸药并脾等，内于猪肚中，缝合，熟蒸取肚，以五味调和，任意食之。

（《神巧万全方》）

3 半夏棋子粥方

治脾胃气弱，痰唠呕吐，不下饮食，半夏棋子粥主之。

半夏二钱，汤浸七遍，去滑 干姜一钱，炮 白面三两 鸡子白一枚

右件为末，与面及鸡子等相和溲，切作棋子，熟煮别用，熟水淘过，空腹食之。

（《神巧万全方》）

4 干食法

干食法，惟食干饭饼饵，尽去羹饮水浆，药亦用丸，自不反吐，调理旬日取效，有人三世死于胃反，至孙收效此方。

（《得效方》）

5 延年护命丹方

延年护命丹，治男子、妇人脾胃不和，饮食减少，心腹绞痛，反胃吐食，此药不损脏腑，通和血脉，亦无困倦，其功不可尽述。

没药别研 乳香别研 轻粉各二钱 蓬莪术 京三棱炮，各一两 芫花 鳖甲醋蘸，炙黄色，去尖捶碎，一两半 黑牵牛四两，取头末二两 陈皮半两，与芫花二味好醋同浸一宿，漉去干更焙 川大黄一半生，一半醋浸一宿，软，作切块子，更作小块，切作片子，微日干，更焙，勿令焦，计二十二两半，先将此两分数共浸晒后，秤数目

右七味，杵筛为细末，入前三味研匀，炼蜜和为块，入臼中杵三千下，每一两

分作四丸，细嚼，温水送下，临卧服毕，不用枕头，仰卧至一更后，任便睡卧，来日取下积块或脓血为效，忌生冷硬物油腻等三日，宜食白粥。如病大者，三日后再服一丸；病小者，五日后再进一服；如遍身走注疼痛，用乳香、没药煎汤化下。

（《简奇方》）

6　五汁饮方

治反胃，胸膈痞闷隐痛，口干咽燥，大便坚如羊粪，宜食五汁饮。

甘蔗汁一合　生姜汁一合　藕汁一合　梨汁一合　韭菜汁半合

右五味和匀，日日细呷之。

（《经验方》）

7　人参姜汁粥方

治翻胃吐酸及病后脾弱，宜食人参姜汁粥。

人参五钱，剉为末　姜汁一钱　粟米一合

右三件，以水煮为粥，空心食之。

（《食鉴本草》）

8　伏梁粥方

伏梁粥，治反胃。心之积，起脐上，大如臂，上至心下，久不愈，心烦。

丹参五钱　黄连二钱　桂心五分　制川乌一钱　干姜半钱　红豆蔻半钱　大黄一钱　枳实一钱　厚朴一钱　槟榔一钱　白芍二钱　党参五钱　沉香五分　菖蒲一钱　黄芩二钱　三棱一钱

右以水一升半，煮至八合，入米二合，煮粥。分二次食之，早晚各一次。

（《杂病源流犀烛》）

9　又方

党参五钱　白术三钱　半夏二钱　制香附一钱　沉香五分　生姜三钱　千金子一钱　郁金二钱　鸡内金二钱　延胡一钱　三棱一钱

右以水一升半，煮至一升，去滓。入米三合，煮粥，分二次食之。

（《经验方》）

10　又方[1]

黄连二钱　黄芩二钱　大黄一钱　二丑一钱　延胡一钱　三棱一钱　莪术一钱　青皮一钱　陈皮一钱　木香一钱　槟榔一钱　制香附一钱　半夏二钱　生姜二钱　党参三钱

右以水一升半，煮至一升，去滓，入米三合，煮粥，不拘时食之。

（《经验方》）

【校注】

[1] 当反胃发展至在脘腹可摸到包块时，病人多消瘦，虚羸，不耐用攻药，应攻补兼施，偏重于补，不宜再用此方，宜用下方。

党参　山药各五钱　当归二钱　川芎一钱　赤芍二钱　丹参二钱　鸡内金二钱　白术二钱　半夏二钱　红花二钱　郁李仁二钱　神曲三钱　谷麦芽各三钱　生姜三钱　大枣三枚，擘　枣仁二钱

右以水一升半，煮至一升，去滓，以陈米三合，煮粥。频频少许食之。

（《经验方》）

若病人消瘦，不能吃，即无大便，或大便如羊屎，则方中加杏仁、柏子仁各三钱，打碎。

十五、黄疸食医诸方

简论：夫黄疸者，源于胆汁外溢，身目肌肤爪甲小便皆黄，大便灰白。黄疸发病急，皮肤黄如橘子而亮，身有热为阳黄；黄疸发病缓，皮肤黄色晦暗，身无热为阴黄。前者治宜清解湿热利胆，后者宜温化寒湿利胆。

（尚志钧）

1　茵陈蒿粥方

治黄疸，全身黄如橘，眼白、指甲、小便俱黄，惟大便不黄，呈灰白色，身有热，宜食茵陈蒿粥。

茵陈蒿六钱　栀子五钱　甘草二钱　大黄二钱

右先以水一升半煮茵陈蒿，煮至一升，去滓，入余药煮至七合，去滓，入米二合，煮粥，分三次服，小便当利，尿如皂荚汁正赤色，以黄去为度。

（《伤寒论》）

2　又方[1]

茵陈蒿五钱　栀子三钱　龙胆草三钱　黄芩三钱　葶苈子微炒，二钱　木通二钱　车前子三钱　柴胡二钱

右研细末，取药末三钱，以滑石六钱，甘草一钱，煎汤送服。每日三次，以黄退为度。

（《经验方》）

【校注】

[1] 本方治胆囊炎效果亦好，以胁下痛、右腹痛消退为度。

3　硝石矾石散方

治黄疸，身目皆黄，少腹满，小便难，额上黑。

硝石一钱　枯矾一钱

右研细末，每次二分，以大麦粥和服，日三服。

（《金匮要略》）

4　又方

茵陈蒿一两　甘草三钱

右二味，以水二碗，煮至一碗，过滤，取药液，入米煮粥食，每日一剂，以黄疸退，小便清为度。

（《经验方》）

5　又方

瓜蒂二枚，研细末

右吹入鼻孔内，以去黄水。

（《证类本草》）

6　又方

苦瓠一枚

右开孔，以水煮之，搅取汁，滴入鼻中，以去黄水。

（《经验方》）

7　柴胡郁金汤方[1]

治胆结石，胁下胀痛，口苦，厌油，宜服柴胡郁金汤。

柴胡二钱　枳壳三钱　白芍一两　甘草一钱　木香一钱　乳香二钱　桃仁三钱　郁金二钱　白芥子三钱　生地三钱　大黄一钱　茵陈三钱

右以水一升半，煮取一升，入绿豆一两，煮烂，分二次食豆喝汤。

（《辨证录》）

【校注】

[1] 此方通治因恼怒生气所致胁肋胀痛、嗳气。

8　又方

柴胡三钱　枳壳三钱　白芍一两　茵陈五钱　大黄三钱　郁金三钱　芒硝三钱　香附三钱　鸡内金三钱

右研细末。取药末三钱，以金钱草、海金沙各五钱，煎汤送服，每日三次。

9　又方

金钱草一两　海金沙五钱　鸡内金五钱　鳖甲三钱　炮山甲三钱　郁金五钱　香附三钱　青皮二钱　厚朴二钱　枳壳二钱　白芍三钱　大黄一钱五分

先将鳖甲、炮山甲研细末，分为两份。一份以余药头煎送服，另一份以余药二煎送服，每日一剂。

（《经验方》）

10　茵陈附子干姜粥方[1]

治黄疸，全身暗黄，眼白、指甲、小便微黄，大便灰白。

皮肤凉，手足冷，脉沉迟无力，宜食茵陈附子干姜粥。

茵陈蒿二钱　炮姜二钱　附子二钱，炮　泽泻一钱　茯苓二钱　白术一钱　枳实五分　陈皮一钱　草豆蔻五分　半夏一钱右以水一升，煮至七合，去滓，入米二合，煮粥，分二次服。服药期间，每次解小便，以白纸条浸小便一次，晾干，待白纸无黄色，即停药。

（《卫生宝鉴》）

【校注】

[1] 用此方使黄疸消退后，若肝功能不好，食少，倦怠，宜用下方。

党参三两　黄芪三两　当归三两　神曲一两　柴胡三钱　升麻三钱　陈皮二钱

右研细末，每日取药末一钱，以水一升，煮至七合，去滓，入米三合，煮粥，分二次食之。坚持用药，直至肝功能正常为度。

在服药期间，忌过劳，更忌房事，避免感冒传染，不要受凉，受凉或过劳极易复发。

11　鲤鱼汤方

鲤鱼汤，治黄疸。止渴，安胎。有宿瘕者，不可食之。

大新鲤鱼十头，去鳞肚，洗净　小椒末五钱

右件，用芫荽末五钱，葱二两，切，酒少许，盐一同腌，拌清汁内，下鱼，次下胡椒末五钱，生姜末三钱，荜茇末三钱，盐、醋调和食之。

（《饮膳正要》）

12　龙胆泻肝汤方[1]

龙胆泻肝汤治右胁下腹痛，拒按，恶心，吐，发热。

龙胆草三钱　泽泻三钱　木通三钱　车前子三钱　柴胡二钱　黄芩三钱　栀子三钱　生甘草三钱　生地五钱　当归三钱　茵陈蒿三钱

右研细末，取药末六钱，水一升，煮至半升，去滓，入米一合，煮粥食之。

（《医宗金鉴》）

【校注】

[1] 此方通治急性黄疸有热者。本方药很苦，服时酌加白糖半匙。此病若因胆结石造成，热退清后，仍宜通过手术排除结石。

13　又方[1]

柴胡二钱　枳壳一钱五分　白芍一钱五分　炙甘草五分　陈皮二钱　川芎一钱五分　制香附一钱五分　茵陈蒿三钱

右以水一升，煮至半升，去滓，入米二合，煮粥，分二次服。

（《医学统旨》）

【校注】

[1] 此方亦治乳房胀痛，胁肋胀痛，口苦咽干，寒热往来，妇女更年期诸般不适、神经症。

14 加味四逆散方

治慢性胆囊炎，一般无明显痛，只是厌油，厌食油脂、肥肉、蛋黄，能引起恶心呕吐，甚则右腹痛和右肩胛下痛，宜服加味四逆散。

柴胡二钱　枳壳三钱　赤芍一两　生甘草二钱　郁金三钱　鸡内金三钱　金钱草一两　蒲公英五钱　大黄一两七钱

右研细末，每次取六钱，以水一升，煮至半升，去滓，入绿豆一两，煮烂分二次食之。服至不厌油为度。

（《经验方》）

15 又方

大黄二两　生甘草二钱　郁金一两　柴胡五钱　茵陈一两

右捣罗为末备用。另外用绿豆一斤，装入二十个猪胆内，扎紧猪胆管口，悬挂屋檐下通风处，待胆汁浸透绿豆，至猪胆全变干，取绿豆焙干研细末，和上药末混合均匀，密贮。每日三次，每次取药粉三钱，以糖开水送服。服至不厌油为度。

（《经验方》）

十六、呕吐呃逆食医诸方

简论：夫胃气下行为顺，上行为逆，逆则呕、呃。凡寒、热、痰饮水湿，皆可致呕、呃。治宜平胃气降逆，止呕呃。因寒者用温剂，因热者用凉剂，因水湿痰饮者，宜利水湿，除痰化饮。

（尚志钧）

1 桂心粥方

治呕吐，朝食暮吐，暮食朝吐，宜食桂心粥。

桂心一两，研末　粳米四合　神曲五钱，研末

右先将米煮作粥，临熟，下桂末、神曲，调和，分二服。

（《养老奉亲书》）

2　半夏山药粥方

治胃气上逆，呕吐不止，闻药气则呕吐益甚，宜食半夏山药粥。

姜半夏五钱　山药三两，捣为末

右先以水一升，煮半夏至七合，去滓，入山药末打糊食之。

（《医学衷中参西录》）

3　旋覆代赭汤方

治心下痞硬，噫噫不休，宜用旋覆代赭汤。

旋覆花三钱　代赭石四钱，打碎　生姜三钱　姜半夏三钱　党参五钱　炙甘草三钱　大枣十二枚，擘

右以水一升，煮取半升，去滓，入米一合，煮粥食之。

（《伤寒论》）

4　丁香柿蒂汤方

治呃逆不止，丁香柿蒂汤主之。

丁香二钱　柿蒂二钱　生姜五片

右三味，水煎取汁，入米煮粥啜之。

（《杂病源流犀烛》）

十七、泄泻食医诸方

简论：泄泻责之于脾。脾主运化水湿，脾虚不能运化水湿，则水湿停滞，水湿滞于肠胃则泄泻，水湿滞于体内则身重，水不能入膀胱则尿少。治宜健脾利湿，水湿去，则泄泻自止。

（尚志钧）

1　参苓白术散方

治肠鸣腹痛，泄泻如注[1]，宜食参苓白术散。

党参三钱　白术三钱　茯苓五钱　藊豆三钱　莲子三钱　山药三钱　甘草一钱　桔梗三钱　苡仁一两

右以水一升半，煮取一升，去滓，入米二合，煮粥，分二次食之。

(《和剂局方》)

【校注】

[1] **肠鸣腹痛，泄泻如注**　针对此，可单用薏苡仁四两煮粥，入盐花少许，分二次食之。

2　白芍防风粥方

治肠鸣腹痛泄泻，泻后痛减，宜食白芍防风粥。

白芍四钱　防风四钱　白术六钱　陈皮三钱

右以水一升半，煮取一升，去滓，入米三合，煮粥食之。

(《圣惠方》)

3　山药车前粥方

治大便滑泄，小便少，宜食山药车前粥。

山药三两，研粉　车前子五钱，布袋包

右二味，以水一升，慢火熬成稀糊，去布袋，食糊。

(《医学衷中参西录》)

4　又方

山药三两，研末　鸡子两枚

右先以水一升，煮沸，下山药，慢火熬成糊，临，将鸡子打破，取黄入粥中，急搅匀，趁热食之。

(《医学衷中参西录》)

5　槟榔神曲粥方

治大便溏泄，脘闷腹胀，宜食槟榔神曲粥。

槟榔三钱，炒焦　神曲五钱　粳米三合

先以水一升，煮槟榔、神曲至七合，去滓，下米煮为粥食之。

(《粥谱》)

6　参苓白术糕方[1]

治老人小儿大便溏泄，饮食减少。宜食参苓白术糕。

党参一钱五分　茯苓三钱　白术一钱　白蕌豆三钱　莲子三钱，去心　山药三钱　芡实三钱　苡仁米三钱　陈皮八分　粳米一斤

右十件，共研细面，入糖十二两，和匀，制成糕六十块，每服嚼食一到四块。

(《得效方》)

【校注】

[1] 此方与参苓白术散方类似，只是剂型不同。

7　又方

苡仁米二两　莲实一两，去心　糖一钱　桂花一分

右先以水一升，将苡仁煮至半熟，下莲子、糖、桂花，慢火熬透熟食之。

(《粥谱》)

8　陈茶粥方

治泄泻不止，宜食陈茶粥。

陈茶叶末五钱　粳米三合

右先以水一升，煮茶叶末至七合，去滓，下米煮为粥食之。

(《粥谱》)

9　四神粥方[1]

四神粥，治天明泄泻，腹痛，手足不温，怕冷。

补骨脂四两，炒　吴茱萸四两　肉豆蔻二两　五味子二两

右四件，捣罗为末，每取三钱，以生姜五片、大枣五枚入米煮粥和食之。

(《妇人大全良方》)

【校注】

[1] 此方对久不愈的肠炎、慢性结肠炎腹泻，有一定的疗效。有人将此方试用于肠结核腹泻，亦有止泻之功。

十八、霍乱食医诸方

简论：霍乱皆由饱食豚脍，复啖乳酪，海陆百品，无所不餐，多饮寒浆，眠卧冷席，风冷之气，伤于脾胃。胃中诸食结而不消，阴阳二气，壅而反戾，阳气欲升，阴气欲降，阴阳交错，变成吐利。吐利不已，百脉昏乱，荣卫俱虚，冷搏于筋，则令转筋。宜以食治之。

（《圣惠方》）

1 诃梨勒粥方

治霍乱不止，心胸烦闷，宜吃诃梨勒粥。

诃梨勒皮半两　生姜一两，切　粳米二合

右以水三大盏，煎诃梨勒等，取汁二盏，去滓，入盐花少许，下米煮粥，不计时候食之。

（《神巧万全方》）

2 高良姜粥方

干霍乱吐利腹痛等疾，高良姜粥主之。

高良姜一两，切　粳米二合

右以水三大盏，煎高良姜，取二盏半，入少许盐花，下米煮粥食之。

（《卫生易简方》）

3 蜡粥方

治霍乱后气脱虚羸，或泻不止，宜服蜡粥。

黄蜡半两　粳米三合，细研

右先以水煮粳米作粥，临熟，次下蜡，更煮，候蜡消，温温服之。

（《神巧万全方》）

4 黄芪粥方

治水泄霍乱，困顿，宜食补虚黄芪粥。

黄芪二两，细剉 人参一两 米二合

右三味，前二味剉如麻豆大，以水三升，同煎取二升，去滓，下米，煮粥食之。

(《圣济总录》)

5 豆蔻粥方

豆蔻粥，治霍乱吐泻不止，手足冷者。

肉豆蔻一两，去壳 人参一两，去芦头 厚朴一两，去粗皮，涂生姜汁，炙令香

右三件，捣，罗为细末，每服三钱，以水一大碗，入米一合，生姜汁半分，煮为粥，不计时候，温服。

(《圣惠方》)

6 又方[1]

肉豆蔻一枚，去壳，捣末 粳米二合

先将粳米煮成稀粥，熟后下肉豆蔻末，搅匀，顿服。

(《圣济总录》)

【校注】

[1] 本方适用于寒证，有热者忌服。

7 藿香正气粥方

治腹痛，上吐，下泻[1]，宜服藿香正气汤。

藿香二钱 白芷二钱 紫苏梗二钱 陈皮二钱 姜半夏二钱 茯苓五钱 苍术二钱 厚朴二钱 砂仁五分，研冲

右以水一升，煮取半升，去滓，顿服。

(《通俗伤寒论》)

【校注】

[1] **腹痛，上吐，下泻** 针对此，如单用车前草四两，细切，生姜五钱，切片，以水一升，煮取半升，顿服亦效。

8 木瓜汤方

治霍乱转筋，宜服木瓜汤。

木瓜一两，细切 吴茱萸五钱 茴香一分，炒 甘草二钱，炙

右四味，水煎服。另取木瓜片二两煮水，以青布浸裹抽筋处。

（《仁斋直指方论》）

9 葱白熨脐法

治大吐大泻后，四肢厥冷，欲脱，葱白熨脐法。

葱白两握

右一味葱白炒热，先取一握趁热熨脐，后取一握擂烂，酒煮灌之。当熨脐处葱白不热时，以熨斗火熨之，良久热气透入，手足温即差。

（《华佗方》）

十九、痢疾食医诸方

简论：夫一切痢者，由荣卫不足，肠胃虚冷，冷热之气乘虚入胃，客于肠间，肠虚即泄也。此皆由饮食生冷，脾胃虚弱，不能制于水谷，故糟粕不结聚，而变为痢也。宜以食治之也。

（《圣惠方》）

1 炙肝散方

治积冷气，痢下脓血，肌瘦，不能饮食，炙肝散主之。

猪肝一具，去筋膜 木香半两 乌梅肉三分，微炒 人参半两，去芦头 白术半两 黄连半两，去须，微炒 干姜半两，炮裂，剉 陈橘皮半两，汤浸去白瓤，焙 诃梨勒半两，煨，用皮 芜荑半两

右件药，捣细，罗为散，将肝切作片子，以药末一两，掺令匀，即旋以串子，炙令香熟，空腹食之。如渴，即煎人参汤温服之。

(《圣惠方》)

2 车前子饮方

车前子饮，治老人赤白痢，日夜无度，烦热不止。

车前子五合，绵裹，用水二升，煎取一升半汁　青粱米三合

右取煎汁，煮作饮，空心食之，日二[1]。服，最除热毒。

(《必用之书》)

【校注】

[1] 二　《寿亲养老书》作“三”。

3 猪肝煎方

食治老人脾胃虚气，频频下痢，瘦乏无力，猪肝煎主之。

豮猪肝一具，去膜，切作片，洗去血　好醋一升

右以醋煎肝，微火令泣尽干，即空心常服之。亦明目温中，除冷气。

(《寿亲养老书》)

4 羊脂粥方

治赤白痢久不差，困劣，烦渴甚者，宜服羊脂粥。

羊脂一两　猪脂一两　黄牛脂三两　葱　薤各五茎，切，去须　汉椒去目及闭口者，微炒，捣末，半钱　生姜一分，切　莳萝末，一钱

右先将脂等与葱、薤、生姜同炒，次用水入粳米三合，煮成粥，入莳萝、椒末，搅令匀，空腹顿服之。

(《圣惠方》)

5 猪肝饆饠方

治脾胃久冷气痢，瘦劣甚者，宜食猪肝饆饠。

豮猪肝一具，去筋膜　干姜半两，炮裂，剉　芜荑半两　诃梨勒三分，煨，用皮　陈橘皮三分，汤浸去白瓤　缩砂三分，去皮

右捣诸药为末，肝细切，入药末一两，拌令匀，依常法作饆饠，熟煿，空心食

一两枚，用粥饮下亦得。

(《圣惠方》)

6　蜡煎饼方

治赤白痢，蜡煎饼主之。

鸡子五枚[1]，取黄　薤白三茎，去须，细切　白面四两　白蜡一两

右将鸡子并薤白调和，面作煎饼，用蜡揩，唯熟为妙，空腹任意食之。

(《圣惠方》)

【校注】

[1] **五枚**　《神巧万全方》作“三枚”。

7　醋煮猪肝方

治积冷下痢腹痛，宜吃醋煮猪肝。

豮猪肝一具，去筋膜，切　芜荑末，半两

右以酽醋二升，入芜荑末，煮肝令熟，空心任性食之。

(《圣惠方》)

8　拨粥方

治赤白痢，休息气痢，久不差者，宜吃拨粥。

薤白一握，去须，细切　葱白一握，去须，细切　白面四两

右以上和面，调令匀，临汤以筯旋拨入锅中，煮熟，空腹食之。

(《神巧万全方》)

9　生姜粥方

治赤白痢及水痢，生姜粥主之。

生姜半两，湿纸裹，煨熟，细切　白面可拌姜令足

右将姜于面中拌，如作婆罗门粥法，于沸汤中下，煮令熟，空腹温温吞之。

(《圣惠方》)

10　附子粥方

治冷痢，饮食不下，宜吃附子粥。

附子一分，炮裂，去皮脐　干姜一分，炮裂，剉

右件药，捣细罗为末，每日空腹，煮粥，内药二钱食之，以差为度。

（《神巧万全方》）

11　黍米粥方

治诸痢不差，黍米粥主之。

黍米二合　蜡一两　羊脂一两　阿胶一两，捣碎，炒令黄燥，捣末

右煮黍米作稀粥，临熟，投阿胶、蜡、羊脂，搅令消，空腹食之。

（《圣惠方》）

12　马齿菜粥方

治血痢及一切痢，并腹痛，宜服马齿菜粥。

马齿菜二大握，切　粳米三合，折细[1]

右以水和马齿菜煮粥，不着盐、醋，空腹淡食，一顿效。

（《圣惠方》）

【校注】

[1] **三合，折细**　《神巧万全方》作“二合，折洗”。

13　葱白粥方

治赤白痢，宜服葱白粥。

葱白[1]一握，细切　粳米三合

右二味煮粥，空心食之。

（《卫生易简方》）

【校注】

[1] **葱白**　若无，用薤白亦可。

14 金樱子粥方[1]

治久泻、久痢、脱肛、遗精、遗尿，金樱子粥。

金樱子三钱　米三合

先以水一升煮金樱子，煮至七合，去滓。入米煮粥食之。

（《饮食辨录》）

【校注】

[1] 本方，泻痢初起忌用。

15 薤白粥方

治一切痢，并腹痛，宜食薤白粥。

薤白一握，细切

右一件，以米煮粥食之。

（《卫生易简方》）

16 赤小豆花粥方

治泄痢，寒热，宜食赤小豆花粥。

赤小豆花半两　豉汁五合　粳米三合

右三件煮粥，入五味调和食之。

（《卫生易简方》）

17 蜀椒馄饨子方

治冷痢白冻，宜吃蜀椒馄饨子。

蜀椒一钱　干姜一钱，研末　面五两　醋半合

先将前二味捣罗为末，以醋和面，作小馄饨子，服二七枚，先以水煮，更之饮中重煮，出停冷吞之，以粥饮下，空服，日一度作之，良。

（《大全本草》）

18 樗根馄饨方

治久痢不愈，唐刘禹锡著樗根馄饨。

樗根一两，剉

右捣筛，以好面捻作馄饨子，如皂荚子大，清水煮，每日空腹服十枚，并无禁忌，神良。

（《大全本草》）

19　酸石榴汤方

治滑泻久痢。宜服酸石榴汤。

酸石榴一枚

右烧烟尽存性，待冷研末。另用酸石榴一块煎汤送服。

（《经验效方》）

20　又方

茶叶末一两

右一味，以水二盏，煮成一盏，去滓，和米粥食之。日二度服。

（《经验效方》）

21　鲫鱼羹方

鲫鱼羹治老人痢白脓涕，腹痛。

大鲫鱼二斤　大蒜两块　胡椒二钱　小椒二钱　陈皮二钱　缩砂二钱　荜茇二钱

右件，葱、酱、盐、料物、蒜，入鱼肚内，煎熟作羹，五味调和令匀，空心食之。

（《饮膳正要》）

22　白头翁粥方

治下痢红冻，赤多白少，腹痛，里急后重[1]，宜食白头翁粥。

白头翁五钱　黄柏四钱　黄连二钱　秦皮四钱　木香二钱　白芍三钱　甘草一钱　马齿苋一两

右以水一升，煮取半升，去滓，入米二合，煮粥，待熟加白糖半匙。分二次食之。

（《伤寒论》）

【校注】

[1] **下痢红冻……里急后重** 针对此，亦可单用马齿苋四两，细切，煮粥，入盐花少许，连马齿苋吃下，汤亦喝完。每日一剂，以愈为度。此方有确效，用之多验。

23 驻车散方

治下痢久不愈，白冻不消失，宜服驻车散。

当归一两 阿胶珠一两 炮姜五钱 黄连二两 黄柏五钱 罂粟壳五钱，醋炙

右研细末，每用二钱，米汤调饮，日三服。

（《千金方》）

24 又方[1]

附子二钱 炮姜三钱 罂粟壳一两，醋炙 砂仁五分，研冲 肉豆蔻三钱，煨 诃子三钱，煨 龙骨一两，煅 赤石脂一两

右研细末，每取二钱，米汤送服，日三服。

（《证治准绳》）

【校注】

[1] 本方对久痢脱肛亦有效。

25 补骨脂散方

治久泻久痢不止，大便滑脱不禁，腹痛喜温喜按，脐腹痛，食少倦怠，甚至脱肛坠下，宜服补骨脂散。

党参三钱 白术三钱 山药三钱 巴戟天一钱 补骨脂一钱，炒 肉桂一钱 吴茱萸一钱 五味子一钱 诃子一钱，去核 肉豆蔻二钱，煨 罂粟壳二钱，蜜炙 煅龙骨二钱

右为细末，每次用二钱，以米汤送服，早晚各服一次。

（《证治准绳》）

二十、便秘食医诸方

简论：便秘责之于大肠。大肠传糟粕，糟粕满时则下，过时不下，则干而难解。尤以产妇和老人，气血亏，津液枯，大便干结多难解。治宜滋

阴润燥通下，忌攻下，盖攻剂对年高者，往往是一泻不止，轻则损伤元气，重则虚脱暴亡。

（尚志钧）

1　杏仁蒌仁粥方

治老人大便干结，数日不解，宜食杏仁蒌仁粥。

杏仁三钱，打碎　麻子仁三钱　苏子三钱　瓜蒌仁三钱　玉竹三钱　天冬一钱五分　麦冬一钱五分　槐米三钱　枳壳一钱

右以水一升半，煮取一升，去滓，入米二合，芝麻粉三钱，金橘饼一枚，煮粥，分二次食之，早晚各食一次。

（《医醇賸义》）

2　增液汤方

治热病后，阴液亏损，大便燥结不通，宜服增液汤。

大黄一钱五分　芒硝一钱　玄参一两　麦冬八钱　细生地八钱

右以水一升半，煮取半升，去滓，入米一合，煮粥，分为三份，先食一份，不下再食。

（《温病条辨》）

3　蜜煎导方

治大便秘，数日不解，宜用蜜煎导。

蜂蜜二合，铜勺中微火熬如饴状，候可丸，以蛤粉涂手，乘热捏作锭，令头圆锐，粗如小指，长寸许，候冷即硬。用时先蘸热水，轻轻塞入肛内，少顷即通便。一方加少许皂角、细辛粉，其效尤速。

（《伤寒论》）

4　雀麦粥

治老年大便干结难解，宜食雀麦粥。

雀麦二两　胡桃肉二两

右二味煮粥，分二服，早晚各一次。

（《经验方》）

5　又方

黑桑椹四两　粳米三合

右以水一升，煮粥，分三度食之。

（《随息居饮食谱》）

6　槟榔粥方

治大肠积滞，槟榔粥主之。

白槟榔一颗，水磨尽　生姜取汁半合　蜜一合　粳米三合，淘尽

右四件，先以水三升，煮米作粥，将熟，下槟榔等三味搅匀更煮五七沸，空心顿食之。

（《圣济总录》）

7　苏子麻仁粥方

治老人便秘，燥结难解，宜食苏子麻仁粥。

紫苏子一两　麻子仁一两

右二件，捣为泥，加水慢研，滤去滓，取汁，入米二合煮为稀粥食之。

（《丹溪心法附余》）

8　又方

蜂蜜一匙，炼至滴水成珠　牛奶三合　米三合

右先将米煮为粥，临熟，下蜜和牛奶，和匀，分二次食之。

（《粥谱》）

9　何首乌粥方[1]

治老人血虚津枯便秘，宜食何首乌粥。

何首乌一两，制，切　熟地一两，切　当归五钱，切

右三件，以水二升，煮至一升，去滓，入米三合，煮粥，分二次食之。

（《遵生八笺》）

【校注】

[1] 此方亦适用于产后血虚便闭，久服亦治少年头发花白。方中何首乌忌用铁锅煮，宜用沙锅煮。何首乌既能补血，又能通大便。

10 麻子苁蓉粥方

治气血虚便秘，大便干涩难解，宜食麻子苁蓉粥。

黄芪三钱 党参三钱 当归三钱 肉苁蓉三钱 大黄一钱 甘草一钱 麻子仁三钱 熟地五钱 郁李仁二钱

右以水一升，煮取半升，去滓，入米一合，煮粥，分早晚各食一次，此方亦可制成蜜丸，每日早晚各服三钱。

(《经验方》)

11 大黄甘草汤方

治大便秘结，实热积于胃肠，食已即吐，宜服大黄甘草汤。

大黄[1]三钱 甘草一钱

右以水一盏，煮沸，即去滓，待温时顿服，很快即泻，常伴有腹痛，身体强者可用，身体弱者及老年人不可用。对老年人及体弱者，将上两药，以水一升，煮取半升，去滓，入米二合，煮粥，分早晚二次食之。

(《经验方》)

【校注】

[1] **大黄** 此药煮的时间越久，则泻下力越弱；用煮沸开水冲泡，泻下力最强。

12 又方[1]

芦根一斤 蜂蜜一斤半

先将芦根以水三升，煮取半升，去滓，入蜂蜜熬膏。

食前，开水化服一两。

(《经验方》)

【校注】

[1] 本方适用于老人体虚便秘者。

13　又方

桃仁三钱　松子仁三钱　郁李仁二钱

右三味同捣烂，和水半升，搅，滤取汁，入碎粳米一合，煮粥，空腹时食之。

（《东医宝鉴》）

二十一、痔漏食医诸方

简论：凡痔疾有五：若肛边生肉如鼠奶，出孔外，时时脓血出者，名牡痔；若肛边肿痛生疮者，名牝痔，亦名漏痔；若肛边有核肿痛，及寒热者，名腹痔；若因便而清血随出者，名血痔；若大便难，肛边生疮，痒痛出血者，名脉痔。此者皆中于风寒之气，或房室不节，或醉饱过度，劳于气血，而经脉流溢，渗入肠间，冲于下部之所致也，宜以食治之。

（《圣惠方》）

1　野狸羹方

治五痔下血不止，肛肠疼痛，宜食野狸羹。

野狸一只，去皮肠胃及骨

右薄切作片，着少面并椒、姜、葱白、盐、醋调和，炙熟食之，或作羹食之，皆效。

（《圣惠方》）

2　赤糊饼方

治五痔及泻血，赤糊饼主之。

赤糊饼三枚，市买者　胡荽五两，洗择，入少醋拌

右空腹以糊饼夹胡荽食之，不用别吃物，一二服血止。

（《神巧万全方》）

3　鲫鱼脍方

治肠痔，大便常血，宜食鲫鱼脍。

鲫鱼一头，治如食法

右作鲫鱼脍，姜斋服之。

（《千金方》）

4　杏仁饮方

食治老人五痔，泄血不绝，四肢衰弱，不能下食，杏仁饮主之。

杏仁二两，去皮尖，细研，以水浸之　粳米四合，淘之

右以杏仁汁相和，煮作饮，空心食之，日一服效。

（《寿亲养老书》）

5　野猪肉羹方

食治老人五痔，久不愈，生疮疼痛，野猪肉羹主之。

野猪肉一斤，切片　葱白一握[1]　米二合，细研

右煮作羹，五味调和椒、姜，空心渐食之，常作极效。

（《必用之书》）

【校注】

[1] **一握**　《必用全书》作“二握”。

6　桑耳粥方

食治老人五痔下血，常烦热羸瘦，桑耳粥主之。

桑耳二两，水三升，煎取二升汁　粳米四合，淘之

右以桑耳汁煮作粥，空心食之，日一二服，皆效。

（《寿亲养老书》）

7　炙鸳鸯方

食治老人五痔，泄血不止，积日因困劣无气，炙鸳鸯食之。

鸳鸯一枚，如常法

右以五味，椒、酱腌，火炙之令熟，空心渐食之。亦疗久瘘疮，绝验。

（《寿亲养老书》）

8 鲇鱼羹方

食治老人五痔，血下不差，肛门肿痛，渐瘦，鲇鱼羹食之。

鲇鱼肉一斤 葱白半把

右以白煮令熟，空心，以蒜、醋、五味，渐渐食之，常作尤佳。

（《必用之书》）

9 鲤鱼脍方

食治老人痔，下血久不差，渐加黄瘦无力，鲤鱼脍主之。

鲤鱼肉十两，切作脍，如常法

右以蒜、醋、五味，空心常食之，日一服差，忌鲊、甜食。

（《必用之书》）

10 苍耳粥方

食治老人痔，常下血，身体壮热，不多食，苍耳粥主之。

苍耳子五合，熟杵，水二升，煎取一升半汁 粳米四合，淘

右以前件，煮作粥，空心食之，日常服，亦可煎汤服之极效。破气明目。

（《寿亲养老书》）

11 鳗鲡鱼臛方

食治老人痔病久不愈，肛门肿痛，鳗鲡鱼臛主之。

鳗鲡鱼肉一斤，切作臛 葱白半握，细切

右煮作臛，下五味、椒、姜，空心渐食之，杀虫尤佳。

（《寿亲养老书》）

12 鸲鹆散方

食治老人痔病下血不止，日加羸瘦无力，鸲鹆散主之。

鸲鹆五只，治洗令净，曝令干

右捣为散，空心以白粥饮服二方寸匕。日二服，最验。亦可炙食任性。

（《寿亲养老书》）

13 獭肝羹方

獭肝羹，治久痔下血不止。

獭肝一副

右件，煮熟，入五味，空腹食之。

(《饮膳正要》)

14 槐花地榆粥方[1]

治痔疮大便时出血，肛门疼痛。宜食槐花地榆粥。

当归五钱　白芍一两　肉桂二钱五分　黄连五钱　黄芩五钱　木香二钱　槟榔二钱　大黄三钱　甘草二钱　槐花五钱　地榆五钱　血馀炭五钱　丹皮三钱

右研细末，每取三钱，以水一升，煮取半升，去滓，入米一合煮粥，入白糖半匙，分二次食之。

(《经验方》)

【校注】

[1] 此方通治内痔出血。

15 又方[1]

明矾一两，研末

右一味，化入一升热开水中，先熏一刻钟，再坐浴洗十分钟，每日一次，待痔疮血止痛消为度。

(《经验方》)

【校注】

[1] 此方亦治痔漏，出黄水不干。

16 又方[1]

槐花五钱　地榆五钱　侧柏炭五钱　大小蓟五钱　蒲公英一两　丹皮三钱　丹参五钱　赤芍五钱　甘草二钱　桃仁三钱，打碎　枳壳三钱

右以水二升，煮取一升，去滓，入米二合，煮粥，分二次食之。滓再用水二

升，煮取一升半，坐浴，先熏后洗。每日一次。

（《经验方》）

【校注】

［1］此方亦治痔漏溃破出脓水。

17　龙骨牡蛎散方

治痔漏脓水不干，疮口不敛，龙骨牡蛎散。

煅龙骨八分　象皮七分　琥珀六分　血竭五分　黄丹五分　冰片四分　牛黄二分　煅牡蛎五分　乳香一钱三分　没药一钱三分

右研极细面，另用蒲公英二两，以水一升半，煮取一升，去滓，入明矾粉五钱，先坐熏五分钟，再坐浴一刻钟，候干，用上述药面掺患处。每日一次，以愈为度。

（《种福堂公选良方》）

18　槐叶茶方

治野鸡痔下血，除目暗，槐叶茶主之。

嫩槐叶一斤

右一味，如造茶法，为末，亦如茶煎啜之。

（《必用之书》）

19　黄芪粥方

治虚损羸瘦，益气力，除肠风，黄芪粥主之。

黄芪三两，剉　桑根白皮一两，剉　人参一两，去芦头　白茯苓一两　生姜半两，切　白粱米三合

右件药，细剉，和匀，每用药二两，以水三大盏，入枣五枚，煎取一盏半，去滓，下米煮粥，空腹食之。

（《圣惠方》）

20　地榆槐米散方

治痔瘘疮出血不止，地榆槐米散。

地榆一两，炒炭　槐米五钱，炒　黄芩五钱　枳壳二钱

右四味共研细末。另取小鸡一只，治如常法，炙熟，细切，以三钱药末拌匀，着五味，醋食之。

(《外伤大成》)

21　又方

地榆一两　防风一两　黄芩一两　枳壳五钱　当归五钱　槐角二两

右六味捣罗为末，每取六钱，水煎取汁，和米煮粥食之。

(《寿世保元》)

22　又方[1]

老丝瓜细切，炒炭，一两　陈棕炭一两　血馀炭一两　地榆炭一两

右四味为末，每日三次，每次服三钱，以血止为度。

(《经验方》)

【校注】

[1] 此方亦治外伤出血，掺出血处，包扎，则血止。

23　猪胆汁方

治肠风痔疮出血疼痛，猪胆汁涂之。

猪胆一个　片脑少许

右二味研和，涂痔疮处。

(《经验方》)

24　马齿苋菜方

治痔疮肿痛及脱肛肿痛，宜食马齿苋羹。

马齿苋三两　鸡一只，治如食法

右二味共煮，临熟，入盐花、五味调食之。

(《经验方》)

二十二、消渴食医诸方

简论：凡消渴[1]有三，一曰消渴，二曰消中，三曰消肾。渴而饮水，小便多者，名曰消渴。吃食多，不甚渴，小便数，渐消瘦者，名曰消中。渴而饮水不绝，腿膝瘦弱，小便浊有脂液者，名日消肾。其所慎者有三：一酒；二房室；三咸、酸、甜、米、面食。能慎此者，虽不服药，自可无他，不防此者，纵食金丹不救。

（《圣惠方》）

【校注】

［1］**消渴** 此病宜少吃多餐，每餐少吃米、面，多吃鱼、肉、蛋、豆制品，忌食甜味食品。无甜味的瓜果，如黄瓜、菜瓜、萝卜等可多吃。另外要戒烟、限酒、远房事。

1 花粉知母汤方

治口渴多饮，小便频数量多，多食善饥，食后渴稍减，舌红苔花剥，咽干，口干，口臭。宜饮花粉知母汤。

生黄芪五钱 生山药一两 天花粉三钱 葛根一钱五分 知母六钱 生鸡内金二钱，焙干捣碎 五味子三钱 黄连五钱

右以水一升半，煮至一升，去滓，频频当茶饮，渴即饮之。滓再煎再饮。

（《医学衷中参西录》）

2 又方

党参五钱 玄参一两 生地五钱 麦冬五钱 天花粉五钱 知母五钱 丹皮三钱 丹参三钱 当归三钱 赤芍三钱 黄连三钱

右以水一升半，煮至一升，去滓，当茶饮，渴即饮，滓再煮再饮。

（《经验方》）

3 瓜蒌馎饦方

治消渴，饮水不止，宜食瓜蒌馎饦。

黄丹三分 瓜蒌根一两，末 葱白一握，切 白面五两 薤白一握，切

右件黄丹等末，以水和面，溶作馎饦样，即先煮葱、薤白令烂熟，即内馎饦煮之，令熟，即并汁食之。

（《神巧万全方》）

4　杏酪粥方

治三消，心热气逆，不下食，宜吃杏酪粥主之。

煎成浓杏酪一升　黄牛乳一升　大麦仁三合，折令细滑

右件药，依常法煮粥食之，入白饧、沙糖和之，更大美也。

（《圣惠方》）

5　瓜蒌粉方

治消渴，瓜蒌粉主之。

瓜蒌根多取，削去皮（二月、三月、八月、九月造佳）

右于新瓦中磨讫，以水搅，生绢袋滤之。如造米粉法，曝干，热渴时，冷水调下一钱服之，大效。

（《圣惠方》）

6　羊肺羹方

治三消，小便数，宜吃羊肺羹。

羊肺一具，治如食法　精羊肉五两，切　粳米半合　葱白五茎，切　生姜少许　盐醋等

右相和，依常法作羹，饱食之。

（《圣惠方》）

7　瓜蒌羹方

治消渴口干，心神烦躁，宜吃瓜蒌羹。

瓜蒌根半斤　冬瓜半斤

右切作小片子，以豉汁中，煮作羹食之。

又，右单煎豉汁停冷，渴即饮之，亦佳。

（《圣惠方》）

8　猪肚饮方

猪肚饮，治老人消渴热中，饮水不止，小便无度，烦热。

猪肚一具，肥者，净洗之　豉五合，绵裹　葱白一握

右煮令烂熟，下五味调和，空心切，渐食之，渴即饮汁，亦治劳热。

(《必用之书》)

9　兔头饮方

兔头饮，治老人烦渴，饮水不足，日渐羸瘦困弱，最效。

兔一枚　新桑根白皮半斤，细剉

右剥兔去皮及肠胃，与桑根白皮同煮，烂熟为度，尽力食肉，并饮其汁，即效。

(《必用之书》)

10　青豆粥方

青豆粥，治老人消渴热中，饮水无度，常若不足。

青豆二斤[1]，净淘

右煮令烂熟，空心食之，渴即饮汁，或作粥食，任性，益佳。

(《必用之书》)

【校注】

[1] **二斤**　《寿亲养老书》作“二升”。

11　冬瓜羹方

冬瓜羹，治老人消渴烦热，心神狂乱，躁闷不安。

冬瓜半斤，去皮　豉心二合，绵裹　葱白半握

右以和煮作羹，下五味调和，空心食之，常作粥尤佳。

(《必用之书》)

12　鹿头羹方

鹿头羹，治老人消渴，诸药不差，黄瘦力弱。

鹿头一枚，炮去毛，净洗之

右煮令烂熟，切，空心，日以五味食之，并服汁极妙。

（《必用之书》）

13　石膏知母汤方[1]

石膏知母汤治多饮，饮不解渴，口干，多汗，尿多，大便干，舌红苔黄。

生石膏一两，打碎　知母六钱　鲜芦根一两，无鲜品，改用干者四钱　党参五钱　甘草二钱　黄芩二钱　黄连三钱

右以水一升，入粳米四钱，煮至米熟，去滓，频频渴即饮之。

（《圣惠方》）

【校注】

[1] 若大便干，加生大黄二钱。

14　田螺粥方

治消渴饮水，日夜不止，口干，小便数，宜食田螺粥。

田中螺五升

右以水一斗，浸经宿，每取一大盏，入米一合，煮作粥食之，如渴即饮其水，甚效。

（《圣惠方》）

15　枸杞饮方

枸杞饮，治老人烦渴，口干，骨节烦热。

枸杞根白皮一升　小麦一升，净淘　粳米三合，研

右以水一斗，煮二味，取七升汁，下米作饮，渴即渐服之，极愈。

（《必用之书》）

16　乌梅花粉饮方

乌梅花粉饮，治多饮多尿，口干舌燥，皮肤干燥，腿膝瘦细，无力。

黄芪　党参　黄精各五钱　黄连　五味子各一钱　乌梅三钱　天花粉四钱　生地

玄参　天冬　麦冬各三钱　山萸肉二钱

右以水一升半，煮取一升，去滓，频频饮之。滓再煮再饮。

（《经验方》）

17　黄雌鸡羹方

黄雌鸡羹，治老人烦渴，小便黄色，无力。

黄雌鸡一只，如常法　粳米二合，淘淅　葱白一握

右切鸡和煮作羹，下五味少着盐，空心食之，渐进，常效。

（《必用之书》）

18　黑芝麻糊方

黑芝麻糊，治能食多尿，一日夜吃十余次，尿八九升，消瘦，倦怠，身困，精神日形委顿。

黄芪五钱　党参一两　黄精三钱　冬虫夏草三钱　枸杞三钱　桑椹三钱　石斛五钱　玉竹五钱　山药三钱　五味子三钱　山萸肉三钱　枣仁三钱　茯神三钱　莲须三钱

右十四件，以水一升煮汁，五合，过滤，滓再煮一次，取汁五合，两次煮汁合并，入黑芝麻粉三合，煮为糊食之，日三服。

（《经验方》）

19　鹁鸽羹方

鹁鸽羹，治消渴，饮水无度。

白鹁鸽一只，切作大片　土苏（莱菔）二两

右件，同煮熟，空腹食之。

（《饮膳正要》）

20　鲤鱼汤方

鲤鱼汤，治消渴，水肿。

大鲤鱼一头　赤小豆一合　陈皮二钱，去白　小椒二钱　草果二钱

右件，入五味，调和匀，煮熟，空腹食之。

（《饮膳正要》）

21 瓠子汤方

瓠子汤，性寒。主消渴，利水道。

羊肉一脚子，卸成事件　草果五个

右件，同熬成汤，滤净。用瓠子六个，去瓤皮，切块，熟羊肉，切片，生姜汁半合，白面二两，作面丝，同炒，葱、盐、醋调和食之。

（《饮膳正要》）

二十三、小便数食医诸方

简论：小便数而多者，由下焦虚冷故也。肾主水，与膀胱为表里。肾气衰弱，不能制于津液，胞中虚冷，水下不禁，故小便数也。

（《圣惠方》）

1 鸡肉粥方

治膀胱虚冷，小便数不禁，补益五脏，黄雌鸡肉粥主之。

黄雌鸡一只，去毛羽肠脏　粳米一升　黄芪一两，剉　熟干地黄一两半

右三味，同煮令极熟，去药，及撇去鸡骨，取汁并肉，和米煮作粥，入盐、酱一如食法调和，空腹食之，作羹及馄饨，任意食之亦得。

（《圣惠方》）

2 山药羹方

治下焦虚冷，小便多数，瘦损无力，宜食生山药羹。

生薯蓣半斤，切　薤白半斤，去须，切

右于豉汁中煮作羹，如常调和食之。

（《圣惠方》）

3 羊肚羹方

治小便多数，瘦损无力，宜食羊肚羹。

羊肚一具，细切　羊肉四两，细切

右二味入酱、醋、五味，作羹食之。

（《圣惠方》）

4 又方

羊肚一具

右取羊肚，系盛水令满，线缚头，熟煮即开，取中水顿服之，立差。

（《神巧万全方》）

5 又方

羊胞一具

右以羊胞盛水满，炭火烧之，空腹饮，不过四五次，差。

（《神巧万全方》）

6 又方

鸡肶胵一具并肠

右二件烧末，酒服，男雄女雌。

（《神巧万全方》）

7 糯米糍方

治夜多小便，宜食糯米糍。

纯糯米糍一块[1]

右取纯糯米糍切片，临卧炙令软熟啖之，仍以温酒下。不饮酒，汤下，多啖愈佳。行坐良久，待心间空，便睡，一夜十馀行者，当夜便止。

（《澹寮方》）

【校注】

[1] **一块** 《总录》作“一手大”。

8 羊肺羹方

羊肺羹，治小便频数，下焦虚冷。

羊肺一具，细切　羊肉四两，细切

右二味，入五味作羹，空腹食之。

（《寿亲养老书》）

9　猪脬羹方

治小儿尿床，及产后遗尿不知出，宜食猪脬羹。

猪脬　猪肚各一个　糯米半升

右将糯米入脬内，又将脬入猪肚内，烂煮，盐、椒调匀，如饮食日常服，不过数次效，能补脬暖下元。

（《经验良方》）

10　缩泉丸方

治小便过多或遗尿，宜服缩泉丸。

益智仁二两　乌药二两　山药二两

右先将前二味研末，以山药煮糊为丸如梧子，空心服七十丸。

（《妇人大全良方》）

二十四、小便癃闭食医诸方

简论： 夫癃闭有多端，或水气停滞（肿满），或大汗、大吐（津液亏），或水驱大肠（泄泻），或三焦不能决渎（水不能下），或膀胱气化无权（水无所出），皆能导致癃闭。此外，胞痹不仁、尿蓄胞中不出，亦能致癃闭。治宜辨证施之。

（尚志钧）

1　知柏桂苓粥方

治水气停滞癃闭[1]，宜食知柏桂苓粥。

知母一两　黄柏一两　肉桂五分　猪苓一两　泽泻一两

右五件，捣罗为末，每取三钱，和热粥食之，日三服。

（《兰室秘藏》）

【校注】

[1] **水气停滞癃闭** 此多因气化无权，宜用肉桂温阳以化气。

2 沙参石斛粥方

治津液亏损癃闭[1]，宜食沙参石斛粥。

沙参一两　石斛一两　麦冬五钱　玉竹五钱　玄参五钱　知母五钱　泽泻三钱　熟地三钱

右八件，以水二升，煮取一升，去滓，下米三合，煮粥食之。滓，再煮代茶饮。

(《圣济总录》)

【校注】

[1] **津液亏损癃闭** 此多因汗吐下，津液受伤，水源不足所致。其治切忌分利，必须滋阴，当津液恢复，癃闭自然消失。

3 瞿麦木通粥方

治暴怒郁结，脐下闷痛，小便不通，宜食瞿麦木通粥。

瞿麦三钱　木通三钱　大腹皮三钱　大黄二钱　二丑一钱　枳壳二钱　当归三钱　延胡三钱　桔梗二钱　羌活二钱　射干三钱　肉桂五分

右十一件，捣罗为末，每取四钱，水二盏，煮为一盏，去滓，下米一合，煮粥食之。

(《圣济总录》)

4 葵菜羹方

葵菜羹顺气，治癃闭不通。性寒，不可多食。今与诸物同制造，其性稍温。

羊肉一脚子，卸成事件　草果五个　良姜二钱

右件，同熬成汤，熟羊肚、肺各一具，切，蘑菇半斤，切，胡椒五钱，白面一斤，拌鸡爪面，下葵菜炒，葱、盐、醋调和食之。

(《饮膳正要》)

5 鸡子黄方

鸡子黄治小便不通。

鸡子黄一枚，生用

右件，服之不过三服，熟亦可食。

(《饮膳正要》)

6　葵菜羹方

葵菜羹治小便癃闭不通。

葵菜叶不以多少，洗择净

右煮作羹，入五味，空腹食之。

(《饮膳正要》)

7　猪苓散方

治阴伤，渴欲饮水，小便不利，宜服猪苓散。

猪苓三钱　茯苓三钱　泽泻三钱　滑石三钱　阿胶三钱

右研细末，每次三钱，一日二次，米汤送服。服药期间避风寒。

(《伤寒论》)

8　补中益气汤

治妊娠胎压膀胱，小便不通，宜服补中益气汤。

黄芪一钱　当归一钱　党参一钱　陈皮五分　升麻五分　柴胡五分　白术五分　甘草五分

右八件，以水二盏，煮取一盏半，分三次服之。滓，再煮再服。

(《脾胃论》)

9　葱白热熨

治尿蓄胞中，小腹满痛，不渴，舌苔润，宜葱白热熨之。

葱白一握，细切

右一味炒热，布包，趁热熨脐。

(《经验方》)

10　桃仁承气汤

治小便难解，小腹满，灼热胀痛，宜服桃仁承气汤。

大黄一钱　芒硝一钱　生甘草一钱　桂枝二钱　桃仁一钱，打碎　蒲公英五钱　乌药二钱　王不留行二钱

右除芒硝外，其余药先以水一升，煮取半升，入芒硝化后，分三次服。滓，再煮再服。

(《妇人大全良方》)

11　乌药散[1]

木香二钱　沉香二钱　青皮一钱　陈皮一钱　川楝子二钱　乌药二钱　枳壳二钱　冬葵子三钱　王不留行三钱　乳香三钱　没药三钱　蒲公英一两

右研细末，每取三钱，米汤送下。日三服。

(《经验方》)

【校注】

[1] 此方也可治前列腺肥大压迫尿路，而排尿困难者。

二十五、五淋食医诸方

简论：夫五淋者，石淋、劳淋、血淋、气淋、膏淋是也。此皆由肾虚而膀胱热也。肾虚则小便数。膀胱热则水下涩，数涩则淋沥不宣。故谓之淋也，宜以食治之。

(《圣惠方》)

1　冬麻子粥方

治五淋小便涩少疼痛，宜吃冬麻子粥。

冬麻子二合　葵子一合　米三合

右研二味，以水二大盏，淘绞取汁，和米煮粥，浑着葱白，熟煮食之。

(《圣惠方》)

2　又方

葵菜一升　粳米二合　葱白一握，去须，切

右以水煮葵菜令熟，入米及葱煮，少许浓生姜汁，搅令匀，空腹食之。

（《圣惠方》）

3 麻子粥方

食治老人五淋，小便涩痛，常频不利，烦热，麻子粥主之。

麻子五合，熬研，水滤取汁　青粱米四合，淘之

右以麻子汁煮作粥，空心渐食之，一日二服，常益佳。

（《寿亲养老书》）

4 浆水饮方

食治老人五淋病，身体烦热，小便痛不利，浆水饮主之。

浆水三升，酸美者　青粱米三合，研

右煮作饮，空心，渐饮之，日二三服，亦宣利效。

（《寿亲养老书》）

5 小麦汤方

小麦汤，治老人五淋久不止，身体壮热，小便满闷。

右以小麦一升，通草二两，水三升，至熟去滓，渐渐食之，须臾即差。

（《必用之书》）

6 蒲桃浆方

食治老人五淋秘涩，小便禁痛，膈闷不利，蒲桃浆主之。

蒲桃汁一升　白蜜三合　藕汁一升

右相和，微火温三沸即止，空心服五合，食后服五合，常以服之，殊效。

（《寿亲养老书》）

7 葵菜羹方

食治老人淋，小便秘涩，烦热燥痛，四肢寒栗，葵菜羹主之。

葵菜四两，切　青粱米三合，研　葱白一握

右煮作羹，下五味、椒、酱，空心食之，极治小便不通。

（《寿亲养老书》）

8 青豆汤方

青豆汤，治老人淋，烦热，小便茎中痛，涩少，不快利。

青豆二升　橘皮二两　麻子汁一升

右煮豆，临熟，即下麻子汁，空心，渐食之，并服其汁皆验。

（《寿亲养老书》）

9 土苏煎方

土苏（莱菔）煎，治老人淋病，小便长涩不利，痛闷极。

青粱米四合，净淘　土苏二两　浆水二升

右煮作粥，临熟下苏搅之，空心食之，日一服，尤佳。

（《必用之书》）

10 车前子饮方

车前子饮，治老人淋病，小便下血，身体热盛。

车前子五合，绵裹，水煮，取汁　青粱米四合，淘研

右煮煎汁作饮，空心食之，常服亦明目。

（《必用之书》）

11 麦豆粥方

治小便少，淋沥涩痛，宜食麦豆粥。

青小豆一升　通草四两，剉　小麦一升

右以水四升，煎通草取二升，去滓，煮麦豆等作稀粥，食之。

（《备预百要方》）

12 又方

青粱米一升　葱白一握，切　豉半升

右先煮豉取汁，以豉汁煮粥，粥熟，入葱白，和，食之。

（《备预百要方》）

13 赤小豆散方

赤小豆散，治热涩痛。

赤小豆三合

右慢火炒熟为末，煨葱一茎，细切，暖酒调二钱匕服。

（《卫生易简方》）

14 八正散方[1]

治热淋涩痛，小腹急满，癃闭不通，或淋沥不畅，宜服八正散。

木通五钱　车前子五钱　萹蓄五钱　滑石五钱　瞿麦五钱　大黄五钱　栀子五钱　生甘草五钱　石韦五钱

右研细末，每取六钱，水一升，煮至半升，分三次服之。

（《和剂局方》）

【校注】

[1] 本方使用时，如小便有血，加生地五钱，另用琥珀粉末五分冲服。

15 葱粥方

治小便赤涩，脐下急痛，葱粥主之。

葱白十茎，去须，切　黄牛乳二合　粳米三合

右先以乳炒葱令熟，即入米水，依寻常煮粥，食之。

（《圣惠方》）

16 又方

牛犊蹄一具，捶烂

右取牛犊蹄煮熟热吃，甚利小便。

（《圣惠方》）

17 导赤散方

导赤散，治大人小儿心经内虚，邪热相乘，烦躁闷乱，传流下经，小便赤涩淋

沥，脐下满痛。血淋并治。

木通一钱　生干地黄二钱　甘草七分　麦门冬去心，一钱　灯草十五茎　淡竹叶一钱

右每服水盏半，煎至七分，食前温服。

（《简奇方》）

18　生地黄粥方

治小便出血碜痛，宜吃生地黄粥。

生地黄汁三合[1]　蜜二合　米一合　车前叶取汁三合

右先以水一大盏半，煮成粥，次入诸药汁及蜜，更煎三两沸，分为二服。

（《圣惠方》）

【校注】

[1] **三合**　《神巧万全方》作“二合”。

19　又方

赤小豆三合　苡仁米三合　山药三合

右炒，为末，用煨葱一茎，擂，以稀粥调服三钱。

（《经验方》）

20　冬葵子粥方

治血淋，宜食冬葵子粥。

冬葵子半两　葱白十茎　粳米三合　生姜汁一合

右将冬葵子、葱白、粳米、生姜汁合作粥，常食之，兼治热淋尿血。

（《备预百要方》）

21　又方

胡桃肉一两　细米三两

右二味以水煮浆粥一升，顿服之。

（《卫生易简方》）

22 麻子葵子粥方

治小便赤少，茎中涩痛，宜服麻子葵子粥。

冬麻子一合　冬葵子半合　粳米三合

右以水一升，研滤取汁，和米三合煮粥，着葱、椒、姜、豉，空心服之。

（《卫生易简方》）

23 三金粥方

治石淋，宜服三金饮。

海金沙五钱　金钱草一两　鸡内金五钱　木香三钱

右以水一升半，煮取一升，当茶饮。

（《经验方》）

24 琥珀散方

治淋沥诸般沙石者，宜服琥珀散。

琥珀二钱，明者，细研

右为细末，空心，葱白浓煎汤调服，诸淋证并治。

（《简奇方》）

25 瞿麦粥方

治沙淋涩痛及血淋涩痛。

瞿麦一两，细切，焙研末　海金沙一两　金钱草一两

右为末，取三钱，水一升，煎取七合，入米二合，煮粥食之。

（《经验方》）

26 玉株饮方

治沙热淋，痛不可忍，宜服玉株饮。

玉株[1]四两

右用水煎，热饮，夏月冷饮，以通为度。

（《食物本草》）

【校注】

[1] **玉株** 即薏苡仁。

27 又方

冬麻仁一升 冬瓜一斤，治如食法 葱白一握，切

右先将冬麻仁用水研取汁，以汁煮冬瓜、葱白作羹，空心食之。

（《备预百要方》）

28 羊骨方

虚劳白浊，宜服羊骨散。

羊骨半斤，捶碎，研细末

右一味，每服方寸匕，日三服，以稀粥调药末食之。

（《备预百要方》）

29 石韦萆薢饮方

治膏淋，小便排出后，移时凝如膏，宜服石韦萆薢饮。

冬葵子五钱 萆薢五钱 石韦五钱 车前草五钱 黄芪五钱 当归三钱 熟地三钱 白芍三钱 党参五钱

右以水二升，煮取一升，当茶饮，滓，可再煮一次饮之。每日一剂，以小便清为度。

（《证治汇补》）

二十六、水肿食医诸方

简论：夫肾主于水，脾胃俱主于土，土性克水。脾与胃合，胃为水谷之海。若胃虚不能传化，使水气渗溢经络，浸渍腑脏，脾得水湿，则病不能制于水。故水气独归于肾，三焦不泻，经脉闭塞，水气溢于皮肤而令肿也，宜以食治之。

（《圣惠方》）

1 酒煮鲤鱼

治老人水气疾，心腹胀满，四肢烦疼无力。宜食酒煮鲤鱼。

鲤鱼一头，长一尺二寸

右取大鲤一头，醇酒三升煮之，令酒干尽乃食之，勿用醋及盐豉他物杂也，不过三两服差。

（《肘后方》）

2 又方

鲤鱼一头重二斤者，如常法　橘皮二两

右和煮令烂熟，空心，以二味少着盐食之，常服，并饮少许汁。

（《寿亲养老书》）

3 又方

鲤鱼一头，可重一斤，去鳞肠肚净洗　冬麻子半升，水研滤取汁一升　赤小豆半升，淘令净

右先以水四大盏，煮鱼豆欲熟入麻子汁，更煮十余沸，出鱼，空腹食之，其豆及汁并宜食之。

（《圣惠方》）

4 鲤鱼臛方

鲤鱼臛，治老人水气，病身体肿闷满，气急不能食，皮肤欲裂，四肢常疼，不可屈伸。

鲤鱼肉十两　葱白一握　麻子一升，熬细研

右以水滤麻子汁和煮作臛，下五味、椒、姜调和，空心渐食，常服尤佳。

（《必用之书》）

5 又方

鲤鱼一条

右取鲤鱼长一尺五寸，以尿腌渍一宿。平旦，以木篦从口贯至尾，微火炙令微熟，去皮，宿勿食，空腹顿服之。不能者，分再服，勿与盐。

（《千金方》）

6 黄颡鱼羹方

治水气浮肿，宜食黄颡鱼羹。

黄颡鱼一介　绿豆一合许

右煮淡羹顿食。

（《是斋百一选方》）

7　鸭头粥方

治十种水，久病不差者，宜食鸭头粥。

青头鸭一只，剥去毛足头及肠

右修事和粳米煮，令熟，着五味、姜、葱、豉，任意食之，切勿入盐。

（《圣惠方》）

8　蒸牛肉方

蒸水牛肉，治老人水气，病四肢肿闷沉重，喘息不安。

水牛肉[1]一斤

右蒸令极熟，空心，切以姜、醋、五味渐食之，在性为益。

（《寿亲养老书》）

【校注】

[1] **肉**　其后，《必用之书》有“鲜肥者”。

9　水牛皮羹方

治老人水气，身体虚肿，面目虚胀，水牛皮羹主之。

水牛皮二斤，刮去毛，净洗　橘皮一两

右相和，煮令烂熟，切，以生姜、醋、五味渐常作尤益。

（《寿亲养老书》）

10　貒肉羹方

治老人水气浮肿，身皮肤燥痒，气急不能下食，心腹胀满，气欲绝，貒肉羹主之。

貒肉一斤，细切　葱白半握，切　粳米三合，淅

右和煮作羹，下五味、椒、姜，空心常食之最验。

（《寿亲养老书》）

11 大豆酒方

大豆煎，治男子女人新久肿，得暴恶风入腹，妇人新产上圊，风入脏，腹中如马鞭者，嘘吸短气，咳嗽者，宜食大豆酒。

大豆一斗

右一味净择，以水五斗，煮取一斗五升，澄清内釜中，以一斗半美酒内中，更煎取九升，宿勿食，平旦服三升，温覆取汗，两食顷当下，去风气，肿退，慎风冷，十日平复，除日合服佳。苦急不可待，逐急合服，肿不尽退加之，肿差更服三升，若十分差勿服。病中亦可任性饮之，使酒气相接。《肘后》云：肿差后渴，慎勿多饮。

（《千金方》）

12 黑豆粥方

治水气，利小便，除浮肿，黑豆粥食之。

黑豆半升　桑枝锉，半升　构枝锉，半升

右以水五大盏，煮取二大盏，去滓，每取汁一盏，入米一合，煮作粥，空心食之。

（《圣惠方》）

13 鲤鱼豆方

治老人水气肿满，手足俱肿，心烦满闷无力。宜食鲤鱼豆。

大豆二升　白术二两　鲤鱼肉一斤

右以水和煮，令豆烂熟，空心，常食鱼豆，饮其汁尤佳。

（《寿亲养老书》）

14 煮小豆方

若肿从脚起，稍上进者入腹则煞人，宜食煮小豆。

小豆一斛[1]，煮令极烂，得四五斗[2]汁

温以渍膝以下，日二，为之数日消尽。若已入腹者，不复渍，但煮小豆食之，

莫杂吃饭及鱼盐。

(《圣惠方》)

【校注】

[1] **一斛** 《寿域神方》《卫生易简方》作“一斗”。

[2] **四五斗** 《寿域神方》《易简方》作“四五升”。

15 赤小豆汁方

治脚肿满转上入腹垂死者，以赤小豆汁浸脚。

赤小豆一升，淘令净 苡仁米一两

右以水三斗[1]，煮熟，去滓，取汁浸脚，冷即重暖用之，其豆食之亦妙。

(《圣惠方》)

【校注】

[1] **三斗** 《神巧万全方》作“五升”。

16 又方[1]

赤小豆半升 白茅根三两，切碎

右二味，以水二升煮干，去茅根，食豆，分二日食完。

每隔日煮一剂。

(《经验方》)

【校注】

[1] 此方亦治血淋。

17 又方

冬瓜一枚，切 赤小豆三两

右二味煮烂，食豆，啜汁，日三服，以水便利，肿消为度。

(《经验方》)

18 麻子小豆羹方

治水气通身洪肿，百药治不差待死者，宜食麻子小豆羹。

大麻子皆取新肥者佳　赤小豆不得一粒杂，各一石

右二味皆以新精者净拣择，以水淘洗曝干，蒸麻子使熟，更曝令干，贮净器中。欲服，取五升麻子，熬令黄香，只宜缓火，勿令焦极，细作末，以水五升，搦取汁令尽净，密器盛贮。明旦欲服，今夜以小豆一升净淘浸至旦，干漉去水，以新水煮豆，未及好熟，即漉出令干，内麻子汁中，煮令大烂熟为佳，空腹恣食，日三服。当小心闷，少时即止，五日后，小便数或赤，而唾黏口干，不足怪之。服讫，常须微行，未得即卧。十日后，针灸三里、绝骨下气，不尔，气不泄尽。服药后，五日逆不可下者，取大鲤鱼一头，先死者去鳞尾等，以汤脱去骨，净洗，开肚去脏，以上件麻汁和小豆完煮令熟作羹，入葱、豉、橘皮、生姜、紫苏调和食之。始终一切断盐。渴即饮麻汁。秋冬暖饮，春夏冷饮，常食不得至饱，止得免饥而已，慎房室嗔怒。

（《千金方》）

19　桑皮小豆汁方

治大肠水乍虚乍实，上下来去者。宜食桑小豆汁。

赤小豆二两　桑白皮切，三钱　鲤鱼一斤　白术三钱

右四味㕮咀，以水一升煮鱼、豆至烂，勿用盐，去鱼尽食，并取汁半升许，细细饮下。

（《千金方》）

20　桑皮饮方

桑白皮饮，治老人水气，面目虚肿，足跋胀满，风急。

桑白皮切，一升[1]，以煎取三升半汁　粱青米四两，研

右以桑汁煮作饮，空心渐食，常服尤佳益。

（《必用之书》）

【校注】

[1] 切，一升　《寿亲养老书》“四两，切”。

21　楮叶粥方

治面目手足有微肿，常不能好者，楮叶粥主之。

楮叶二升，切

右以水四升，煮取三升，去滓，内米煮作粥，食如常食，勿绝。冬则预取叶干之，准法作粥，周年永差。慎生冷一切食物。

（《千金方》）

22　又方

楮皮枝叶

右取楮皮枝叶一大束，切，煮取汁，随多少酿酒，但饮醉为佳，不过三四日肿少退，差后可常服之。一方用楮椒皮枝叶。

（《千金方》）

23　榆皮粥方

治身体暴肿满，宜食榆皮粥。

榆皮不拘多少

右为末，和米作粥食之，小便利即安。

（《卫生易简方》）

24　麻子粥方

麻子粥，治老人水气肿满，身体疼痛，不能食。

冬麻子一升，熬研，滤取汁　鲤鱼肉七两，切

右取麻子汁下米四合，和鱼煮作粥，以五味、葱、椒空心食之，日一服。

（《必用之书》）

25　又方

冬麻子二合，以水研取汁一大盏半　粳米二合

右以麻子汁，和米煮作粥，着少葱、姜、豉食之。

（《圣惠方》）

26　郁李仁饼子方

治水肿利小便，宜食郁李仁饼子。

郁李仁末　面各一升

右二味和作饼子七枚，烧熟，空腹热食四枚，不知加一枚，以至七枚。

（《千金方》）

27　又方

郁李仁一两半，汤浸，去皮，水研取汁　薏苡仁二两，研碎如粟米

右以郁李仁汁煮薏苡仁作粥，空腹食之。

（《必用之书》）

28　牵牛子粥方

治水气，面目及四肢虚肿，大便不通，宜服牵牛子粥。

牵牛子一两，一半生，一半炒，并为细末　粳米二合　生姜一分，细切

右将米煮粥候熟，抄牵牛子末三钱，散于粥上，并入生姜搅转，空腹食之，须臾通转即效。

（《圣惠方》）

29　又方

商陆汁三合　生姜汁一合　生地黄汁三合

右相和，煎三五沸，每取二合，搅粥半盏，空心食之。

（《圣惠方》）

30　赤豆汤方

赤豆汤，治老人水气胀闷，手足烦痹[1]，气急烦满。

赤小豆三升，淘净　樟柳根白者，切，一斤

右和豆煮烂熟，空心，常食豆，渴即饮汁，勿别杂食，服三二服立效。

（《必用之书》）

【校注】

[1] **手足烦痹**　《寿亲养老书》作“手足浮肿”。

31　又方

生樟柳切片　赤小豆等分　鲫鱼去肠

右件二物，实鱼腹中，线缚之，水三升，煮令豆烂，去鱼，只取二物食之，汁送下。

（《朱氏集验方》）

32　赤小豆粥方

赤小豆粥，治水肿屡效。

赤小豆炒，倍加　樟柳头细切片　黄丫鱼生，细切　猪腰一对，生，细切

右先将赤小豆煮，滤去汁不用，将豆、樟柳头、大白陈米煮粥，若得大樟蓼同煮尤妙，无亦可，候粥七分熟，却入黄丫鱼与豮猪腰同煮，觉鱼与猪腰皆熟，食之。

（《圣惠方》）

33　鳢鱼粥方

治水肿，利小便，鳢鱼粥主之。

鳢鱼一头，可重一斤，去肠净洗　商陆二两，剉　赤小豆三合　紫苏茎叶二两

右于净锅中，着水五大盏，都煮候鱼烂熟，空腹食之，其汁入葱白、生姜、橘皮及少醋，调和作羹食之，其豆亦宜吃，甚效。

（《圣惠方》）

34　羊肉臛方

治水气洪肿，宜服羊肉臛。

精羊肉五两，切　商陆四两，切　葱白七茎并须　豉一合

右以水三大盏，煮商陆取二盏半，去滓，下肉及葱等，煮作臛，空腹食之，并汁取尽。

（《圣惠方》）

二十七、水臌食医诸方

简论：水臌（腹水）多因水裹、气结、血瘀所致，其根在癥瘕结块

阻塞水道，水气内停于腹，积久为臌（《医门法律》）。癥瘕结块又因情志内伤，忧恚忿怒，肝郁不舒所致，常伴有胸闷胁痛，噫气不舒，脾失健运，水气内停而为臌。治宜疏肝理脾行水。

（尚志钧）

1　葵子麻子粥方

治水臌腹大，脐腰重痛，不可转动，宜食葵子麻子粥。

冬葵子半升　冬麻子半升

右二件，以水研，滤取汁，入米二合，煮粥，着葱、椒、姜、豉，空心服。

（《卫生易简方》）

2　郁李仁粥方

郁李仁粥，治老人水气内停，腹胀，喘乏不安，转动不安，手足不仁，身体重困，或疼痛。

郁李仁一两，捣碎　麻子仁二两，捣碎

右二味，以水研，绞取汁，入米二合，煮粥，着葱、椒、姜、豉，空心食之。

（《卫生易简方》）

3　小豆鲤鱼羹方

治水气，腹大脐肿，腰痛不可转动，宜食小豆鲤鱼羹。

赤小豆五合　桑根白皮三两，剉　白术二两　鲤鱼一头，三斤者，净洗如常

右以水一斗，都一处煮，候鱼熟，取出鱼，尽意食之，其豆亦宜吃，勿着盐味，其汁入葱白及生姜、橘皮，入少醋，调和作羹食之，甚效。

（《神巧万全方》）

4　貒肉粥方

貒肉羹，治水臌，浮气，腹胀，小便涩少。

貒肉一斤，细切　葱一握　草果三个

右件，用小椒、豆豉，同煮烂熟，入粳米一合作羹，五味调匀，空腹食之。

（《饮膳正要》）

5　青鸭羹方

青鸭羹，治十种水病不差。

青头鸭一只，褪净　草果五个

右件，用赤小豆半升，入鸭腹内煮熟，五味调，空心食。

（《饮膳正要》）

6　小豆白鸡羹方

治卒大腹水病，小豆白鸡羹主之。

赤小豆一升　白鸡一头，杀，净洗

右二件以水三斗，煮熟食滓，饮汁稍稍令尽。

（《寿域神方》）

7　又方

青雄鸭一只，杀，净洗　赤小豆五合

右以水五升，煮取饮汁一升，稍稍饮令尽，厚覆之取汗，佳。

（《寿域神方》）

8　又方

老丝瓜一枚，去皮，细切　巴豆十四粒

右二味同炒，豆黄去豆，以瓜同隔年陈米炒熟，去瓜，磨米为丸，如梧子大。每日三次，每次服三十丸，以水消为度。

（《经验方》）

9　郁李苡仁粥方

治水臌喘急，宜食郁李苡仁粥。

郁李仁一两　苡仁米二两

右研以水滤汁，煮薏苡仁粥，日二食之。

（《圣惠方》）

10 桃红当归粥方

治水臌，右肋下常痛，腹内有结块，腹壁有青筋如蟹爪纹，皮肤苍黄，面黯黑，宜食桃红当归粥。

人参三钱 甘草三钱 鳖甲一两，醋炒，研末 桃仁一两 红花一两 当归一两 大黄一两，细切 生地二两 黄芩一两 延胡一两 郁金五钱 柴胡五钱 半夏五钱 鸡内金一两 茯苓一两

右研细末，每取六钱，以水一升半，煮取一升，入粳米三合，煮粥，分二次服之。

（《经验方》）

11 又方[1]

黄芪一两 当归七钱 白芍三钱 丹参一两 丹皮三钱 郁金三钱 柴胡三钱 猪苓二两 茯苓二两 白术五钱 延胡五钱 鳖甲二两，醋炒，研末 地鳖虫一两

右研细末，每取药末六钱，水一升，煮至七合，去滓，入粳米二合，煮粥，分二次食之。

（《经验方》）

【校注】

[1] 此方对臌胀（肝脾肿大兼腹水）而言，较宜。

12 大戟荞麦面方

大戟一钱 荞麦面二钱

右先为末，水和作饼，炙熟，研细，空心茶服，以大小便利为度。

（《经验方》）

13 又方

猪肾一枚，分为七脔[1] 甘遂一分[2] 以粉之火炙令熟[3]。一日一食至四五[4]。当觉腹胁鸣，小便利，不尔更进。尽熟剥去皮食之，须尽为佳，不尔再之。勿食盐。《易简方》云：一方更入木香一钱，共内肾中，以薄荷叶裹定，再用湿纸

裹煨，临卧细嚼，温酒送下，当下黄水是效。

(《经验方》)

【校注】

[1] **七商** 《卫生易简方》作“七片”。

[2] **一分** 《易简方》作“一钱”。

[3] **以粉之火炙令熟** 《寿域神方》作“湿纸裹，煨令熟”。

[4] **四五** 《易简方》作“四五片”。

14 防己椒目粥方[1]

治水臌，大小便不通，大满大实，宜防己椒目粥。

大黄一两　葶苈子一两　防己一两　椒目一两

右四件，捣为末，每取三钱，以水一升，煮取五合，去滓，下米二合煮稠粥，分二次食之。

(《金匮要略》)

【校注】

[1] 本方仅限于实证，只可暂用。

15 又方[1]

二丑一两，头末　郁李仁一两　甘遂五钱　芒硝五钱　木香三钱

右五件，捣罗为细末。每服一钱五分，生姜五滴，和入稀饭食之。

(《张氏医通》)

【校注】

[1] 此方如服后不效，应酌增用量，以微泻利为度。此方亦只限于实证，只可暂用。

16 茯苓冬瓜粥方[1]

治水肿腹水，心悸，宜食茯苓冬瓜粥。

党参三钱　五味子三钱　麦冬三钱　茯苓皮一两　猪苓五钱　桂枝二钱　白术五钱　甘草一钱　冬瓜皮一两　远志一钱

右以水二升，煮至七合，入米二合，煮粥，分二次食之。

(《经验方》)

【校注】

[1] 此方为五苓散与生脉饮合用，对水气凌心所致的心悸浮肿来说很适宜。

17 茯苓车前粥方

治水臌久不愈，形体消瘦，腹水肿胀，宜食茯苓车前粥。

茯苓一两三钱 车前子一两 半边莲一两 半枝莲一两 茵陈蒿一两 苡仁米一两 郁金五钱 丹参一两 桂枝三钱 枳壳四钱 厚朴三钱 赤芍六钱 生甘草一钱 苍术三钱 大腹皮一两 柴胡四钱

右以水三升，煮至一升，去渣，入米三合，煮粥，分二次食。每日一剂，以水去肿消为度。

(《经验方》)

18 又方[1]

玄参五钱 浙贝母五钱 夏枯草五钱 海藻五钱 海带五钱

右以水一升二合，煮至七合，去滓，入粳米二合，煮粥，分二次服。本方原用于瘿瘤，试用于肝癌肿块，久服能软化缩小肿块。

(《经验方》)

【校注】

[1] 服本方期间，忌服含甘草的方药。

二十八、胸水食医诸方

简论：夫胸水者，水停胸膈，或水停胸胁。前者名支饮，后者名悬饮，又名癖饮。支饮心下痞，胸闷短气，咳逆倚息不得卧；悬饮胁下胀满，转侧、呼吸俱痛，咳唾痛甚。治宜逐饮。

(尚志钧)

1　葶苈大枣粥方[1]

治心下痞，胸闷短气，喘不能平卧，宜食葶苈大枣粥。

葶苈子五钱，炒令黄　大枣十二枚　粳米二合

右以水煮粥，分二服。

（《金匮要略》）

【校注】

[1] 此方亦治胸腔积液。

2　葶苈车前粥方[1]

治水肿喘满不能卧，宜食葶苈车前粥。

葶苈子三钱　半边莲一两　半枝莲一两　露蜂房三钱　全瓜蒌一两　茯苓皮一两　夏枯草一两　车前子五钱，布包煎

右以水一升半，煮至一升，去滓。入米三合，煮成粥，分二次服，每日一剂。

（《经验方》）

【校注】

[1] 此方亦治胸腔积液。

3　又方

甜葶苈一两，微炒　汉防己一两　党参一两　桑白皮一两，炙　姜半夏七钱　炙麻黄七钱　陈皮七钱　吴茱萸七钱，汤洗

右为细末，每取五钱，水一升，煎至七合，去滓，入米二合，煮粥，分二次服。

（《杨氏家藏方》）

4　葶苈苏子粥方[1]

治面身浮肿，喘不得卧，宜食葶苈苏子粥。

苦葶苈子一两，捣为泥　南苏子一两，捣为泥　枣肉一两

右三味共研匀，每取三钱和粳米二合煮粥食之，以利一二次为度，利多则减小

用量。利后人发软，应隔日服一次。

（《经验方》）

【校注】

[1] 此方亦治肺中有水饮。

5　黄雌鸡羹方

黄雌鸡羹治胸胁水癖，水肿。

黄雌鸡一只，挦净　草果二钱　赤小豆一升

右件，同煮熟，空心食之。

（《饮膳正要》）

6　小豆苡仁鸡方

治胸胁水癖，咳唾转侧胸胁痛，宜食小豆苡仁鸡。

黄雌鸡理如食法　赤小豆一升　苡仁二两

右三味同煮，候豆烂即出食之。

（《食疗本草》）

7　五苓粥方

治水肿喘促，但坐，不能平卧，心悸怔忡，宜食五苓粥。

猪苓五钱　茯苓一两　泽泻五钱　白术五钱　肉桂三钱　甘草一钱　滑石二两　陈皮五钱，去白　木香二钱　槟榔三钱

右以水一升半，煮到七合，去滓，入米二合，煮粥，分二次服。

（《宣明论方》）

8　消黄甘遂粥方

治胁下痛，咳唾痛甚，喘促不能卧，宜食硝黄甘遂粥。

大黄一钱　芒硝三钱　甘遂二分

右先以水一升，煮大黄、甘遂，取半升，去滓，入米一合，煮粥。临熟，下芒硝三钱，入蜜一合，煮沸，分二次食之。以取微利，不利，再作。

(《伤寒论》)

9　又方[1]

大黄一钱　二丑一钱　青皮一钱　陈皮二钱　木香二钱　枳壳一钱　大腹皮三钱　白术三钱

右八件，以水一升，煮取半升，去滓，下米二合，煮粥，分二次食之。

(《丹溪心法》)

【校注】

[1] 此方亦治肝硬化腹水。如实证可加大戟、芫花、甘遂等峻下药。非实证，不可妄加。

二十九、脚气食医诸方

简论：夫脚气者，晋魏以前，名为缓风。古来无脚气名，后以病从脚起，初发因肿满，故名脚气尔。又有不肿而缓弱者，行即卒倒，渐至不仁，毒气阴上攻心，便至危困，急不旋踵，宽延岁月，然即缓风，毒气得其总称矣。此病状证由多，经方备证，今宜以食治之。

(《圣惠方》)

1　小豆青鱼羹方

治脚气脚弱，宜食小豆青鱼羹。

青鱼一头，长一尺以上　小豆三合

右用青鱼白煮食之。

(《卫生易简方》)

2　小豆鲤鱼羹方

治脚气，宜食小豆鲤鱼羹。

赤小豆半升　鲤鱼一头，长一尺以上

右二件，以水煮之，豆烂食之。

(《卫生易简方》)

3 又方

黑鲤鱼一头，长一尺二，治如常法

右以黑鲤鱼作清羹，或白蒸，依常日下饭，忌盐、酱、湿面、猪、鸡等物，累用有效。

（《琐碎录》）

4 猪肚羹方

治老人脚气，烦热，脚肿入膝，满闷，宜食猪肚羹。

猪肚一枚，细切，作生肥者

右以水洗，布绞令干，以蒜、醋、椒、酱五味，空心常食，以治热劳，补益甚效。

（《必用之书》）

5 猪肾粥方

猪肾粥，治老人脚气，烦痹缓弱不随，行走不能。

猪肾二只，去膜，细切　粳米四合　葱白半握

右和煮作粥，下五味、椒、姜，空心食之，日一服最验。

（《必用之书》）

6 水牛头羹方

治老人脚气，烦躁或逆，心间愦，呕逆，宜食水牛头羹。

水牛头一枚，炮，去毛，洗之

右煮令烂熟，切，以姜、醋、五味，空心渐渐食之，皆效。

（《寿亲养老书》）

7 腌熊肉方

治老人脚气，毒冲心，身面浮肿，气急，熊肉腌炙食之。

熊肉二斤，肥者，切作块

右切以五味作腌腊，空心，日炙食之。亦可作羹粥，任性食之，极效。

（《寿亲养老书》）

8　熊汤方

熊汤，治风痹不仁，脚气。

熊肉二脚子，煮熟，切块　草果三个

右件，用胡椒三钱，哈昔泥一钱，姜黄二钱，缩砂二钱，咱夫兰一钱，葱、盐、酱一同调和食之。

（《饮膳正要》）

9　乌鸡羹方

乌鸡羹，治老人脚气攻心，烦满，胸腹胀满。

乌鸡一只，治如常法　葱白一握，细切　米二合，研

右煮令熟，空心，切，五味作羹，常食之为佳。

（《必用之书》）

10　红豆鲤鱼羹方

治脚气浮肿，宜食红豆鲤鱼羹。

红豆四两　鲤鱼一斤

以红豆煮汁，用鲤鱼作羹食之，其水自小便出，取愈为度。

（《食疗本草》）

11　小豆通草汤方

治水肿脚气，两足肿满，小豆通草汤主之。

通草一两，切　赤小豆四两

右二味同浓煮服之，后吃豆，不食余物，当大下。

（《备预百要方》）

12　大豆汁方

治脚气冲心，烦闷，乱不识人，宜饮大豆汁。

大豆一升　水三升

浓煮取汁，顿服半升，如未定，可更服半升即定。

(《广利方》)

13　豉心酒方

豉心酒，治老人脚气痹弱，五缓六急，烦躁不安。

豉心三升，九蒸九晒为佳　酒五升

右以酒浸一二日，空心，任性温服三盏。

(《必用之书》)

14　橘皮粥方

治脚气，心胸壅闷，气促不食，橘皮粥主之。

陈橘皮一两，汤浸，去白瓤，焙　紫苏茎叶一两　大腹子三枚　桑根白皮一两半　生姜三分，切　粳米二合

右件药，细剉，以水三大盏，煮取一盏半，去滓，下米煮粥，空心食之。

(《圣惠方》)

15　紫苏粥方

治老人脚气毒闷，身体不任，行履不能，紫苏粥主之。

紫苏子五合，熬，研细，以水投取汁　粳米四合，净淘

右煮作粥，临熟下苏汁调之，空心而食之，日一服，亦温中。

(《寿亲养老书》)

16　麻子粥方

麻子粥，治老人脚气烦闷，或吐逆不下食，痹弱。

麻子一升　粳米四合，净淘

右以麻子汁作粥，空心食之，日一服尤益。

(《必用之书》)

17　槟榔粥方

治脚气，心腹烦闷，槟榔粥主之。

槟榔一枚，熟水磨令尽　生姜汁半两　蜜半合　粳米二合

右以水一大盏半，先将米煮粥，候欲熟，次下槟榔汁等，更煮令熟，空腹顿服。

（《圣惠方》）

18　生栗方

治老人脚气，肾虚气损，脚膝无力困乏，生栗食之。

生栗一斤，以蒸熟透，风处悬令干

右以每日空心，常食十颗，极治脚气，不测有功。

（《寿亲养老书》）

19　郁李仁饮方

治老人脚气冲逆，身肿脚肿，大小便秘涩不通，气息喘急，食饮不下，郁李仁饮主之。

郁李仁二两，细研，以水滤取汁　薏苡仁四合，淘，研破

右以相和煮饮，空心食之一二服，极验。

（《寿亲养老书》）

20　商陆饭方

治脚软，宜食商陆饭。

商陆根细切如小豆大

右煮熟，入绿豆，同烂煮为饭，每日煮服，以差为度。其功最效。

（《卫生易简方》）

三十、痹痛食医诸方

简论：痹痛为风、寒、湿三邪侵袭肢体经络，导致肢节疼痛、麻木、屈伸不利。三邪各有偏胜，风邪胜为行痹，痛无定处，流窜作痛；寒邪胜为痛痹，遇冷痛甚，其痛有定处；湿邪胜为着痹，其痛固着在某处，每遇天阴下雨，其痛加重。治宜祛风、散寒、利湿。痹痛日久，须加补气补血活血药，如此方能收效。

（尚志钧）

1 川乌粥方

治手足四肢不随，疼痛不能举，或麻木不仁，宜食川乌粥。

制川乌三两，焙，捣为细末

右取药末四钱和粳米粥半碗，慢火熬沸，下姜汁半匙，蜜三匙，搅匀，分三度食之。

（《普济本事方》）

2 又方[1]

制川乌三钱　苡仁米五钱　粳米三合

右三件，以水二升煮煎二味，煮至一升，去滓，下米煮为稀粥，入姜汁半匙，白蜜二匙，分三度食之。

（《普济本事方》）

【校注】

[1] 此方治着痹（湿盛）甚宜。

3 紫苏粥方

治风寒湿痹，四肢挛急，及脚气疼，不可践地，紫苏粥主之。

紫苏二两，杵碎

右以水二升，研取汁，煮粳米二合，作粥，和葱、豉、椒、姜食之。

（《卫生易简方》）

4 苡仁粥方

治筋脉拘挛，久风湿痹，下气，除骨中邪气，利肠胃，消水肿，久服轻身益气，宜食苡仁粥。

薏苡仁一两　木瓜三钱　米三合

右三件煮粥，空心食之。

（《必用之书》）

5　蒜煎方

蒜煎，治老人风痹，邪毒脏腑壅塞，手足缓弱，大补肾气。

大蒜一斤[1]，去皮，细切　大豆黄炒，二斤[2]

右以水一升，和二味，微火煎之，似稠即止，空心，每服食啖三二匙。

（《必用之书》）

【校注】

[1] **一斤**　《寿亲养老书》作“一升”。

[2] **二斤**　《寿亲养老书》作“二升”。

6　补肾地黄酒方

补肾地黄酒，治老人风湿痹，筋挛骨痛，润皮毛，益气力，补虚乏，止毒，除面皯宜服。

大豆二升，熬之　生地黄一升，切　生牛蒡根一升，切

右以绢袋盛之，以酒一斗，浸之五六日，任性空心温服，常服一二盏佳。

（《必用之书》）

7　酸枣仁粥方

治风湿筋骨、风冷顽痹，或多不睡，宜吃酸枣仁粥。

酸枣仁半两，炒令黄，研末，以酒三合浸汁　粳米三合

右件药，先以粳米煮作粥，临熟，下酸枣仁汁，更煮三五沸，空心食之。

（《圣惠方》）

8　薏苡仁粥方

薏苡仁粥，治久风湿痹，补正气，利肠胃，消水肿，除胸中邪气，治筋脉拘挛。

薏苡仁一两　黄芪五钱　防己三钱

同粳米煮粥，日日食之，良。

（《食物本草》）

9　麻杏苡仁粥方

风湿身疼，日晡剧者，张仲景麻杏苡仁粥。

麻黄三钱　杏仁十二枚，捣碎　甘草三钱

右三件，以水一升，慢火煮至七合，吹去沫，去滓，入薏苡仁米一两，煮粥分二次食之。

（《食物本草》）

10　松黄汤方

松黄[1]汤，补中益气，治筋骨痿软疼痛。

羊肉一脚子，卸成事件　草果五个　回回豆子半升，捣碎，去皮

右件，同熬成汤，滤净，熟羊胸子一个，切成色数大[1]，松黄汁二合，生姜汁半合，一同下炒，葱、盐、醋、芫荽叶调和匀。对经卷儿食之。

（《饮膳正要》）

【校注】

[1] **松黄**　即松树的花粉。《本草图经》：“松花上黄粉，山人及时拂取，作汤点甚佳，但不堪停久。”

[2] **色数大**　如骰子一般大。

11　醍醐酒方

醍醐酒，治虚弱，去风湿痹痛。

醍醐一盏

右件，以酒一杯和匀，温饮之，效验。

（《饮膳正要》）

12　熊肉羹方

治风痹痛不仁，五缓筋急，脚软。

熊肉一斤　豆豉汁二升

右件，于豆豉汁中，入五味、葱、酱，煮熟，空腹食之。

（《饮膳正要》）

13　黄雌鸡粥方

治虚损，益气壮筋骨，去风冷痹痛，补肾气，黄雌鸡粥食之。

黄雌鸡一只，未周年者，治之如法，以水一升，煮取汁五升　杏仁十枚，汤浸，去皮尖双仁　熟干地黄三两，剉碎，与杏仁同研，用酒三合，研绞取汁　粳米三合

右每用鸡汁二大盏半，和米煮粥，欲熟，下地黄、杏仁等汁，更煮令熟，空心食之。

（《圣惠方》）

14　苣胜粥方

治全身筋骨痛，宜食苣胜粥。

苣胜子不限多少，拣去杂，蒸曝各九遍

右每取二合，用汤浸布裹，挼去皮再研，水滤取汁，煎成饮，着粳米煮作粥食之，或煎浓饮，浇索饼食之，甚佳。

（《圣惠方》）

15　羌活防风汤方[1]

治头项痛，或落枕，转项不得，宜饮羌活防风汤。

麻黄三钱　桂枝三钱　葛根四钱　白芍二钱　生姜三钱　羌活二钱　川芎二钱　防风二钱　陈皮一钱

右以水一升煮麻黄，去上沫尽，入余煮至半升，分二次服。

（《外台秘要》）

【校注】

[1] 此方亦治肩臂痛。

16　又方

面二两　樟脑二钱

右二味同炒，入米醋少许，揉和，摊成饼，趁热贴痛，冷则易之。待痛止则去之。

（《经验方》）

17 羌活散方[1]

治头项痛，或肩臂痛久不愈者，手臂不能举，宜服羌活散。

当归五钱　川芎三钱　赤芍五钱　桃仁三钱　姜黄三钱　桂枝二钱　延胡五钱　寻骨风五钱　黄芪一两　羌活五钱

右研细末，每日二次，每次三钱，米汤送服。

（《经验方》）

【校注】

[1] 此方加牛膝、独活各五钱，亦治下肢疼痛不能步行。

三十一、腰脚痛食医诸方

简论：夫腰脚痛者，由肾气不足，受风邪之所为也，劳伤则肾虚，虚则受于风冷，与真气交争，故腰脚疼痛。宜以食治之也。

（《圣惠方》）

1 羊脊骨羹方

治肾脏风冷，腰脚疼痛，转动不得，宜羊脊骨羹。

羊脊骨一具，捶碎　葱白四握，去须切　粳米四合

右以水七大盏，煎骨取汁四大盏，漉去骨，每取汁二大盏，入米二合，及葱、椒、盐、酱作羹，空腹食之。

（《圣惠方》）

2 猪肚炙方

治下焦风冷，腰脚疼痛，转动不得，宜吃猪肚炙。

猪肚一枚，汤洗作炙　酒一升　附子二钱，炮裂，去皮脐，杵末　独活五钱，为末　桑寄生五钱，为末

右以椒、葱、盐、酱并酒，附子末、独活末、桑寄生末拌和，煮作角，或炙熟，空腹食之，兼饮酒一两盏，勿令过度。

（《圣惠方》）

3 豉附酒方

治下焦风湿，腰脚疼痛，行李无力，豉附酒。

豉二合　附子半两，炮裂，去皮脐，杵末　薤白一握，切，洗去滑　川椒五十粒，去目及闭口

右件药相和，炒至薤熟，投于三升酒中，更煎四五沸，每取一小盏，搅粥食之。

（《圣惠方》）

4 桂心酒方

治肾脏虚冷，腰脚疼痛不可忍，桂心酒粥主之。

桂心半两，末　好酒一升

右暖酒和桂心末，空腹分为二服，搅粥食之。

（《圣惠方》）

5 牛膝叶粥方

治风湿痹[1]，腰膝疼痛，或脚膝筋急疼痛，牛膝叶粥主之。

牛膝叶一斤，切　米三合

右于豉汁中相和，煮作粥，调和盐、酱，空腹食之。

（《圣惠方》）

【校注】

[1] **风湿痹**　《卫生易简方》作“气湿痹”。

6 梅实仁粥方

治腰脚疼痛，不可转侧，梅实仁粥主之。

梅实仁半两，研令细　米二合

右煮米令半熟，即下梅实仁相和，搅令匀，候熟，空腹食之。

（《圣惠方》）

7 羊脊骨羹方

治肾气虚冷，腰脚疼痛，转动不得，羊脊骨羹主之。

羊脊骨一具，捶碎，以水一斗，煎取三升　羊肾一对，去脂膜，切　羊肉二两，细切　葱白五茎，切　粟米二两

右炒肾肉断血，即入姜、葱、五味，然后添骨汁，入米重煮成羹，空腹食之。

（《圣惠方》）

8 杜仲桂心散方

治足膝疼不能立者，宜餐杜仲桂心散。

甘草　桂心　杜仲　人参各二两

右四件，捣末，以方寸匕，内羊肉炙之，令熟，任意食之。

（《神巧万全方》）

9 杜仲羊肾羹方

治卒腰痛补肾，宜食杜仲羊肾羹。

杜仲一两，去皮尖，炙微黄，剉

右以水二大盏，煎至一盏，去滓，用羊肾一对，细切去膜，入药汁中煮，次以葱白七茎[1]，盐花、醋、生姜、椒调和作羹，空腹食之，猪肾亦可。

（《神巧万全方》）

【校注】

[1] **七茎**　《易简方》作“十茎”。

10 又方

黄狗肉二斤

右一味，随意蒸煮，频食佳。

（《神巧万全方》）

11 风干栗方

治肾虚腰脚无力，宜吃风干栗。

生栗袋贮，悬干

每日平明吃十余颗，次吃猪肾粥。

（《肘后方》）

12　威灵仙粥方

治筋脉拘挛，久风湿痹，下气，除骨中邪气，利肠胃，消水肿，久服轻身益气力，威灵仙粥主之。

薏苡仁一升　威灵仙五两

右捣为散，每服以水半升，煮两匙末作粥，空腹食。

（《寿域神方》）

13　醍醐酒方

主补虚去风湿痹，宜饮醍醐酒。

醍醐二大两

右以暖酒一杯，和一匙食之。

（《肘后方》）

14　牛膝煮鹿蹄方

治脚痛及风寒湿痹，四肢挛急，脚肿不可践地，牛膝煮鹿蹄主之。

鹿蹄一具，治如食法　牛膝四两，去苗

右以豉汁同煮，令烂熟，入葱、椒调和，空心食之。

（《圣惠方》）

15　又方

紫苏子二两，捣令碎，水二升，研滤取汁　粳米二合

右以紫苏子汁煮作粥，和葱、豉、椒、姜，空腹食之。

（《圣惠方》）

16　炙猪肚方

治下焦风冷，腰脚疼痛，转动不得，宜吃炙猪肚。

猪肚一枚，汤浸，作炙　酒一斤　附子半两，炮，去皮脐，为末　牛膝五钱　杜仲五钱，各为末

右以葱、椒、盐、酱并酒，附子末、牛膝末、杜仲末拌和煮炙，作炙熟，空心食之，兼饮酒一两盏，勿令过度。

（《神巧万全方》）

17　苦豆汤方

苦豆汤[1]补下元，治腰脚痛。

羊肉一脚子，卸成事件　草果五个　苦豆一两　哈昔泥五分

右件，一同熬成汤，滤净，入盐少许，调和食之。

（《饮膳正要》）

【校注】

［1］**苦豆汤**　即胡芦巴汤。

18　木瓜汤方

木瓜汤，补中，顺气，治腰膝疼痛，脚气不仁。

羊肉一脚子，卸成事件　草果五个　回回豆子半升，捣碎，去皮

右件，一同熬成汤，滤净，下香粳米一升，熟回回豆子二合，肉弹儿木瓜二斤，取汁，沙糖四两，盐少许，调和，或下事件肉，食之。

（《饮膳正要》）

19　鹿头汤方

鹿头汤，补益，止烦渴，治脚膝疼痛。

鹿头蹄一副，捶，洗净，卸作块

右件，用哈昔泥豆子大，研如泥，与鹿头、蹄肉同拌匀，用回回小油四两同炒，入滚水熬令软，下胡椒三钱，哈昔泥二钱，荜茇一钱，牛奶子一钱，生姜汁一合，盐少许，调和。一法用鹿尾取汁，入姜末、盐，同调和食之。

（《饮膳正要》）

20　撒速汤方

撒速汤，治元脏虚冷，腹内冷痛，腰脊酸疼。

羊肉二脚子　头蹄一副　草果四个　官桂三两　生姜半斤　哈昔泥如回回豆子两个大

右件，用水一铁落，熬成汤，于石头锅内盛炖，下石榴子一斤，胡椒二两，盐少许，炮石榴子用小油一勺，哈昔泥如豌豆一块，炒鹅黄色微黑，汤沫子油去净，澄清，用甲香、甘松、哈昔泥、酥油烧烟熏瓶，封贮任意食之。

（《饮膳正要》）

21　炙羊腰方

炙羊腰，治卒患腰眼疼痛者。

羊腰一对　咱夫兰一钱

右件，用玫瑰水一勺，浸取汁，入盐少许，签子签火上炙。将咱夫兰汁徐徐涂之，汁浸为度，食之。甚有效验。

（《饮膳正要》）

22　生地黄鸡方

治腰背疼痛，骨髓虚损，不能久立，身重气之，盗汗，少食，时复吐利。

生地黄半斤　饴糖五两　乌鸡一只

右三味，先将鸡去毛，肠肚净，地黄与糖相和匀，内鸡腹中，以铜器中放之，复置甑中蒸吹，饭熟成，取食之。不用盐醋，惟食肉尽，却饮汁。

（《饮膳正要》）

23　羊骨粥方

治虚劳，腰膝无力。

羊骨一副，全者，捶碎　陈皮二钱，去白　良姜二钱　草果二个　生姜一两　盐少许

右水三斗，慢火熬成汁，滤出澄清，如常作粥，或作羹汤亦可。

（《饮膳正要》）

24　猪肾粥方

治肾虚劳损，腰膝无力，疼痛。

猪肾一对，去脂膜，切　粳米三合　草果二钱　陈皮一钱，去白　缩砂二钱

右件，先将猪肾、陈皮等煮成汁，滤去滓，入酒少许，次下米成粥，空心

食之。

(《饮膳正要》)

25　白羊肾羹方

治虚劳，阳道衰败，腰膝无力。

白羊肾二具，切作片　肉苁蓉一两，酒浸，切　羊脂四两，切作片　胡椒二钱　陈皮一钱，去白　荜茇二钱　草果二钱

右件相和，入葱白、盐、酱，煮作汤，入面餺子，如常作糕食之。

(《饮膳正要》)

26　枸杞羊肾粥方

治阳气衰败，腰脚疼痛。

枸杞叶一斤　羊肾一对，细切　葱白一茎　羊肉半斤，炒

右四味拌匀，入五味，煮成汁，下米熬成粥，空腹食之。

(《饮膳正要》)

27　羊肉羹方

治肾虚衰弱，腰脚无力。

羊肉半斤，细切　萝卜一个，切作片　草果一钱　陈皮一钱，去白　良姜一钱　荜茇一钱　胡椒一钱　葱白三茎

右件，水熬成汁，入盐、酱熬汤，下面餺子，作糕食之。将汤澄清，作粥食之亦可。

(《饮膳正要》)

28　鹿蹄汤方

治诸风虚腰脚疼痛，不能践地。

鹿蹄四支　陈皮二钱　草果二钱

右件，煮令烂熟，取肉，入五味，空腹食之。

(《饮膳正要》)

29　鹿角酒方

治卒患腰痛，不能转。

鹿角剉为末，一钱

右一件，内酒中饮之。空心顿服。

（《饮膳正要》）

30 羊骨饼方

治腰背下肢酸软无力，骨节痛，行走难，易跌仆，易骨折。

羊骨五块，捶碎 萝卜一枚，切 葱白一茎 草果五个 陈皮一钱 高良姜一钱 胡椒五分 砂仁五分

右以水熬半日，取浓汁，去滓，入山药粉半斤，面半斤，入五味，溲面为饼，蒸熟，分早中晚食之。

（《饮膳正要》）

三十二、痛风食医诸方

简论：痛风一名历节，为风寒邪流注关节，致关节疼痛，屈伸不利；化热则关节红肿，其痛加剧，日轻夜重。日久不愈，则关节肿大畸形。治宜散风寒止痛。

（尚志钧）

1 仓公当归汤方

治历节痛，夜间尤剧。宜服仓公当归汤。

当归五钱 炮附子一钱 麻黄一钱 防风二钱 独活二钱 细辛五分

右六件，以水和酒煎二次，二次药液合并，分三次服。

（《医略六书》）

2 又方[1]

制川乌二钱 蜜半匙

右先以水两盏，煎乌头至一盏，去滓，下蜜，搅匀，分二次饮之。

（《金匮要略》）

【校注】

[1] 此方仅能止痛，并不能根治。

3 桂芍知母汤方

治痛风关节红肿热痛，日轻夜重，宜服桂芍知母汤。

桂枝三钱 知母三钱 白芍三钱 麻黄一钱 炮附子一钱 生姜一钱 甘草一钱 白术一钱

右八件，以水煎二次，二次药汁合并，分三次服。

（《金匮要略》）

4 三妙粥方

治手指、足趾跟关节肿痛，变形肿大，或呈畸形，其痛夜间尤剧，多由痛痹失治而来，又称痛风。宜食三妙粥。

苍术三钱 黄柏三钱 牛膝三钱 苡仁五钱 防己三钱 赤芍五钱 乳香二钱 没药二钱 红花二钱 蒲公英五钱

右以水一升半，煮取一升，去滓，入米三合，煮粥，分二次食之。滓，再煮当茶饮。每日一剂。

（《医学正传》）

5 又方[1]

陈皮二钱 苍术二钱 厚朴二钱 半夏三钱 茯苓四钱 甘草一钱 桔梗二钱 枳壳二钱 当归三钱 川芎二钱 赤芍三钱 白芷三钱 麻黄一钱 肉桂一钱 干姜一钱

右以水一升，煮取半升，去滓，入苡仁米一两，煮粥，分二次食之。滓，再煮当茶饮。

（《仙授理伤续断秘方》）

【校注】

[1] 此方亦治风寒湿痹痛及外感风寒，内伤生冷，呕吐清水痰涎。

6 樟脑酒方[1]

治痛风久不愈，关节肿痛畸形。宜用樟脑酒外擦。

花椒一钱　樟脑五分　细辛五分　干姜一钱　红花一钱　川芎一钱　当归二钱　肉桂二钱

右以白酒二两，泡七日，频擦患处。

（《经验方》）

【校注】

[1] 此药酒擦冻疮红肿处，能消肿止痛。

7　桃红散方

治痛风关节红肿，按之痛甚。宜服桃红散。

延胡五钱　当归五钱　桃仁三钱　红花三钱　川芎三钱　赤芍三钱　丹参五钱　乳香三钱　没药三钱　威灵仙三钱　香附三钱　牛膝三钱　黄柏三钱　黄芩三钱

右为细末，每日三次，每次二钱，米酒调服。

（《类证治裁》）

8　参附天麻粥方

治痛风久不愈，关节痛，怕冷，关节屈伸不利。宜食参附天麻粥。

人参三钱　白术四钱　炮姜二钱　附子二钱，炮　天麻三钱　全蝎二钱　糯米炒，待米黄去米

右研细末，每取六钱，粳米三合，以水煮粥，分二次服。

（《杨氏家藏方》）

9　又方

木瓜三钱　伸筋草二钱　白芷二钱　防风二钱　防己二钱　秦艽二钱　天麻三钱　附子二钱，炮　苡仁米三钱

右研末，每取六钱，粳米二合，煮粥，分二次食之。

（《经验方》）

10　又方[1]

乳香三钱　没药三钱　当归一两　川芎一两　川乌五钱，炮　苍术二两，米泔浸，焙，切　天麻一两　赤芍一两

右研细末，每取六钱和苡仁米二两煮粥，分二次食之。

（《经验方》）

【校注】

[1] 此方治手足麻木久不愈者。

11 小活络丸方

治关节痛，筋脉挛痛，关节屈伸不利，手足不仁，或半身不遂。多见于中风后遗症，宜服小活络丸。

乳香二钱　没药二钱　地龙六钱　川乌六钱，炮，去皮脐　草乌六钱，炮，去皮脐　胆南星六钱

右研末，面糊为丸，如梧桐子大，每日早晚各服二十丸。

（《和剂局方》）

12 又方

天麻三钱　全蝎三钱　僵蚕三钱　胆南星六钱　白附子三钱　防风三钱　羌活三钱　姜半夏三钱

右研细末，每日服二次，每次米汤送服二钱。

（《经验方》）

13 又方

僵蚕五钱　全蝎五钱　蜈蚣三钱　制川乌五钱，炮，去皮脐　乳香五钱　没药五钱　防风五钱

右研细末，每取三钱，水二盏半，煎至一盏，去滓分二次服。

（《经验方》）

三十三、胸痹食医诸方

简论： 夫胸痹者，真心痛也。究其因，皆心胸脉络受阻所致。脉络受阻，入心血少，不足以荣心，轻则疞痛，重则心阳暴脱猝亡。而脉络受阻，究其因又有四：一者忧恚愤怒，则脉络紧；二者寒邪凝结，则脉络涩；三

者膏粱厚味，化为痰浊，沉积脉络，血行受阻；四者多静少动，血行瘀滞于脉络，则脉络阻塞难通。治之法：清心寡欲除忧恚，清淡饮食去厚味，风寒邪气宜避之，动静相依学流水，持之以恒，胸痹自退。

（尚志钧）

1　丹参粥方

治胸痹痛因血瘀所致，宜食丹参粥。

生山楂三钱　红花二钱　丹参三钱　赤芍三钱　川芎二钱

右五味，以水二碗，煎至一碗，入粳米一合，煮粥，晚临卧前食之。隔日服一剂，在用药期，有出血迹象，应停服。此方亦可预防脑血栓半身不遂。对初得脑血栓偏瘫，未过三日者，用此方三倍量一次煎服，一日三次，连用三日，血栓全化，其病可愈。

（《经验方》）

2　又方

桃仁七枚，去皮尖，研泥

右一味，热开水冲服，取效。

（《经验方》）

3　又方

预防胸痹痛，发时手心、背心出汗，心慌欲脱，宜食黑木耳羹。

黑木耳三钱　瘦猪肉一两　生姜三片　大枣五枚

右以水六碗，煮成两碗，一天吃完。连用两月，取效。

（《经验方》）

4　乌头煎方

治因寒心痛彻背，手足冷，脉沉细，宜服乌头煎。

桂心一钱　川乌炮裂，去皮尖，二钱五分　蜀椒一两，去目及闭口，炒出汗　干姜一两，炮　附子五钱，炮裂　川芎三钱　防风三钱　独活三钱

右捣罗为末，每取三钱，水一盏，煎至半盏，去滓，热饮之。

(《千金方》)

5 又方[1]

当归一两 桂心一两 厚朴二两 高良姜一两五钱 炮姜一两 赤芍一两 吴茱萸五钱

右为末，每次取三钱，水一盏煎服。不知，加至五钱。

(《普济方》)

【校注】

[1] 此方通治各种寒痛，如胃寒痛、因寒所致的心绞痛。

6 又方

苡仁米一两 炮附子一钱，研末

右二味以水煮粥，分三次食之。

(《经验方》)

7 苏合香丸方

因生气或发怒，诱发心胸憋闷作痛，宜嚼苏合香丸。

苏合香一钱五分 乳香三钱三分 檀香七钱 青木香七钱 冰片三钱三分

右除苏合香、冰片外，余下三味研为细末，入冰片细末，和匀。另取炼蜜适量，微温时，入苏合香搅匀，再和药粉拌匀，制成一百枚。待发病细嚼一丸咽下。一日三次。

(《外台秘要》)

8 又方

丹参一钱 延胡一钱 郁金一钱 莪术一钱 高良姜一钱 檀香一钱

右以水一升，煮至半，去滓，入米二合，煮粥食之。

(《经验方》)

9 又方

木香五分 沉香一钱 血竭一钱 没药一钱 朱砂一钱 麝香[1]一分

右研细末。每取二钱，以甘草五钱煎汤送服。

(《经验方》)

【校注】

[1] **麝香** 如无，以檀香三钱代之。但檀香行气散结的效果，远逊于麝香。

10 山楂桃仁粥方

治胸痛[1]如物挤压，痛有定处，日夜无休止，宜食山楂桃仁粥。

山楂二钱 桃仁去皮尖，十粒 红花一钱 莪术一钱 青皮一钱 丹参二钱 当归三钱 川芎一钱五分 制香附二钱 三棱一钱 茯苓三钱 白术三钱 制川乌三钱 延胡三钱

右以水一升二合，煮至七合，去滓，入米二合煮为粥，分三次食之。

(《经验方》)

【校注】

[1] **胸痛** 胸腔积液亦有胸痛不休的症状，至此已难治矣。止痛可用制川乌、延胡等分为末，每服一钱，日三服，但此法只是能减少患者的痛苦而已，并不能根治。

11 瓜蒌薤白汤方[1]

治气滞痰阻胸痛彻背，喘息咳唾痰涎，宜服瓜蒌薤白汤。

瓜蒌一两 薤白五钱

右二味，以酒一升，煮至五合，两次服之。

(《金匮要略》)

【校注】

[1] 此方应用时如患者面色灰暗，舌有紫暗瘀斑，应加丹参、川芎、赤芍、红花各三钱，延胡二钱。

12 又方

全瓜蒌四钱 薤白三钱 厚朴二钱 枳壳二钱，炒 陈皮二钱 姜半夏三钱 茯苓五钱

右以水一升，煮至七合，去滓，入米二合，煮粥，分二次食之。

（《金匮要略》）

三十四、经带食医诸方

简论：夫经带之为病，与血虚肝郁有关。血虚则经无血以行，肝郁则经不能调。益气血，和情志，疏肝解郁，食治经带之大法也。

（《圣惠方》）

1　四物汤煨鸡方

妇女月水少，色淡，消瘦，面苍白无华，宜食四物汤煨鸡。

当归一两　白芍五钱　川芎三钱　熟地一两

右捣为粗末，布包。另用母鸡一只，杀，治净，去内脏，将布包药末，塞入鸡肚内，缝好，入水煮熟，分三日食鸡喝汤。未食完的鸡和汤，每日早晚各煮沸一次。其药滓，再煮当茶饮。隔五日后，用同法再煮一剂。

（《和剂局方》）

2　桃红芍药粥方

治妇人数月，月水不行，并非妊娠，宜食桃仁芍药粥。

当归三钱　赤芍三钱　川芎二钱　丹参三钱　桃仁三钱　红花二钱　桂心五分

右以水一升半，煮取一升，去滓，入米三合，煮粥，分二次食之。每日一剂。

（《千金方》）

3　羊骨散方

治妇女月水不断，宜服羊骨散。

羊骨二两，烧炭　陈棕炭二两

右二味和匀，温酒服一钱，日三服。

（《经验方》）

4　又方

当归五钱　白芍三钱　地榆一两　苎麻根一两　槐花五钱　血馀炭五钱　乌贼骨一

两，捣碎　益母草五钱

右以水一升，煮取半升，去滓，温服之。滓，再煮再服。

(《经验方》)

5　当归散方

治妇人行经，腹疞痛不可忍。宜服当归散。

当归一两，焙

右一件，捣罗为末，每取三钱，入糖少许，和粥食之，日三服。

(《圣济总录》)

6　逍遥汤方

妇女月经期，乳房胀痛，痛连两胁，宜服逍遥汤。

当归五钱　白芍三钱　柴胡三钱　生姜二钱　白术三钱　茯苓三钱　薄荷二钱

右以水一升，煮取半升，去滓，分二次服。

(《圣惠方》)

7　桂枝四物汤方

治妇女月经期感冒，头痛，身倦，怕风，宜服桂枝四物汤。

桂枝三钱　白芍三钱　炙甘草二钱　川芎一钱　当归二钱　熟地二钱

右以水一大碗，煮至半碗，去滓，入粳米一合，煮粥，顿食之。

(《医宗金鉴》)

8　乌骨鸡药方

治妇女赤白带下，宜食乌骨鸡药。

白果半两　莲肉半两　红米半两　胡椒五分

右四件，布袋装，乌骨鸡一只，去肠，塞入药袋，煮烂，空心食鸡喝汤。

(《经验方》)

9　冬瓜仁散方

治妇女白浊及白带，宜服冬瓜仁散。

陈冬瓜子仁二两　鸡冠花二两　白藊豆二两

右捣罗为末，每日空心米饮下五钱，分二次服，以病去为度。

（《经验方》）

10　山药莲子糊方

治妇人带下久不愈，腰酸痛。宜食山药莲子糊。

山药四两，研粉　芡实一两，研粉　莲实一两，研粉

右三件混合，每取一两，水一盏，煮糊，临熟，入沙糖一钱，和匀食之，日二服。

（《饮食辨录》）

11　藊豆苡仁粥方

治白带多，小腹冷，喜热按，胸胁胀闷，宜食藊豆苡仁粥。

黄芪二钱　党参五钱　炮姜一钱　高良姜一钱　苍术二钱　白术三钱　茯苓三钱　苡仁三钱　白藊豆三钱　白果二钱　樗皮二钱　当归三钱　白芍三钱　柴胡二钱

右以水一升，煮取半升，去滓，入米一合煮粥，分二次食之。

（《经验方》）

12　加味二妙粥方

治赤白带下，或有臭气，小腹痛，腰痛，宜食加味三妙粥。

黄柏三钱　苍术三钱　牛膝一钱　苡仁五钱　败酱草五钱　红藤五钱　桑寄生三钱　柴胡二钱　当归三钱　白芍三钱

右以水一升，煮取六合，去滓，入米一合，煮粥，分二次食之。滓，再煮，当茶饮。

（《医学正传》）

13　柴胡栀子汤方

治带下绵绵，色黄，臭味难闻，情志不舒畅。宜服柴胡栀子汤。

黄芩二钱　黄柏二钱　青黛二钱　樗根皮二钱　滑石三钱　海浮石三钱　柴胡一钱　丹皮二钱　栀子三钱　当归三钱　白芍三钱

右以水一升，煮取半升，去滓，分二次服。

（《医学入门》）

14 红藤煎方

治赤白带下，久不愈，小腹时隐痛。宜服红藤煎。

红藤三钱　失笑散二钱，包煎　桃仁二钱　红花二钱　丹皮二钱　枳壳二钱　制大黄一钱　苡仁一两　黄芪五钱

右以水一升，煮取半升，去滓，分二次服。滓，再煮再服。

（《经验方》）

15 参芪地榆粥方

治妇女下血久不愈，白带多，小腹坠胀。宜食参芪地榆粥。

黄芪五钱　人参五钱　地榆五钱　陈棕炭三钱　半边莲五钱　半枝莲五钱　白花蛇舌草五钱　海藻五钱　昆布五钱　茯苓五钱　全蝎二钱　蜈蚣一条　柴胡二钱　当归三钱　香附三钱

右以水一升半，煮取一升，去滓，入苡仁米二两，煮粥，分二次食之。滓，再煮当茶饮。

（《经验方》）

16 桂枝茯苓丸方

治妇女小腹有宿块，时或下血。宜服桂枝茯苓丸。

桂枝一两　茯苓一两　桃仁一两　丹皮一两　赤芍一两

右五件，捣罗为末，蜜丸如兔屎大。每日二次，每次一丸。

（《金匮要略》）

17 蒲公英煎方

治乳痈初起肿疼，宜服蒲公英煎。

蒲公英二两　忍冬藤一两　糖一匙

右二味，细切，水一升，煮成半升，入糖分二次服，静卧，防止吐出。每日一剂，三日可消肿。

(《经验方》)

18 柴胡散结粥方

治乳房结块[1]，坚硬，推之不移。宜服柴胡散结粥。

柴胡三钱 当归三钱 全瓜蒌五钱 乳香一钱 没药一钱 三棱一钱 莪术一钱 血竭一钱 玄参三钱 浙贝二钱 牡蛎一两，捣碎 香附三钱 海藻五钱 海带五钱

右以水一升半，煮取一升，入粳米二合，煮粥，分二次食之。滓，再煮再服。

(《经验方》)

【校注】

[1] **乳房结块** 若硬而不坚，推之可移动，可单用逍遥丸，每日三次，每次三钱，连服三个月；若硬而坚，推之不移动，应尽快到医院检查。如诊断为乳腺癌，应手术切除，且越早越好。

19 柴胡疏肝汤方

乳房生数个小包块，形状大小不等，皮色不变，胸胁胀痛，喜叹息，宜服柴胡疏肝汤。

柴胡二钱 当归三钱 白芍五钱 陈皮二钱 枳壳一钱 半夏三钱 茯苓三钱 川芎一钱 全瓜蒌三钱 瓦楞子三钱 生牡蛎二钱，捣碎 香附三钱 丹参三钱 玄参三钱 浙贝三钱

右以水一升，煮取半升，去滓，分二次服，滓，再煮再服。

(《外科证治全书》)

20 白术猪肚粥方

治妇人腹胁血癖气痛，吐酸，腹胀。宜吃白术猪肚粥。

白术二两 槟榔一枚 生姜一两半，切，炒

右三件，捣筛，以猪肚一具，治如食法，去涎滑，内药于肚中，缝口，以水三升，煮肚令熟，取汁，和粳米五合及五味同煮粥，空腹食之。

(《圣济总录》)

21 翻白草煎方

治吐血及尿血、便血，宜服翻白草煎。

翻白草　槐花　地榆　血馀炭　藕节各五钱

右五件，捣罗为末，每取三钱，以酒和水煎，去滓，温服，血不止，再服。

（《经验方》）

22　枳壳煎方

治子宫脱出，以枳壳煎浸之。

枳壳二两

右一味煎汤，待温浸之，良久即入。另用补中益气丸五钱和米二合，煮粥食之。

（《经验方》）

23　二仙汤方

治中老年妇女烦躁不安，时或冷，时或面部烘热，头晕耳鸣，腰酸无力，诸般不适，坐卧不安，宜服二仙汤。

仙茅三钱　仙灵脾三钱　鹿角霜四钱　当归三钱　白芍三钱　川芎二钱　熟地四钱　巴戟天三钱

右以水一升，煮取半升，去滓，分二次服。滓，再煮当茶饮。

（《经验方》）

24　又方

知母一钱五分　黄柏一钱五分　巴戟天三钱　当归三钱　仙茅三钱，细切　淫羊藿三钱

右以水一升半，煮至一升，去滓，入粳米三合，煮粥，分二次食之。第二天以药滓同法煮粥食之。第三天另换一剂煮粥食之。其滓留第四天煮粥。即一剂吃两天，第一日吃头煎，第二日吃二煎。

（《经验效方》）

三十五、妊娠食医诸方

简论：凡初有娠，四肢沉重，不多饮食，脉理顺时，是欲有胎；如是经三二日，便觉不通，则结胎也。其状心中愦愦，头重目眩，四肢沉重，懈怠不能执作，恶闻食气，欲啖酸咸果实，多卧少起，是谓恶食。其至三月以上，皆大剧，吐逆，不能自胜举。有如前候者，便依此饮食将息，既

得食力，体强色盛，足以养胎，子母安健也。

（《圣惠方》）

1　山芋面方

治妊娠恶阻呕逆及头痛，食物不下。

生山芋一尺，于沙盆内研令尽，以葛布绞滤过　苎麻根一握，去皮，烂，捣碎

右研匀，入大麦面三两，和溲细切，如棋子大，于葱、薤、羹汁、肉，煮熟，旋食之。

（《寿亲养老书》）

2　又方

木瓜一枚，大者，切　蜜二两

右二味，于水中同煮，令木瓜烂，于沙盆内细研，入小麦面三两，溲令相入，薄擀切为棋子。每日空心，用白沸汤煮强半盏，和汁淡食之。

（《寿亲养老书》）

3　麦门冬粥方

治妊娠胃反，呕逆不下。

生麦门冬去心，净洗，切碎，研烂，绞汁取一合　白粳米净淘，二合　薏苡仁拣净，去土，一合　生地黄肥者，四两，净洗，切碎，研烂，绞汁，三合　生姜汁一合

右以水三盏，先煮煎粳米、薏苡仁二味令百沸，次下地黄、麦门冬、生姜三味汁相和，煎成稀粥，空心温服。如呕逆未定，晚后更煮食之。

（《寿亲养老书》）

4　葱粥方

治妊娠数月未满，损动。

葱三茎　糯米三合

右以葱煮糯米粥食之，如产后血运，用之亦效。

（《寿亲养老书》）

5 苎麻粥方

治妊娠胎不安，腹中疼痛，宜常食。

生苎麻根一两，净洗，煮取汁二合　白糯米二合　大麦面一合　陈橘皮浸去白，炒，半两，末

右四味，以水同煮为粥，令稀稠得所，熟后，入盐少许，平分作二服，空腹热食之。

（《寿亲养老书》）

6 鲤鱼羹方

治妊娠伤动，胎气不安。

鲜鲤鱼一头，理如食法　黄芪剉，炒　当归切，焙　人参　生地黄各半两　蜀椒十粒，炒　生姜一分　陈橘皮汤浸，去白，一分　糯米一合

右九味，剉八味，令匀细，内鱼腹中，用绵裹合，以水三升，煮鱼熟，将出，去骨取肉，及取鱼腹中药，同为羹，下少盐、醋，热啜汁吃，极效。

（《寿亲养老书》）

7 鲤鱼粥方

治妊娠因伤动，腹里疠痛，宜服安胎鲤鱼粥。

鲤鱼一头，重一斤者，去鳞须肠胃，细切　苎根二两，干者，净洗，剉　糯米五合

右件药，以水三碗，先煎苎根，取汁二碗，去滓，下米并鱼煮粥，入五味，空腹食之。

（《圣惠方》）

8 安胎脏法

鲤鱼一头，可一尺，去鳞脏用　糯米二合　姜汁少许，入盐、豉、葱

右同以水煮，候米熟为度，取其鱼，空腹食，妊娠三月以后，如此修事，每月三度，食至十月满则止。旧方以粳米饭鲤鱼作臛食。

（《子母秘录》）

9 鲤鱼粥方

治妊娠安胎。

鲤鱼一尾，治如食法　糯米一合　葱二七茎，细切　豉半合

右以水三升，煮鱼至一半，去鱼入糯米、葱、豉，煮粥食之。

（《寿亲养老书》）

10 鸡子羹方

治妊娠胎不安。

鸡子一枚　阿胶炒令燥，一两

右取好酒一升，微火煎胶，令消后，入鸡子并盐一钱和之，分作三服，相次食之。

（《寿亲养老书》）

11 鲤鱼葵菜羹方

治妊娠小便淋涩，胎不安，鲤鱼葵菜羹。

鲤鱼一枚，重一斤者，理如食法　葵菜一斤　葱白四两，切

右以水五升，煮熟，着少许盐，和鱼、菜并汁同食之效。

（《圣惠方》）

12 鲤鱼羹方

姚氏疗妇人数伤胎怀妊法。宜食鲤鱼羹。

生鲤鱼二斤　米一升

右二味，以水煮作羹，少与盐，勿与葱、豉、醋，一月中三度食，比至儿生乃止，甚良。亦疗安胎。

（《肘后方》）

13 鲤鱼臛方

治妊娠胎不长，兼数伤胎，鲤鱼臛主之。

鲤鱼一斤，治如食法　糯米半升　当归五钱

右如法作臛，入葱、豉，少着盐、醋食之。一月中三五遍作食之极效。《良

方》右二味，如法作臛，少着盐，勿着葱、豉、醋，食之甚良，一月中须三遍作效，安稳无忌。

（《圣惠方》）

14　鲤鱼大枣羹方

《集验》治妇人怀胎不长，鲤鱼大枣羹。

鲤鱼长一尺者，去肠肚鳞

以水渍没，内盐及枣煮令熟，取汁稍稍饮之，当胎所腹上，当汗出如牛鼻状，虽有所见，胎虽不安者。十余日辄一作此，令胎长大，甚平安。

（《妇人大全良方》）

15　豉汤方

治妊娠，伤寒头痛，豉汤主之。

豆豉一合　葱白一握，去须，切　生姜一两，切

右以水一大盏，煮至六分，去滓，分温二服。

（《寿亲养老书》）

16　鲤鱼汤方

治妊娠，胎脏壅热，不能下食，心神躁闷，鲤鱼汤。

鲤鱼一头，长一尺者，治如食法　生姜一两，切　豆豉一合　葱白一握，去须，切

右以水五升，煮鱼等令熟，空腹和汁食之。

（《圣惠方》）

17　生鱼秫米臛方

妊娠卒胎动不安，或但腰痛，或胎转抢心，或下血不止，宜食生鱼秫米臛。

生鱼二斤　秫米一升

右作臛，分服之。

（《肘后方》）

18　鹿角末方

治妊娠损动下血，苦烦满，豉汤服鹿角末。

豆豉一合　鹿角一分，末

右以水一大盏，煮豉取汁六分，内鹿角末搅匀，分为二服。

(《圣惠方》)

19　阿胶粥方

治妊娠下血如故，名曰漏胎。胞干胎毙，宜服阿胶粥。

阿胶半两，炙黄，为末　龙骨末，一分　艾叶末，一分

右用糯米二合，入前药，以水煮作粥，空腹食之。

(《圣惠方》)

20　鸡子酒方

治妊娠血下不止。

鸡子五枚，取黄

右取好酒一盏，同煎如稀饧，顿服之。未差，更作服之，以差为度。

(《寿亲养老书》)

21　小豆饮方

治妊娠漏胎，血尽子死。

赤小豆半升　蜀椒去目并闭口，炒出汗，十四枚　乌雌鸡一只，理如食法

右三味，以水二升，同煮令熟，取汁，时时饮之，未差，更作服之。

(《寿亲养老书》)

22　黄芪粥方

治胎动不安，腹痛下黄水，宜食黄芪粥。

糯米一合　黄芪五钱　山药三钱　苎根二钱

右四件，以水一升，煎至八合，分二次温。

(《食物本草》)

23　黄芪阿胶粥方

妊娠胎动不安，下血如豆汁，宜服黄芪阿胶粥。

秫米一两　黄芪五钱　阿胶三钱

先将黄芪，以水一升，煮为七合，去滓，下秫米煮为粥，临熟，入阿胶烊化，煮沸，食之。

（《食物本草》）

24　陈橘皮粥方

治妊娠冷热气痛，连腹不可忍。

陈橘皮汤浸，去白，焙，一两　苎麻根刮去土，曝干，一两　良姜末，三钱　白粳米择净，半合

右四味，除粳米外，捣罗为散，每服五钱匕。先以水五盏，煎至三盏，去滓，入粳米半合，盐一钱，煮作粥食之。空心一服，至晚更一服。

（《寿亲养老书》）

25　豉心粥方

治诸种疟疾，寒热往来。

豆豉心二合，以百沸汤泡，细研　柴胡去苗，三钱，末　桃仁汤浸，去皮尖，研，三十个

右先将豆豉心、桃仁，以白米三合，水半升，同煎为粥，临熟，入柴胡末搅匀食之。

（《寿亲养老书》）

26　鹿头肉粥方

治妊娠四肢虚肿，喘急胀满。

鹿头肉半斤　蔓荆子去土，一两　良姜　茴香炒令香，各半两

右四味，除鹿肉外，捣罗为末，每服四钱匕。先将水五盏，煮鹿肉候水至三盏，去肉，下白米一合，同药末，候米熟，下五味，调和得所，分作三服，一日食尽。

（《寿亲养老书》）

27　黄鸡臛方

治妊娠四肢虚肿，喘急，兼呕逆不下。

黄雌鸡一只，去头足及皮毛肠胃等，洗净，去血脉，于沸汤中掠过，去腥水　良姜一两

桑白皮刮净，剉，一两半　黄芪拣，剉，一两

右四味，剉后三味，与鸡同煮，候鸡熟，去药，取鸡留汁，将鸡细擘，去骨，将汁入五味调和，入鸡肉，再煮，令滋味相入了，随性食之，不计早晚，不妨别服药饵。

（《寿亲养老书》）

三十六、产后食医诸方

简论：夫产之理，十月既足，百骨坼，肌肉开解，儿始能生。百日之内，犹尚虚羸，时人将为一月，便云平复，岂不谬乎？饮食失节，冷热乖衷，血气虚损，遂以成疾。药饵不知，更增诸疾，惟以饮食调理，庶为良工。

（《圣惠方》）

1　粟米粥方

治产后血气虚弱，不能下食，粟米粥主之。

粟米三合　羊肉半斤，去脂膜，拣取四两，细切

右以水五大盏，下米、羊肉同煮，欲熟，入盐、酱、椒、葱，更煮粥令熟，空心食之。

（《圣惠方》）

2　益母草汁粥方

治产后虚劳，血气不调，腹肚绞痛，血运昏愦，心热烦躁，不多食，益母草汁粥主之。

益母草汁二合　生地黄汁二合　藕汁二合　生姜汁半合　蜜二合　白粱米一合，水淘，研令细

右先以水一大盏，煮米作粥，次入诸药汁，更煎三两沸，每服吃二合，日三服。

（《圣惠方》）

3　羊肉粥方

治产后七日后，宜吃此粥。

白羊肉去脂膜，四两，细切　粳米净淘，三合　生地黄汁三合　桂去粗皮，剉取末，

一分

右以水煮肉，并米熟后，入地黄汁并桂末，令得所，以五味调和，空心任意食之。

（《寿亲养老书》）

4　黄雌鸡饭方

治产后虚羸补益。

黄雌鸡一只，去毛及肠肚　生百合净洗，择一果　白粳米饭一盏

右将粳米饭、百合，入在鸡腹内，以线缝定，用五味汁煮鸡令熟，开肚，取百合粳米饭，和鸡汁调和食之。食鸡肉亦妙。

（《寿亲养老书》）

5　黄雌鸡羹方

治产后虚损。

黄雌鸡一只，肥者，理如食法　葱白五茎，切　粳米半升

右三味，依常法，以五味调和为羹，任意食之。

（《寿亲养老书》）

6　豉汁羊头羹方

治产后风眩瘦病，五劳七伤，心虚惊悸，宜食豉汁羊头羹。

羊头一只　豆豉一升，捣绞汁

右烂煮羊头于豉汁中，入五味调和，空心食之。

（《圣惠方》）

7　猪肚羹方

治产后积热劳极，四肢干瘦，饮食不生肌肉。

豮猪肚一件，净洗，先以小麦煮令半熟，取出肚，煮（切令安一处）　黄芪剉碎，半两　人参三分　粳米三合　莲实剉碎，一两

右以水五升，煮猪肚，入人参、黄芪、莲实，候烂，滤去药并肚，澄其汁令清，方入米煮，临熟入葱白、五味，调和作粥，任意食。

（《寿亲养老书》）

8　牛肉羹方

治产后乳无汁。

牛鼻肉净洗，切作小片

右用水煮烂，入五味如常法，煮作羹，任意食之。

（《寿亲养老书》）

9　鲫鱼羹方

治产后乳无汁。

鲫鱼一斤　蛴螬五个

右以常法，煮羹食后食之。

（《寿亲养老书》）

10　鹿肉臛方

治产后乳无汁。

鹿肉四两，洗，切

右用水三碗，煮入五味作臛，任意食之。

（《寿亲养老书》）

11　猪肝羹方

治产后乳不下，闭闷烦痛，猪肝羹主之。

猪肝一具　粟米一合

右一如常法，作羹粥，空心食之。

（《圣惠方》）

12　又方

猪蹄羹，治产后无乳。

猪蹄一具，洗，剉　粳米一合，净淘

右用不拘多少，入五味煮作羹，任意食，作粥亦得。

（《寿亲养老书》）

13　猪蹄粥方

治产后乳汁不下。

母猪蹄一只，治如食法，以水三盏，煮取二盏，去蹄　王瓜根洗，切　木通剉碎　漏芦去芦头，各一两

右四味，除猪蹄汁外，粗捣筛，每服三钱匕，以煮猪蹄汁二盏，先煎药至一盏半，去滓，入葱、豉、五味等，并白米半合，煮作粥，任意食之。

（《寿亲养老书》）

14　三肉臛方

治产后乳汁不下。

龟肉二两，洗，切　羊肉三两，洗，切　獐肉三两，洗，切

右用水，不拘多少，入五味，煮为臛食之。

（《寿亲养老书》）

15　鲍鱼羹方

治产后乳汁不下。

鲍鱼肉半斤，细切　麻子仁一两半，别研　葱白三茎，切碎　香豉半合，别研

右先将水三升，煮鱼肉熟，后入后三味，煮作羹，任意食之。

（《寿亲养老书》）

16　茯苓粥方

治产后无所苦，欲睡而不得睡。

白茯苓去黑皮，取末半两　粳米三合

右二味，以米淘净，煮粥半熟，即下茯苓末，粥熟，任意食之。

（《寿亲养老书》）

17　猪肾粥方

治产后寒热，状如疟，猪肾粥方。

猪肾去脂膜，细切，一对　香豉一合　白粳米三合　葱三茎，细切

右四味，以水三升，煮猪肾、豉、葱，至二升，去滓下米，煮如常法，以五味调和，作粥食之，未差更作。

（《寿亲养老书》）

18　冬麻子粥方

治产后腹中积血，及中风汗出，益气肥健，利小便，冬麻子粥主之。

冬麻子一合，以水研取汁三升　薏苡仁一合，捣碎　粳米二合

右用冬麻子汁，煮二味作粥，空心食之。

19　生藕汁饮方

治产后恶血不利，壮热虚烦。

生藕汁　地黄汁各半盏　蜜一匙　淡竹叶一握，切，以水一盏半，煎取汁半盏

右四味，同煎沸熟，温分三服，日二夜一。

（《寿亲养老书》）

20　又方

治妇人蓐中好食热面酒肉，变成渴燥。

生藕汁　生地黄汁各半盏

右二味，相和，温暖分为三服。

（《寿亲养老书》）

21　冬瓜拨刀方

治产后血壅消渴，日夜不止，冬瓜拨刀主之。

冬瓜研取汁，三合　小麦面四两　地黄汁三合

右三味，一处溲和如常面，切为拨刀，先将獐肉四两，细切，用五味调和，煮汁熟后，却漉去肉，取汁下拨刀面，煮令熟，不拘多少，任意食之。

（《寿亲养老书》）

22　脯鸡糁方

治产后心虚惊悸，遍身痛。

黄雌鸡一只，去毛头足肠胃，净洗，以小麦二合，水五升，煮鸡半熟，即取出鸡，去骨　蜀椒去目并闭口，炒汗出，取末一钱　柴胡去苗，二钱　干姜末，半钱　粳米三合

右先取水，再煮鸡及米令烂，入葱、薤、椒、姜、柴胡末等，次又入五味、盐、酱，取熟，任意食之。

（《寿亲养老书》）

23　猪肾臛方

治产后风虚劳冷，百骨节疼，身体烦热。

猪肾一对，去脂膜，薄切　羊肾一对，去脂膜，薄切

右以五味，并葱白、豉为臛，如常食之，不拘时。

（《寿亲养老书》）

24　滑石粥方

治产后小便不利，淋涩。

滑石半两，别研　瞿麦穗一两　粳米三合

右以水三升，先煎瞿麦取二升半，滤去滓，将汁入米，煮如常，粥将熟，入盐少许，葱白三寸，方入滑石末，煮令稀稠得所，分作三度食之。

（《寿亲养老书》）

25　麦麸牡蛎散方

治产后虚汗，宜食麦麸牡蛎散。

小麦麸一两　牡蛎一两

右二味捣罗为末，以猪肉汁调服。

（《食物本草》）

26　苏麻粥方

治妇人产后有三种疾，郁冒则多汗，汗则大便秘，故难于用药，惟此粥最佳且稳。

紫苏子　大麻子二味，各半合[1]，净洗，研极细，用水再研，滤汁一盏[2]，分二次煮粥啜

右此粥，不独产后可服，大抵老人诸虚人风秘皆得力。

（《经验秘方》）

【校注】

［1］半合　《妇人大全良方》作“二合”。

［2］一盏　《寿亲养老书》作“二盏”。

27　羊肉炒薤白方

治产后诸痢，宜食羊肉炒薤白。

肥羊肉半斤，切　羊肾一对，切　薤白一握，切

右以羊肉、羊肾炒薤白，空腹食之。

（《神巧万全方》）

28　紫苋粥方

治产前后赤白痢，宜食紫苋粥。

紫苋叶细剉，一握　粳米三合

右先以水煎苋叶，取汁去滓，下米煮粥，空心食之，立差。

（《寿亲养老书》）

29　艾叶馄饨方

治产后下痢腰痛，宜食艾叶馄饨。

艾叶二两

右将艾叶，捣粗罗为末，如常作馄饨，空腹食之。

（《圣惠方》）

三十七、小儿食医诸方

简论：小儿始生，肌肤未成，宜时见风日。天和暖无风之时，令母将抱日中嬉戏，数见风日，则血气刚，肌肤密，堪耐风寒，不致疾病。

（《诸病源候论》）

1　生干地黄丸方

治小儿十岁以来，血脉不流，筋脉缓弱，脚膝无力，不能行步，宜服生干地黄丸。

生干地黄　当归剉，微炒　防风去芦头　酸枣仁微炒　赤茯苓　黄芪剉　芎䓖　羚羊角屑　羌活　甘草炙微赤，剉　桂心以上各半两

右件药，捣罗为末，炼蜜和丸，如绿豆大，食前，以温酒下十丸，更量儿大小，加减服之。

（《圣惠方》）

2　羚羊角丸方

治小儿五六岁不能行者，骨气虚，筋脉弱，宜服益肝肾二脏，羚羊角丸。

羚羊角屑　虎胫骨涂醋，炙令黄　生干地黄　酸枣仁微炒　白茯苓以上各半两　桂心　防风去芦头　当归剉，微炒　黄芪以上各一分

右件药，捣罗为末，炼蜜和丸，如小豆大，每于食前，以温酒研破五丸服之。

（《医方大成》）

3　五加皮散方

治小儿三岁不能行者。

真五加皮二两

右为末，粥饮调，用酒少许，每服一栗壳许，日三服。

（《三因方》）

4　八味丸方

治小儿骨弱，至七八岁不能行立者，只服八味丸。

八味丸一料

右一料服之，自愈，功在泽泻耳。

（《是斋百一选方》）

5　五加皮木瓜散方

骨者髓之所养，小儿气血不充，则髓不满，骨故软弱而不能行，抑亦肝肾俱虚

得之。肝主筋，筋弱而不能束也。宜食五加皮木瓜散。

真五加皮一分　牛膝　酸木瓜干各半分

右为末，每服一钱半，以粥饮调，次入好酒二点，再调，食前服，日二剂。

（《得效方》）

6　地黄丸方

生干地黄　牛膝　五加皮酒炙，以上各二两　鹿茸半两，细剉

右捣罗为细末，炼蜜为丸，如麻子大，每服五丸。

（《得效方》）

7　虎骨丸方

虎胫骨酒炙赤　生干地黄　酸枣仁酒浸，去皮，炒香　白茯苓　辣桂[1]　防风　当归　川芎　牛膝等分，晒

右末，炼蜜丸，麻子大，每五丸，酒调下，或煎木瓜汤下。

（《得效方》）

【校注】

［1］**辣桂**　《永类钤方》作“肉桂”。

8　鸡头丸方

治小儿诸病后，六七岁不能语，鸡头丸主之。

雄鸡头一枚，烧灰　鸣蝉三枚，微炒　甘草半两，炙微赤，剉　川大黄一两，剉，微炒　麦门冬一两，去心，焙　当归三分，剉，微炒　黄芪三分，剉　芎䓖三分　远志半两，去心　木通半两，剉　人参一两，去芦头

右件药，捣罗为末，炼蜜和丸，如绿豆大，每服以粥饮下五丸，量儿大小加减，不计时候服之。

（《圣惠方》）

9　菖蒲丸方

治四五岁长大而不能言，菖蒲丸主之。

人参　石菖蒲　麦门冬去心　远志取肉，姜制炒　川芎　当归各二钱　滴乳香　朱砂各一钱，别研

右末，炼蜜丸，麻子大，每服十丸，粳米饮下。

（《永类钤方》）

10　芍药散方

治小儿心气不足，舌本无力，令儿语迟，芍药散主之。

赤芍药一两　黄芪三分，剉　犀角屑半两　槟榔半两　甘草半两，炙微赤，剉

右件药，捣粗罗为散，每服一钱，以水一小盏，煎至五分，去滓，量儿大小，不计时候，分减温服。

（《圣惠方》）

11　煨椒梨方

治小儿卒咳嗽，宜食煨椒梨。

好梨一颗　椒五十粒

先将梨刺作五十孔，每孔入真椒一粒，然后，以面水和作饼裹梨，外用湿纸裹两重，煨于塘灰中令熟，出，停冷去椒，令儿吃之。

（《备预百要方》）

12　犀角散方

治小儿喉痹，肿塞不通，壮热烦闷，宜服犀角散。

犀角屑　桔梗去芦头　络石叶　栀子仁　川升麻　甘草炙微赤，剉。以上各一分　马牙硝半两　射干半两

右件药，捣粗罗为散，每服一钱，以水一小盏，煎至五分，去滓，不计时候，量儿大小，以意加减，温服。

（《圣惠方》）

13　射干散方

治小儿脾肺壅热，咽喉肿痛痹，射干散主之。

射干　川升麻　百合　木通剉　桔梗去芦头　甘草炙微赤，剉。以上各一分　马牙

硝半两

右件药，捣粗罗为散，每服一钱，以水一小盏，煎至五分，去滓，不计时候，量儿大小，以意加减，温服。

（《圣惠方》）

14　升麻散方

治小儿咽喉肿塞疼痛，升麻散主之。

川升麻　木通剉　川大黄剉，微炒　络石叶　犀角屑　甘草炙微赤，剉。以上各一分　石膏三分　川朴硝三分

右件药，捣粗罗为散，每服一钱，以水一小盏，煎至五分，去滓，不计时候，量儿大小，以意加减，温服。

（《圣惠方》）

15　马牙硝散方

治小儿喉痹疼痛，水浆不入[1]，马牙硝散主之。

马牙硝　马勃　牛黄细研　川大黄剉，微炒　甘草炙微赤，剉。以上各一分

右件药，捣细罗为散，不计时候，以新汲水调下半钱，更量儿大小，以意加减。

（《圣惠方》）

【校注】

[1] **小儿喉痹疼痛，水浆不入**　此病，用土牛膝根和人乳共捣烂，绞取汁灌之，亦效。

16　牛蒡根汁方

治小儿卒毒肿着咽喉，壮热妨乳者，宜饮牛蒡根汁。

牛蒡根一两

右一味细剉，捣汁，渐渐服之。

（《圣惠方》）

17　螳螂窠丸方

治小儿咽喉肿痛塞闷，宜服螳螂窠丸。

桑树上螳螂窠一两，烧灰　马勃半两

右件药，同研令匀，炼蜜和丸，如梧桐子大，三岁以下，每服煎犀角汤研下三丸，三岁以上，渐渐加之。

（《圣惠方》）

18　鸡子绿豆粥方

张子和治小儿暑月泄泻无度。宜食鸡子绿豆粥。

鸡子五枚　绿豆一合

右二味共煮熟，令豆软，下陈仓米作稀粥，搅令粥温，食就，以鸡子压之，吃一二顿，病减而安。

（《经验良方》）

19　鸡子炒黄蜡方

治小儿泄泻不止，宜食鸡子炒黄蜡。

鸡子一枚

右将鸡子一个，打破，入铫子内，同黄蜡一块，小指头大，炒熟，如常啖之。

（《得效方》）

20　柿子粥方

治小儿秋痢，宜食柿子粥。

干柿饼二枚，细切　粳米二合

先煮粥，欲熟时下柿，更三五沸，令儿饱食。

（《备预百要方》）

21　椒姜馄饨方

治小儿冷痢，宜食椒姜馄饨。

椒子焙干，末　干姜末，等分

以醋和面，作小馄饨二七枚，以水煮熟，停冷，空心粥下，日一度。

（《备预百要方》）

22 蒲根粥方

小儿热痢，宜食蒲根粥。

蒲根一两，细切 粟米一合

水一大盏，同煎米熟，取汁，温服。

（《备预百要方》）

23 马齿菜汁粥方

治小儿血痢不差，马齿菜汁粥主之。

马齿菜汁一合 蜜半合 粟米一合

右以水一大盏，煮作粥，后入二味和调，食前服之。

（《圣惠方》）

24 猪子肝方

猪子肝治小儿久痢。

猪子肝一具

右切作片，炙熟，空心食之。

（《寿亲养老书》）

25 没食子馄饨方

治小儿久痢不愈，诸药不效。宜食没食子馄饨。

没食子二个，切

右熬令黄，研细，和面作馄饨食之。

（《卫生易简方》）

26 槐花散方

治泻痢脱肛病，宜食槐花散。

槐花一两，研为细末

右以米饮调末服，吃后即安乐。

（《海上仙方》）

27　龟头散方

治小儿大肠虚冷，久脱肛，龟头散主之。

龟头一枚，枯死者，涂酥炙令黄焦　卷柏一两　龙骨一两

右件药，捣细罗为散，以散一钱傅上，挼按纳之。

（《圣惠方》）

28　浆水葱白粥方

治小儿小便不通，肚痛，浆水葱白粥主之。

粟米二合　葱白三七茎，去须，细切

右件，以浆水煮作稀粥，临熟，投葱白，搅令匀，温温食之。

（《圣惠方》）

29　五苓散方

治小儿通身浮肿，小便不利。宜食五苓散。

五苓散三钱

右用长流水加灯心煎，时时灌之，更于避风暖处频浴，汗出则肿消自愈。

（《卫生易简方》）

30　牡丹粥方

治小儿癖瘕病。

牡丹叶　漏芦去芦头　决明子各一两半　雄猪肝去筋膜，切，研，二两

右以水二升，煎前三味，去滓，取一升半，入猪肝及粳米二合煮粥，如常法，空腹食之，随儿大小加减。

（《寿亲养老书》）

31　当归散方

小儿胎寒，多患昼夜啼，因此成痫，宜服当归散。

当归末如豆大

右以乳和，灌口令咽之，日夜三五。

（《备预百要方》）

32　柏子仁散方

小儿卒惊啼，状如物刺，宜服柏子仁散。

柏子仁一两

右一件，捣为末，以乳和，灌口令咽之日夜三五。

（《备预百要方》）

33　甘草煮黑豆方

冬月小儿，解诸热毒，老人亦宜服之。甘草煮黑豆。

大黑豆三升，净洗　甘草三两，细剉

右用水六升，煮令烂熟，时时以三五十颗与小儿食之，汁亦可服。

（《寿亲养老书》）

34　鸡内金散方

治小儿疳积，腹大，消瘦，日晡潮热，宜食鸡内金散。

鸡内金四两，炒，研末　鸡肠二两，治净，烘干，炒，研末　神曲一两炒，研末

右和匀，每服一钱，日三服，食后米汤饮下。

（《经验方》）

35　又方

山楂一两，炒　麦芽一两，炒　荷叶五钱，切丝　陈皮三钱，切

右四件，以水一升，煮至八合，去滓，入白糖一钱，每饮一合，日三服。

（《备预百要方》）

36　山药四物汤方

治幼儿牙齿不生，宜用山药四物汤。

当归一两　川芎五钱　干地黄五钱　白芍一两　山药一两　炙甘草五钱

右六件捣罗为末，每取二钱，以水二盏，煮为一盏，去滓，下米一合，煮为粥，入糖食之。同时取药末少许，热汤调为糊，搽齿根。

（《得效方》）

三十八、目病食医诸方

简论：夫目者肝之官，肝脏藏血，荣养于目；腑脏劳伤，血气俱虚，不能荣养于目，故目暗也。若风热之气，在于脏腑，虚实不调，故上冲于目，则令赤痛，久不能差，变生肤翳者，眼睛上有物如蝇翅是也，宜以食疗之。

（《圣惠方》）

1 猪肝羹方

治肝脏虚弱，远视无力，补肝。猪肝羹主之。

猪肝一具，细切，去筋膜　葱白一握，去须，切　鸡子三枚[1]

右以豉汁中煮作羹，临熟打破鸡子投在内，食之。

（《神巧万全方》）

【校注】

[1] **三枚**　《寿亲养老书》作“二枚”。

2 又方

青羊肝一具，细切，水煮熟，漉干

右以盐、酱、醋调和，食之立效。

（《神巧万全方》）

3 又方

葱子半升[1]，炒熟

右捣细，罗为散，每服一匙，以水二大盏，煎取一盏，去滓，下米煮粥食之。

（《必用之书》）

【校注】

[1] **半升**　《寿亲养老书》作“半斤”。

4　乌鸡肝粥方

治肝脏风虚，目暗，乌鸡肝粥主之。

乌鸡肝一具，细切

右以豉汁中，和米作羹粥食之。

（《神巧万全方》）

5　马齿实拌葱粥方

治青盲白翳，明目除邪气，利大肠，去寒热，马齿实拌葱豉粥主之。

马齿实一升

右件，捣罗为末，每次一匙，煮葱豉粥，和搅食之。马齿菜作羹粥吃，并明目极佳。

（《圣惠方》）

6　兔肝粥方

治目暗青盲，明目兔肝粥主之。

兔肝一具，细切

右以豉汁中作粥，空心食之，以效为度。

（《圣惠方》）

7　栀子仁粥方

治[1]热发眼赤涩痛，栀子仁粥主之。

栀子仁一两

右捣罗为末，分为四分，每服，用米三合，煮粥，临熟时，下栀子末一分，搅令匀，食之。

（《神巧万全方》）

【校注】

[1] **治**　其后，《寿亲养老书》有“老人”二字。

8　竹叶粥方

治[1]膈上风热，头目赤痛，目视䀮䀮，竹叶粥主之。

竹叶五十片，洗净　石膏三两　沙糖一两　浙粳米二两

右以水三大盏，煎石膏等二味取二盏，去滓，澄清用，煮粥，粥熟入沙糖，食之。

（《必用之书》）

【校注】

[1] **治**　其后，《必用全书》有“老人”二字。

9　羊肝羹方

治目暗及赤痛，宜食羊肝羹。

羊肝一具　菟丝子一两

右研，煮取汁，滤之，溲面服之，仍以羊肝炒作羹食之。

（《运化玄枢》）

10　生地黄粥方

治目赤肿，及治每睡起时赤，须臾又白，名血热，非肝病也。宜食生地黄粥。

生地黄自然汁三合　粳米三合

右二味，先用瓷瓶煎汤一升，令沸，下地黄及米煮成薄粥，半饱饥饮一两盏即睡，三次立效。

（《得效方》）

11　莲实粥方

益耳目聪明，补中强志，莲实粥主之。

嫩莲实半两，去皮，细切　粳米三合

右先煮莲实令熟，次以粳米作粥，候熟，入莲实搅令匀，热食之。

（《圣惠方》）

12　鸡头实粥方

益精气，强志意，聪利耳目，鸡头实粥主之。

鸡头实三合

右煮令熟，去壳，研如膏，入粳米一合，煮粥，空腹食之。

（《圣惠方》）

13　苍耳子粥方

治目暗耳[1]不聪，苍耳子粥主之。

苍耳子半两　粳米半两

右捣苍耳子烂，以水二升，绞滤取汁，和米煮粥食之，或作散煎服亦佳。

（《圣惠方》）

【校注】

[1] **耳**　《必用全书》《寿亲养老书》无此字。

14　蔓菁子粥方

补中明目，利小便，蔓菁子粥主之。

蔓菁子二合　粳米三合

右捣碎，入水二大盏，绞滤取汁，着米煮粥，空心食之。

（《圣惠方》）

15　牛胆丸方

治内障目翳，宜服牛胆丸。

象胆半两　熊胆一分　鲤鱼胆七枚　牛胆半两　麝香一分　石决明细粉一两

右共和匀，阴干，研为末，糊丸绿豆大，每茶下十丸，日二服。

（《经验方》）

16　又方

绿豆皮　白菊花　谷精草

右三味等分，研末，每服一钱。另用干柿饼一枚，粟米泔一盏，同煮干，食柿，日三服，半月见效。

（《经验方》）

17 鲤鱼胆方

治目赤障翳，宜点鲤鱼胆。

鲤鱼胆十枚

右取汁（或青鱼胆汁）频频点之。或将各种动物胆汁滴铜镜上，阴干，竹刀刮下，每点少许。一方用熊胆，入冰片少许点之。

（《经验方》）

18 黑大豆丸方

治目翳内障，视物不清，宜食黑大豆丸。

黑豆一升，研细末

右为丸如黑豆大。从初一到十五，逐日增服一丸，到月中服十五丸。从十六日以后，逐日减服一丸，即十六日服十四丸，到三十日服一丸。连服三个月见效。

（《经验方》）

19 决明子丸方[1]

治目昏暗，不能视物，宜食决明子丸。

决明子五两　地肤子三两　蔓菁子二两

右为末，丸如梧子大，每米饮下二十五丸，日服，取效。

（《经验方》）

【校注】

[1] 此方亦治肝阳上亢之头痛头晕、目昏、大便闭。

20 又方

猪肝四两　夜明砂一钱，研末

右先将夜明砂末扎入猪肝内煮食之，啜汁，取效。

（《经验方》）

21　又方

羊肝一具，切　黄连一两，研细末　熟地二两，细切

右三味同捣罗为散，每取三钱和米煮粥食之。每日二次，以复明为度。

（《经验方》）

22　决明子粥方

治失明。

决明子一两，捣末

右以水一升，煎至八合，去滓，入米二合，煮粥，分二度食之。

（《粥谱》）

23　菊花粥方

主明目，清风眩。

菊花一两，去蒂，研粉　粳米三合

右先以水煮米为粥，粥熟，入菊花粉，搅匀，煮沸，分三度食之。若泻，则少食之。

（《老老恒言》）

24　荠菜粥方

治目昏暗，视物不清，宜食荠菜粥。

荠菜四两，捣汁　粳米三合

右先将粳米煮成粥，临熟，下荠菜汁，煮沸食之。

（《本草纲目》）

25　栀子仁粥方

治红眼，赤热痛，羞明，红肿，宜食栀子仁粥。

栀子仁一两，捣罗为末　粳米三合

右先将米煮为稀粥，临熟入栀子仁末一钱五分，调匀食之。

(《圣惠方》)

26　又方

竹叶五十片　石膏三两，捣碎　沙糖二钱

右先以水三大盏，煎竹叶、石膏，至一盏半，去滓，入米二合，煮成稀粥，临熟，入沙糖搅匀食之。

(《老老恒言》)

27　菊花茶方

治头昏头胀痛，目赤涩，宜饮菊花茶。

鲜芦根一两　鲜青果五枚　鲜菊花三钱　霜桑叶二钱

右三件，沸水冲泡，代茶饮。

(《饮食辨录》)

三十九、耳鼻病食医诸方

简论：夫耳鸣耳聋者，肾为足少阴之经而藏精，其气通于耳。耳，宗脉之所聚，若精气调和，则肾气强盛，五音分晓；若劳伤血气，兼受风邪，损于肾脏，而精气脱，则耳聋也。血气不足，宗脉即虚，风邪乘虚，随入耳中，与气相击，则为耳聋也。

(《圣惠方》)

1　鹿肾粥方

治肾气虚损，耳聋，鹿肾粥主之。

鹿肾一对，去脂膜，切　粳米二合

右于豉汁中相和，煮作粥，入五味，如法调和，空腹食之，作羹及入酒，并得食之。

(《卫生易简方》)

2　猪肾粥方

治肾脏气惫耳聋，猪肾粥主之。

豮猪肾一对，去脂膜，细切　葱白二茎，去须，切　人参一分，去芦头，末　防风一分，去芦头，末　粳米二合　薤白七茎，去须，切

右先将药末并米、葱、薤白，着水下锅中煮，候粥临熟，拨开中心，下肾，莫搅动，慢火更煮良久，入五味，空腹食之。

（《圣惠方》）

3　白鹅膏粥方

治五脏气壅，耳聋，白鹅膏粥主之。

白鹅脂二两　粳米三合

右件和煮粥，调和以五味、葱、豉，空腹食之。

（《圣惠方》）

4　磁石肾羹方

治久患耳聋，养肾脏，强骨气，磁石肾羹主之。

磁石一斤，捣碎，水淘去赤汁　绵裹猪肾一对，去脂膜，细切

右以水五升，煮磁石，取二升，去磁石，投肾调和，以葱、豉、姜、椒作羹，空腹食之，作粥及入酒并得，磁石常用煎之。

（《寿亲养老书》）

5　乌鸡脂粥方

治耳聋久不差，乌鸡脂粥主之。

乌鸡脂一两　粳米三合

右相和煮粥，入五味调和，空腹食之。乌鸡脂和酒饮亦佳。

（《圣惠方》）

6　鲤鱼脑髓粥方

治耳聋久不差，鲤鱼脑髓粥主之。

鲤鱼脑髓二两　粳米三合

右煮粥，以五味调和，空腹食之。

7 干柿粥方

治耳聋及鼻不闻香臭，干柿粥主之。

干柿三枚，细切　粳米三合

右于豉汁中煮粥，空腹食之。

（《卫生易简方》）

8 何首乌粥方

治血虚头昏耳鸣，宜食何首乌粥。

何首乌一两，切，制　粳米三合　红枣三枚

先以水一升煮何首乌，煮至七合，去滓，下米、红枣煮为粥食之。

（《遵生八笺》）

9 耳聋左慈丸方[1]

治肾虚耳鸣、耳聋，兼见腰膝酸痛，宜服耳聋左慈丸。

熟地八钱　山萸肉四钱　山药四钱　丹皮三钱　泽泻三钱　茯苓三钱　柴胡一钱　煅磁石一钱

右八件，捣罗为末，炼蜜为丸，每钱药制为二十丸，每日一次，每次服三钱。

（《小儿药证直诀》）

【校注】

[1] 此方即六味地黄丸加柴胡、磁石。

10 菖蒲丸方

治耳聋。

九节菖蒲四两　苍术二两

右二件，以米泔水浸七日，取出苍术，将菖蒲蒸二三时取出，将二件焙干，捣罗为末。每取二钱，入糯米粥食之。一日三次。

（《证治准绳》）

11 枯矾散方

治耳内流脓汁，宜用枯矾散。

白矾烧末

右研细末，入麝香少许，用时先将耳内脓汁蘸干，再吹少许粉入耳内患处。

（《卫生易简方》）

12 又方

白矾煅成白灰，一钱　胭脂一两

右二件，研末，用棉棒引药入耳，令到病处，糁之即干。

（《备预百要方》）

13 苍耳四物粥方

治鼻渊[1]，流出臭涕，宜食苍耳四物粥。

当归三钱　熟地三钱　赤芍二钱　川芎一钱　白芷二钱　苍耳子三钱　鱼腥草五钱

右七件，以水一升半，煮取一升，去滓，入米三合，煮粥，分二度食之。

（《经验效方》）

【校注】

[1] **鼻渊**　此病极难根治，每因劳累或感冒即复发。早晚按摩鼻孔两侧，经常坚持按摩，可以减少发作。

四十、口舌病食医诸方

简论：心主血脉，舌为心之苗。心火盛，则口舌生疮，治宜泻心火。脾开窍于口，脾热，则口舌糜烂，治宜清泻脾热。又胃热盛则口臭，治宜清胃热，勤漱口。

（尚志钧）

1 导赤散方

治口舌生疮，小便短赤，尿道刺痛。宜服导赤散。

生地黄一两　生甘草一两　木通一两

右三件，剉碎，捣罗为末，每取三钱，以水煎淡竹叶三钱取汁送服。

（《小儿药证直诀》）

2　冰硼散方

治口舌生疮肿痛，宜搽冰硼散。

冰片五分　硼砂五钱　西瓜霜五钱　朱砂六分

右四件，捣罗为末，每用少许吹、搽患处。甚者日搽五六次。

（《外科正宗》）

3　又方

冰片三分　黄柏一两　硼砂三钱　薄荷五钱　玄明粉三钱　生石膏一两

右六件，捣罗为末，炼蜜为丸如龙眼大，每次一丸，噙化，治口舌疮肿痛。

（《景岳全书》）

4　玉女粥方

治口舌生疮糜烂，疼痛，食热饮热，其痛益甚，宜食玉女粥。

生石膏三钱　熟地五钱　麦冬二钱　沙参三钱　玉竹三钱　牛膝一钱　玄参二钱　木通一钱　知母二钱　黄柏二钱

右十件，以水一升，煮取半升，滓再煮一次，取汁半升，两次煮汁合并，入米三合，煮粥，分二次食之。

（《景岳全书》）

5　又方

治口舌糜烂，用锡类散外掺。

牛黄五厘　人指甲五厘　冰片三厘　珍珠三分　象牙三分　青黛六分　壁钱二十枚，焙干

右七件，捣罗为细末，每用少许，吹患处。

（《经验方》）

6　泻脾饮方

治小儿鹅口疮[1]，口腔舌满布白色糜点，形如鹅口，宜用泻脾饮。

防风一钱　白芷一钱　升麻一钱　黄连一钱　黄芩一钱　石斛一钱　枳壳五分　生甘草五分

右八件，捣罗为末。每用一钱，水煎服。

（《济生方》）

【校注】

［1］本病，也可外用儿茶、青黛等分为末掺患处。

7　又方

藿香叶七钱　石膏五钱　栀子一钱　生地一钱，焙干　黄连一钱

右五件，捣罗为末。每用一钱，水煎服。

（《小儿药证直诀》）

8　丁香方

治口臭气，含丁香。

丁香一钱

每取一枚，含口中噙化，可改口臭。

（《梦溪笔谈》）

四十一、牙病食医诸方

简论：牙齿属于肾，肾主骨，齿为骨之余。肾气盛则齿固，肾气衰则齿脱。齿畏酸，凡食物残滓及甜食品极易化酸损牙齿，食后、早晚宜漱口为佳。牙龈与胃火有关，胃火重则口臭，牙龈牙根肿痛，治宜清胃火为主。

（尚志钧）

1　六味地黄丸方

牙齿松动欲脱，宜食六味地黄丸。

熟地八钱　山药四钱　山萸肉四钱　丹皮三钱　泽泻三钱　茯苓三钱

右六件捣罗为末，炼蜜为丸，每钱药制二十丸。每服三钱，日一服。

（《小儿药证直诀》）

2　细辛方

治蛀牙痛，细辛揉团塞之。

细辛五分

右一件，按蛀牙孔大小，揉成小圆球，塞孔内，待痛止漱掉。

（《食物本草》）

3　又方

蜀椒五粒，去目

右一件，取皮壳，揉成团，塞蛀牙洞内，待痛止漱去。

（《食物本草》）

4　清胃汤方

治牙龈肿痛，牙缝出血，宜服清胃汤。

生石膏四钱　升麻一钱　丹皮一钱五分　黄连二钱　黄芩二钱　生地三钱　当归三钱

右七件，以水二盏，煮为一盏，去滓取汁，分二次服。

（《外科正宗》）

5　桃红白芷粥方

治牙痛如针刺，痛时牵引头面，久不愈，面暗黑，宜食桃红白芷粥。

桃仁三钱，打碎　红花三钱　赤芍三钱　川芎五钱　当归五钱　制乳香三钱　制没药三钱　僵蚕三钱　全蝎三钱　钩藤三钱　细辛一钱　白芷三钱

右捣罗为末，每取二钱，入稀粥食之，日三服。

（《经验方》）

6　黄连上清散方

治牙痛引头面痛，宜服黄连上清散。

大黄二钱　黄连二钱　黄柏二钱　黄芩一钱　川芎一钱　白芷三钱　栀子一钱　连翘一钱　薄荷一钱　菊花二钱　甘草一钱　桔梗一钱　荆芥一钱　防风一钱

右研细末，每次二钱，米汤送服，一日三次。

（《经验方》）

7　又方

升麻一钱　生地五钱　丹皮三钱　黄连三钱　当归五钱　生石膏五钱，捣碎　夏枯草五钱　川芎一钱　白芷一钱　青黛一钱　薄荷一钱

右以水一升半，煮取一升，去滓，入米三合，煮粥，分二次食之。滓，再煮再服。

（《医宗金鉴》）

四十二、喉痹食医诸方

简论：喉痹为咽喉肿痛、闭塞通称。其发病和病程演变不危急，咽喉红肿疼痛不重，有轻度吞咽不适，或声音低哑，或有寒热。外感、内伤均可引起，外感以风热居多，内伤以阴虚为常见。

（尚志钧）

1　清咽利膈汤方

治咽喉肿痛，吞咽不顺，恶寒发热，宜服清咽利膈汤。

玄明粉二钱　大黄一钱　生甘草二钱　荆芥一钱　防风一钱　桔梗二钱　牛蒡子二钱　银花三钱　连翘三钱　黄连一钱　黄芩一钱　栀子一钱　玄参二钱　薄荷一钱

右以水煎两次，两次煎液合并，分二次服。

（《喉科紫珍集》）

2　沙参麦冬饮方

治咽喉肿痛，吞咽时痛甚，口干，咽干，宜服沙参麦冬饮。

生甘草五钱　桔梗五钱　沙参五钱　玄参五钱　天门冬五钱　麦门冬五钱　乌梅肉一钱

右七件，捣罗为末，每取五钱，以水一盏，煮沸，当茶饮。

（《易简方》）

3　胖大海茶方

治咽喉干，声音嘶哑，宜饮胖大海茶。

胖大海五钱　蜂蜜半匙

右二件，以水一盏煮沸，代茶，时时呷之。

（《易简方》）

4　蒲公英粥方

蒲公英二两，切碎　粳米二合

右一件，以水一升，煎取五合，去滓取汁，滓再煎一次，取汁。两次煎汁合并，下米二合，煮粥，临熟，入蜜一匙，搅匀，食之。

（《粥谱》）

5　冰玉散方

治咽喉肿痛[1]，宜用冰玉散。

生石膏一两　硼砂七钱　冰片三分　僵蚕一钱　青黛五钱　牛黄三钱　珍珠粉三钱

右七味，捣罗为末，密贮，吹敷患处。

（《景岳全书》）

【校注】

[1] **咽喉肿痛**　此病，用土牛膝根和人乳捣烂，绞取汁灌之，亦效。

6　米醋方

治鱼刺卡喉，频频滴米醋咽之。

米醋一两

右一味，频频用芦苇管吸几滴米醋下咽。

(《经验方》)

7　梅花粥方

治梅核气，喉中如有物，吐之不出，咽之不下，状如炙脔，宜食梅花粥。

白梅花三钱，捣为细末　粳米三合

先以水八合煮粳米为粥，临熟，下梅花末，搅匀，煮沸食之。

(《粥谱》)

8　又方

半夏五钱　茯苓四钱　紫苏叶二钱　厚朴三钱　生姜二钱

右用水一升二合，煮至八合，去滓，入米三合，煮粥食之。

(《易简方》)

四十三、瘿瘤食医诸方

简论：瘿瘤生于颈部，俗称大脖子病。《诸病源候论》谓瘿由忧恚气结所生，亦曰饮沙水所致。沙水指缺碘质之水。此病多见于女性患者。其症除颈部有肿块外，多有急躁易怒胸闷。治宜散结疏郁。

(尚志钧)

1　四海舒郁丸方

治气瘿[1]，颈部瘿块，软而带坚，皮色如常，肿块随喜怒而消长，宜服四海舒郁丸。

海藻二两　海带二两　昆布二两　海蛤三钱　海螵蛸二钱　陈皮三钱　青木香五钱

右七件，捣罗为末，炼蜜为丸，每丸相当药末三钱，每日三次，每服一丸。

(《疡医大全》)

【校注】

[1] **气瘿**　此病愈后，用黄药子四两、酒三壶，煮三炷香，放地窖中七日后，早晚各饮两杯，以除病根。

2　海藻玉壶散方

治瘿瘤初起，或肿或硬，而未破者，宜服海藻玉壶散。

贝母一两　青皮一两　陈皮一两　半夏一两　当归一两　川贝一两　海藻一两　昆布一两　海带五钱　独活一两　连翘五钱

右焙干研末，每日早晚各服三钱，以夏枯草一两煎汤送下。

（《外科正宗》）

3　海藻汤方

治颈瘿肿大，结块如肉团柔韧，随吞咽能上下移动，宜服海藻汤。

海藻一两　海带一两　昆布一两　乌贼骨一两　生牡蛎一两　海蛤粉三钱　陈皮二钱　木香三钱　山慈姑五钱

右研细末，每服三钱。以黄药子三钱，夏枯草煎汤送服，日二服。

（《疡医大全》）

4　又方

海藻一两　昆布一两　松萝一两　细辛五钱　半夏一两，姜制　海蛤粉一两　白蔹一两　土瓜根一两　槟榔一两

右研细末，每次二钱，以夏枯草一两煎汤送服，日二服。

（《圣惠方》）

5　海藻散坚汤方

治颈前喉部一侧或双侧，生坚硬结块，高低不平，位置固定，不随吞咽动作上下移动。此为石瘿，宜服海藻散坚汤。

柴胡三钱　枳壳三钱　白芍五钱　制香附三钱　黄药子三钱　川芎二钱五分　陈皮二钱　半夏三钱　海藻五钱，洗去盐　昆布五钱　玄参四钱　生牡蛎一两，捣碎　瓦楞子五钱　大贝母三钱　松萝茶三钱

右以水一升半，煮取一升，去滓，分二服。滓，再煮再服。每日一剂，以图消散。

（《杂病源流犀烛》）

四十四、瘰疬食医诸方

简论：瘰疬一名鼠疮。独个名结核，多个相连名瘰疬。多生于耳下及颈项。推之能动为阳实，推之不动为阴虚。前者初起易消，已成易溃，溃后易收口；后者初起难消，已成难溃，溃后难收口。治宜初起促消，已成促溃，溃后促收口。

（尚志钧）

1 蝎桃膏方

治瘰疬初起累累数相连，皮色不变，气血未亏，宜服蝎桃膏。

全蝎五钱，焙干，研末　胡桃肉四两，炒熟

右二味，捣烂，研匀，每日二次，每次一羹匙，调入稀粥食。

（《疡医大全》）

2 又方

煅牡蛎五两　玄参五两，切，焙干　土茯苓二钱五分

右三件，捣罗为末。早晨取二钱五分和入稀粥食，晚服二钱。

（《疡医大全》）

3 又方

青皮一两　陈皮一两　贝母一两　海带一两

右四件，捣罗为末，炼蜜为丸如弹子大，每服一丸。

（《疡医大全》）

4 消疬丸方[1]

治瘰疬久不溃，或溃后久不敛口，宜服消疬丸。

玄参三两　浙贝母二两　煅牡蛎十两　三棱二两　莪术二两　血竭一两　生乳香一两　生没药一两　生黄芪四两　龙胆草二两

右十味，捣罗为末，炼蜜为丸，每丸含药末三钱，一日两次，每次一丸，用海

带五钱，切丝煎汤送服。

（《医学衷中参西录》）

【校注】

[1] 此方只有连服三个月才见效，非短时内即收功。

四十五、脱发食医诸方

简论： 肾主发，发为血之余。肾虚则发不固，血虚则发落。治宜补肾益血。又营能生血，营气虚则发白，故治发白宜养营。

（尚志钧）

1 当归散方

治斑秃，即小块头发全脱，宜服当归散。

当归四两，切

右一味，捣罗为细末，每日早晚各服三钱。

（《证治准绳》）

2 又方

当归　黄芪　红花　川芎各一两　生姜汁一两

右以白酒一斤，浸泡十日，每日三次，每次用药棉棒蘸药酒涂患处。

（《经验方》）

3 何首乌粥方

治中、少年头发花白，宜食何首乌粥。

何首乌一两　熟地一两　当归五钱　枸杞子五钱　女贞子五钱　旱莲草五钱

右六件，以水一升半，煮取一升，去滓，入米三合，煮粥，分二次食之，早晚各食一次。常服，白发转黑。

（《粥谱》）

4 黄芪当归粥方

治头发零星散落，起床时，枕头上有头发，宜食黄芪当归粥。

黄芪二两　当归一两　枸杞子五钱　覆盆子五钱　续断五钱　何首乌一两　地骨皮三钱　菊花三钱　车前子二钱　远志二钱　石菖蒲二钱　细辛一钱　熟地一两　巴戟天五钱　白术三钱

右十五件，捣罗为末。每取二两，水三盏，分三次煮，将三次煮汁合并，入米二合煮粥，临熟，下蜂蜜半匙，分二次食之，早晚各食一次。服至头发不落为度。

（《景岳全书》）

四十六、瘙痒食医诸方

简论：《素问》云："诸痛痒疮，皆属于心。"心主血脉。血虚血燥则生风，风胜则痒。治宜养血润燥，祛风止痒。

（尚志钧）

1　当归胡麻粥方

治皮肤瘙痒剧烈，遇热更甚，夜晚亦甚，宜食当归胡麻粥。

当归二钱　生地三钱　胡麻仁三钱　荆芥二钱　防风二钱　牛蒡子三钱　僵蚕二钱　蝉蜕一钱　薄荷二钱　石膏三钱　知母三钱　苦参三钱

右以水一升，煮取半升，滓再煮一次，两次煮汁，下米三合，煮粥食之。

（《外科正宗》）

2　荆芥防风粥方

治皮肤瘙痒，遇风遇冷加剧，宜食荆芥防风粥。

荆芥二钱　防风二钱　川芎二钱　羌活一钱　藿香叶二钱　僵蚕三钱　蝉蜕一钱

右以水一升，煮取半升，滓再煮一次，两次煮液合并，入米三合，煮粥食之。

（《卫生宝鉴》）

3　熟地首乌粥方

治皮肤瘙痒不止，夜不得寐，入冬尤甚，大便干，宜食熟地首乌粥。

黄芪五钱　党参五钱　生地三钱　熟地三钱　何首乌三钱　当归三钱　玄参三钱　白蒺藜三钱　僵蚕一钱五分　全蝎一钱　地骨皮三钱　红花一钱　桃仁一钱　赤芍三钱

右以水一升，煎取半，去滓，早晚分一服。滓，再煮服。

(《医宗金鉴》)

四十七、令人肥白食医诸方

1 酿猪肚方

治虚损不足，令人肥白，悦颜色，酿猪肚食之。

猪肚一枚，净洗　白石英一两，捶碎　生地黄切，一两　紫石英一两，捶碎，与白石英同绵裹　川椒三十粒，去目及闭口者，微炒去汗，捣末　饙饭半两　盐少许　葱白三五茎，去须，切

右拌和诸药等，内猪肚中，以麻线缝定，蒸令烂熟，取出石英，细切，任性食之。

(《圣惠方》)

2 药肉粥方

治虚损羸瘦，驻颜色，或女人产后虚羸等疾，药肉粥食之。

羊肉二斤　当归剉，微炒　白芍药　熟干地黄　黄芪各半两　生姜一分，切　粳米三合

右以精肉，留四两，细切，余一斤十二两，先以水五升，并药，煎取汁三升，去滓，下米煮粥，欲熟，入生肉，更煮令熟，用五味调和，空心食之。

(《圣惠方》)

3 鸡子索饼方

治虚损羸瘦，令人肥白光泽，鸡子索饼食之。

白面四两　鸡子四两　白羊肉四两，炒作臛

右以鸡子清，溲作索饼，于豉汁中煮令熟，入五味，和臛，空腹食之。

(《圣惠方》)

四十八、令人瘦食医诸方

简论：俗语云：“胖子不是吃的，瘦子不是饿的。”这句话说明胖、

瘦各人不同。一般人到四十岁以后，多数会发胖。胖并不是坏事。唐代人视肥胖为美。但是过于胖，就是一种病态了。动则气急，心悸，且易中风。对过于肥胖者，宜适当控制食量，加强锻炼身体。用药物治疗，效果很差。有些药还会引起副作用。

（尚志钧）

1　防己苡仁粥方

治肥胖身沉重，嗜睡，口中黏腻，舌胖，苔滑腻，宜食防己苡仁粥。

陈皮二钱　苍术二钱　厚朴二钱　半夏二钱　茯苓五钱　苡仁五钱　防己三钱　茵陈三钱　白术三钱　桂枝二钱　泽泻三钱

右以水一升半，煮取一升，去滓，入米三合，煮粥食之。滓，再煮代茶饮。

（《证因脉治》）

2　又方[1]

荷叶两张，细切　防己五钱　苡仁一两

右以水一升，煮至半升，去滓，入赤小豆一两，煮烂，食豆喝汤。

（《杨氏家藏方》）

【校注】

[1] 此方能降低血脂。

3　绿茶方

治多食善饥，不渴，尿亦不多，但发胖，宜吃绿茶。

绿茶一钱　决明子一钱

右以烫开水冲泡当茶吃，每日一剂。

（《经验方》）

4　茯苓茵陈粥方

治人肥胖臃肿，食少便溏，四肢微浮肿，宜食茯苓茵陈粥。

黄芪五钱　防己五钱　白术五钱　何首乌三钱　丹参三钱　生山楂三钱　川芎三钱

茯苓五钱　泽泻三钱　茵陈二钱　淫羊藿三钱　党参三钱

右以水一升半，煮取一升，入米三合，煮粥，分二次食之。滓，再煮当茶饮。

(《经验方》)

5　又方

陈皮一钱　制半夏三钱　茯苓五钱　枳壳二钱　大黄一钱　茵陈一钱　甘草一钱　苡仁五钱

右以水一升，煮取半升，去滓，分二服。滓，再煮当茶饮。

(《经验方》)

6　丹参粥方[1]

治肥胖，面赤，舌紫暗，有瘀斑，心烦易怒，宜食丹参粥。

木香一钱　香附一钱　丹参一钱　赤芍一钱　郁金一钱　红花一钱　生山楂一钱　青皮一钱　大黄一钱　泽泻一钱　茯苓一钱

右以水一升，煮取半升，去滓，入米煮粥食。滓，再煮当茶吃。

(《景岳全书》)

【校注】

[1] 此方服后如有出血迹象，应停药。

7　昆布羹方

治人过于肥胖，宜食昆布羹。

昆布四两，洗去咸味，细切

右以水煮极烂，入盐、醋、姜、橘、椒末五味调和食之。每日一剂。

(《食物本草》)

四十九、酒醉食医诸方

1　枳椇粥方

枳椇粥，治酒醉。

枳椇二两　粳米二合

右以水一升五合煮枳椇，取一升，去滓，入米煮稀粥，分二度食之。

（《老老恒言》）

2　小豆葛花茶方

治中酒毒，呕吐烦乱，宜饮小豆葛花茶。

赤小豆二两　葛花三钱

右二件，以水一升，煮到豆烂，徐徐饮之。

（《苏东坡方》）

3　葛花解醒汤方

治饮酒太过，呕吐痰涎，头昏，头痛，饮食减少，宜服葛花解醒汤。

葛花五钱　砂仁五钱　白豆蔻仁五钱　青皮一钱　陈皮一钱　木香五分　党参二钱　白术一钱　茯苓三钱　猪苓二钱　泽泻二钱

右十一件，捣罗为末，每服三钱，白汤调下。

（《脾胃论》）